1 MONTH OF
FREE
READING

at

www.ForgottenBooks.com

By purchasing this book you are
eligible for one month membership to
ForgottenBooks.com, giving you
unlimited access to our entire
collection of over 1,000,000 titles via
our web site and mobile apps.

To claim your free month visit:

www.forgottenbooks.com/free348347

ISBN 978-0-428-26294-5
PIBN 10348347

Oesterreichisches Jahrbuch

für

PAEDIATRIK.

97509

Herausgegeben von

Professor Dr. G. Ritter von Rittershain in Prag

und

Dr. Maximilian Herz in Wien.

Neue Folge

des

„Jahrbuches für Physiologie und Pathologie des ersten Kindesalters."

Jahrgang 1871.

I. Band.

WIEN 1871.

Wilhelm Braumüller

k. k. Hof- und Universitätsbuchhändler.

ORIGINAL-AUFSÄTZE.

I.

Der Ductus arteriosus Botalli
in seinen physiologischen und pathologischen Verhältnissen.

Von

Dr. A. Wraný,

Prosector am Franz Josef-Kinderspitale in Prag.

Nachdem ich an einem anderen Orte [1]) die monographische Zusammenstellung der Anomalien der Fötalwege mit den Krankheiten des Nabels begonnen habe, soll hier vorläufig die Physiologie und Pathologie des arteriösen Ganges in ähnlicher Darstellung nachfolgen.

Anatomische Verhältnisse.

Langer, zur Anatomie der fötalen Kreislaufsorgane (Zeitschr. der k. k. Ges. der Aerzte in Wien. XIII, 1857, p. 328). — Luschka, Anatomie des Menschen. I. Bd. 2. Abth. 1863, p. 434. — Henle, Handb. der Anatomie. III. Bd. 1. Abth. 1868, p. 75. — F. Walkhoff, das Gewebe des Ductus arteriosus und die Obliteration desselben (Zeitschr. f. rat. Med. XXXVI, 1869, p. 109).

Untersucht man die grossen Gefässstämme eines ausgetragenen Kindes, so sieht man den Ductus Botalli als eine conisch verjüngte Fortsetzung der Arteria pulmonalis etwas schräg nach oben, aussen und hinten aufsteigen, um sich etwa 3—4 Mm. von dem Ursprunge der Art. subclavia sin. (also hinter dem sog. Isthmus aortae) unter einem nach innen gerichteten, mehr oder weniger spitzen Winkel in die untere Wand der Aorta einzusenken. Auf diesem Wege liegt er, einige Millimeter über der Umschlagsfalte des Pericadiums beginnend, im hinteren Mediastinum in ein lockeres fettarmes Bindegewebe eingebettet. Seine Länge beträgt im Mittel 1—1·5 Ctm. (in seltenen Fällen 2—4 Ctm.), seine Dicke 5 Mm. und sein verhältnissmässig grosses Lumen ist für die Einführung eines Gänsekieles genügend weit. Die Dicke seiner, im frischen Zustande gewöhnlich blutig imbibirten Wand ist in Folge einer, in der Regel schon bei Neugeborenen in der Mitte nachweisbaren Wucherung der longitudinalen Schichten der Media

---

[1]) Ritter's Jahrb. f. Phys. u. Path. des ersten Kindesalters. 1868. p. 152.

etwas beträchtlicher (in maximo 1·5 Mm.) als die der Aorta und Pulmonalis, nimmt aber gegen die Einmündungsstellen eben so schnell wieder ab, da die Hypertrophie jener Schichten zu dieser Zeit noch nicht eingetreten ist (Walkhoff). Trotzdem ist ihre Resistenz in Folge ihrer lockeren Struktur so gering, dass sich das Rohr bei Injectionen leicht aneurysmatisch erweitert.

Während man früher dem Ductus einen mit den grossen Gefässstämmen übereinstimmenden histologischen Bau zuschrieb, stimmen Langer, Luschka und Walkhoff darin überein, dass dem arteriösen Gange eine durchaus differente Struktur zukömmt, die sich namentlich in der Media durch das Fehlen der in den entsprechenden Schichten der Aorta und Pulmonalis deutlich ausgesprochenen elastischen Faserplatten kundgibt [1]. Nach den gründlichen Untersuchungen Walkhoff's sind die Textur-Verhältnisse in der Mitte des Ganges verschieden von jenen an den beiden Einmündungsstellen. Was zuerst das Verhalten der einzelnen Schichten in der Mitte des Gefässrohres betrifft, so erscheint die Intima bedeutend stärker als an den angrenzenden grossen Gefässstämmen und weicht im Uebrigen nur insoferne von der der genannten Gefässe ab, als ihre Structur eine bedeutend lockerere und die Entwicklung des elastischen Gewebes eine bei weitem geringere ist. In der Media tritt diese Erscheinung noch evidenter hervor; jene scharf contourirten, dicken, elastischen Faserplatten der Aorta und Pulmonalis fehlen hier gänzlich, ebenso auch die in den Interstitien liegenden glatten Muskelzellen; das Gewebe erscheint bei weiten nicht so dicht und dunkel, sondern hell und streifig. Während aber Langer das Vorkommen elastischer Fasern hier vollkommen läugnet, ist nach Walkhoff ein zartes, longitudinal verlaufendes, elastisches Netzwerk vorhanden, in dessen Maschen spindelförmige, theils in longitudinalen, theils in transversalen Lagen verlaufende Zellen eingelagert erscheinen, die er mit Langer für eine Art unfertigen Bindegewebes ansieht, welches sich zur Zeit der Obliteration theils zu eigentlichem Bindegewebe, theils zu elastischen Fasern umwandelt. Beim Neugebornen sind die longitudinalen Züge in der Mitte in der Regel in gleicher, seltener in grösserer oder geringerer Masse vorhanden, wie die querverlaufenden, welche dagegen an den Einmündungsstellen das Uebergewicht haben. Die ganze Construction der Media deutet darauf hin, dass ihr Gewebe unmöglich eine permanente Existenz führen kann, sondern vielmehr bestimmt ist, durch eine schnelle Umbildung das Stadium der Obliteration zu befördern. In der Aventitia weicht die Structur von der der grossen Arterien wenig ab, doch tritt auch hier die sonst hervortretende Prävalenz der elastischen Fasern gegen die stärkere Entwicklung des Bindegewebes wesentlich zurück. Wieder ganz eigener Art sind die Structurverhältnisse an den Einmündungsstellen. An Schnitten, welche aus den grossen Gefässen in den Ductus geführt wurden, erkennt man meist schon mit unbewaffnetem Auge, wie sich aus jenen schmale, weisslich glänzende Streifen in den Anfang des Ductus

---

[1] Rokitansky (Med. Jahrb. 1864. I. p. 139) findet, dass in den Bau des Ductus Botalli Bindegewebs- und musculöse Elemente in einer die elastischen Lamellen der Media überwiegenden Menge eingehen.

hinein erstrecken und sich in dessen mit Blut imbibirtem Gewebe allmälig verlieren. Unter dem Mikroskop betrachtet, sieht man die dicht aneinander liegenden und geschlängelten dunklen Faserplatten der Gefässstämme als zusammenhängendes Bündel konisch schräg nach aussen zur Peripherie des Ganges verlaufen, um dort theils in dessen Adventitia überzugehen, theils, in feinste Fibrillen aufgelöst, an der Bildung jenes, in der Mitte des Ductus erwähnten elastischen Fasernetzes der Media Theil zu nehmen. Auch aus der Intima der grossen Gefässe treten grössere Massen elastischen Gewebes in die des arteriösen Ganges über. —

Die pathologischen Zustände am Ductus Botalli zerfallen in Anomalien der Entwickelung und Anomalien der Involution. Die letzteren betreffen das Verhalten des Ductus im extrauterinen Leben; indess sind auch Fälle bekannt, welche auf eine prämature fötale Obliteration dieses Gefässabschnittes schliessen lassen.

I. Anomalien der Entwickelung.

Haller, de part. corp. hum. Fabr. 1777, VI, p. 263 und Grundriss der Physiologie, 1780, p. 140. — Wrisberg, Göttingische Anzeigen, 1778, Nr. 50. — Hommel, Comm. litt. Norimb. 1737, p. 161. — Sandifort, Obs. anat. path. III, 1779, p. 17. — v. Siebold, Journ. f. Geburtsh. 1836, XVI, p. 294. — Gruber, Prag. Viertelj. tom. IX, 1846, p. 78. — W. Krause in Henle's Anatomie. III. 1. und Zeitschr. f. rat. Med. XXIV, p 226. — Bochdalek jun., Virch. Arch. tom. XLI, p. 259.

Während die Aortenzwiebel (der Truncus communis arteriosus) sich zu den Stämmen der Arteria pulmonalis und Aorta ascendens (rechten und linken Aortenwurzel) umwandelt, gehen auch die fünf aus ihr hervorgehenden Gefässbogen (sog. Kiemen- oder Schlundbogenarterien) Aenderungen ein, durch welche sich der 4. Bogen der linken Seite zum Arcus aortae und der 5. Bogen derselben Seite grösstentheils zum Ductus Botalli umwandelt, während der 4. Bogen der rechten Seite zur Subclavia dextra wird und der 5. Bogen dieser Seite vollständig verödet. Diese Vorgänge fallen, — da Kölliker den Truncus arteriosus in der 5. Woche zwar noch einfach, aber sein Lumen bereits in die Quere gezogen und spaltenförmig fand, während in der 7. und 8. Woche der Truncus schon vollständig geschieden war, — zwischen die 5. und 7. Woche.

Unregelmässigkeiten in diesem Entwicklungsvorgang oder Verschiebungen des Ursprungs geben Veranlassung zu Anomalien, die sich theils als Fehlen des Botalli'schen Ganges, theils als Anomalien seines Ursprunges oder seiner Insertion zu erkennen geben.

1. Mit dem Mangel des Ductus fehlt entweder auch vollständig die Art. pulmonalis oder letztere ist sehr eng, je nachdem die 5. linke Kiemenarterie ganz oder theilweise verödete. Solche

Fälle sind stets mit anderen Bildungsfehlern im Herzen (mangelhafte Entwickelung der Septa etc.) verbunden [1]).

2. Der Ductus entsprang: a) aus dem rechten Ventrikel und inserirte sich an normaler Stelle (Haller und Wrisberg bei Erwachsenen, Haller bei einem 7jährig. Mädchen). — b) aus der Art. pulmonalis sin. (Hommel bei einem Erwachsenen, Sandifort bei einem 7monat. Fötus). — c.) aus der Art. pulmonalis dext. mit normaler Insertion (v. Siebold bei einem cyanotischen Neugebornen, W. Krause [2]) bei einem Erwachsenen).

3. Anomalien der Insertion: a) Der Ductus Botalli gibt, je nach seinem Caliber, entweder der Art. sublavia sin. den Ursprung oder mündet in sie. Die zahlreich beschriebenen Fälle dieser Art [3]) haben eine differente Bedeutung, je nachdem sich der Arcus aortae über den rechten oder linken Bronchus schlägt. Im ersten Falle beruht die Anomalie auf einer vollständigen oder theilweisen Obliteration der 4. linken Kiemenarterie und ihres lateralen Verbindungsstückes mit der 5., sowie der linken absteigenden Aortenwurzel, während entsprechende Aeste auf der anderen Seite zur Entwickelung kommen; in letzteren erklärt sie sich aus einer Verschiebung des Ursprunges der Art. subclavia sin. mit! secundärer Abschnürung der letzteren von der Aorta. — b) Der Ductus Botalli übergeht in den links befindlichen Truncus anonymus, welcher aus dem über den rechten Bronchus verlaufenden Arcus aortae entspringt (Gruber: Entwickelung der linken aufsteigenden Aortenwurzel, linken 4. Kiemenarterie und ihres lateralen Verbindungsstückes mit der 5. zur Art. subclavia sin., Obliteration der linken absteigenden Aotenwurzel, Ausbildung entsprechender Kiemenarterien der rechten Seite).

Einige Fälle von sonst normaler Insertion des Botallischen Ganges bei Transposition der Aorta beweisen, dass sich derselbe in diesen Fällen anomaler Weise aus dem laleralen Ende der 5. rechten Kiemenarterie entwickelt hat [4]).

Schliesslich wäre hier noch die Transposition des arteriösen Ganges bei Situs inversus cordis (als consecutive Theilerscheinung der veränderten Lage des Embryo auf der Dotterkugel, wobei die eigentlich der linken entsprechende rechte Seite durchgängig bleibt) zu erwähnen.

---

[1]) W. Krause, bei Henle, p. 217.
[2]) Zeitschr. f. rat. Med. 1865, XXIV, p. 226.
[3]) Nebst W. Krause bei Henle p. 215, auch Bochdalek jun..
[4]) W. Krause bei Henle, p. 217.

II. Anomalien der Involution.

Physiologische Vorgänge.

Billard, die Krankheiten der Neugebornen und Säuglinge. 1829, p. 486. — Elsässer, über den Zustand der Fötus-Kreislaufwege bei Neugebornen (Henke's Zeitschrift. 1841, 3. Heft, p. 1 und 1852, p. 247). — Langer l. c. p. 334. — Walkhoff l. c. p. 119.

Während der Periode des intrauterinen Lebens überführt der Botallische Gang als directe Fortsetzung des Stammes der Pulmonalarterie (der rechten Aortenwurzel) den grössten Theil des aus der rechten Herzkammer strömenden Blutes durch die absteigende Aorta in die untere Körperhälfte und Placenta, während die Aorta ascendens (linke Aortenwurzel) das Blut zum Kopfe und den oberen Extremitäten leitet. Bei diesem Kreislauf gelangt nur ein kleiner Bruchtheil des Blutes aus dem rechten Ventrikel durch die Aeste der Lungenarterie in die in der hinteren Aushöhlung des Thorax collabirt ruhenden Lungen. Erst durch die Ausdehnung der letzteren in Folge des ersten Athemzuges wird das Blut der rechten Aortenwurzel durch Aspiration ganz oder grösstentheils in den Lungenkreislauf abgeleitet, die untere Hälfte dieser Wurzel wird zum Stamm der Arteria pulmonalis, indess die obere sich entleert und in das fibrös-elastische Ligamentum arteriosum sich umwandelt.

Ueber den physiologischen Grund dieser Veröddung wurden die verschiedensten Ansichten geltend gemacht. King[1] erklärte dieselbe aus der Compression des Ductus durch den in Folge der Respiration ausgedehnten linken Bronchus. Normann Chevers[2] nahm zur Erklärung jener Obliteration den Druck des Nervus laryngeus recurrens (der sich auf der linken Seite unter den Ductus krümmt) in Anspruch. H. Lebert[3] leitet die Involution von der Vermehrung der Stromgeschwindigkeit durch die Respirationsthätigkeit ab, „wodurch ein weiteres Eindringen des Blutes in den auf beiden Gefässstämmen fast rechtwinklig stehenden Botallischen Gang verhindert wird." Billard, Langer lassen die Veröddung durch einen mehr activen Vorgang der Verdickung und Schrumpfung der Wandungen zu Stande kommen. Nach Walkhoff endlich hat einen wesentlichen Antheil an der Ablenkung des Blutstromes und somit an der Involution die nach der Geburt eintretende Lageveränderung und Knickung des Ductus, durch welche die Circulation schnell verlangsamt und bald vollständig aufgehoben wird. „Der innere Thoraxraum ist nämlich beim todtgeborenen Kinde bekanntlich sehr beschränkt, die Lungen liegen noch im collabirten Zustande dicht an die Wirbelsäule gedrängt, das Zwerchfell ragt hoch in die Brusthöhle hinauf und das Herz hat eine mehr horizontale Lagerung. Nach eingetretener respiratorischer Thätigkeit ändert sich dieses Verhältniss aber vollständig, die Lungen dehnen sich um mehr als das Doppelte aus und üben dadurch zugleich einen beträchtlichen Zug auf die an ihrer Wurzel eintretenden Pulmonaläste aus, in Folge dessen diese aus ihrem

---

[1] Lond. Med. Gaz. XXVI. p. 622.
[2] Arch. gen. de Méd. 4me série. IX, p. 350.
[3] Virch. Arch. IV, p. 328.

mehr nach hinten gerichten Verlauf in eine seitliche, nach aussen gewandte
Richtung abgelenkt werden, und damit in gleicher Weise eine stärkere
Krümmung resp. Einziehung des Theilungsendes der Arteria pulmonalis und
des Ansatzpunktes des Ductus, nach hinten zu, verursachen, welche sich
in den ersten 2 bis 3 Tagen durch eine im kleinen Kreislauf eintretende
Druckerhöhung und gleichzeitig hervorgerufene Dehnung und stärkere
Entwicklung der Wandungen noch vermehren wird. Ausserdem scheint
auch die veränderte Herzlage und die aus der stärkeren Muskelaction des
linken Ventrikels resultirende und zunehmende Krümmung der Aorta ascendens nach rechts und aussen einigen Einfluss auf die spätere Lage des
Ductus zu haben, da sich diese Theile in dem noch lockeren Bindegewebe
leicht verschieben können. Alle diese Momente zusammengenommen rufen
also nicht nur eine stärkere Ableitung des durch die Art. pulmonalis strömenden Blutes in die Lungenäste hervor, sondern sind auch im Stande,
unmittelbar an der Theilungsstelle eine Art Knickung des Ganges und
zwar in der Weise zu veranlassen, dass er aus dem früheren, die Verlängerung der genannten Arterie bildenden, nach aussen gerichteten Verlauf
(vergl. pag. 1) in eine nach innen etwas winklige, zu ihrer oberen Wand
mehr senkrecht stehende Richtung gebracht wird, in welcher er steil
gegen die Aorta ansteigt und in diese annähernd rechtwinklig einmündet.
Hierdurch werden aber gleichzeitig seine vordere und hintere Wand einander so bedeutend genähert, dass schon am 3. Tage bei Injectionsversuchen
keine Massen mehr in den Gang eindringen, wozu auch noch der Umstand
wesentlich beitragen mag, dass durch eine mit der Vergrösserung der
Lungenäste eintretende Ausdehnung der hinteren Wand der Theilungsstelle der Art. pulmonalis sein Anheftungspunkt so an deren vordere innere
Wand gedrängt wird, dass ein von innen wirkender Druck seine untere
Wand ventilartig gegen die obere andrücken muss. Nach und nach wird
diese Verschiebung und Knickung durch die mit Ablauf der Obliteration
zugleich eintretende Schrumpfung im Gewebe des Ductus so ausgeglichen,
dass sich am Lig. arteriosum keine Spur davon nachweisen lässt."

Den histologischen Vorgängen beim Verschluss des Ductus Botalli
konnte in so lange nicht die richtige Erkenntniss zu Theil werden, ehe
nicht genauere Untersuchungen der normalen Structurverhältnisse in seinen
Bau die nöthige Klarheit gebracht hatten. So war Cruveilhier [1]) der
Ansicht, dass die Obliteration durch pseudomembranöse Adhäsion, selten
durch Thrombusbildung, zuweilen stellenweise durch die eine, stellenweise
durch die andere erfolge; — und Virchow [2]) findet für gewöhnlich, dass
sich der Ductus Botalli nach Einleitung der Respiration allmälig und zwar
zunächst vom pulmonalen Ende aus durch Muskelcontraction entweder bis
zum vollständigen Verschluss verengt, oder es bleibe nur ein kleines Lumen, welches sich endlich mit einem Thrombus ausfülle. Erst Langer
kam auf Grund seiner Untersuchungen über die histologische Structur des
Ductus Botalli zu dem Schluss, dass der Involutionsvorgang desselben schon
in der primitiven Anlage dieses Gefässabschnittes begründet sei und na-

---

[1]) Anat. path. II, p. 287.
[2]) Ges. Abh. 2. Aufl. p. 592.

mentlich durch Wucherung der Oberfläche der Intima und der longitudinalen Schichten der Media herbeigeführt werde. Dieser Ansicht stimmt im
Allgemeinen auch Luschka [1]) zu, und selbst Rokitansky [2]) hat seine
früheren Anschauungen über diesen Gegenstand modificirt, indem er den
Ductus, nachdem sein Lumen durch Bindegewebswucherung und Wulstung
der Media und zwar vorzüglich in der Mitte reducirt worden, durch eine
im pulmonalen Ostium überwiegende Schrumpfung veröden lässt. Auch
Walkhoff bestätigt Langer's Resultate grösstentheils, findet aber neben
den histologischen Veränderungen in der Wand des Ductus und der schon
oben besprochenen Lageveränderung desselben noch in der Blutgerinnung
ein wesentliches, die Involution beförderndes Moment. Seine Darstellung
ist im Wesentlichen folgende:

Schon am Ende des 2. Lebenstages findet man die bereits in der Mitte in
Wucherung begriffenen longitudinalen Schichten der Media in der Nähe der
Intima entschieden vermehrt und ihre spindelförmigen Zellen in einer lebhaften Kerntheilung begriffen; zu gleicher Zeit treten in der Regel auch
in der Mitte, zuweilen auch etwas näher dem pulmonalen Ende, Wuche-
rungsprocesse im Endothel und im Gewebe der Intima hervor, wodurch die
Innenfläche ein sammtartiges Aussehen erhält. Um den 5. Tag trifft man
in Folge der mächtigen Kernwucherung der longitudinalen Zellenstränge
die Intima in Längsfalten zusammengedrängt, die meist noch mit feinen
Fibrinniederschlägen bedeckt sind; sie verengen oft das Lumen bis über
die Hälfte. Die Einmündungsstellen des Ductus nehmen aber an den Neu-
bildungen der Mitte wenig Antheil und im Bereich der ersteren bleiben
die Wucherungen auf der Innenfläche und in der Substanz der Intima so
sehr zurück und die Hypertrophie der longitudinalen Stränge der Media
schreitet so wenig vor, dass das Lumen des Ganges von beiden Seiten
konisch gegen die verengte Mitte zuläuft und von Langer nicht unpas-
send sanduhrförmig genannt wird.

Während Langer der Blutgerinnung an der Obliteration keinen
Antheil zuschreibt, trägt sie nach Walkhoff, wie schon erwähnt, zur
schnellen Verschliessung des Ganges, besonders der Mitte wesentlich bei.
Sie erfolgt offenbar dadurch, dass der nach der Geburt durch die Knickung
geschwächte Blutstrom sich an den rauhen Wänden bricht und auf diese
Weise schnell zu Fibrinablagerungen Anlass gibt, die im Anfang als feine,
dicht verwebte Fasern in zarten Lagen erscheinen, bald aber das Lumen
vollständig obturiren, nach und nach Hämatoidin ausscheiden und oft noch
im hohen Alter im Lig. arteriosum nachzuweisen sind.

Am 8. Tage ist das Lumen in der Mitte durch die Wucherungen bis
auf die Hälfte reducirt, während der übrige Raum durch jene festen Blutgerinnsel ausgefüllt wird, welche mit der Innenfläche verklebt sich theilweise zu organisiren beginnen. — Gegen den 14. Tag war Langer kaum
noch im Stande, eine Stecknadel durch die Mitte des Ductus zu führen, so
dass man dessen Verschluss am 20. Tage für beendet ansehen kann, wenngleich die Organisation noch lange nicht abgeschlossen ist. In dieser Pe-

---

[1]) Anatomie. I. Bd. 2. Abth. p, 435.
[2]) Med. Jahrb. 1864, p. 141

riode findet man nun aber auch die Einmündungsstellen durch besonders
reichliche Neubildungsprocesse in und auf der Oberfläche der Intima, theilweise auch durch eine geringe Hypertrophie der longitudinalen Schichten
der Media bedeutender verengt. In der Regel wird der Eingang in die
pulmonale Insertion viel früher (wie schon Rokitansky und Virchow
bemerkt haben) und zwar nach Langer und Walkhoff schon im Verlaufe der 3., der an der Aorta dagegen erst gegen Ende der 4. Woche
vollständig geschlossen; es dürfte hier wohl der Umstand von Einfluss sein,
dass in Folge der eingeleiteten Respiration und der Dickenabnahme des
rechten Ventrikels der Blutdruck in der Pulmonalarterie geringer ist, als
im Aortenrohr.

Bei der inzwischen in der Mitte vor sich gehenden Organisation der
Obliterationsprodukte entwickelt sich zuerst aus den ältesten, an der früheren Innenfläche der Intima gelegenen Kernen allmälig ein lockeres, von
gleichen Elementen zahlreich durchsetztes Bindegewebe, welches, sich nach
und nach von Schicht zu Schicht fortpflanzend, etwa um die 7. bis 8. Woche
das verschliessende Gewebe total durchsetzt und dasselbe mit der Intima
fest verbindet. Zu derselben Zeit bilden sich die in die Maschenräume der
Intima reichlich eingebetteten Kerne und Spindelzellen, sowie die Spindelzellen der Media theils zu Bindegewebe, theils zu elastischem Gewebe um,
durch dessen Contraction die ganze Substanz um die 10. Woche schon auf
die Hälfte ihres Dickendurchmessers reducirt und entsprechend verkürzt
wird, ohne dabei den charakteristischen Unterschied der verschiedenen
Schichten zu verwischen. Ebenso kommt es in der Adventitia zur Neubildung zahlreicher elastischer Fasern. — Auch an den früheren Einmündungsstellen des Ganges sind die Neubildungsprocesse in der 10.—11. Woche
in gleichem Masse vorgeschritten, doch trifft man nicht selten in der Aorta
oder Pulmonalis noch eine kleine Grube oder auch einen kurzen Blindsack
an, der sich jedoch in der Regel in kurzer Zeit verliert und nur in selteneren
Fällen bestehen bleibt. Im Uebrigen stimmen die Verhältnisse der Umbildung mit denen in der Mitte durchaus überein, nur wird man die Intima
hier nicht constant so starke Falten bilden sehen, da die Wucherungen
der longitudinalen Schichten der Media, wie schon erwähnt, unbedeutend
sind und der Verschluss vorzugsweise durch Kernwucherungen der Intima
herbeigeführt wird, welche die Gewebe nach ihrer Organisation und
Schrumpfung einander etwas nähern, und dadurch das früher runde Lumen
besonders in der Aorta in eine länglich ovale Form umwandeln.

Diese Neubildung und Reorganisation in den Wandungen und in dem
thrombusartigen Gewebe dürfte wohl erst nach einigen Monaten vollständig
beendet sein, während die gleichzeitig weiterschreitende Contraction den
früher gänsekieldicken Gang in einen plattcylindrischen, soliden, gegen
1—1·7 Ctm. langen und 2—3 Mm. dicken Strang (Ligamentum arteriosum s. aortae magnum s. Chorda ductus arteriosi) umwandelt,
welcher beim Erwachsenen kaum 2. Mm. von der Theilungsstelle vom
oberen Umfang des linken Astes der Arteria pulmonalis entspringt und in
fettreiches Bindegewebe eingehüllt unter spitzem Winkel zur unteren inneren
Wand der Aorta hinzieht, in die er nicht weit vom Ursprunge der Art. subclavia

sin. nach aussen hin übergeht. Den Insertionspunkten entsprechend findet man gewöhnlich auf der Innenfläche der grossen Gefässtämme eine seichte, strahlenförmig eingezogene Grube, seltener, wie bereits bemerkt, eine blind endigende Vertiefung. — An einem mikroskopischen Querschnitt des Ligamentes erscheint der Durchschnitt der collabirten Arterie im Inneren des Stranges als eine 1 Mm. dicke, leicht herauszuschälende Scheibe, an der sich nicht nur sämmtliche Schichten, wenn auch in wesentlich modificirter Form und mit einigen Verschiedenheiten in der Mitte und an den Enden deutlich unterscheiden lassen, sondern es folgt auf die längsgefaltete Intima noch das bei dem Obliterationsprocess in das ehemalige Lumen des Ductus eingelagerte Gewebe. Nicht immer füllt jedoch das letztere das Lumen vollständig aus, häufig bleibt ein feiner Kanal, in welchem Falle das Obliterationsgewebe zu einer, die reichlich gefaltete Intima überziehenden Membran verdichtet, von der bisweilen bindegewebige Septa in den verschiedensten Richtungen durch das Lumen laufen und dasselbe dadurch in mehrere Fächer theilen (Henle, Walkhoff). Von fremden Stoffen, die sich ziemlich häufig im Ligament und namentlich im Gewebe des Thrombus (welches übrigens am Aortenende stärker entwickelt erscheint als am pulmonalen) vorfinden, sind vorzüglich zu erwähnen: 1. Hämatoidin, welches aus dem bei der Obliteration eingeschlossenen Blutfarbstoff entsteht und in zerstreuten gelbrothen amorphen Körnern aufzutreten pflegt; 2. Ablagerungen von kohlensaurem Kalk, den man namentlich bei atheromatösen Processen der grossen Gefässstämme, oft aber auch ohne solche krankhafte Veränderungen antrifft. In selteneren Fällen findet man den Strang vollständig verkalkt, namentlich bei atheromatöser Erkrankung der Gefässstämme. —

Dass eine **vorzeitige Involution** in der ersten Periode des embryonalen Lebens möglich ist, beweisen die Fälle von sog. Mangel des arteriösen Kanals, in denen es bei aufmerksamer Untersuchung häufig noch gelingt, die letzten Reste seiner Anlage in Form eines dünnen, bindegewebigen, mit der Pulmonalarterie zusammenhängenden Fadens darzustellen. Der Nachweis einer ungewöhnlichen Communication in einem anderen Theile des Herzens (Lücken der Scheidewand) berechtigt zu dem Schluss, dass die Obliteration der 5. Kiemenarterie bereits in die ersten Wochen des Fötallebens zu verlegen ist. Aber auch später, im 6., 5. Monat und noch früher findet man den Ductus oft in einer Weise verändert, welche als ein pathologisches Anticipiren des Involutionsprocesses aufgefasst werden muss; Rokitansky [1] fand ihn nämlich in Folge von „bindegewebiger Metamorphose der Media" weich und schlaff, ohne Elasticität, transparent und von Hämatin imbibirt, stellenweise weiter und ausgebuchtet (aneurysmatisch), an anderen Stellen enger und schrumpfend. Hieran reihen sich jene Fälle, wo man den Ductus unter Verhältnissen ver-

---

[1] Med. Jahrb. 1864, p. 140.

schlossen findet, welche zu Folge ihrer mechanischen Momente eine extrauterine Involution ausschliessen, wie z. B. die angeborene Atresie des Ostium pulmonale. Endlich beobachtete Billard[1]) unter 19 einen Tag alten Kindern 2mal, unter 22 zwei Tage alten 3mal, unter 22 drei Tage alten 2mal, unter 27 vier Tage alten 4mal und unter 29 fünf Tage alten 7mal vollständigen Verschluss.

Andererseits äussern sich die Anomalien der Involution theils in einem zögernden oder unvollständigen Zustandekommen, theils in der mehr weniger ausgiebigen Hemmung derselben, in der Persistenz des Ganges.

Was nun zunächst die **Verzögerung der Involution** betrifft, so gehört dieselbe keineswegs zu den allzu seltenen Befunden. Schon Haller[2]) bemerkt, dass der Verschluss mitunter erst gegen das Ende des 1., selbst Anfang des 3. Jahres beendet wird, Billard fand den Ductus bei seinen zahlreichen Untersuchungen von Kindesleichen häufig noch in der 2. bis 3. Woche offen, und auch Förster[3]) traf ihn zuweilen im Verlauf des 1. Lebensjahres oder noch länger als engen Kanal permeabel. Wenn daher Langer die Brauchbarkeit der Involutionserscheinungen des Ductus in forensischer Hinsicht zur Bestimmung des Kindesalters hervorhebt, — indem eine schon bemerkbare Involution desselben, (und der rechten Kammer) auf ein Alter von etwa 5 Tagen, ein sanduhrförmig eingeengter botallischer Gang (und die vollendete Involution der rechten Kammer) auf etwa 14tägiges Lebensalter schliessen lässt etc. — so werden dem Gesagten zu Folge diese Befunde nur mit der nöthigen Vorsicht und unter sorgfältiger Würdigung aller Nebenumstände su benützen sein.

Während sich für die Verzögerung der Involution nicht selten kein genügender Grund nachweisen lässt, hat man in anderen Fällen theils mechanische Momente als Ursache beschuldiget, theils Störungen in den Ernährungsverhältnissen der Gefässwandungen, welche in Allgemeinerkrankungen der Neugebornen ihren Grund haben. Unter den Ersteren wurden namentlich Hindernisse in der Entwicklung des Lungenkreislaufes (Atelektase, Pneumonie) hervorgehoben (F. Weber) und die gegen diese Ansicht erhobenen Einwürfe sollen unter den Ursachen der Persistenz des Ductus ausführlicher erwähnt werden. Ein anderer mechanischer Grund dürfte im vorzeitigen fötalen Verschluss des Foramen ovale liegen. Denn da derselbe Hypertrophie

---

[1]) Krkh. d. Neug. u. Säugl. 1829, p. 486.
[2]) Elem. physiol. III, p. 161.
[3]) Handb. d. spec. pathol, Anat. p. 652.

des rechten Herzens und Verengerung des linken zur Folge hat[1]), so dürfte sich die Involution insolange verzögern, bis in Folge der geänderten Circulationsverhältnisse nach der Geburt die Grössenverhältnisse beider Herzhälften wieder zur Norm zurückgekehrt sind. Was weiter die Ernährungsstörungen der Gefässwandungen betrifft, so erklärt sie Klob[2]) für eine Art entzündlichen Vorganges und Rauchfuss leitet sie von congenitalen Infectionszuständen ab, für welche Anschauung die nicht selten beobachtete Coincidenz der Involutionsstörungen des Ductus mit Involutionsstörungen anderer Fötalwege (der Umbilicalgefässe) spricht.

An und für sich bleibt die retardirte Involution des Botallischen Ganges in vielen Fällen ohne weitere Folgen. In anderen Fällen gibt sie Veranlassung zur Thrombose, was um so weniger auffallen kann, als die Intervention eines kleinen Blutpfropfes die normalgemässe Verödung des Ganges wesentlich unterstützt. Begünstigt wird die Thrombusbildung übrigens durch die Ausbildung atrophischer Zustände, wie sie namentlich im Verlaufe acuter, profuser, choleriformer Darmtranssudationen zu Stande kommen; sie erhält dann die Bedeutung einer marantischen Thrombose.

Bochdalek, Beitrag zur pathol. Anatomie der Obliteration der Aorta in Folge fötaler Involution des Ductus art. Botalli (Prag Viertelj. VIII., 1845, p. 160). — Klob, Thrombosis ductus Botalli (Zeitsch. der k. k. Ges. d. Aerzte in Wien. 1859, p. 4). — C. Rauchfuss, über Thrombose des Ductus art. Botalli (Virch. Arch. XVII., 1859, p. 376).

Die **Thrombose des Ductus** gehört immerhin zu den verhältnissmässig selteneren Befunden, obwohl die Angabe Rauchfuss's, der sie unter 1400 Sectionen von Säuglingen blos 12mal fand, gar zu niedrig gegriffen sein dürfte. — Dass die Thromben im Ductus stets autochton und nicht, wie es Buhl für möglich hält, auch embolischen Ursprunges sind, bedarf wohl keiner besonderen Beweisführung. Der thrombosirte Ductus erscheint stets mehr weniger erweitert und meist entsprechend verlängert; in der Regel ist das Aortenende stärker ektatisch als das pulmonale Ostium, welches auch bedeutend verengt sein kann, wesshalb die Thrombose in der Regel hier ihren Anfang nimmt. Zuweilen finden sich die Gerinnungen nur am pulmonalen Ende (Z. B. in einem Falle von Rauchfuss). — Der Thrombus selbst besitzt je nach seinem Alter verschiedene Beschaffenheit; man beobachtet alle Uebergänge vom frischen, noch wenig entfärbten Gerinnsel bis zum

---

[1]) B. Smith, London. med. gaz. 1846, Dez; Journ. f. Kinderkrk. IX, p. 156. — Rees, Journ. f. Kinderkrk. X, p. 318. — Vieussens, Gaz. méd. de Paris. 1863, Nr. 28. — Lemaire, Gaz. méd. de Paris. 1863, Juli.
[2]) Zeitschr. d. k. k. Ges. d. Aerzte in Wien. 1859, p. 4.

festen, derben, den Wänden adhärenten, seltener stellenweise schon
erweichten, bröckeligen und mürben Blutpfropf, dessen Enden entweder abgerundet erscheinen oder förmliche Bruchflächen erkennen
lassen. Dass auch hier die puriforme Erweichung möglich ist, beweisen
zwei, von Rauchfuss gemachte Beobachtungen. In dem einen Fall
(8täg. Knabe) war der sehr weite Ductus an jedem Ende durch einen
kleinen Pfropf gegen die grossen Gefässstämme abgeschlossen und der
die Aortenöffnung obturirende zeigte an seiner dem Cavum des Ganges zugewandten Fläche alle Stadien des Zerfalles, theils mürbe,
lockere, fibrinöse Massen, theils schon breiigen und flüssigen gelben,
puriformen Detritus. Im zweiten Falle (13 Tage altes Mädchen) war
der Ductus 5—6 Mm. weit, 17 Mm. lang, das engere Aortenende
durch einen mürben, bröcklichen Blutpfropf obstruirt, während der Gang
selbst durch puriformen Detritus vollständig erfüllt war, der sich durch
die weit offene pulmonale Oeffnung frei ergoss. — Entsprechend dem
Alter des Thrombus zeigt die stets verdickte Gefässwand die bekannten
Veränderungen.

In der Mehrzahl der Fälle bleibt die Thrombose des Botallischen Ganges ohne weitere Folgen, da sie ja hier nur einen de norma
ausser Circulation gesetzten Gefässabschnitt betrifft; unter Umständen
kann sie aber auch der Ausgangspunkt bedeutender und weit verbreiteter Störungen werden. Hieher gehört:

1. Die Fortsetzung der Thrombose auf die grossen Gefässstämme,
wodurch ihr Lumen theils mehr weniger verengt, theils vollständig
obturirt wird. Das letztere beobachtete Rauchfuss bei einem 19 Tage
alten Mädchen an der Art. pulmonalis dextra und Bochdalek bei
einem 22 Tage alten Knaben an der Aorta (in einer Strecke von 9‴).
Eine bedeutendere Verengerung der Aorta durch die fortgesetzte
Thrombose kann durch Steigerung des Seitendruckes im Gebiete der
Carotiden capilläre Rupturen der Hirngefässe und meningeale Hämor-
hagien zur Folge haben (Fall von Rauchfuss).

2. Die embolische Verschwemmung abgebröckelter Partikeln der
in die grossen Gefässstämme vorragenden oder in dieselben fortgesetzten Blutpfröpfe oder ihrer Detritusmasse mit den davon abhängigen Ecchymosen und hämorrhagischen Infarcten. Rauchfuss beobachtete Embolien in die Arteriae pulmonales, renalis dextra, lienalis,
coronaria ventriculi, Klob in die Art. mesenterica superior. — Ist
der Thrombus klein und wandständig, so kann er ganz weggeschwemmt
werden. So fand ich bei einem 6 Tage alten Säugling einen Em-
bolus in der Art. coronaria ventriculi, welcher durch Ausschluss einer

jeden anderen Quelle auf den weit offenen, geschlängelten und an der Innenfläche aufgelockerten Ductus bezogen werden musste.

Billard, Traité des maladies des enfans. Deuzième édition 1833, p. 591. — Thore, De l'aneurysme du canal artériel (Arch. gen. de Méd. 4me sér. XXIII., 1850, Mai, p. 30.— Journ. f. Kinderkrk. Tom. XV., p. 331). — Bednař, die Krankh. der Neugeb. und Säuglinge 1850, p. 146. — Rokitansky, über eine der wichtigsten Krankheiten der Arterien. Wien, 1852, p. 34. (Aus dem IV. Bd. der Denkschrift der k. k. Acad d. Wiss). — Virchow, gesammlt. Abhandl. 2 Aufl. p. 595. — Buhl in Hecker und Buhl, Klinik der Geburtskunde. I. 1861, p. 275 und 296.

Eine besondere Form der Involutionsstörung des arteriösen Ganges wurde seit Billard als **Aneurysma ductus Botalli** bezeichnet. Dasselbe besteht in einer spindel-, ei- oder kugelförmigen Ektasie des Ganges ohne Continuitätsstörung der Wandungen; in allen Beobachtungen hatte auch die Länge des Kanals um die Hälfte oder das Doppelte zugenommen. Die Erweiterung liegt seltener in seiner Mitte, meist befindet sie sich dem Aortenende näher als der pulmonalen Insertion und kann die Grösse einer Erbse bis zu der einer kleinen Kirsche (Virchow) oder Haselnuss (Billard, Thore) erreichen. Gewöhnlich ist das pulmonale Ende des Ganges mehr weniger verengt, ja vollständig geschlossen, während die Einmündung in die Aorta noch offen steht. So z. B. war in Virchow's Fall die Einmündung in die Lungenarterie kaum stecknadelkopfgross, die in die Aorta dagegen vom Umfang einer Erbse. Nur Bednař führt ein Beispiel an, wo bei einem 10 Wochen alten, an Pneumonie gestorbenen Mädchen der in Grösse und Form einer Zuckererbse aufgetriebene Ductus gegen die Aorta hin geschlossen, am pulmonalen Ostium dagegen durchgängig gewesen sein soll. — Die Höhle wurde mit flüssigem oder klumpig geronnenen Blut, oder aber mit Thromben erfüllt gefunden, welche mitunter deutlich geschichtete Structur erkennen liessen.

Es ist ziemlich selten; Thore hat es unter 1000 Leichen Neugeborner 8mal gefunden und Rokitansky gibt ungefähr dasselbe Verhältniss an. Das jüngste damit behaftete Kind war 3 Tage alt, (Billard), die ältesten 1½ Monate (Thore) und 10 Wochen (Bednař). Eine besondere Bedeutung hat dieser Befund gewöhnlich nicht, da in der Regel keine weiteren Folgen beobachtet wurden und sich der ganze Kanal wohl über dem Coagulum schliesst und dadurch verödet. In Virchow's Falle ragte jedoch der Thrombus mit dem spitzen Ende in die Aorta und es war somit die Möglichkeit einer Abbröckelung und embolischen Verschwemmung gegeben.

Rokitansky findet den Grund dieser Ektasie in einer anomalen voreiligen Involution am Ostium pulmonale, wodurch das in den Kanal gelangende Aortenblut nicht genügend weiter geschafft wird, sondern stagnirt und coagulirt. Die ampulläre Erweiterung erklärt sich leicht aus der geringen Resistenz der Wandungen des Ductus, der, wie Langer und Walkhoff nachgewiesen haben, sich schon nach gewöhnlichen Injectionsversuchen aneurysmatisch ausdehnt.

In 3 von Buhl beobachteten Fällen hatte sich das Blut durch Risse in die inneren Häute des Ductus einen Weg unter die Adventitia dieses Gefässes gebahnt und so ein **Aneurysma dissecans** des Botallischen Ganges hergestellt. Einen ähnlichen Einriss der inneren Gefässwände erwähnt auch Bednař. In dem einem Falle waren vom unteren rissigen Ende des Thrombus Theile in die Lungenarterien verschwemmt worden, wo sie zu exquisiten pyämischen Herden Veranlassung gegeben hatten; nebstdem war Meningealblutung vorhanden.

Blos anatomisches Interesse bietet die **unvollständige Involution** des Ganges. Der mangelhafte Verschluss des arteriösen Stranges in seiner Mitte wurde bereits bei der Darstellung der physiologischen Vorgänge der Involution erwähnt. Nicht allzuselten findet man ausserdem anstatt der seichten Grübchen, welche die Insertionspuukte des Ligamentes auf der Innenfläche der grossen Gefässstämme bezeichnen, konische Vertiefungen oder selbst einen feinen, den grössten Theil des Stranges durchsetzenden blind endigenden Kanal. Meist trifft man den Aortentheil des Stranges in dieser Weise offen (Rokitansky, Virchow), obwohl Walkhoff, der das Ligament unter 28 Fällen 3mal bis zur Mitte durchgängig fand, diese Durchgängigkeit 2mal von der Pulmonalarterie her beobachtete. —

J. Reid, Edinb. med. and surg. journ. 1840, tom. IV, p. 101 — N. Chevers, Lond. med. Gaz. XXXVI, 1845, Mai, p. 187 (Schmidt's Jahrb. tom. 48, p. 155). — Babington, Lond. med. gaz. 1847, Mai; Arch. gén. de méd. 1848, Juin (Journ. f. Kinderk. XI, p. 137). — Smith, Lond. med. gaz. 1846, Dezembre; Arch. gén de méd. 1848, Mai. — G. Bernutz, Arch. gén. 1849, Août. — F. Weber, Beiträge zur path. Anatomie der Neugeb. 2. Lief. pag. 39. — A. Willigk, Prag. Viertelj. 1854, tom. 44, pag. 104. — Th. Peacock, Vorlesungen über die Missbildungen des Herzens (Journ. f. Kinderkrk. XXIV., p. 252). — Luys, Bull. de la Soc. anatom. de Paris, 1855, Juin. — Sanders, Edinb. med. journ. 1860, July; Gaz. hebd. 1860, Nov. — Almagro, Etude clinique et anatomo-pathologique sur la persistance du canal artériel. Paris, 1862. — Kaulich, Prag. Viertelj. 1862, tom. 73, p. 92. — Duroziez, Mémoire sur la persistance du canal artériel. (Gaz. méd de Paris, 1863, p. 451). — Schnitzler, Zeitschr. der k. k. Ges. d. Aerzte in Wien; Med. Jahrb. XX, tom. I, p. 128, 1864. — Rokitansky über einige der wichtigsteu Krankheiten der Arterien, Wien, 1852, pag. 35. (Aus dem 4. Bd. der Denkschriften d. k. k. Acad. d. Wiss.) und Zeitsch. der k. k. Ges. d. Aerzte in Wien; Med. Jahrb. XX, tom. I. p. 137, 1864. —

C. Gerhardt, Jenaische Zeitschr. f. Med. u. Naturw. III, 1867, p. 105. — Dusch, Herzkrankheiten. Leipzig, 1868, p. 272.

Um Vieles seltener als die Verzögerungen der Involution ist das Offenbleiben des Ductus Botalli, die **Persistenz** desselben. Meistens ist dieselbe secundär, d. h. die Folge anderweitiger congenitaler Veränderungen am Herzen und an den grossen Gefässstämmen und sie vermittelt dann je nach Umständen eine von der Lungenarterie nach der Aorta oder von dieser nach jener stattfindende Strömung. Unter die Bedingungen dieser Form gehören:

1. Die angeborne Stenose oder Obliteration des Ostium arteriosum sin. oder der Aorta ascendens, in welchem Falle das aus der Art. pulmonalis zur Aorta strömende Blut die allgemeine Schrumpfung und Verengerung des Ganges aufhält. Dasselbe findet

2. statt bei der Stenose oder Obliteration des Isthmus der Aorta und zwar in jenen Fällen, wo dieselbe als eine congenitale Störung in der Entwickelung des lateralen Verbindungsstückes zwischen der 4. und 5. Kiemenarterie aufzufassen ist (wie z. B. in den Fällen von N. Chevers[1]), Rees[2]) und Rauchfuss[3]).

3. Auch bei angeborner Stenose in der Lungenarterienbahn findet man den Ductus Botalli, wenn er vorhanden ist — als Mittel den Lungenblutkreislauf zu erhalten — ebenso wie das Fora en ovale häufig offen, namentlich in jenen Fällen, wo die Ventrikelscheidewand verschlossen ist. Bei vollkommener Atresie des Ostium pulmonale und fehlender Lücke im Septum ventriculorum muss der Ductus Botalli offenbleiben und den Stamm der Lungenarterie vertreten. Nur in sehr seltenen Fällen wird er durch collaterale Erweiterung der Arteriae bronchiales oder einzelner Zweige der Art. coronaria cordis, der Arteriae oesophageae und pericardiacae ersetzt.

Stölker[4]) fand den Ductus Botalli in 69 Fällen von angeborner Stenose der Pulmonalarterie 38mal verschlossen, 31mal offen. Kussmaul[5]) traf ihn unter 39 Fällen einfacher Stenose 9 mal offen, 19 mal geschlossen und 11 mal fehlend; in 17 Fällen vollkommener Atresie das Ostium pulmonale 14 mal offen, 2 mal geschlossen, 1 mal fehlend.

4. Ferner bleibt der Ductus offen in Fällen ungewöhnlichen Ursprungs aus dem rechten Ventrikel und in allen jenen Fällen, wo er die Art. subclavia sin. abgibt.

---

[1]) Journ. f. Kinderkrk. IX, p. 226.
[2]) Journ. f. Kinderkrk. X, p. 318.
[3]) Virch. Arch. XVIII, p. 544.
[4]) Ueber angeb. Stenose der Art. pulmonalis. Inaug.–Diss. Bern, 1864. (Schweitz. Zeitschr. f. Heilk. 1864.)
[5]) Zeitschr. f. rat. Med. XXVI, p. 99.

5. Endlich beobachtete man die Persistenz einigemale bei Transposition der grossen Gefässstämme.

Nicht immer lässt sich jedoch ein Erklärungsgrund für jene
Fälle finden, wo man im späteren Leben den arteriösen Kanal offen
findet, da man diese Anomalie zuweilen ohne jede weitere Monstrosität am Herzen und den grossen Gefässstämmen beobachtet. Geringere Grade, so dass der Ductus für eine Borste oder höchstens für
eine gewöhnliche Sonde durchgängig ist, finden sich ohne besondere
Folgen für die Circulation und die Beschaffenheit des Herzens hie und
da auch in späteren Jahren (Förster [1] W. Krause [2] Wallmann [3]);
sie bilden nur zufällige Befunde in der Leiche. In einem hierher gehörigen Falle fand Walkhoff (bei einer 52jährigen Frau) die Enden
des Kanals durch frische Gerinnsel verschlossen, die an der pulmonalen Mündung deutliche Schichtung zeigten. Da die Kranke einem
chronischen Herzleiden erlag, so scheint die mangelhafte Circulation
in der letzten Lebenszeit jenen Verschluss herbeigeführt zu haben.

Von diesen auf unvollständiger Involution beruhenden Fällen
unterscheiden sich die im Folgenden zu erörternden ausgiebigen Offen-
bleibens dadurch, dass hier der Ductus eine mit dem Wachsthum der
Gefassstämme wenigstens in gewissen Richtungen Schritt haltende
Grössenzunahme aufweist. Häufig sind diemit dieser Anomalie behafteten Individuen von ihrer Kindheit an zart, schwächlich, der Kno-
chenbau rachitisch (Oppolzer, Schnitzler), die Aorta descendens
zuweilen merklich verengt (Rokitansky); im Falle von Bernutz
war Hypospadie zugegen.

In anatomischer Beziehung zerfallen die bekannt gewordenen
Fälle in zwei Reihen, insoferne die persistirende Communication
entweder einen wirklichen Kanal bildet, oder durch ein directes
Aneinanderliegen der Aorta und Pulmonalis hergestellt, also durch
eine beide Gefässstämme verbindende Lücke vermittelt war. Im ersten
Falle persistirt der Kanal entweder und zwar bei einer überwiegenden
Mehrheit von Fällen in Form eines trichterförmigen Gefässstückes
(7 Fälle von Rokitansky; Willigk), dessen weites Ende in der
Aorta und dessen meist unverhältnissmässig enge (oft höchstens für
eine Sonde durchgängige) Spitze in der Lungenarterie liegt; das
Ostium aorticum besitzt vorne eine mehr weniger vorspringende lei-
stenartige Begrenzung, das Ostium pulmonale wird von einem vorspringenden Walle rings umfasst, ist merklich in die Lungenarterie

[1] Handb. d. spec. path. Anat. pag. 652.
[2] l. c. p. 77.
[3] Prag. Viertelj. LXII, p. 32.

hineingedrängt und mitunter durch ein zartes, in der Mitte perforirtes Plättchen diaphragmaartig verschlossen; — oder er stellt ein kurzes, nahezu gleichweites Verbindungsstück dar (Sanders, ein Fall von Rokitansky, Schnitzler, Almagro, Gerhardt), das eine sehr bedeutende, bis zu 13 Mm. gehende Dicke erreichen kann. Bei genauerer Untersuchung findet man jedoch auch in diesen Fällen, dass die Aortenmündung einen trichterförmigen, vorhe leistenartig begrenzten Zugang hat. — Rokitansky überzeugte sich, dass der persistirende Ductus eine Ringfaserschichte von ziemlicher Mächtigkeit und somit arteriellen Bau, ferner eine glatte, gelegentlich an den Erkrankungen (Atherom) der grossen Gefässe theilnehmende Intima besitzt, woraus hervorgeht, dass sich der Ductus zu einem exquisit arteriell constituirten Gefässe ausgebildet hat.

Bei der 2. von Almagro unterschiedenen Kategorie sind Aorta und Pulmonalis oder beide Gefässe so dilatirt, dass es den Anschein hat, als ob die Erweiterung zugleich auf Kosten des Ductus arteriosus zu Stande gekommen wäre. Diese Form ist jedoch wegen der mehr weniger unvollständigen Beschreibung der Fälle (von Reid, Babington, Luys, Duroziez) etwas zweifelhaft und dürfte wohl der 2. Form Rokitansky's zu subsummiren sein. Dasselbe gilt wohl auch von einer 4. Form, „das Offenbleiben mit aneurysmatischer Erweiterung,“ welche Gerhardt auf den Fall von Bernutz gründete.

Rokitansky gelangte durch die Untersuchung seiner Fälle zu folgenden Schlüssen: 1. Das Verhalten der beiden Ostia des persistirenden Ganges beweist, dass die Strömung von der Aorta nach der Pulmonalarterie stattfindet. 2. Da der Kanal gewöhnlich eine verengte Pulmonalmündung zeigt und andererseits mit Rücksicht auf die ihm im Neugebornen zukommende Länge namhaft verkürzt erscheint, so ergibt sich, dass seine Involutionshemmung in der Regel keine vollständige ist. 3. Da derselbe andererseits öfter in einer oder auch in beiden Rücksichten auf Caliber und Länge grösser geworden ist, so muss der in seiner Involution aufgehaltene Gang gewachsen sein.

Die Complicationen, welche das Herz darbietet, sind in nahezu allen Fällen Hypertrophie mit Dilatation in der rechten Hälfte, namentlich im Conus arteriosus. Auch die linke ist in der Regel merklich erweitert, selbst in den Fällen von sehr kleiner Pulmonalmündung des Ganges. Nur in Willigk's Fall wird das Herz in Bezug auf Umfang und Structur als normal bezeichnet. Die Pulmonalarterie findet sich in der Regel dilatirt, mitunter auch die Aorta ascendens. Als secundäre Befunde sind namentlich in den Fällen, welche das Kindesalter überschritten hatten, sehr häufig: peri- und endocarditische Zu-

stande, Schwielen im Herzfleische, Atheromatose eines (vorwiegend
rechts) oder beider Gefässstämme; sie finden ihren letzten Grund i n
der abnormen Belastung, die den Herz- und Gefässwandungen aus der
auf Insufficienz der Arterienstämme zurückzuführenden Gefässanomalie
erwächst. — Die übrigen Organe zeigen meist die bekannten Folgen
einer chronischen Circulationsstörung: Venostase, Hydrops, Lungenin-
farcte, Hirnapoplexie etc.

Die während des Lebens bei dieser Anomalie zur Beobachtung
gekommenen Erscheinungen sind namentlich häufige Beklemmung, Herzklopfen, Cyanose und andere Symptome, wie sie bei den meisten angebornen Herzkrankheiten gewöhnlich vorkommen. Doch traten diese
Symptome nicht bei allen gleich nach der Geburt oder bald nachher
auf (Bernutz, Luys, Rees, Sanders, Weber); häufig kamen die
ersten Zeichen der Krankheit in den Kinderjahren (Almagro, Babington, Gerhardt. 2 Fälle von Rokitansky) oder erst zur Zeit
der Pubertät zum Vorschein (Duroziez) und endlich kamen Fälle
vor; wo sich der Zustand bis an's Lebensende durch kein auffälliges
Zeichen verrieth (Willigk). — Als hervorragendstes physikalisches
Symptom wurde in mehreren Fällen im 2.—3. linken Intercostalraume
nahe am Sternalrande ein systolisches Schwirren, ein Feilen- oder Ras-
pelgeräusch beobachtet, welches sich zuweilen bis in die Diastole ver-
zog, dann aber systolisch verstärkt war. Uebrigens bezweifelt Dusch
ebenso wie Bernutz, gegen Oppolzer, Schnitzler, Almagro, dass
diese Anomalie im Leben diagnosticirt werden kann und sich von
angeborner Stenose der Lungenarterie unterscheiden lässt, da in beiden
Fällen dieselben acustischen Symptome mit Hypertrophie des rechten
Ventrikels verbunden sind. In dem von Oppolzer als Persistenz
des Ductus Botalli diagnosticirten Falle fehlt die Bestätigung durch
die Section.   •

'   Ueber das Verhalten unserer Anomalie im Kindesalter liegen blos
spärliche Angaben vor, da nur wenige der Fälle in dieser Altersperiode
klinisch genauer untersucht und verfolgt wurden. Es wird daher auch nicht
unzweckmässig sein, die hieher gehörigen Beobachtungen nach dem Alter
geordnet in Kürze vorzuführen. Wir beginnen mit jenen Fällen, welche
schon im Kindesalter einen lethalen Ausgang nahmen.

1. F. Weber: 3 Monate altes Kind, welches kurz nach seiner Geburt erkrankt war. — Section: Allgemeine Atrophie. Linksseitiges Pleuraexsudat und Hepatisation des linken Unterlappens. Hypertrophie des
rechten Ventrikels. Ductus Botalli für ein Rabenkiel durchgängig.

2. Sanders: 4monatliches Kind. Blass, keine Cyanose. Athem be-
klommen, Stickanfälle. Deutliches systolisches Geräusch, hör- und tastbar.

— Section: Allgemeine Atrophie. Mässige Hypertrophie des Herzens. Foramen ovale geschlossen. Ductus Botalli fast so weit, wie die Aorta descendens.

3. F. Weber: 1¼jähr. Knabe. Kurz nach der Geburt wurde die Respiration schwach, oberflächlich, kurz abgestossen, es stellten sich Rasselgeräusche in den Bronchien ein, und es fiel etwas Cyanose und kleiner unregelmässiger Puls auf. In der 4. Woche wurde die Respiration wieder vollkommen normal. Im Alter von 1¼ Jahren erkrankte er an Pleuropneumonie, wobei Vorwölbung der Herzgegend und verstärkter Herzstoss, jedoch kein Geräusch beobachtet wurde. — Section: Alte Adhäsionen der rechten Lunge. Linksseitiges Pleuraexsudat. Lobuläre Hepatisation beider Unterlappen. Bedeutende Hypertrophie des Herzens in beiden Hälften. Foramen ovale geschlossen. Ductus Botalli weiter als er unmittelbar nach der Geburt zu sein pflegt. Die grossen Gefässstämme dilatirt.

4. Gerhardt: 6jähr. Mädchen. War von Geburt an etwas cyanotisch, kam beim Laufen leicht ausser Athem. Vom 2. Jahre an bemerkte die Mutter ein auffälliges Klopfen der Arterien (z. B. an der Maxillaris externa.) Im 3. Jahre wegen Bronchialkatarrh in Behandlung, wobei Vorwölbung der Herzgegend, verstärkter Spitzenstoss im 6. Insercostalraum, Pulsation des Herzens bis zum 2. Intercostalraum, am Epigastrium starkes Klopfen des rechten Ventrikels und systolisches Schwirren namentlich im linken 2. Intercostalraum auffielen, während nirgends ein deutlicher Ton gehört wurde. Starb im 6. Jahre an Scarlatina. — Section: Hypertrophie des Herzens mit vorwiegender Vergrösserung des linken Ventrikels; der rechte Ventrikel verengt. Foramen ovale geschlossen. Ductus Botalli lang und weit (Umfang 2 Ctm.) Die Gefässstämme an ihrem Ursprung 5 Ctm. weit; Brustaorta 2 Ctm.

5. Willigk: 9jähr. Knabe, welcher während des Lebens keine Zeichen einer Herz- oder Gefässkrankheit, namentlich nie cyanotische Erscheinungen darbot und in Folge von Morb. Brightii und Pneumonie beider Oberlappen au Hydrops zu Grunde ging. — Section: Das Herz lässt weder Betreffs des Umfanges, noch in seiner Structur eine Spur vorangegangener Erkrankung erkennen. Ductus Botalli 4 Mm. lang, trichterförmig, mit 9 Mm. weiter Aortenmündung und 3 Mm. weitem pulmonalem Ostium. Das letztere von einer dünnen, kaum 1 Mm. breiten, an ihrer inneren Peripherie deutlich rissigen und mit zarten Gerinnseln besetzten Membran umrandet.

Ausserdem finden sich noch bei einigen jener Fälle, welche erst im späteren Alter zur Beobachtung gekommen waren, Angaben über das Verhalten in den Kinderjahren. Es sind diess die Fälle von

Almagro: 19jähr. Mädchen. War bis zum 3. Jahre völlig gesund, um welche Zeit die Eltern die Bemerkung machten, dass das Kind beim Weinen cyanotisch werde. Mit dem 5. Jahre klagte es über Herzklopfen und zeitweilige Dyspnoë, Erscheinungen, welche sich immer steigerten. Im 10. Jahre stellte sich reichliches, öfter wiederkehrendes Nasenbluten ein. Starb in Folge von Embolie in Lungen und Gehirn.

Bernutz: 23jähr. Mann. Einige Monate nach der Geburt Dyspnoe und Herzklopfen, welche Erscheinungen sich später namentlich bei kör-

perlichen Anstrengungen steigerten. Ging in Folge der Herzkrankheit zu
Grunde.

Rokitansky: 23jähr. Weib. Seit der Kindheit mit Herzklopfen behaftet. Starb an den Folgen der Herzkrankheit.

Rokitansky: 23jähr. Weib. Litt seit dem 10.—11. Jahr an Herzbe-
schwerden. Starb in Folge der Herzkrankheit.

Babington: 34jähr. Weib. Seit dem 6. oder 7. Jahr Herzklopfen,
Athemnoth, Oedeme der Knöchel, zuweilen blutig gestriemte Sputa. Erlag
der Herzkrankheit.

Luys: 52jähr. Weib. Von Geburt an cyanotisch. Ging an den Folgen
der Herzkrankheit zu Grunde.

Aus dieser Zusammenstellung dürften sich für die Pathologie des
Kindesalters folgende Schlüsse ergeben:

1. Unter beiläufig 20 Fällen von ausgiebiger Persistenz des Ductus,
welche bisher publicirt wurden, starben 5 schon im Kindesalter. Von diesen
erlag jedoch mit Sicherheit nur einer den Folgen der Gefässanomalie (Sanders), die übrigen gingen grösstentheils durch unabhängige Leiden (Pleuropneumonie, Scarlatina, Morb. Brightii [?]) zu Grunde und man kann
daher sagen, dass beinahe alle mit diesem Zustand behafteten das Kindesalter überleben, wenn sie nicht zufällig intercurrirenden Krankheiten
erliegen.

2. Das Offenstehen des Ganges macht in den ersten Lebenstagen, so
lange das fötale Verhältniss in der Stärke der Ventrikelwandungen besteht,
keine Erscheinungen. Aber schon bei einem 4monatlichen Kinde war ein
deutliches systolisches Geräusch hör- und tastbar (Sanders) und bei einem
1¼jähr. Kinde hatte die Anomalie bedeutende Hypertrophie des Herzens zu
Folge (F. Weber). — Die auscultatorischen Erscheinungen haben ihren Grund
in dem Ueberströmen des Blutes aus der Aorta in die Pulmonalarterie. In
Folge dessen muss sich dieses, jetzt unter Aortendruck stehende Gefäss
erweitern und der rechte Ventrikel, dem es jetzt obliegt, eine unter höherer
Spannung befindliche Blutsäule fortzubewegen, hypertrophiren. Je mehr aber
die Pulmonalarterie mit Blut überfüllt ist, um so weniger Blut kann der
rechte Ventrikel in dieselbe entleeren, daher eine Dilatation desselben, die
sich rückwärts nach dem rechten Vorhof und den Körpervenen fortpflanzt.
Die ersten Symtome sind somit — neben dem auscultatorischen Phänomen
— die der sich entwickelnden Herzhypertrophie (verstärkter und verbreiteter Herzimpuls, Herzklopfen, Kurzathmigkeit und Stickanfälle, endlich
Vorwölbung der Herzgegend) und früher oder später gesellen sich Stauungs-
erscheinungen (Neigung zu Katarrhen, Blutungen aus Nase und Bronchien,
Cyanose, Hydrops) hinzu, unter denen namentlich die Cyanose anfangs nur
bei forcirten Athmungsbewegungen (bei Gemüthsaffecten und stärkeren
körperlichen Anstrengungen) und im Verlaufe von Lungenkrankheiten
hervortritt.

3. Die in Frage stehende Anomalie kann übrigens im Kindesalter auch ohne alle Symptome getragen werden, denn unter 20 Fällen wurde nur bei 9 ein frühzeitiges Auftreten von Symptomen eines Herzleidens angegeben und bei mehreren der übrigen Fälle (W i l i g k, D u r o z i e z, K a u l i c h, S c h n i t z l e r) ist ausdrücklich die Bemerkung beigefügt, dass sich die Kranken in der Jugend ganz gesund befanden. Es dürfte dieses späte Auftreten der Symptome, wenigstens in gewissen Fällen, mit einer W i e d e r e r ö f f n u n g des Ductus zusammenhängen, welche natürlich nicht als nachträgliche Kanalisirung des bereits involvirt gewesenen Ganges, sondern als Wiedereröffnung des blos am pulmonalen Ostium verschlossenen, in der weiteren Involution aber gehemmten und daher im Aortenabschnitt ausgeweiteten Gefässabschnittes aufzufassen wäre. Diese Ansicht wird wesentlich gestützt durch das Vorhandensein häutiger Säume am pulmonalen Ostium — „Resten einer durchrissenen Membrana obturatoria ähnlich" — wie sie von W i l l i g k und in einigen Fällen auch von R o k i t a n s k y beschrieben wurden; dann aber auch durch den Mangel aller consecutiven Veränderungen am Herzen im Falle von W i l l i g k, welche sich jedenfalls hätten einstellen müssen, wenn die Permeabilität des Ductus längere Zeit vor dem Tode des 9jähr. Knaben bestanden hätte. Vielleicht sind die Thrombosen des Ductus oder jene Befunde bei Säuglingen, welche als Aneurysma desselben bezeichnet werden, die Vorstufen solcher Formen.

Die mit einfacher Persistenz ohne sonstige Bildungsanomalie behafteten Individuen können ein ziemlich hohes Alter erreichen ; so wurde D u r o z i e z's Fall 40 Jahre, S c h n i t z l e r's 43, L u y s's Kranke 52 Jahre und der von R e i d sogar 60 Jahre alt. In einzelnen Fällen war der Tod augenscheinlich die directe Folge des Fehlers, in anderen waren frische Entzündungen an den Klappen und Ostien des linken Herzens oder eine intercurrirende Krankheit die nächste Veranlassung desselben.

Erklärungen über das Zustandekommen unserer Anomalie wurden wohl von mehreren Seiten versucht; indess sind sie alle entweder nicht genügend begründet oder einer eingehenderen Kritik gegenüber unhaltbar, was wohl zum Theil in der geringen Anzahl der beobachteten und genauer untersuchten Fälle seinen Grund haben dürfte. So deutete F. W e b e r — da Hindernisse in der Respiration den Blutdruck in der Pulmonalarterie steigern — das Offenbleiben des Ductus als häufige Folge der Lungenatelektase. Gegen diese Ableitung erklärte sich jedoch R o k i t a n s k y, indem er geltend machte, dass in den bei weitem häufigeren Fällen die anatomische Beschaffenheit des Ductus auf eine von der Aorta in die Pulmonalarterie stattfindende Strömung schliessen lasse, und er andererseits überhaupt bezweifle, dass Hindernisse in der Durchführung des Blutes durch die Lungen die Involution des Ductus behindern könnten, da in solchen Fällen unzweifelhaft

das Foramen ovale Abhilfe leiste. Virchow[1]) dagegen will eine
primäre und secundäre Form unterschieden wissen, indem er aufmerksam macht, dass sich jene atelektatischen Zustände kurz nach der
Geburt, welche ein Abströmen des Blutes aus der Pulmonalarterie
in die Aorta bedingen, später reguliren können, worauf dann jedesmal diese Blutströmung ihre Richtung umkehren werde, weil das Blut
in der Aorta unter grösserem Drucke steht. Je älter dann das untersuchte Individuum ist, umsomehr dürfe man erwarten, dass das Ostium
aorticum des Ductus verhältnissmässig weiter sei.

Duroziez suchte, gestützt auf die schon oben citirten Fälle von
B. Smith und Vieussens, die Persistenz des Ductus durch Annahme
eines vorzeitigen, schon im Fötus vollendeten Verschlusses des Foramen ovale, und durch Hindernisse in der Entwicklung der Lungen
nach der Geburt zu erklären. Der erstere muss zur Hypertrophie des
rechten Herzens, Dilatation der Lungenarterien (da diese fast alles
Körperblut führen mussten), Verengerung der linken Herzhälfte (da
dieser nur die kleine Blutmenge aus den Lungen des Fötus zuge-
leitet wurde) führen und in Folge dieser Veränderungen sollte dann
der Ductus — namentlich, wenn sich damit die erwähnten Zustände in den Lungen combiniren — auch im späteren Leben offen
bleiben. Für diese Theorie würde nun wohl die in den Fällen von
Luys und Duroziez beobachtete Atrophie des linken Ventrikels
sprechen, dagegen lassen sich aber gegen dieselbe gewichtige Einwürfe geltend machen. Zuerst muss bemerkt werden, dass das
Foramen ovale bei Persistenz des Ductus wohl sehr gewöhnlich geschlossen gefunden wird, dagegen in einigen Fällen auch offen vorkam; 2. würde sowohl der Verschluss des Foramen ovale, wie auch
die Atelektase der Lungen ein Offenbleiben des Ductus von der
Lungenarterie her, also in anderer Form bedingen; und endlich 3. ist
nicht einzusehen, warum sich nach Beseitigung der Hindernisse im
Lungenblutkreislauf durch die eingetretene Respiration und bei normalen Zuflusse zum linken Herzen von den Lungen her der Ductus
nicht schliessen sollte, da er sich ja häufig unter höchst ungünstigen
mechanischen Bedingungen schliesst. Es könnten also die von Duroziez geltend gemachten Momente wohl eine Verzögerung der Involution (vid. pag. 10), keinesfalls aber die förmliche Hemmung derselben
begründen.

Nach Rokitansky kann als Grund der Persistenz nicht wohl
ein oder das andere vereinzelte Moment, sondern ein Complex meh-

---

[1]) Ges. Abhandl. 2. Aufl. 592.

rerer, ja noch mehr ein rechtzeitiges Ineinandergreifen ihrer Wirk_
samkeit angesehen werden. Nach seinen Beobachtungen habe es den
Anschein, als wenn der Ductus nur vom Ostium aorticum her zu einem
persistenten Offenbleiben bestimmt werde und ein hier in Betracht
kommendes ursächliches Moment scheine die in derlei Fällen sich
vorfindende Enge der Aorta, zumal der Aorta descendens zu sein
Es liesse sich hier denken, dass vielleicht von Seite der Arteria plu-
monalis eine sehr rasche Entwickelung des Calibers der Lungenarte-
rienäste mit dem beginnenden Respirationsprocesse durch eine ausgiebige Ablenkung des Blutstromes vom Ductus eine Veranlassung
abgeben könnte, dass das Aortenblut nach ihm hereindrängt und das
Offenbleiben von der Aorta her einleitet. Rokitansky gibt übrigens
zu, dass der Ductus selbst bei monströser Enge der Aorta sich in
der Regel in ganz gewöhnlicher Weise involvirt.

Turner [1] führt die Persistenz einfach auf eine Unregelmässigkeit in der Entwickelung des embryonalen Gefässsystems und insbesondere in der des 5. linken Aortenbogens zurück und' der zuerst von
Willigk ausgesprochenen, aber nicht näher begründeten Ansicht einer
Wiedereröffnung des Ductus wurde im Vorangehenden bereits ausführlicher gedacht.

Etwas bestimmter spricht sich über diese Wiedereröffnung Gerhardt — obwohl er im Allgemeinen den Ansichten von F. Weber
und Virchow zustimmt — aus, indem er für möglich hält, dass hie
und da auch die Thrombose des Ductus theils durch Verschwemmung,
theils durch Kanalisation des Thrombus zu der späteren Persistenz
führen könne. Wenn auch von einer Verschwemmung hier kaum die
Rede sein kann, so verdient doch die Kanalisation des thrombosirten
Ductus alle Beachtung. Dass eine solche daselbst in der That vorkömmt, beweist schon das nicht seltene Vorkommen haarfeiner
Kanäle im Innern des involvirten Stranges und auch die als „unvollständige Involution" bezeichneten Fälle dürften auf diesem Wege
entstanden sein. Ist in manchen Fällen ein Thrombus als nächste
Ursache der Involutionshemmung anzusehen, so ist es weiter im
hohen Grade wahrscheinlich, dass die in Folge ausgiebiger Pfropfbildung herbeigeführten secundären Veränderung in der Gefässwan-
dung nach erfolgter Kanalisation des Thrombus die dem Ductus inne-
wohnende Tendenz zur nachträglichen Involution vollständig aufheben
und auf diese Weise im Vereine mit dem von der Aorta her wirkenden Blutdruck die Persistenz begründen. Die entweder cylindrische

---

[1] Med. chir. Review. 1862, Juli.

oder trichterförmige Form des persistirenden Ganges dürfte dann wohl zunächst davon abhängen, ob die Pfropfbildung bald nach der Geburt oder erst nach bereits eingeleiteter Involution zu Stande kam und auch das zuweilen späte Auftreten der klinischen Symptome würde in dieser Entstehungsweise zum Theil seine Erklärung finden.

II.

Angeborener Dolichocephalus.

Beschrieben von

Prof. Dr. Gottfried Ritter v. Rittershain.

(Mit 6 Holzschnitten.)

Unter den zahlreichen Fällen von Anomalien des Schädelwachsthumes, welche ich bisher an unserer Findelanstalt zu beobachten Gelegenheit hatte, nimmt der im Folgenden zu beschreibende Schädel gewiss eine hervorragende Stelle ein. Wenn es überhaupt eines besonderen Beweises bedürfte, dass sowohl die Asymmetrie des Schädels in irgend einer Richtung, als die Kleinheit des Schädels im Ganzen als Folge der Beschränkung des Knochenwachsthumes durch vorzeitigen Verschluss je nachdem einzelner oder mehrerer Nahtabstände zustandekommen könne und müsse; so dürfte eben dieser Schädel einen unabweislichen Beweis dafür abgeben. Gewiss ist es eben so unrecht den ursächlichen Zusammenhang solcher Anomalien des Knochenwachsthumes mit der späteren Kopfform einer Lieblingsidee willen dort in Abrede zu stellen, wo man es in der That mit den Folgen einer vorzeitigen Synostosirung zu thun hat, als es absurd wäre das Vorkommen von Mikro-Plagiocephalie und jeder anderen beliebigen Abnormität der Schädelform ohne eine Behinderung des Nahtwachsthumes zu leugnen. Ueberhaupt ist das eine eigenthümliche Logik der Natur zuzumuthen, zu einem Ziele nur auf einem und demselben Wege gelangen zu können, und dürfte wohl Jedem einleuchten, dass die Mikrocephalie oder ein theilweises Zurückbleiben des Schädelwachsthumes eben so gut durch mangelhafte Entwicklung des Gehirnes und Mängel der Ossification bedingt sein, als dass umgekehrt durch vorzeitige Synostosirung einzelner oder mehrerer beim Fötus oder Kinde normal getrennter Knochen und Knochentheile das Wachsthum des Schädels, und je nachdem die Entwicklung des Gehirnes ihrerseits behindert werden können.

Welches Interesse übrigens insbesondere die auf vorzeitiger Synostose beruhenden Schädeldifformitäten, wenn sie eingehender erörtert werden, einerseits für die Lehre vom physiologischen Schädelwachsthume und für die Menschenkunde überhaupt, so wie andererseits für den Geburtshelfer, Kinderarzt, Psychiater u. s. w. besitzen, wird wohl Niemand leugnen, der sich nur einigermassen mit Arbeiten dieser Art, — sei es auch nur mit jenen der Meister auf diesem Gebiete, also eines Virchow's, Welcker's u. s. w. bekannt gemacht hat.

Es ist somit wahrlich zu beklagen, dass viele belehrende Präparate dieser Art eben nur dazu bestimmt zu sein pflegen, Schaustücke der anatomischen Museen zu bilden, und dass verhältnissmässig nur sehr wenige von ihnen durch Veröffentlichung geeigneter Beschreibungen und Abbildungen zur Kenntniss der Fachgenossen gelangen. Noch dazu wird es am häufigsten gerade dort unterlassen solche Vorkommnisse zu publiciren, wo das Materiale des pathologischen Anatomen an solchen, wie an anderen Fällen ein besonders reiches ist und der Ausfall daher doppelt schwer wiegt.

Wie selten kömmt es endlich vor, dass man bei den Untersuchungen und Beschreibungen selbst solcher Schädel, welche nicht erst nach jahrelanger Verborgenheit der Erde entrissen oder in irgend einem alten Präparatenkasten aufgefunden wurden, über die Erscheinung und die Masse des Kopfes, über den Körperbau und sonstige Umstände zu Lebzeiten des betreffenden Individuums etwas erführe; und doch wären solche Angaben gewiss nicht uninteressant und für die Beurtheilung des Falles oft genug von Wichtigkeit.

Betrachtungen dieser Art ermuthigten mich zu dem schüchternen Versuche einer detaillirteren Beschreibung dieses Schädels, welcher ich im Einklange mit meiner letzten Bemerkung auch einige Notizen über das kurze Leben des Kindes voranschicken will.

Polak Johanna, Findlings-Zahl 20453, war das erste Kind einer 26jährigen israelitischen Dienstmagd aus Prag, welche wohl schwächlichen Knochenbaues war, aber weder in der Form ihres Schädels, noch in ihrem Körperbaue überhaupt Abnormitäten, ja selbst keinerlei Spuren früherer rachitischer Erkrankung an sich trug. Das Kind kam am 1. Mai 1870, 8 Tage alt in die Anstalt; seine Körperlänge betrug 48—, seine Kopfperipherie 35—, sein Brustumfang 29 Ctr., das Gewicht 3 Pfd. 18 Lth. öst. Gew. oder 1995 Grm.; es gehörte somit unter die schwächsten Kinder. Im Leben bot der Kopf von oben betrachtet die Gestalt eines gegen das Hinterhaupt zugespitzten Ellipsoides; bei der Betastung fühlte man, dass die hinteren Ränder der Scheitelbeine die Hinterhauptsbeinschuppe überragten, die Stirnnaht erschien frei, die Stirnfontanelle bohnengross, die Pfeilnaht dagegen fest vereiniget und zu einer besonders in der hinteren Hälfte schärfer hervortretenden Kante erhoben; die Hinterhauptsgegend war kapselförmig hervortretend, die Protuberantia occipital. tiefer stehend, mässig entwickelt, die Stirnhöcker dagegen bedeutend vorstehend. — Schon bei der einfachen

Besichtigung schienen die Scheitelbeine im Sagittaldurchmesser merklich verlängert; — bei der Messung ergab es sich auch, dass die Entfernung des Mittelpunktes des vorderen von jenem des hinteren Randes derselben beiderseits 80 Mm. betrug. Der gerade Durchmesser des Schädels mass 125 Mm. der quere Durchmesser sowohl in der vorderen (Schläfen-) als in der hinteren (Parietal-) Gegend gemessen 80 Mm. Die mittleren drei Finger der linken Hand waren bis zu ihren Spitzen durch häutige Brücken verschmolzen, — die Hautdecken waren trocken, in queren Reihen linienförmig angeordnete grössere und kleinere Epidermisfetzen an der Brust und am Bauche fest adhärirend (stationäre Abschuppung). Die Scheidenschleimhaut secernirte ziemlich reichlich einen dicklichen weissen Schleim. Wiewohl das Kind von der eigenen, genügend milchreichen Mutter genährt und gepflegt wurde, auch bis zum 19. Lebenstage um 5 Loth (also ungenügend) an Gewicht zugenommen hatte, sank seine Ernährung in der folgenden Zeit immer mehr, es magerte ab, die peripheren Venen fingen an bläulich durch die dünnen Hautdecken durchzuschimmern, kleinere und grössere Pusteln so wie kleine subcutane Eiterherde sich zu entwickeln, und das Kind starb ohne weitere Krankheitserscheinungen als jene einer in den letzten Tagen des Lebens hinzugetretenen colliquativen Diarrhöe am 50. Lebenstage.

Zur besseren Würdigung der Form des zu beschreibenden Schädels hielt ich auch Abbildungen für nöthig, beschränkte mich jedoch dabei auf die Seitenansicht (Fig. 1), auf die Ansicht von oben (Fig. 2) und auf die Reversseite des Schädels (Fig. 3), welche Ansichten die hervorragendsten Abweichungen der Form dieses Schädels deutlich machen dürften. Sämmtliche (nach Photographien gefertigte) Abbildungen besitzen ziemlich genau die Hälfte der Grösse des Präparates.

Fig. 1.

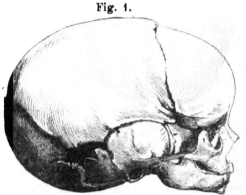

Schon aus den obigen Massen der Circumferenz und der Durchmesser des Schädels, welche am lebenden Kinde aufgenommen wurden, dürfte hervorgehen, dass der Kopf dieses Kindes keineswegs unter die kleinen gehörte, ja was den Umfang anbelangt schon an sich das aus meinen Messungen resultirende Mittelmass für weibliche Kinder dieses Alters überschritt, und in Anbetracht der geringen Körperlänge und sonstigen Schwächlichkeit des Kindes sogar nicht gewöhnlich gross war. Die Abbildungen selbst dürften ferner zeigen, dass dieser Schädel, so viel Abweichendes er in seinen Längen- und Breitendimensionen als Ganzes darbietet, nichtsdestoweniger in sei-

Fig. 2.

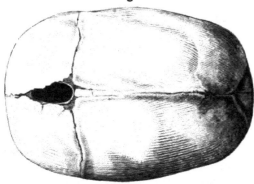

nen beiden Längenhälften ziemlich gleichmässig gebildet sei. Ebenso dürften es schon die Abbildungen ersichtlich machen, dass blos die Sagittalnaht vollständig verknöchert, dagegen die Nahtränder beinahe sämmtlicher übriger Schädelknochen frei sind, wenn gleich einzelne derselben über ihre Nachbarknochen verschoben erscheinen. Die Pfeilnaht dagegen ist in ihrer ganzen Länge verknöchert; nur an der hinteren Hälfte derselben,

Fig. 3.

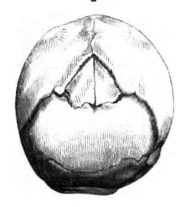

welche am meisten kantig hervorspringt, sind feine, kurze Nahtzacken bemerkbar, während ihre vordere Hälfte eine sich wenig über das Niveau erhebende ganz glatte Verschmelzung beider Scheitelbeine darbietet. Der Verlauf dieser Naht ist in der Längsrichtung bis auf den hintersten Theil derselben ein ziemlich geradliniger; in der Höhenrichtung dagegen bildet sie unmittelbar am Beginne, in der Mitte und in der Mitte der hinteren Hälfte seichte aber genau markirte Erhebungen, zwischen welchen sie sich allmälig um etwas weniges vertieft.

Die Stirnfontanelle stellt ein mit der Spitze gegen die Nasenwurzel gekehrtes langgezogenes Dreieck dar, dessen Höhe 27 Mm. und dessen geradlinige Basis 20 Mm. messen; die letztere wird von den vorderen Rändern der Scheitelbeine repräsentirt, welche hier in Folge der vollständigen Verschmelzung eine nur durch kleine rundliche Vorsprünge und seichte Einkerbungen unterbrochene Linie bilden. Der obere Winkel der Stirnfontanelle erscheint in diesem knöchernen Rande gleichsam durch zwei zur Seite der Pfeilnaht convergirend verlaufende seichte lineare Furchen angedeutet, welche nach rückwärts bald verschwinden und dem zwischenliegenden keilförmigen

Knochentheile, der mit seinem rundlichen breiten Ende von 4 Mm. Breite in die Fontanelle hineinragt das Ansehen eines Schaltknochens verleihen (Fig. 2).

Die Stirnbeine sind bedeutend vorgewölbt und die Stirnhöcker stark hervortretend, die inneren Ränder der ersteren bis zur Nasenwurzel herab frei. Die Scheitelbeinhöcker treten zwar eben auch markirt hervor; sie befinden sich jedoch keineswegs in oder nahe der Mitte der Höhe der Parietalknochen. Sie sind vielmehr so beträchtlich der verknöcherten Pfeilnaht genähert, dass sie von letzterer nur 21, vom unteren Rande der Scheitelbeine dagegen 53 Mm. entfernt liegen. Hiedurch erscheint auch der Schädel trotz normaler Stirnbreite in der Stirngegend auffallend breiter und gegen rückwärts zu verschmälert. Nicht in demselben Grade wie die Stirne aber immerhin auch ziemlich beträchtlich kapselförmig hervorgetrieben ist das Hinterhaupt, so dass wir an diesem Schädel schon viele von Virchow aufgestellten Merkmale eines Sphenocephalus vorfinden.

Der Körper und die Schuppe des Occipitalknochens sind vollkommen und ohne eine äusserlich entdeckbare Spur des früheren Geschiedenseins dieser Knochentheile mit einander verschmolzen, die Protuberantia occip. externa markirt hervortretend, nur bedeutend tiefer gelagert als unter normalen Verhältnissen. Eingeschaltet in die Lambdanaht und gewissermassen die Spitze der Occipitalschuppe vertretend und sie verlängernd schiebt sich zwischen die nach rückwärts auseinanderweichenden Endtheile der inneren Ränder der Scheitelbeine ein mediangelegener, zweigetheilter myrthenblattähnlicher Nahtknochen, welcher die Stelle der Hinterhauptsfontanelle ausfüllt (Fig. 3). Die Höhe desselben, von der Basis bis zu der an die synostosirte Pfeilnaht stossende Spitze beträgt 26, seine grösste Breite an der Basis 25 Mm. Eine lineare, sagittal verlaufende die Fortsetzung der Pfeilnaht repräsentirende, glatte und fest verknöcherte Nahtfurche theilt den Schaltknochen in zwei ziemlich gleiche und symmetrische Hälften, und es ragt über den Basalrand des Knochens in gleicher Richtung eine kurze seichte Furchung in die Occipitalschuppe herab, wie die Andeutung eines Blattstieles. Die Seitenränder des Schaltknochens sind fein gezackt und stehen in keiner knöchernen Vereinigung mit den zu beiden Seiten verlaufenden Rändern der Scheitelbeine, der Basalrand dagegen ist stellenweise ganz fest mit der Hinterhauptsschuppe verschmolzen und nur an der linken (unbedeutend grösseren Hälfte) mehr gekerbt.

Bei der Betrachtung der das Schädelgewölbe bildenden Knochen fällt die hochgradige Compactheit, das glatte Gefüge der äusseren

Knochentafel auf. Schwache Andeutungen radiärer Faserung der letzteren sind nur gegen die unteren Ränder der Scheitelbeine zu bemerkbar; ein deutliches Foramen nutriticium ist 14 Mm. hinter dem
rechten Parietalhöcker in einer Entfernung von 11 Mm. von der Sagittalnaht zu entdecken, und hält im Durchmesser höchstens 1 Mm.
Leider ist weder auf Fig. 2 dieses Foramen angedeutet, noch tritt
das Prominiren der Parietalhöcker Fig. 1 und Fig. 2 so deutlich
hervor wie am Präparate.

Schliesslich sei noch bemerkt, dass an der Basis dieses Schädels
durchaus die dem Alter des Kindes entsprechende Trennung der einzelnen Knochen und ihrer Theile wahrzunehmen sei.

Bei der Aufnahme der nun folgenden Maasse dieses Schädels habe
ich mich vorzüglich an die nicht genug zu schätzenden Anweisungen
Hrn. Prof. Welcker's gehalten und fand hiebei so wie bei anderen
Messungen Gelegenheit die grosse Bequemlichkeit des von ihm im
I. Bande des Arch. f. Anthropologie empfohlenen Massstabes zu würdigen, welchen ich mir nach der dort gegebenen Abbildung desselben
anfertigen liess.

Es betrugen: Mm.
Der horizontale Umfang des Schädels . . . . ·335
Der Höhenumfang am vorderen Rande des Hinterhauptloches 227
Abstand des Kinnes von der Spitze des Zwickelknochens . . 119
    „   „   „   „   „   Protuberantia occipit. ext. . . 113
Längendurchmesser des Schädels 117
Querdurchmesser 78
Höhendurchmesser 76
Vom L Stirn- zum R Parietalhöcker 89
   „ R „   „ L   „   87
Länge der Sagittalnaht 73
Von der Mitte des vorderen bis zum wirklich hervorstehen-
    den Mittelpunkte des hinteren Randes der Scheitelbeine { L 80
                                                            { R 79
                                                            { L 56
Der untere Rand der Parietalknochen . . . . { R 55
Abstand der Parietalhöcker von der Pfeilnaht beiderseits . . 21
    „   „   „   vom unteren Rande . . . . { L 54
                                                      { R 53
Vom Occipitalhöcker bis zum hinteren Rande des Occipi-
    talloches 30

Mm.

Vom hinteren Rande des Hinterhauptloches zur Spheno-
Occip.-Grenze 35
Vom vorderen Rande des Hinterhauptloches zur Spheno-
Occip.-Grenze . . . . 12⎰
Sagittaldurchmesser des Hinterhauptloches . . . . 23⎰ 35
Von der Spitze der L zur Spitze der R Schläfenschuppe

über die Scheitelmitte . . . . ⎰ L 75⎰
⎰ R 74⎰ 149

Der Abstand der beiden Meat. auditorii vom inneren Rande
gemessen 40
Virchow's hinterer temporaler Querdurchmesser *) 63
Von der Höhe der Stirne bis zum unteren Rande d. Oberkiefers 60
„ „ „ „ „ „ „ Kinne 69

Die weiteren nöthigen Ausmasse ergibt das folgende, ebenfalls
nach Welcker construirte und nach sorgfältigster Bemessung entworfene Schädelnetz, an dessen Grundlinien ich die betreffenden Entfernungen (die Ziffern = Mm.) eingezeichnet habe. Da der unmittelbare
Vergleich mit dem von Welcker in seinem Wachsthum und Bau
des menschlichen Schädels Tafel IV, Fig. 3 gegebenen Schädelnetze
vorzüglich geeignet sein dürfte die charakteristischen Formabweichun-
gen des beschriebenen Schädels anschaulich zu machen, so erlaube
ich mir hier beide diese Schädelnetze neben einander zu stellen.

Die grösste Verschiedenheit in der Form der einzelnen corre-
spondirenden Theile der beiden Schädelnetze gibt sich wie leicht
begreiflich in dem oberen Schädelvierecke (I) kund, das in Folge der
ungewöhnlichen Naherückung der beiden Scheitelbeinhöcker und der
bedeutenden Breite der Stirne sich nach hinten zu beträchtlich verschmälert statt wie beim normalen Schädel breiter zu werden. Hiedurch wird natürlich auch die Gestalt der beiden Seitentrapeze (IV
und V) wesentlich verändert.

Ihm zunächst ist das obere Hinterhauptsdreieck (VI) durch die
ungemein weit nach rück- und abwärts gedrängte Protuberantia occipital. am auffallendsten verschieden gestaltet. Aus demselben Grunde
erscheint auch die Form·der beiden hinteren Hinterhauptsdreiecke VIII
und IX so abweichend. Auch das Basalviereck (IV) ist wegen der
Breite der Stirnbeine nach rückwärts zu verschmälert, während es
im Welcker'schen Schädelnetze ein regelmässiges Viereck darstellt.

---

*) Die Spitzen des Tasterzirkels beiderseits auf die über der Ohr-
öffnung auslaufende Kante des Jochbeines angelegt.

Am wenigsten Verschiedenheit zeigen das untere Hinterhauptsdreieck
(VII) und das Stirnviereck (II). — Erwähnt zu werden verdient, dass
die Entfernung der Stirnhöcker ff und der proc. zygom. zz an diesem Schädel genau den von Welcker bei seinen Messungen von
Schädeln Neugeborener gefundenen Mitteln gleich, während die Linien
mm um 6 Mm. kleiner, mz aber um 8 Mm. länger sind. Der Vor-
wurf, als dächte ich durch diese vergleichende Nebeneinanderstellung
der beiden Schädelnetze in der That die Unterschiede des beschriebenen von einem normalen oder gar von einem abnormen Kinderschädel mit anatomischer und mathematischer Genauigkeit gekenn-
zeichnet zu haben, wird mir wohl kein Fachmann machen; da wohl

Fig. 4.

Welckers Schädelnetz.

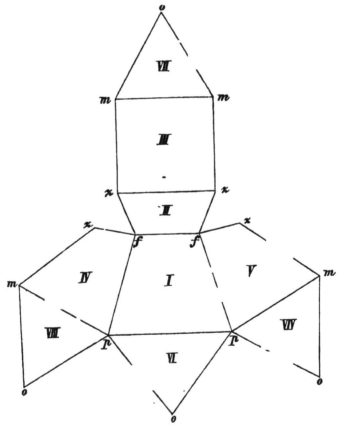

f) Stirnhöcker.
p) Scheitelbeinhöcker.
z) Jochfortsatzende des Stirnbeines.
m) Spitze des Zitzenfortsatzes.
o) Hinterhauptshöcker.

das Schädelnetz eines speciell beschriebenen Falles auf diesen ·aber nicht ein den Durchschnitten mehrerer Messungen entnommenes Schädelnetz auf alle Fälle normaler Schädelbildung (soweit dieser Begriff eben aufzustellen ist), noch weniger aber auf verschiedene Altersperioden anzupassen ist. Ich sehe darin nur die Anleitung, wie Schädelnetze entworfen werden sollen. Nichtsdestoweniger dürfte die hier gewagte Zusammenstellung dieses (wollen wir sagen) idealen Grundrisses mit jenem des speciellen Falles sich als sehr geeignet erweisen die Vortrefflichkeit und den hohen Werth der Welcker'schen Darstellungsweise für die wissenschaftliche und genaue Beschreibung vorkommender abnormer Schädelformen zu illustriren.

Fig. 5.
Schädelnetz des Dolichocephalus.

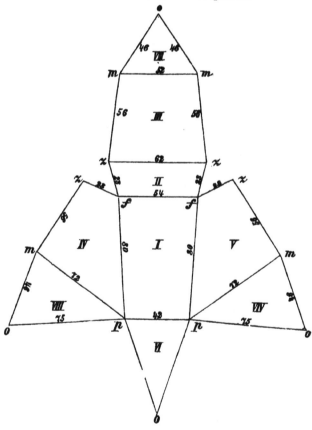

I. Oberes Schädelviereck.	VI. Oberes ⎫
II. Stirnviereck.	VII. Untere ⎬ Hinterhauptdreiecke.
III. Basales Viereck.	VIII. ⎱ hintere ⎪
IV. und V. Seitentrapeze.	IX. ⎰ ⎭

Nebst dem geschilderten Formverhältnisse des Schädelgewölbes dürfte aber auch die im vorliegenden Falle von dem normalen Kinderschädel bedeutend abweichende Bildung des Gesichtsschädels einiges Interesse besitzen.

Fig. 6.

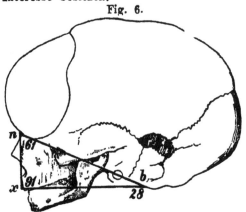

Im Gegensatze zu der dem Kinderschädel regelmässig zukommenden Prognathie finden wir eine Orthognathie entwickelt, wie sie selbst bei Erwachsenen nur in Ausnahmsfällen zu beobachten ist. Dies beruht auf der relativen Länge der Gesichtslinie $n\,x$, welche von der Nasenwurzel bis zu dem der Medianlinie des Alveolarfortsatzes des Oberkiefers entsprechenden, meist hervorragenden Punkte gemessen 24 Mm. lang ist. Der Nasenwinkel hält demgemäss blos 61, statt wie Welcker als Durchschnitt bei Neugebornen fand 69 Grade. Die bedeutende Vorwölbung der Stirne macht dieses Verhältniss beim Anblicke des Schädels noch auffälliger. — Mit einem Faden bemessen ist die Bogenlinie von der Nasenwurzel bis zum Beginne der verknöcherten Pfeilnaht 72 Mm. lang, jene vom unteren Rande des Zahnfortsatzes bis zu derselben Stelle 98 Mm., von demselben Punkte beträgt die Entfernung zur hervorragendsten Stelle der Stirnwölbung (im Bogen gemessen) 45, von letzterer zur Pfeilnaht 54 Mm. Die Höhe eines von der hervorstehendsten Stelle der Stirnwölbung auf die Ebene, in welcher der untere Rand des Oberkiefers liegt fallenden Lothes ist 40 Mm.

Damit hoffe ich die wichtigsten Abweichungen des beschriebenen Schädels von der regelmässigen Form berührt zu haben. Er ist demzufolge charakterisirt:

1. durch das beträchtliche Vorwalten seines Längendurchmessers, mit

2. gleichzeitiger seitlicher Verschmälerung des Craniums in seiner hinteren Hälfte, beruhend

3. auf der vorgeschrittenen Vorknöcherung der Pfeilnaht in ihrer ganzen Länge;

4. durch die bedeutende Verwölbung der Stirne und des Hinterhauptes mit Einschiebung eines Nahtknochens von bedeutender Grösse in die Lambdanaht;

5. durch die relativ beträchtliche Entwicklung des Gesichtsschädels.

III.

Colossales congenitales Cystenhygrom des Halses,

combinirt mit cavernösem Angiome und Makroglossie.

Mitgetheilt vom

Sanitätsrathe Prof. Valenta in Laibach.

(Mit 2 Holzschnitten.)

Am 19. Februar 1870 wurde auf der Klinik laut Prot. Nr. 149 von der 23jährigen Drittgebärenden Agnes L.... durch die Naturkräfte allein in I. Schädellage ein starker Knabe geboren (Fig. 1). Sein Hals war durch eine kiopf-artige Geschwulst, welche bis zum Process. xyph. sterni herabragte, derartig verunstaltet, dass das neugeborne Kind ein cretinar-tiges Aussehen darbot, wel-ches noch durch die vergrösserte Zunge, die zwischen den verdick-ten Lippen hervorragte, erhöht wurde. — Die pralle Geschwulst fühlte sich elastisch an, hatte eine blaurothe Farbe und reichte, die linke Wange auffällig vergrössernd bis zum linken Ohre, dessen Läpp-chen unmittelbar in die Geschwulst überging.

Fig. 1.

Das 6 Pfund 20 Loth schwere, $19\frac{1}{2}$ Zoll lange, sonst wohlge-bildete und sehr gut genährte Kind war cyanotisch, athmete sehr schwer und vermochte nicht zu schlingen, indem die Mundhöhle von der Zunge in der That so vollständig ausgefüllt war, dass man mit dem Kaffeelöffel zwischen die gelblich (gallertartig) aussehende, aus

3 *

der $^3/_4''$ bis 1'' offenen nach rechts verschobenen Mundspalte hervor-
ragende, colossal angeschwollene Zunge, dem harten Gaumen und den
Seitenwänden kaum einzudringen resp. Flüssigkeit einzuflössen im
Stande war. Die Athemnoth und Cyanose steigerten sich und $23^1/_2$
Stunden nach der Geburt erfolgte der Tod des Kindes. — Die im
Leben gestellte Diagnose lautete auf einen von der Schilddrüse ausgehenden Tumor-Cystenkropf oder Tumor cavernosus. — Leider war
ich im Drange der Geschäfte verhindert eine alsbaldige anatomische
Untersuchung der Geschwulst vorzunehmen, und ein genaueres Studium
derselben beabsichtigend, wurde indessen das Kind in mit Sublimat
versetztem Spiritus aufbewahrt, wodurch dann die genauere Erkenntniss der Structur, des Inhaltes u. s. f. der Geschwulst in mancher Beziehung schwieriger wurde. — Bevor ich zur Beschreibung
der Geschwulst schreite, muss ich vor Allem dankend erwähnen, dass
mich in der mikroskopischen Untersuchung Herr Bezirksarzt Dr.
Joh. Mader wesentlich unterstützte.

Wie aus der beigefügten Abbildung zu ersehen ist, hängt die
colossale, die ganze vordere Halsgegend bis zum Manubrium sterni
einnehmende Geschwulst einerseits bis zum Schwertknorpel herab und
umschliesst andererseits besonders die linke Wange bis zum Auge und
nach hinten bis zum Ohre, in der Mitte, den beiläufigen Contouren
des Unterkieferrandes entsprechend, eine quere Einschnürung zeigend.
Auch die rechte Wange ist deutlich geschwollen, wenn auch bedeutend weniger als die linke. Die Geschwulst misst von oben noch
unten 5'' 6''' und hat in ihrem grössten Umfange gemessen eine
Pheripherie von 16'' — (Der Umfang um Kopf und Geschwulst
gleichzeitig misst 21'').

Das Gehirn ist normal; bei der Eröffnung der Brusthöhle fällt
vor Allem die mindestens dreifach vergrösserte Thymusdrüse auf, und
die eigenthümliche Lagerung des colossal hypertrophirten Herzens,
welches vom Herzbeutel innig umschlossen, so zu sagen horizontal lag,
so dass die Basis desselben ganz in die rechte Thoraxhälfte hinüber-
reichte. Es misst im Längendurchmesser 2'' 8''', im Querdurchmesser
1'' 8'''; seine Höhlen, besonders die rechten Vorkammern strotzen
von Blutcoagulis. — Die Lungen sind in die hintere Thoraxhälfte
gedrängt, die linke vollständig lufthältig, die rechte dagegen bis auf
eine kleine Partie in der Spitze des obern Lappens durchaus atelektatisch. — Die Baucheingeweide bieten gar nichts besonderes dar. —
Nun wurde ein senkrechter das Gesicht und die Geschwulst halbirender
Durchschnitt gemacht (siehe Figur 2) und hiebei stellt es sich bei
näherer Betrachtung heraus, dass es sich hier nicht um eine änge-

borne Kropfbildung handelt, trotz dem dass die Geschwulst in die
Tiefe bis zur Schilddrüse (Fig. 2, e) reicht und mit dem linken Seiten-

Fig. 2.

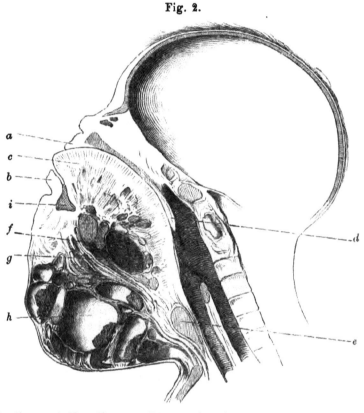

a Oberlippe, *b* Unterlippe, *c* Zunge, *d* weicher Gaumen, *e* Schilddrüse,
f Cyste mit blutigem Inhalte, *g* cavernöse Venengeschwulst, *h* Cyste mit
Serum und Blutcoagulum, *i* Unterkiefer.

lappen dieselben fest zusammenhängt. Die Geschwulst präsentirt sich
auf den Durchschnitt als ein Convolut von zahlreichen, glattwan-
digen Cysten von verschiedener Grösse, welche theils unter einander communiciren, theils auch abgeschlossen sind, deren grösste
(Fig. 2, h) etwa hühnereigross ist und gerade über der Schilddrüse liegt.
— Die Wandungen der Cysten sind ziemlich dünn, werden aber an
den Grenzen der Geschwulst, besonders gegen die Tiefe zu dicker, während die Cysten selbst immer kleiner werden. Gegen die Tiefe zu
bildet die tiefliegende Halsfaszie die Grenze, nach oben zu ist eine
Grenze schwer zu erkennen, indem sich ein schwammiges Gewebe
bis zur Cutis fortsetzt und über den Unter-Kieferrand nach oben in
das Gewebe beider, besonders aber der linken Wange vordringt,

welche letztere bedeutend verdickt erscheinen. Auch über den rechten Kieferrand in die rechte Wange setzt sich über den rechten Kieferrand die Geschwulst fort, die Verdickung und Vergrösserung dieses Theiles ist jedoch viel geringer (10‴) als linkerseits, wo sie über 2″ beträgt. In beiden Wangen finden sich aber nur kleinere Hohlräume vor, das Gewebe ist etwas derber und schliesst zahlreiche kleinere und grössere Fettinseln ein, deren eine in der rechten Wange ziemlich gross, 8 Linien messend, bis an den Knochen reicht und ein atheromähnliches Ansehen hat. Eben da, nämlich in der rechten Wange, wird das Ansehen der Geschwulst im Ganzen der Elephantiasis sehr änlich, jedoch nur auf dem Durchschnitte, denn die Oberfläche derselben ist eben, ohne Höcker. Auf dem Durchschnitte sieht man hier nur eine durchaus gleichförmige Masse, welche wie gesagt mit vielen Cysten und Fettinseln durchsetzt ist, von der Muskulatur erblickt man nichts mehr. Mikroskopisch findet man indessen die Muskelbündel noch erhalten, jedoch auseinander geworfen und in Bruchstücke getheilt, zwischen welchen die oben beschriebene Bindegewebsmasse eingeschoben ist. Das schwammige, cavernöse Gewebe setzt sich bis zur Basis der Zunge (Fig. 2 c) fort, und dringt auch in den vorderen Abschnitt derselben und zwar fast bis zur Spitze vor. Die Zunge, welche mindestens vierfach vergrössert ist, zeigt in ihrer Mitte eine deutliche Furche, füllt die ganze Mundhöhle aus und ragt noch überdiess aus der Mundöffnung vor. Diese Vergrösserung der Zunge ist jedoch augenscheinlich nicht bloss durch die gedachte Wucherung hervorgebracht, sondern es ist entschieden deren Muskelmasse selbst vermehrt (Makroglossie.)

Die Gefässe und Nerven des Halses werden durch die Geschwulst nicht alterirt. Die vom Sternum zum Schildknorpel und Zungenbein ziehenden Muskeln sind theilweise von der Geschwulst umwachsen, jedoch die Muskeln selbst erhalten.

Da, wie gesagt, das Präparat bereits ein Jahr im Spiritus lag und der Durchschnitt nicht im frischen Zustande gemacht wurde, so lässt sich über den Inhalt der Cysten schwer etwas bestimmtes sagen. In einigen derselben, in der Tiefe, war jedoch sicher ein blutiger Inhalt und sind dieselben jetzt noch mit Blutcoagulis vollkommen ausgefüllt (Fig. 2 f); die übrigen dürften einen serösen Inhalt gehabt haben. Was die feinere Structur der Cystenwände und des beschriebenen schwammartigen Gewebes betrifft, so besteht dasselbe aus derbem, streifigem Bindegewebe, welches sehr reichlich mit feinen aber auch mit sehr breiten elastischen Fasern versehen ist und auch ziemlich reichliche, rundliche Kerne enthält. Dasselbe bildet

Bündel, welche sich vielfach kreuzen, aber auch Lücken und Hohlräume zwischen sich lassen, welche mit der Loupe noch kenntlich
sind. Diess ist vorzüglich der Fall in jenen Theilen der Geschwulst,
wo weniger grosse Cysten vorhanden sind. Die Wandungen der grossen Cysten sind derber und weniger cavernös.

Ferner trifft man bei der mikroskopischen Untersuchung auf
zahlreiche Gefässdurchschnitte und besonders auf sehr erweiterte Venen. In der Umgegend derselben finden sich dann oft zahlreiche Blutkörperchen in dem Gewebe, auch grössere Extravasate.
Endlich stösst man vornehmlich in der Tiefe der Geschwulst auf
Stellen, wo sich ein bindegewebiges Balken- und Maschenwerk vor-
findet, dessen Alveoli ganz mit Blutkörperchen ausgefüllt sind und
die in dem Baue mit den cavernösen Angiomen vollkommen
übereinstimmen. Da die Theile durch das lange Liegen im Spiritus
eine durchaus gleichförmige Färbung angenommen haben, ist die Ausdehnung, welche die cavernöse Venengeschwulst erreicht hat, schwer zu
ersehen. Bei der mikroskopischen Untersuchung finden sich besonders
an in Chromsäure gehärteten Präparaten sehr schön sichtbar die beschriebenen Schnitte und zwar vorzüglich in der Tiefe der Geschwulst,
in der Umgegend der Schilddrüse, nämlich dort, wo auch die Cysten
mit blutigem Inhalte sich befinden. Die cavernöse Venengeschwulst
(Fig. 2. g.) dürfte daher mit den Hämorrhagien in die Cysten in
Zusammenhang stehen.

Fassen wir das Gesagte kurz zusammen, so ergiebt sich, dass
der Ausgangspunkt der Geschwulst das Bindegewebe des Halses unter
der fascia colli ist; dass die Geschwulst aus einer Wucherung des
Bindegewebes mit Lücken- und Hohlraumbildung und daraus hervor-
gehender Cystenbildung besteht, sich einerseits in die vergrösserte
Zunge, anderseits in das Zellgewebe beider Wangen, besonders der
linken, fortsetzt; dass die Grenzen der Geschwulst schwer zu ziehen
sind, da sie nirgends abgekapselt ist; und dass sich in derselben eine
cavernöse Venengeschwulst entwickelt hat.

Welchen Antheil die Lymphgefässe an der Entwicklung derselben haben, ist zu entscheiden nicht möglich, umsoweniger, als an
dem alten Präparate das Epithel der Cystenwandungen nicht mehr
vorhanden ist.

Die Geschwulst ist als Cystenhygrom des Halses zu
bezeichnen, wofür ausser dem obigen anatomischen Befunde vor
Allem deren fötale Entstehung spricht, indem ja, wenn auch bis
jetzt die Aetiologie dieser Geschwülste nicht sicher begründet ist,
das Factum ihres fötalen Ursprunges zweifellos dasteht. Die Com-

bination des Cystenhygroms mit cavernösen Augiom ist
äusserst selten, selbe wurde zuerst von Lücke (Virchow's Archiv
XXXIII, 330) beschrieben.

Professor Lücke behauptet, dass die Muskulatur, Gefässe,
Nerven, Drüsen von der Geschwulst wohl verdrängt, aber nicht in
ihren Gewebe alterirt werden. Diess trifft indessen in unserem Falle
nicht ganz zu, denn, wie oben erwähnt, ist die Muskulatur des Gesichtes in der linken Wange in das Gewebe der Geschwulst einbezogen, das Ganze in eine gleichförmige Masse verwandelt; die Geschwulst nimmt daher hier einen heteroplastischen, malignen
Charakter an, indem sie die normalen Theile in ihr Wachsthum
einbezieht, ein Verhalten, welches bisher und namentlich von Lücke
nicht angegeben wurde. Es muss jedoch bemerkt werden, dass dieses
nur von der linken Wange, nicht aber von der Halsgegend gilt, wo
wie gesagt, Muskulatur, Nerven und Gefässe von der Geschwulst
nicht alterirt werden; ebenso ist die Muskulatur in der rechten Wange
in toto erhalten.

Die Makroglossie scheint durch die Wucherung der Geschwulst
bedingt zu sein, sie ist jedoch insoferne selbstständig, als die Muskelmasse selbst augenscheinlich hypertrophirt ist.

IV.

Winke, die Behandlung der Ophthalmia pustularis betreffend.

Von Dr. J. Hock, Augenarzt in Wien.

Diese von Arlt „Conjunctivitis scrophulosa" benannten, von Stellwag als Herpes corneae et conjunctivae aufgefassten, von den älteren Autoren in eine grosse Anzahl von Ophthalmien gesonderten Erkrankungen der Augen, welche in hervorragender Weise die Kinder der ärmeren Stadtbevölkerung zu befallen pflegen, werden besonders in ihren leichteren Formen häufig Gegenstand der Behandlung für die praktischen Aerzte. Wenn man auch von der Behandlungsweise von Seite der älteren Aerzte, die für jedes Augenleiden alsogleich ein Collyrium, eine Präcipitatsalbe oder gar kalte Ueberschläge bei der Hand haben, absieht, so muss doch constatirt werden, dass auch bei jüngeren, mit der Diagnose dieser Erkrankungen offenbar vertrauten Aerzten eine grosse Unsicherheit in der Wahl der anzuwendenden Mittel vorherrscht. So werden z. B. Calomelinspersionen bei Fällen und in Zeiten gemacht, wo dieselben unzweckmässig oder gar gefährlich sind.

Ich will in den folgenden Zeilen von der Bekämpfung des diese Erkrankungen begründenden oder sie begleitenden Allgemeinleiden absehen, da die Auffindung und Heilung desselben doch vorzugsweise Aufgabe des Kinderarztes ist, und mich darauf beschränken, die in den Handbüchern der Augenheilkunde in grossen Zügen entworfene specielle Therapie in kleineren Details auszumalen, so wie dabei einige praktische Anhaltspunkte zu geben. Zu diesem Behufe dürfte es nothwendig sein den Verlauf dieser Erkrankung zu schematisiren und die einschlägige Therapie an die einzelnen Krankheitsbilder anzuknüpfen.

Die Erkrankung beginnt meist mit einer leichten, bald vorübergehenden, aber häufig wiederkehrenden Röthung der Augapfelbindehaut. Dieses Anfangsstadium bekömmt der Arzt selten zu Gesichte, weil die Eltern, besonders wenn sie den ärmeren Ständen angehören, dasselbe wenig beachten oder zu Hausmitteln ihre Zuflucht nehmen. — Bei Vor-

führung eines solchen Kindes wird sich der Arzt vor Allem zu verge-
wissern haben, ob nicht ein Bindehautkatarrh, ein Trachom oder gar
Granulationen zugegen sind da auch diese Entzündungsformen zuweilen
mit einer flüchtigen Röthung der Skleralbindehaut einhergehen. Ist die
Tarsalbindehaut nur leicht geröthet, höchstens die Uebergangsfalte etwas
geschwellt, ist auch kein Fremdkörper zugegen, so kann man gewiss
sein, es mit einem Bläschenkatarrhe zu thun zu haben. Man hüte
sich in diesem Stadium zu adstringirenden Augenwässern oder zu
Colomelinspersionen zu greifen, indem man damit leicht eine heftige
Eruption von Knötchen oder Pusteln am Hornhautrande oder der
Cornea selbst befördern kann. Strenge Augendiät, frische Luft, Schutz
vor grellem Lichte, bei Hervortreten katarrhalischer Erscheinungen
ein Collyrium von Sublim. corros. $\frac{1}{2}$—$\frac{1}{4}$ Gr. ad ȝ 4 aq. mit 2—3
Tropfen Tinct. Opii croc., mehrmals des Tages tropfenweise angewendet,
passen für diesen Zustand am besten. Selten wird es auch unter
dieser Behandlung gelingen, die eigentliche Eruption aufzuhalten und
den Zustand dauernd zu beseitigen.

Plötzlich, gewöhnlich über Nacht, tritt unter leichteren drücken-
den Empfindungen oder unter stechenden Schmerzen und dem Er-
gusse von heissen Thränen eine Eruption von einem oder mehreren
Knötchen am Limbus oder auf der Hornhaut selbst auf, wobei zu
bemerken ist, dass die Entwickelung derselben auf der Conjunctiva
in der Regel unter geringeren Reizungserscheinungen und oft in grösserer Anzahl, auf der Hornhaut hingegen meist nur einzeln und unter
lebhafteren Schmerzen erfolgt. Sind die Knötchen am Limbus Corneae gesetzt und bietet das Auge ausser einem geringen Grade von
Lichtscheu keine Reizungserscheinungen dar, so wird man sich mit
Vortheil der Calomelinspersionen bedienen. Jedoch ist vorher die
Hornhaut bei schiefer Beleuchtung oder mittelst des durch eine starke
Linse gesammelten Tageslichtes genau zu inspiciren, zuweilen wird
man auf solche Weise auch bei scheinbar reizlosem Zustande des
Auges eine oder mehrere äusserst feine, graue, oberflächlich
sitzende Pünktchen (wahrscheinlich kleine Gruppen getrübter Epithelzellen) wahrnehmen. Ist diess der Fall, so warte man lieber 1—2
Tage mit den Einstreuungen von Calomel und beschränke sich auf
die oben angegebene zuwartende Weise. Ebenso verfahre man, wenn
die Knötcheneruption auf der Bindehaut, was wohl selten der Fall,
mit starker Lichtscheu oder Thränenfluss verbunden ist. Tritt nicht
nach wenigen Tagen eine frische Eruption, wohl gar auf der Hornhaut, hinzu, so weichen die Reizungserscheinungen bald und man
kann nun die Calomelbehandlung beginnen.

Ist das Knötchen auf der Hornhaut etablirt (mit Vorliebe wird das Centrum derselben betroffen), so wird ebenfalls der den Prozess begleitende stärkere oder schwächere Reizungszustand bei der Therapie massgebend sein. Ein niemals trügerischer Wegweiser ist hierbei die Weite der Pupille. Ist bei einseitiger Affection die Pupille des erkrankten Auges enger oder sind bei doppelseitiger Erkrankung der Pupillen abnorm eng (bei Kindern überhaupt ein ungewöhnlicher Umstand), so enthalte man sich, selbst wenn die Lichtscheu und der Thränenfluss unbedeutend sind, jedes Reizmittels; man kann sicher sein, mit letzterm die Entwickelung von Gefässen auf der Hornhaut (Keratitis vasculosa), den ärgsten und hartnäckigsten Feind herbeizurufen. Ein Tropfen des gewöhnlichen Mydriaticums (Atropini sulfur. gr. 1 ad aq. destill. dr. 2) genügt oft, um die durch die Irisreizung angezeigte stärkere Füllung der vorderen Ciliargefässe rückgängig zu machen. Dieser Umstand wird aus der Maximalerweiterung der Pupille ersehen. Insolange diese Erweiterung nicht erreicht ist, sind die Instillationen fortzusetzen. Nach wenigen Tagen wir das Knötchen geschwunden und an seiner Stelle ein seichtes, meist noch getrübtes Grübchen gefunden werden, die den Process begleitende leichte Ciliarröthung gewichen sein. Ist aber bei Vorhandensein von Knötchen auf der Hornhaut die Pupille von vormaler Weite, ist keine oder nur sehr geringe Ciliarröthe vorhanden, ist die Lichtscheu und der Thränenfluss unbedeutend, so kann auch hier mit Calomelinspersionen probeweise vorgegangen werden; so wie sich aber die Pupille zu verengern beginnt, muss man sogleich zur Atropinisirung übergehen.

In einer gewissen Anzahl von Fällen, besonders bei Individuen mit sogennanntem „erethisch scrofulösem" Habitus, hält aber auch die blandeste Behandlung die Entwickelung von ärgeren Zufällen nicht auf. Der mildeste von diesen letzteren ist die Entwickelung des sogenannten „scrophulösen Gefässbändchens" von Stellwag „herpetische Brücke" genannt, eine Gefässneubildung, welche von den erweiterten Gefässen der Bindehaut zu dem Knötchen verläuft und eine mehr weniger dreieckige Figur bildet, deren Spitze eben das Knötchen einnimmt. Zwischen den einzelnen Gefässen dieser Neubildung lagert sich bald ein graues sulzähnliches Exsudat ab, welches den Verlauf der ersteren begleitet und in der Form eines trüben Streifens noch lange, nachdem die Gefässe zurückgebildet, persistirt und häufig ein bleibendes Sehhinderniss abgibt. Zuweilen ist das nach dem Verschwinden der ursprünglichen Gefässbildungen zurückbleibende Exsudat der Boden, auf welchem sich unter Recrudesciren der Erscheinungen einer heftigen Reizung ein unregelmässig angeordnetes

Convolut von feinsten Gefässen, das auf der grauen Unterlage ziegelroth erscheint, ausbildet und in letzterer wie eingebettet ist. Es ist dies ein ähnlicher Vorgang, wie bei der später zu besprechenden, eigentlichen Keratitis vasculosa, und stimmt auch mit dieser in der Hartnäckigkeit des Verlaufes und der Reizungserscheinungen überein. Die Therapie stimmt im Ganzen mit der oben bei einfachen Knötchen auf der Hornhaut besprochenen überein, nur wird es hier bei fortdauernden Reizungserscheinungen nothwendig die Wirkung des Mydriaticums durch eine Belladonnasalbe zu unterstützen und das erkrankte Auge durch ein Schutzmittel vom Sehacte und von dem Tageslichte auszuschliessen. Dies geschieht durch einen vor dem Auge anzubringenden, doppelten Leinenlappen, oder, wo es die Umstände erlauben, durch das Anlegen eines Schutzverbandes. Kinder unter 4—5 Jahren dulden überhaupt nur in den seltensten Fällen einen solchen und suchen sich desselben durch Zerren an demselben zu entledigen. Bedenkt man ferner, dass Aeltern, die ihre Zeit der Arbeit widmen, die Pflege der Kinder den unzuverlässlichsten Personen, oft etwas erwachseneren Kindern überlassen müssen, dass Unreinlichkeit, die stete Begleiterin der Armuth, zur Unzulänglichkeit der Pflege hinzutritt, so wird man sich wohl besinnen, einen Schutzverband, bei dem es auf Stabilität, auf Reinlichkeit der häufig zu wechselnden Charpie, endlich auf ein wohl zu graduirendes Mass des Druckes ankömmt, unter obigen Umständen zu empfehlen.

In manchen Fällen jedoch steigert sich der krankhafte Process, theils in Folge von Vernachlässigung oder verkehrter Behandlung, theils bei rationellster Pflege in Folge einer in krankhafter Blutmischung gelegenen Disposition immer mehr. Unter stetem Anhalten der objectiven Reizungserscheinungen, der bis zum Lidkrampfe gesteigerten Lichtscheu, der Schwellung der Lider, dem Hervorstürzen eines Thränenstroms beim Versuche die Lidspalte zu öffnen, einer mehr oder weniger ausgeprägten Ciliarinjection, der Verengerung der Pupillen, einer oft bis zur Chemosis sich steigernden Röthe und Schwellung der Augapfelbindehaut, und unter den heftigsten subjectiven Erscheinungen von Schmerz und bis zu Fieberbewegungen sich steigernden Aufregung kommt es einerseits unter beständigen Eruptionen frischer Knötchen zu einer von der Bindehaut ausgehenden, die Hornhaut an einigen Stellen oder auch allseitig betretenden Gefässneubildung, andererseits mit oder auch ohne letztere Erscheinung zu einer aus dem ursprünglichen Knötchen durch Infiltration des benachbarten Gewebes entstehenden Geschwürsbildung. Der reichlich sich ergiessende Thränenfluss excoriirt . die Haut der Augenwinkel, der unteren Lider und der Wange, und gibt Veranlassung zur Entwickelung eines ausgebreiteten Eczems, das mit seinen Krusten oft den grössten Theil des Gesichtes überzieht. — Der Schmerz, den die Benetzung der excoriirten Stellen mit den salzigen Thränen erzeugt, vermehrt den Lidkrampf in enormer Weise und steigert die Reizbarkeit um ein Beträchtliches.

Es sei mir erlaubt, bevor ich zu der in diesem Stadium zweckmässigsten Therapie übergehe, einige praktische Bemerkungen zu machen, wie man mit kleinen Kindern in diesem Zustande am sichersten und ohne grossen Schmerz zu erzeugen, hantirt. Bekanntlich ist es am vortheilhaftesten für Manipulationen an den Augen der Kinder, wenn, während Füsse und Körper auf dem Schoosse der das Kind begleitenden Person ruhen, der Kopf zwischen den Knien des Arztes leicht eingeklemmt wird. Hierbei sitzt der Arzt am besten mit dem Rücken in der Weise gegen das Fenster gekehrt, dass das Tageslicht etwas zu seiner rechten Hand einfällt. Die linke Hand, mit dem Halten der Lider beschäftigt, würde in einem andern Falle den Zutritt des Lichtes stören. — Bevor man an die Eröffnung der Lidspalte geht, ist es gut, durch die Anamnese zu erfahren, ob das Kind zu Hause die Augen geöffnet, ob es gespielt, sich in einen finstern Winkel verkrochen habe u. s. w., da man leicht von der durch Weinen, heftiges Schreien, dann durch die Manipulationen am Auge selbst hervorgerufene stärkere Röthung des Auges zu einer falschen Beurtheilung des Zustandes verleitet werden könnte. Einen ziemlich sichern Gradmesser der bestehenden Lichtscheu gibt freilich die Anstrengung ab, welche man bei Eröffnung der Lidspalte anwenden muss. Alle Kinder setzen der Eröffnung der Lidspalte eine kräftige Action des Schliessmuskels entgegen, bei vorhandener starker Lichtscheu ist diese aber eine überaus mächtige. Ist letzteres der Fall, so ist es sehr vortheilhaft, die das Oberlid emporhebenden Finger mit einem Leinenlappen zu umwickeln, indem der blosse Finger von der meist feuchten oder excoriirten Lidhaut abgleitet und nutzlos Schmerz verursacht. Hierbei muss das untere Lid von den Fingern der andern Hand gehalten, aber ja nicht ebenfalls abgezogen werden. Das erstere ist nothwendig, damit das untere Lid dem Zuge nach oben nicht folge und so den Zweck der Eröffnung der Lidspalte nicht zum grossen Theile vereitle; das letztere ist zu vermeiden, weil die durch die Excoriation des äussern Augenwinkels entstandenen Schrunden dadurch gezerrt und vergrössert werden, bluten und dadurch ein heftiger Schmerz hervorgerufen wird. Den das Oberlid emporhebenden Finger setze man möglichst nahe dem Lidrande an, indem sonst bei Schwellung der Uebergangsfalte diese hervorgedrängt, das Lid umgestülpt und die Ansicht des Bulbus verlegt wird. Ist diese Schwellung so mächtig, dass sie der Eröffnung der Lidspalte durch die Finger ein unüberwindliches Hinderniss entgegenstellt, oder wird, wie diess bei starker Lichtscheu häufig geschieht, die Hornhaut weit nach oben und aussen versteckt, so muss man sich des Lidhalters bedienen, um wenigstens das erstemal die Hornhaut vollständig besehen zu können. Hat man die Lidspalte eröffnet und das Auge inspicirt, so ist es gut, sogleich das nothwendige Medicament beizubringen, um nicht ein zweites Mal das Auge eröffnen zu müssen. Will man die Bindehaut der oberen Lider untersuchen, so verfahre man folgendermassen: Der Daumen der linken Hand übe einen leichten Druck oberhalb des Tarsus auf das Lid aus, der mit einem Leinenlappen umwickelte Zeigefinger der rechten Hand an den Lidrand angelegt, streife denselben nach oben, worauf die Finger der linken Hand das umgestülpte Lid in seiner Lage erhalten, was mit einem leichten Drucke geschehen muss, indem der nach oben fliehende Bulbus leicht das Lid wieder einstülpt.

Ist der von Stellwag als Keratitis vasculosa beschriebene Zustand gesetzt, so ist vor Allem ein strenges antiphlogistisches Regime zu beobachten. Abführmittel, leichte Kost und Ruhe sind anzuordnen. Freilich sind die beiden letzteren Bedindungen von armen Leuten, die zudem ihre Kinder in das Haus des Arztes bringen müssen, schwer zu erfüllen. Von kalten Umschlägen, besonders da, wo sie nicht pünktlich und sorgfältig angewendet wurden (und welche Sorgfalt gehört zu ihrer präcisen Anwendung!) habe ich niemals etwas Gutes gesehen. — Als Schutzmittel gegen das Licht wird von Stellwag der Schutzverband empfohlen. Es ist gewiss, dass derselbe wohl überwacht, gehörig angelegt und gewechselt, die Reize durch das Licht, durch das beständige Reiben und Wischen an den Angen mit grossem Vortheile abhält. Erinnert man sich aber der oben geschilderten Uebelstände, so wird man doch nur in einer beschränkten Anzahl von Fällen davon Anwendung machen. Ein Schutzlappen in Verbindung mit einem Augenschirm dürfte in den dort geschilderten Verhältnissen von grösserem Vortheile sein.

Das wichtigste Mittel bleibt hier wieder die Atropinlösung, welche am besten lau eingeträufelt wird, weil die Kälte des Tropfens oft Schmerz hervorruft. Dass das Präparat ein reines und die Lösung nicht übersäuert sein dürfe, versteht sich wohl von selbst. Ist kein Eczem vorhanden, so wird eine Einreibung einer Belladonnasalbe mindestens 3—5 Mal des Tages zur Unterstützung der Atropinwirkung vom Vortheile sein. Bei starken Schmerzen pflegt man 6—10 Gr. Laudanum zu 1 Drachme der Salbe hinzuzufügen. — Vermindert sich unter dieser Behandlung der Erguss heisser Thränen, beginnen in der Nacht die Lider sich leicht zu verkleben, fängt die Pupille sich zu erweitern an, so kann man durch ein leichtes Reizmittel, z. B. eine Sublimatlösung, versuchen, die Aufsaugung zu unterstützen, doch darf man das Mydriaticum nicht eher auslassen, bevor nicht vollständige Pupillarerweiterung vorhanden und die Ciliarinjection zurückgetreten ist. Nun kann wieder mit Einstreuen von Calomel bis zur vollkommenen Aufhellung der Hornhaut geschritten werden.

Doch kann man in einer gewissen Anzahl von Fällen die traurige Erfahrung machen, dass trotz aller Sorgfalt die Gefässbildung beständig recrudescirt, ja bis zum sogenannten Pannus scrophulosus heranwuchert. Nicht nur die lange Dauer des Processes, sondern auch die aus diesem Krankheitsprocesse resultirenden Schäden für das Sehvermögen sind für den Kranken, wie für den Arzt von trauriger Bedeutung. Der günstigere dieser Ausgänge ist nur die einfache Trübung eines grösseren oder geringeren Theils der Hornhaut. Häufig aber wird durch diese Erkrankung eine Art Erweichung der Hornhaut gesetzt, in Folge welcher die Krümmung derselben sich abnorm und meist unregelmässig vermehrt, so dass nicht nur hochgradige Kurzsichtigkeit, sondern eine in den verschiedenen Meridianen verschiedene Brechung und dadurch eine Art von Schlechtsichtigkeit erzeugt wird, wie sie nur diesem als erworbenen Astigmatismus irregularis bezeichneten Zustand zukommt. Die Therapie bedient sich, meist ohne Erfolg starker Reizmittel gegen diesen Zustand, z. B. Einträufelungen von Tinct. opii croc., Eintragen der gelben Präcipitatsalbe in den Bindehautsack u. s. w.

Eine andere Form des zu bedeutendem Grade gesteigerten Knötchenprocesses ist die Geschwürsbildung auf der Hornhaut. So schwer auch dieses Leiden ist, so gefährlich die Vernachlässigung desselben durch mannigfache Folgezustände für die Integrität des Auges werden kann, so feiert doch die rationelle Therapie in den meisten Fällen einen glänzenden Triumph über dasselbe. — In allen Fällen sind täglich mehrere Male zu wiederholende Atropininstillationen von äusserster Wichtigkeit. Dieselben wirken nicht nur entzündungswidrig, sie entspannen auch zum Theile den Druck, der von innen her auf der Hornhaut lastet und setzen dadurch ein günstigeres Moment für die Aufsaugung, sie erweitern auch die Pupille und bringen für den Fall des Hornhautdurchbruches den Irisrand ausser Bereich desselben.

Ist ein solcher Durchbruch zu befürchten (hat das Geschwür sehr tief gegriffen), so ist ein Druckverband von entschiedener Wirkung. Ich bediene mich des Graefe'schen Monoculus, einer 2 Finger breiten, 6—8 Ellen langen Flanellbinde, welche in 3—4 um den Kopf und die Stirne gehenden Achter-Touren angelegt wird und je nach Bedürfniss einen geringeren oder auch sehr starken Druck auszuüben im Stande ist. — Bessert sich unter solcher Behandlung der Zustand nicht, steigern sich die Entzündungserscheinungen, tritt etwa ein Hypopion hinzu, so wird es nothwendig, der drohenden Gefahr des Durchbruchs durch eine Hornhautpunction zuvorzukommen. Der Kinderarzt wird aber wohl in diesem Zustande das Auge dem Oculisten überlassen, so dass hier nicht weiter davon gesprochen werden muss.

Reinigt sich das Hornhautgeschwür, erweitert sich die Pupille, tritt die Röthung der Episclera und der röthliche Saum um die Hornhaut zurück, verkleben die Lider, so wird nebst den Atropinisirungen auch ein Collyrium, am besten Aq. saturn. c. Tinct. Opii anzuwenden sein.

Zwei Punkte sind bei der Behandlung dieser Gruppe von Erkrankungen noch zu erwähnen. Die Behandlung des Eczems und die besonders bei letzterem einzuhaltende Reinlichkeit. Was das erstere betrifft, so kommt man in den meisten Fällen damit aus, die Krusten, die dasselbe bildet, mit Leberthran aufzuweichen und den excoriirten oder leicht überhäuteten Boden derselben ebenfalls mit Leberthran einzureiben oder mit einem in Leberthran getauchten Flanelllappen zu bedecken. Hartnäckige Fälle erfordern eine eingehendere Behandlung, die dem Kinderarzte ohnedies am geläufigsten ist. Was die Reinlichkeit betrifft, so kann man den Eltern nicht genug die Einhaltung derselben einschärfen. Reinigen der Lidränder von anhaftendem Schleim oder Borken, Trocken- und Reinhalten der von Thränen am meisten heimgesuchten Hautstellen, Reinhalten der Hände, um beim Reiben der Augen nicht die weitere Schädlichkeit des Schmutzes hinzuzufügen, Reinlichkeit der zum. Gebrauche für die Augen dienenden Tücher und Lappen, all' dies muss um so eher erwähnt werden, je mehr der Verdacht nahe liegt, dass die Reinlichkeit vernachlässigt werde.

Diese Anhaltspunkte dürften für die Praxis genügen, die den einzelnen Fällen entsprechendste Therapie einzuleiten.

V.

Beiträge zur Statistik der Kindersterblichkeit
im Jahre 1869.

Von

Prof. Dr. Ritter.

Wiewohl ich mich auch bezüglich dieses Jahres nur auf Wien, Prag und Böhmen beschränken muss, dürfte doch die Fortsetzung meiner in diesem Jahrbuche begonnenen kurzen Mittheilungen über die Kindersterblichkeit der einzelnen Jahre wohl zu rechtfertigen sein. Wir finden nämlich, dass in Bezug auf diese Mortalitäts-Verhältnisse selbst sehr fleissige ärztliche Statistiker sich (was Oesterreich anbelangt) mit Vorliebe und unverbrüchlich an die älteren Zusammenstellungen namentlich Wappäus halten und der Benützung der von der österr. statist. Central-Commission fortlaufend herausgegebenen Jahrbücher und anderer kleinerer Arbeiten sorgfältig aus dem Wege gehen. In der neuen Auflage von Quetelet's Physique sociale vom Jahre 1869 finden wir, obgleich in den Tafeln bezüglich Oesterreichs hie und da das Jahr 1857 paradirt, doch die Beurtheilung der statistischen und namentlich der Sterblichkeits-Verhältnisse der Bevölkerung in Oesterreich nach den schon in der ersten, vor mehr als 20 Jahren erschienenen Auflage gegebenen Daten behandelt. Nichts desto weniger beeilen sich manche Zeitschriften diese funkelnagelneuen Bereicherungen unserer statistischen Kennntnisse als Neuigkeit im Auszuge zu bringen. Wir finden ferner, dass gerade jene Verhältnisse, deren genauere Darstellung ich mir zur Hauptaufgabe mache, nämlich die Verschiedenheiten und Schwankungen der Sterblichkeit der ehelichen und unehelichen Kinder nach Zeit und Ort, in den meisten ärztlich-statistischen Arbeiten der Neuzeit, welche einzelne Städte oder Länder betreffen vermisst oder gegenüber der Statistik der Morbilität und der Mortalität gewisser Erkrankungen zurückgesetzt und ungenau behandelt zu werden pflegen. Eine so viel als möglich Länder und Städte umfassende vergleichende Statistik der Sterberaten der ehelichen und unehelichen Kinder ist aber keineswegs unwichtig und jedenfalls mit mehr sichergestellten Daten zu erzielen, als es die oft willkürlich, häufiger jedoch der Natur der Sache entsprechend ungenauen Angaben der ärztlichen Todtenscheine bezüglich der Todeserkrankungen sind. Eine vergleichende Statistik wie ich sie anstrebe, würde gewiss die besten Anhaltspunkte zur richtigen Beurtheilung der Vor- und Nachtheile gewähren, welche in Beziehung auf die physische Wohlfahrt namentlich der unehelichen Kinder die zur Versorgung der Verlassenen und Hilflosen unter ihnen von den einzelnen Gemeinden, Staaten oder Ländern eingeleiteten Massregeln darbieten. Solche einfache Schlaglichter auf die Kindermortalität dürften in staatswirthschaftlicher Beziehung von kaum geringerem Werthe sein als die Kenntniss, die Dichtigkeit der Bevölkerung in den verschiedenen Vierteln einer Metropole und die Berücksichtigung mancher anderer Verschiedenheiten in den Verhältnissen dieser Bevölkerung. Welches Interesse, welcher Stoff zum Nachdenken und welche praktische Fingerzeige für diejenigen, deren Beruf oder Wohlthätigkeitssinn sie drängt, wirksam zur Steuerung mancher Uebelstände der Gesellschaft beizutragen, in Zusammenstellungen auch dieser letzteren Art niedergelegt werden können: dürfte wohl Jeder einsehen, der um nur ein Beispiel anzuführen die unendlich mühevolle Arbeit des Herrn Dr. Schwabe über die Berliner Volkszählung vom 3. Dezember 1867 kennen zu lernen Gelegenheit hatte [1].

Dieses vorausgeschickt will ich nur noch erwähnen, dass die Tabellen der folgenden Arbeit durchaus analog der im Beitrage zur Statistik der Kindersterblichkeit von 1868 in Bd. I dieses Jahrbuches (p. 137 etc.) gebrachten, zusammengestellt sind.

---

[1] Ich kann zu meiner eigenen Rechtfertigung die Bemerkung nicht unterlassen, dass meine wiederholten Bemühungen gerade von Berlin, wo der Eifer für Statistik so rege ist, jene einfachen Daten, deren ich zu einer analogen Zusammenstellung wie von Wien bedurfte, rechzeitig zu erlangen, bisher fruchtlos blieben. Hr. Dr. Engel verwies mich einfach auf Druckschriften des kön. statist. Bureaus, die viel zu spät für mich erscheinen; Hr. Jur. Dr. Schwabe würdigte meine diessfällige Zuschrift und Bitte gar keiner Antwort! Und doch wäre der Vergleich eben von Berlin und Wien, Breslau und Prag in mehr als einer Beziehung interessant und wichtig. Ich erlaube mir desshalb in einem Anhang zu dem gegenwärtigen Aufsatze eine Uebersicht der Geburten und Sterblichkeit des ersten Jahres nach der im Jahre 1870 in Berlin erschienenen Arbeit des kön. statistischen Bureaus in Berlin: „Preussische Statistik XVII: die Bewegung der Bevölkerung des Preussischen Staates in den Jahren 1865, 1866 und 1867" zu bringen.

I.
Böhmen.

Im Vergleiche mit dem Jahre 1868 und selbst mit früheren Jahren finden wir die Zahl der Geborenen im Berichtsjahre beträchtlich geringer.

Tab. I.

Es wurden 1869 in Böhmen geboren	Lebend			Todt			Zusammen			Auf 100 Geburten Todtgeborene		
	K.	M.	Zus.	K.	M.	Zus.	K.	M.	Zus.	K.	M.	Zus.
ehelich . . .	84.096	79.168	163.264	2·255	1.654	3.909	86.351	80.822	167.173	2·61	2·04	2·35
unehelich . .	14.116	13.704	27.820	549	496	1.045	14.665	14.200	28.865	3·74	3·05	3·62
In Summe .	98.212	92.872	191.084	2.804	2.150	4.954	101.016	95.022	196.038	2·77	2·26	2·52

Das Minus gegen 1868 beträgt bei der Summe aller Geburtsfälle 2093, bei der Summe aller Lebendgeborenen 2283, so dass auch die Zahl der Todtgeborenen im Jahre 1860 eine um 190 Fälle grössere war. Die Zahl der Lebendgeborenen ehelicher Abkunft erwies sich um 423 geringer (133 K. mehr, 556 M. weniger). Die Zahl der lebendgeborenen unehelichen Kinder ist aber im Vergleiche mit der a. a. O. (Jhrb. I. p. 137) gegebenen Durchschnittszahl von 12 Jahren um 757, gegen das Jahr 1868 um 1860 geringer, und während im Jahre 1868 die ehelichen 84·65 und die unehelichen 15·35 pct. der Lebendgeborenen ausmachten, beziffert sich dieses Verhältniss im Jahre 1869 mit 85·27 und 14·73 pct., so dass auf 100 Lebendgeborene um 0·81 pct. weniger uneheliche Kinder kommen, als im Mittel in 12 vorangehenden Jahren, und um 0·70 pct. weniger als im Jahre 1868. Dieses Herabgehen der Zahl der unehelich geborenen Kinder wiederholt sich wie wir später sehen werden auch in Wien und Prag. Trotzdem dürfte es schwer halten schon jetzt eine Deutung des Factums geben und Vermuthungen darüber aussprechen zu wollen, ob dieses Resultat als ein bloss zufälliges zu betrachten, ob es auf Rechnung der Erleichterung des Eingehens von Ehebündnissen (namentlich beim Militär) oder der steigenden Moralität oder — im Gegentheile der Ueberhandnahme der Prostitution unter der Bevölkerung zuzuschreiben sei. Die Constatirung ähnlicher Zahlenergebnisse in anderen Ländern wäre übrigens interessant genug.

Gegenüber der Abnahme der Geburtenzahl erscheint die Anzahl der Sterbefälle in Böhmen im Jahre 1869 weit beträchtlicher als in dem vorangegangenen Jahre und betraf

73.829 männl. Individuen (um 1636 mehr als im J. 1868
69.960 weibl. „ („ 1452 „ „ „ „ „
Zusammen 143.789 („ 3088 „ „ „ „ „

4*

Der Ueberschuss der Lebendgeborenen über die Zahl der Verstorbenen betrug im Jahre 1868 : 52.666; im J. 1869 : 47.295, somit im letztgenannten Jahre um 5371 weniger. Die folgende in gleicher Weise wie für das Jahr 1868 angelegte Tabelle II gibt Aufschluss über die Zahlenverhältnisse der Kindersterblichkeit Böhmens im Jahre 1869.

Nur das erste Lebensmonat und das fünfte Lebensjahr zeigen in den Endsummen geringere, alle übrigen der auf der Tabelle angeführten Altersperioden grössere Sterbeziffern als im Jahre 1868. Dasselbe gilt auch von der Höhe der von den Lebendgeborenen berechneten Sterbeprocente, während die letzteren von der in diesem Jahre weit grösseren Zahl der Verstorbenen berechnet wie leicht begreiflich sich niedriger bezifferten. Der Zahl nach starben von der Geburt bis zum beendeten 5. Jahre um 1174 Kinder (783 K. und 381 M.) mehr. Zum Vergleiche der Kindersterblichkeit eines Landes mit jener der Hauptstadt, welche so wie Wien und Prag grosse Gebäranstalten besitzen, sind die bezüglich der ehelichen Kinder gefundenen Zahlen weit mehr, ja gerade zu allein geeignet. Diess gilt selbst dann, wenn man sich so wie ich es in dem zweiten Theile dieser Arbeit that, die Mühe nimmt, die im Gebärhause geborenen Kinder auch in der Findelanstalt von jenen zu trennen, welche in diese Anstalt während des betreffenden Jahres für eine verschieden lange, jedoch nur beschränkte Zeit aufgenommen wurden, und die Sterblichkeit derselben Altersclasse bei diesen Kindern separat berechnet. Die Mehrzahl der in der Gebäranstalt zur Welt gebrachten Kinder, welche den grössten Theil der in der Hauptstadt geborenen unehelichen Kinder ausmachen, wird schon in der zweiten oder in einer der nächsten Wochen des Lebens in die äussere Pflege und zwar zumeist an Brustmütter vom Lande abgegeben. Es ist somit einleuchtend, dass die Anzahl der Sterbefälle unter dieser Zahl von Kindern z. B. im ersten Lebensjahre um so viel kleiner als sie wirklich ist erscheine, als Sterbefälle unter diesen Kindern im Verlaufe des 1. Lebensjahres am Lande erfolgen. Bei den ehelichen Kindern dagegen kann dieser Umstand nur wenig ins Gewicht fallen, weil die Stabilität des Wohnsitzes verheiratheter Elternpaare im Allgemeinen grösser ist, und die Zahl derjenigen, welche ihr Domizil im Verlaufe eines Jahres wechseln, nicht einmal in einem einzelnen Jahre erhebliche Verschiedenheiten bedingen kann, weil Zuwachs und Abgang von Familien sich so ziemlich die Wage halten dürften, — noch weniger jedoch von einem zum anderen Jahre erhebliche Differenzen ergeben könnte. Berechnet man dann die Sterblichkeit sämmt-

Tab. II.

im	Es starben im Jahre 1869 in Böhmen Kinder									Gegen 100 Lebendgeborene									Gegen 100 Verstorbene								
	eheliche			uneheliche			Zusammen			eheliche			uneheliche			Zusammen			eheliche			uneheliche			Zusammen		
	K.	M.	Zus.	K.	M.	Zus.	K.	M.	Zus.	K.	M.	Zus.	K.	M.	Zus.	K.	M.	Zus.	K.	M.	Zus.	K.	M.	Zus.	K.	M.	Zus.
1. Monate	10,107	7,285	17,392	2,689	2,162	4,841	12,796	9,447	22,233	12·01	9·21	10·66	19·04	16·70	17·40	13·02	10·16	11·58	13·09	12·09	10·16	9·64	8·06	3·66	18·47	15·75	17·33
2. »	2,378	1,808	4,186	634	576	1,210	3,012	2,384	5,396	2·82	2·29	2·56	4·49	4·26	4·35	3·06	2·45	2·82	2·91	2·68	2·82	3·06	2·82	2·45	2·56	2·49	2·46
1. Lebensj.	22,483	17,251	39,734	5,499	4,709	10,208	27,982	21,960	49,942	26·73	21·78	24·38	38·96	34·96	36·69	28·49	23·64	26·18	30·45	24·66	27·69	7·44	6·73	7·09	37·89	31·38	34·72
2. »	4,360	4,266	8,616	708	687	1,395	5,068	4,953	10,011	5·17	5·38	5·28	5·00	5·01	5·01	5·15	5·38	5·23	6·09	6·99	5·99	0·95	0·97	0·97	6·88	7·07	6·96
3. »	2,070	2,094	4,164	307	302	609	2,377	2,396	4,773	2·46	2·64	2·56	2·17	2·20	2·18	2·42	2·57	2·49	2·80	2·99	2·89	0·41	0·42	0·42	3·21	3·42	3·31
4. »	1,301	1,214	2,515	164	164	318	1,465	1,388	2,883	1·66	1·63	1·64	1·15	1·12	1·14	1·49	1·48	1·47	1·76	1·73	1·74	0·22	0·22	0·22	1·98	1·95	1·96
5. »	917	883	1,800	104	104	208	1,021	987	2,008	1·09	1·11	1·10	0·72	0·75	0·74	1·03	1·08	1·06	1·24	1·26	1·25	0·14	0·13	0·14	1·38	1·39	1·39
Von der Geburt bis zu erreichtem 5. Lebensjahre	31,121	25,708	56,829	6,782	5,966	12,738	37,903	31,664	69,567	37·00	32·47	34·30	48·04	43·46	45·78	38·59	34·08	36·40	42·15	37·60	39·52	9·18	8·51	8·85	51·38	46·11	48·87

licher Kinder der Hauptstadt auf dieselbe Weise wie jene des Landes: so erscheint die erstere ansehnlich im Vortheile.

In dem IV. Hefteder ·Mittheilungen aus dem Gebiete der Statistik von der k. k. stat. Cent. Commission (Wien 1868) wird z. B. die Sterblichkeit Wiens, dann jene Oesterreichs unter der Enns ohne und schliesslich die letztere mit Wien gegeben.

Bis zum erreichten 1. Lebensjahre sterben nach einem Durchschnitte von 15 Jahren im Verhältnisse zu den Lebendgeborenen:

	Knaben	Mädchen
in Wien:	1 auf 2·92	auf 3·28
Oesterr. u. d. Enns ohne Wien:	1 „ 2·41	„ 2·75
Oesterr. o. d. Enns mit Wien:	1 „ 2·56	„ 2.90.

Nach der gewöhnlichen in dieser Arbeit adoptirten Berechnung von den Lebendgeborenen starben denselben Daten entsprechend in dem Jahrescyclus von 1851 bis incl. 1865 binnen des ersten Jahres in Wien: K. 28·67, M. 25·50 pct.; nach den über Wien vom Jahre 1868 und 1869 in diesem Jahrbuche vorliegenden Tabellen aber bloss von den ehelichen Lebendgeborenen binnen des 1. Lebensjahres:

1868; Knaben 28·54, Mädchen 24·79 pct.

1869: „ 29·85, „ 24·27 „

Diese Ziffern dürften denn doch klar genug beweisen, dass eine summarische Berechnung der Kindersterblichkeit in Hauptstädten, wo sich grosse Gebäranstalten befinden, wirklich irreleitende Resultate ergebe, welche z. B. hier für Wien sogar zu dem absurden Schlusse führen würde, dass es für die Zunahme der Bevölkerung eigentlich am erspriesslichsten wäre, wenn lauter uneheliche Kinder zur Welt gebracht werden würden.

Meine obige Behauptung, dass zu einer vergleichenden Schätzung der Höhe der Kindersterblichkeit in der Hauptstadt und in dem Lande, zu welchem diese gehört, in der That nur die ehelichen Kinder verlässliche Anhaltspunkte liefern können, dürfte somit nicht wohl zu widerlegen sein. Gleichwohl kann selbst eine solche, in sich nicht richtige Berechnungsweise, wenn sie in gleicher Art fortgesetzt wird, bezüglich derselben Orte ganz oder nahezu richtige Vergleichsresultate zwischen verschiedenen Jahren ergeben. Ich kehre nun nach dieser vielleicht nicht ganz überflüssigen Abschweifung zu meiner Aufgabe zurück. Es ergibt sich wie wir aus Tabelle IV ersehen, dass in diesem Jahre sowohl die ehelichen als auch die unehelichen Kinder Böhmens im Ganzen ungünstigere Mortalitätsprocente zeigen als im Jahre 1868, und dass diese Differenz für das erste Lebensjahr bei den ehelichen Kindern sich auf ein Plus von 1 pct., bei den unehelichen von 2 pct. erhebe. Nahezu gleich ist dieses Verhältniss auch bezüglich der Summe jener Kinder, welche innerhalb des ersten Quinquenniums verstarben.

Hinsichtlich der Sterblichkeit der unehelichen Kinder sei nur nebenbei erwähnt, dass sich die Sterbeziffer im ersten Lebensjahre mit 5·0 pct. auf Findlinge und 31·6 pct. auf solche uneheliche Kinder vertheile, welche nicht in der Findelpflege standen.

Würdiget man Tabelle II einer genaueren Prüfung, so findet man ferner eine nicht uninteressante Abweichung von dem gewöhnlichen Verhältnisse der Sterblichkeit beider Geschlechter. Während nämlich bis zum Abschlusse des 1. Lebensjahres die Mädchen wie gewöhnlich weit im Vortheile gegen die Knaben erscheinen: zeigen sie im 2., 3. und 5. Lebensjahre (freilich unbedeutend) grössere Sterbeprocente sowohl bei den ehelichen als bei den unehelichen Kindern, was im Jahre 1868 bloss bei den letzteren der Fall war. Bei der an sich relativ geringen Sterblichkeit in diesen Lebensjahren werden jedoch hiedurch die Procentsätze des ganzen Lebensabschnittes der ersten fünf Jahre nicht berührt, ja es ist hier die Differenz zu Gunsten des weiblichen Geschlechtes in diesem Jahre noch grösser, da sie bei den ehelichen wie bei den unehelichen Kindern nahezu 5 pct. beträgt; — im Jahre 1868 dagegen bloss bei den ehelichen gegen 5—, bei den unehelichen aber nur 2 pct. ausmachte. Die Sterblichkeit des 1. Monates erreichte bei den ehelichen Kindern nicht ganz $3/8$, bei den unehelichen nahezu die Hälfte der Sterblichkeit des ersten Lebensjahres, zu welchem sich das 2. Monat (eheliche und uneheliche Kinder getrennt betrachtet) wie $1/12$ und $1/9$, das 2. Lebensjahr wie $1/5$ und $1/7$, das 3. wie $1/12$ und $1/18$, das 4. wie $1/16$ und $1/18$, endlich das 5. wie $1/24$ und $1/36$ verhalten.

Diese Verhältnisse allein dürften es schon hinreichend ersichtlich machen, wie ausserordentlich gross noch immer das Sterbeverhältniss der unehelichen Kinder gegenüber den ehelichen in Böhmen innerhalb des ersten Lebensjahres sei, — da eben aus dieser Ursache die Procentsätze der folgenden Lebensjahre kleiner als bei den ehelichen Kindern ausfallen müssen, wenn man die Sterblichkeit nicht von den am Leben Gebliebenen einer bestimmten Reihe Geborener berechnet.

Die Sterblichkeit der ehelichen Kinder ist übrigens an sich keineswegs eine geringe und steht unter den letzten 15 Jahren nur den Jahren 1861, wo sie 24·87 pct., und den Jahren 1864 bis 1866, wo sie 26·05, 25·44 und 27·65 pct. betrug nach. Diese Jahre und namentlich das Kriegsjahr 1866 waren aber auch die ungünstig-

sten der ganzen Jahresreihe, während in allen übrigen Jahren derselben die Sterbeziffer zwischen 21 und knapp 24 pct. schwankte.

Dass diese hohe Mortalitätsrate der Säuglinge bei uns so wie
anderorts zum grossen Theile eine unnöthige und durch den Unver-
stand der Menschen verschuldete sei, dürfte wohl keinem Zweifel
unterliegen. Abgesehen von den durch die äusseren Verhältnisse und
die Lebensweise der Eltern bedingten (bei weitem nicht durchaus
durch die Armuth allein verschuldeten) Mängeln der Pflege, hat gewiss die einerseits nie völlig besiegbare, anderseits aber auch zu wenig
energisch bekämpfte Thorheit der grossen Mehrzahl von Müttern
den Löwenantheil an diesem traurigen Ergebnisse, dass sie ihre
Säuglinge eben nicht als Säuglinge sondern als fütterungsreife künstlicher Nahrung bedürftige Kinder behandeln. Leider finden sich auch
noch immer selbst Aerzte genug, welche sich von den ungeheuren
Nachtheilen eines solchen naturwidrigen Vorgreifens für die gedeih-
liche' Entwicklung des Kindes eine zu optimistische Vorstellung machen, als dass sie von jenem Eifer erfüllt sein könnten, welcher dazu
nöthig ist solche irrthümliche Ansichten stets und überall und ohne
zarte Rücksicht auf Standes- und Unverstandesvorurtheile ernst zu
bekämpfen und solchem Unwesen niemals gleichgiltig zuzusehen.
Findet auch die Mahnung so wie der gute Rath überhaupt nur
selten willig Gehör, die Pflicht des Arztes bleibt in jedem Falle
dieselbe, möge eine Aussicht für das Durchdringen seiner Ansicht
bei den Betreffenden vorhanden sein oder nicht. Gelingt es ihm
aber auch nur — um der statistischen Ausdrucksweise treu zu
bleiben — in 5 pct. aller Fälle diesem seinem Rathe Geltung zu
verschaffen und von dem Kinde die demselben zugemuthete Schädlichkeit abzuwenden, so gereichen ihm solche Bemühungen wahrlich
zu nicht geringerem Verdienste, als alle Sorgfalt und Opfer, welche
er nachgerade als Arzt am Krankenbette der in Folge solcher
Verkehrtheiten dahinsiechenden Kleinen zu erweisen und zu bringen
hätte.

II.

Prag.

So wie in ganz Böhmen war auch in Prag die Anzahl der
Geburten im Jahre 1869 eine etwas geringere als im Vorjahre.

Aus Tab. III ersieht man, dass die Anzahl der Lebendgeborenen eine um 125 kleinere als im Jahre 1868 sei, welches Minus
jedoch hauptsächlich Geburten unehelicher Kinder einerseits, ander-

Tab III.

Es wurden 1869 in **Prag** geboren	Lebend			Todt			**Zusammen**			Auf 100 Geburten Todtgeborene		
	K.	M.	Zus.	K.	M.	Zus.	K.	M.	Zus.	K.	M.	Zus.
ehelich	1.771	1.720	3.491	107	61	168	1.878	1.781	3.659	5·69	3·42	4·59
unehelich	1.622	1.511	3.133	81	60	141	1.703	1.571	3.274	4·75	3·81	4·30
In Summe .	3.393	3.231	6 624	188	121	309	3.581	3.352	6.933	5·22	3·61	4·45

seits jene von Kindern männlichen Geschlechtes betrifft. Es wurden nämlich 99 eheliche Kinder mehr, 224 uneheliche Kinder weniger, — dann 98 K. und blos 27 M. weniger geboren als im Vorjahre. Im Verhältnisse zu der Gesammtzahl der Geburten beträgt das Procent der Todtgeburten unter allen Kindern blos um 0·01 pct. mehr als im Vorjahre; bezüglich der ehelichen und unehelichen Kinder aber ergeben sich noch weitere Unterschiede zwischen den beiden genannten und dem nächst früheren Jahre. Während nämlich im Jahre 1867 das Procent der Todtgeborenen unter den unehelichen Kindern weit bedeutender war als unter der unehelichen, sehen wir in den Jahren 1868 und 1869 ein umgekehrtes Verhältniss. Im Jahre 1869 wiederum war das Procent der todtgeborenen Knaben bei den ehelichen Kindern etwas grösser als im Jahre 1868, unter den unehelichen ganz gleich, jenes der Mädchen bei den ehelichen um 0·54 gesunken, bei den unehelichen um 0·31 höher. Die Verschiedenheiten zwischen ehelichen und unehelichen Kindern bezüglich der absoluten und relativen Anzahl der Todtgeburten, so wie bezüglich der Sterblichkeit überhaupt beruht jedoch in Prag hauptsächlich auf den Schwankungen der Zahl der Geburten und Todesfälle in der Gebär- und Findelanstalt. Um daher eine Einsicht in diese Verhältnisse, so wie auch in die Zahl und die Sterblichkeit der in und ausser der Gebäranstalt in Prag geborenen unehelichen Kinder wenigstens für das erste Lebensjahr zu erhalten, ist es nothwendig auch die Statistik der Geburts- und Todesfälle in der Gebäranstalt, dann dieser, entweder unmittelbar aus der Gebäranstalt oder durch Restitution aus der äusseren Pflege in die Findelanstalt innerhalb des 1. Lebensjahres zugewachsenen und vor Erreichung des letzteren in der Findelanstalt verstorbenen Kinder in Vergleich bringen zu können.

Zu diesem Ende wurde Tabelle IV, was die Findelanstalt anbelangt auf Grund genauer Einzelnzählung der Kinder zusammengestellt.

a)

Uneheliche Kinder	Wurden geboren in **Prag**									Starben im ersten Lebensjahr			Auf 100 Geburten Todtgeborene			Auf 100 Lebendgeborene starben		
	lebend			todt			Zusammen											
	K.	M.	Zus.	K.	M.	Zus.	K.	M.	Zus.	K.	M.	Zus.	K.	M.	Zus.	K.	M.	Zus.
im Gebärhause	1.350	1.190	2.540	59	40	99	1.409	2.580	2.639	100	58	158	4·37	3·36	8·90	7·40	4·45	6·01
ausser dem Gebärhause	272	321	593	23	20	42	294	341	635	188	119	307	7·45	5·86	6·61	69·11	37·07	51·77

b)

	Verpflegt wurden 1869 Kinder unter einem Jahre												Starben Kinder unter einem Jahre								
	aus dem Gebärhause			von Aussen			Restituirte			Zusammen			Vom Gebärhause und Restituirte			von Aussen			Zusammen		
	K.	M.	Zus.	K.	M.	Zus.	K.	M.	Zus.	K.	M.	Zus.	K.	M.	Zus.	K.	M.	Zus.	K.	M.	Zus.
im Findelhause	1.265	1.199	2.464	28	27	55	26	29	55	1.319	122	2.544	282	168	400	13	9	22	245	177	422
vom 100 des Standes	—	—	—	—	—	—	—	—	—	—	—	—	17·97	14·02	16·07	46·22	38·38	40·00	18·58	14·45	16·58

Aus dieser Tabelle geht zunächst hervor:

'1· Dass das relative Verhältniss der Todtgeburten in der Gebäranstalt ein gegen die Zahl der Todtgeburten der verheiratheten Frauen und noch mehr der in Prag ausserhalb der Gebäranstalt entbundenen Geschwächten ein sehr günstiges sei. Die Bedeutung dieses sich nun schon viele Jahre her gleichbleibenden Ergebnisses habe ich namentlich in dem Berichte über die Kindersterblichkeit des Jahres 1868 (Ö. Jahrb. I Bd. p 147) hervorgehoben, und habe keinen Grund von der — allerdings der gewöhnlichen Annahme widerstreitenden, aber mit der auf nummerische Ergebnisse gestützten Erfahrung zusammenfallenden Ansicht abzugehen, dass diese geringere Häufigkeit von Todtgeburten nebst dem kunstgeübten und rationellen Geburtsbeistande in der Anstalt auch mit der geringeren Häufigkeit der häreditären Syphilis unter diesen unehelichen — als unter den ehelichen Kindern Prags coincidiren dürfte.

2. Dass die Zahl der ausser der Gebäranstalt in Prag geborenen unehelichen Kinder eine relativ sehr geringe sei.

Die Mortalitäts-Verhältnisse der Tabelle IV werde ich später würdigen, indem wir hiezu früher die Kindersterblichkeit der Hauptstadt im Ganzen kennen gelernt haben müssen.

Die Sterbefälle Prags im Jahre 1869 beliefen sich auf 6720, wovon 3412 auf männl. 13.308 auf weibliche Individuen fallen.

Bezüglich der in Tabelle V in gleicher Weise wie im Vorjahre gegebenen Uebersicht der Kindersterblichkeit will ich was zunächst die ehelichen Kinder betrifft hervorheben, dass so wie in dem vorliegender Ausweise auch in den früheren Jahren gewisse Verschiedenheiten der Mortalitätsrate in der Hauptstadt gegenüber dem ganzen Lande sich ziemlich constant alljährlich wiederholen. So ist mit kleineren oder grösseren Schwankungen der Procentziffer die Zahl der Todtgeborenen in der Hauptstadt immer grösser, — die Sterblichkeit des ersten Lebensmonates bedeutend kleiner, jene des zweiten schon grösser, — jene des ersten Jahres fast gleich oder unbedeutend grösser; jene der folgenden Jahre bis zu der hier berücksichtigten Altersgrenze des erreichten 5. Lebensjahres bedeutend grösser, so dass sich auch die Sterbeziffer des ersten Quinquenniums als Ganzes beträchtlich höher herausstellte als die gleichnamige Ziffer in der Sterblichkeitstabelle des ganzen Landes. Verglichen mit dem Vorjahre erweist sich aber auch die Sterblichkeit des Jahres 1869 in der Hauptstadt für das 2. und 4. Lebensjahr, dann für das ganze Quinquennium beträchtlich grösser, und namentlich sind diese für das Jahr 1869 ungünstigen Ergebnisse auffallender bei den Mädchen.

Tab. V.

Prag 1869.

im	Es starben im Jahre 1869 in Prag Kinder									Gegen 100 Todtgeborenen									Gegen 100 aller Verstorbenen								
	eheliche			uneheliche			Zusammen			eheliche			uneheliche			Zusammen			eheliche			uneheliche			Zusammen		
	K.	M.	Zus.	K.	M.	Zus.	K.	M.	Zus.	K.	M.	Zus.	K.	M.	Zus.	K.	M.	Zus.	K.	M.	Zus.	K.	M.	Zus.	K.	M.	Zus.
1. Monate	168	131	299	382	232	614	550	363	913	9·48	7·08	8·56	25·51	15·85	22·78	16·21	11·23	13·76	4·92	3·96	4·44	11·19	7·01	9·18	16·11	10·97	13·57
2. „	56	45	101	43	34	77	99	79	178	3·16	2·61	2·89	2·65	2·35	2·45	2·91	2·44	2·68	1·64	1·69	1·50	1·26	1·30	1·14	2·90	2·99	2·64
1. Jahre	489	421	910	520	340	860	1.009	761	1.770	27·61	24·47	26·06	32·05	22·50	27·44	29·73	23·55	26·72	14·08	12·72	13·54	15·24	10·27	12·80	29·27	29·00	28·34
2. „	138	150	288	35	25	60	168	175	343	7·51	8·72	8·10	2·15	1·78	1·91	4·95	5·41	5·17	3·89	4·53	4·21	1·02	0·76	0·09	4·91	5·28	5·11
3. „	68	70	138	7	8	15	70	78	148	3·56	4·07	3·81	0·43	0·53	0·47	2·05	2·41	2·23	1·84	2·11	1·97	0·20	0·24	0·22	2·04	2·35	2·19
4. „	38	48	86	5	7	12	43	55	98	2·14	2·79	2·43	0·30	0·46	0·38	1·26	1·70	1·47	1·11	1·44	1·27	0·14	0·21	0·18	1·25	1·65	1·45
5. „	31	30	61	—	8	8	31	38	64	1·75	1·74	1·74	0·00	0·19	0·09	0·91	1·02	0·96	0·90	0·90	0·90	0·00	0·09	0·04	0·90	0·99	0·94
Von der Geburt bis zu erreichtem 5. Lebensjahre	754	719	1.473	567	388	960	1.321	1.102	2.423	42·57	41·02	42·16	34·95	25·84	30·82	38·98	34·10	36·56	22·07	21·73	21·92	16·64	11·58	14·18	38·71	33·81	36·06

So übersteigt das Sterbeprocent der letzteren im 1. Lebensjahre jenes von 1868 um 3·28, im 2. um beinahe 2 pct., im 3. um 1·37, im 4. um 0·97, im ersten Quinquennium um nahezu 7 pct. Im 1. und 2. Lebensmonate ist wiederum die Sterblichkeit der Knaben eine vorwaltend höhere als im Jahre 1868.

Wir wenden uns nun zu den unehelichen Kindern. Vergleicht man Tabelle V mit Tabelle IV a und b, so ergiebt es sich, dass die Summe der Sterbeprocente, in der Gebäranstalt und in der Findelanstalt von jenen Kindern, welche das 1. Lebensjahr nicht überschritten haben, (nämlich direct oder durch Restitution zugewachsenen Findelkindern) für die K. 25·95, für die M. 19·88, für Alle 22·68 pct. betrage. Die Manchem vielleicht auffallend gross erscheinende Sterblichkeit der von Aussen eingebrachten Kinder wird wohl leicht begreiflich, wenn man bedenkt, dass diess meist Kinder kranker ehelicher Mütter sind, welche im Krankenhause behandelt werden, und dass diese Kinder fast durchaus in einem elenden Zustande anzukommen pflegen, ja zuweilen auch von auf der Abtheilung für Syphilis. vorzeitig entbundenen Müttern herstammen. Zudem besteht aber in Bezug auf solche Kinder, welche grossentheils mehrere Monate alt sind, der Uebelstand an unserer Findelanstalt, dass wir fast durchaus nur solche Ammen für dieselben haben, welche erst vor wenig Wochen oder selbst Tagen das Puerperium überstanden haben. Vergleicht man nun das Sterblichkeitsprocent des 1. Lebensjahres der ausserhalb der Gebäranstalt geborenen und aufgezogenen unehelichen Kinder auf Tabelle IV a mit der oben angeführten Sterbeprocentsumme der in der Gebär- und Findelanstalt verstorbenen, so dürfte wahrlich die wohlthätige Wirksamkeit dieser Anstalten keinem Zweifel unterliegen, selbst wenn man annehmen wollte, dass gar keines der unehelichen ausserhalb der Gabäranstalt in Prag zur Welt gebrachten Kinder vor Erreichung des 1. Lebensjahres Prag verlassen hätte.

Zählt man endlich die Sterbeprocente der Kinder des 1. Lebensjahres in der Gebär-, in der Findelanstalt und in der äusseren Pflege zusammen, was offenbar die strengste Berechnung ist, wo gar kein während des 1. Lebensjahres verstorbenes Kind auf ein fremdes Conto fallen kann: so ergibt sich die Summe von 52·15 pct. Würden jedoch alle ausserhalb Prags erfolgenden Todesfälle der in Prag geborenen ehelichen und unehelichen Kinder innerhalb des 1. Lebensjahres in die Rechnung einbezogen werden können, würde sich auch das Sterbeprocent dieser letzteren weit höher stellen. Was dagegen die Findelkinder anbelangt, so erscheint nur das Sterbeprocent in der äusseren Pflege (29.76) als ein wirklich ungünstiges, da doch nur gesunde über 8 Tage häufig aber auch 2 bis 10 Wochen alte und kräftige Kinder an Pflegeparteien abgegeben werden.

III.

W i e n.

Auch diesesmal verdanke ich der Güte meines verehrten Freundes Herrn Dr. Glatter das Materiale zu den folgenden Mittheilungen.

Das Verhältniss der Lebend- zu den Todtgeborenen ergibt sich aus Tabelle VI.

Tab. VI.

Wien 1869.

Es wurden 1869 in **Wien** geboren	Lebend			Todt			Zusammen			Auf 100 Geburten kommen Todtgeborene		
	K.	M.	Zus.	K.	M.	Zus.	K.	M.	Zus.	K.	M.	Zus.
ehelich . . .	6.896	6·378	13·247	333	254	587	7.229	6.632	13.861	4·60	3·82	4·23
unehelich .	6·204	5.934	12.138	324	268	592	6.528	6.202	12.730	4·81	4·32	4·65
In Summe .	13.100	12.312	25.412	657	522	1.179	13.757	12.834	26.591	4·77	4·06	4·43

Im Vergleiche zum Jahre 1868 ist die Zahl der Lebendgeborenen um 464 grösser (mehr eheliche um 761, weniger uneheliche um 297; Knaben um 379, Mädchen um 85 mehr); die Zahl der Todtgeborenen ist ebenfalls und zwar um 57 grösser. Obwohl das Procent der letzteren, von der Gesammtzahl der Geburten berechnet noch geringer ist, als im Vorjahre, so ist es doch — was die unehelichen Kinder anbelangt, diesesmal grösser als in Prag. Unter den unehelich geborenen Kindern Wiens sind die in der Landes-Gebäranstalt zur Welt gebrachten miteingerechnet, welcher Vorgang wie wir später sehen werden bezüglich der verstorbenen unehelichen Kinder nicht beibehalten würde.

Die Zahl der Verstorbenen Wiens belief sich in diesem Jahre auf 20.241, wovon 10.838 männl. und 9403 weibl. Geschlechtes waren (um 1059 männl. und 634 weibl., zusammen um 1693 Individuen mehr als 1868).

Die Sterblichkeitsrate der unehelichen Kinder erscheint auf Tabelle VII (so wie auf der ihr entsprechenden Tabelle des Vorjahres) gleich im ersten Monate, in welchem in Wien doch die meisten

Tab. VII.

im	Es starben in Wien 1869 Kinder						Gegen 100 Lebendgeborene						Gegen 100 Verstorbene in Wien					
	eheliche			uneheliche			eheliche			uneheliche			eheliche			uneheliche		
	K.	M.	Zus.	K.	M.	Zus.	K.	M.	Zus.	K.	M.	Zus.	K.	M.	Zus.	K.	M.	Zus.
1. Monate . . .	789	477	1.216	583	462	1.045	10·70	7·47	9·16	9·39	7·78	8·60	6·81	5·07	6·00	5·88	4·91	5·16
2. »	245	202	447	103	107	210	8·55	8·16	8·36	1·67	1·80	1·72	2·28	2·14	2·20	0·96	1·13	1·03
1. Jahre	2.059	1.549	3.608	1.042	895	1.937	29·85	24·27	27·17	16·78	15·08	15·95	18·99	16·47	17·83	9·61	9·61	9·61
2. »	521	498	1.019	112	149	261	7·55	7·80	7·66	1·80	2·51	2·16	4·80	5·29	5·03	1·08	1·58	1·24
3. »	223	218	441	69	61	131	3·23	3·41	3·33	1·11	1·04	1·08	2·05	2·31	2·12	0·65	0·65	0·65
4. »	144	134	278	31	24	55	2·08	2·10	2·09	0·49	0·40	0·45	1·32	1·42	1·37	0·28	0·25	0·22
5. »	94	113	207	20	27	47	1·06	1·77	1·55	0·82	0·45	0·89	0·86	1·20	1·02	0·18	0·29	0·23
In allen 5 Lebens- jahren	3.041	2.512	5.563	1.274	1.157	2.431	44·09	39·38	41·07	20·89	19·49	20·02	28·05	25·60	27·43	11·75	12·30	12·01

Findelkinder in der Anstalt belassen werden, ganz unverhältnismässig klein und niedriger als jene der ehelichen Kinder. Die in der Tabelle VII gegebenen Sterbeziffern der unehelichen Kinder gehen somit offenbar nur jene von diesen letzteren an, welche nicht in der Findelpflege standen. Desshalb unterliess ich auch diesesmal die verstorbenen ehelichen und unehelichen Kinder auf der Tabelle zu summiren. Hr. Er. Glatter war übrigens so gütig mir die Zahl der in Wien verstorbenen Findlinge separat mitzutheilen. Es starben in diesem Jahre im Findelhause 863

ausserhalb 163

in Summe 1026 Findlinge in Wien.

.   Indem jedoch diese Summe die Sterbefälle aller Altersclassen von Findlingen umfasst: so macht es mir auch diese Mittheilung nicht möglich die oben angedeutete Lücke für das erste Jahr auszufüllen, wenn ich auch voraussetzen wollte (was keineswegs sicher gestellt ist), dass in dieser Zahl auch schon die in der Gebäranstalt vorgekommenen Todesfälle unter den Kindern mit einbegriffen wären. Trotzdem lässt sich mit Hilfe dieser Daten die Sterberate der unehelichen Kinder Wiens für das erste Altersquinquennium wenigstens beiläufig bemessen. Bedenken wir nämlich, dass in Wien sehr wahrscheinlich nicht viele Findlinge im Alter von über 5 Jahren leben, geschweige denn in diesem Jahre gestorben sein dürften: so erscheint der Abstrich von obiger Summe der verstorbenen Findlinge gewiss eher zu gross als zu klein, wenn man in runder Summe 1000 als die Anzahl der im Alter von 0—5 Jahren in Wien verstorbenen Findlinge annimmt. Damit wird also die Zahl der verstorbenen unehelichen Kinder Wiens in diesem Altersabschnitte um 1000 vergrössert und beträgt 3431. Das Sterbeprocent nach der gewöhnlichen Berechnungsart beträge nun

für die unehelichen   (für alle Kinder: eheliche und unehel.

von den Lebendgebor.: 28·26 . . . . 35·35 pct.

„ „ Verstorbenen: 16·95 . . . . 44·38 „

Auch nach dieser Warscheinlichkeits-Berechnung erscheint die Sterblichkeit des ersten Quinquenniums kleiner als in Prag, der Vergleich ist aber doch eher möglich und gerechter, als wenn die namhafte Summe von 1000 Sterbefällen unter in Wien verpflegten Findlingen in der Rechnung gänzlich ausfallen sollte.

Bezugs der ehelichen Kinder für sich bedarf der Vergleich der Sterblichkeit in Wien und Prag keiner derartigen schwankenden Voraussetzungen. Das Resultat ist kurz zu geben: bis zum Schlusse des 1. Lebensjahres starben in Wien relativ mehr, in den folgenden 4 Jahren weniger eheliche Kinder als in Prag, so dass die

Sterblichkeit des 1. Jahres um 1 pct. höher, und jene der ersten 5 Jahre zusammen um 1 pct. kleiner war als in Prag. Die Sterblichkeit der Mädchen war in Wien vom 2. bis zum 5., in Prag vom 2. bis zum 4. Jahre grösser als jene der Knaben. Im Vergleiche mit dem Jahre 1868 stellt sich aber die Sterblichkeit der ehelichen Kinder in Wien sowie in Prag als eine grössere heraus, — doch sind die für das Jahr 1869 ungünstigen Differenzen in Prag grösser als in Wien.

Das Sterbeprocent der ehelichen Kinder war nämlich gegen jenes des Jahres 1868 höher

im ersten Lebensmonate Wien um . . . . 0·43 pct.

                            Prag   „ . . . . . . 1·28 „

„ zweiten   „   Wien „ . . . . . . 0·24 „

                            Prag   „ . . . . . . 0·01 „

„ ersten Lebensjahre   Wien „ . . . . . . 0·44 „

                            Prag   „ . . . . . . 2·33 „

„ der ersten 5 Lebensj. Wien „ . . . . . . 0·30 „

                            Prag   „ . . . . . . 4·80 „

IV.

Berlin. Breslau.

Geburten und Sterblichkeit im ersten Lebensjahre in den Jahren 1865, 1866 und 1867.

Warum es mir nicht möglich wurde diese Verhältnisse von demselben Jahre zu bringen, wie in den vorangeschickten Mittheilungen, habe ich bereits früher erörtert. Nichts desto weniger dürfte die hier zu gebende Uebersicht nicht ungeeignet zu einem Vergleiche mit dem früher Gebrachten erscheinen. Sie umfasst drei nach einander folgende Jahre und die Schwankungen namentlich des Sterbeprocentes des 1. Lebensjahres, welche sich für Berlin und Breslau in den Jahren 1865 und 1866 ergeben sind so gross, dass weder die höhere noch die niedrigere Ziffer in den folgenden Jahren bedeutend übertroffen worden sein dürften. Leider fehlt in dem dritten, das Jahr 1867 betreffenden Abschnitte der oben citirten, sonst so reichhaltigen Quelle, welcher ich die hier benützten Daten verdanke, die in den ersten zwei Jahren vorkommende Rubrik der nach Geschlecht und ehelicher oder unehelicher Abkunft geschiedenen, im 1. Lebensjahre verstorbenen Kinder, so dass mir eine Berechnung der Sterblichkeit

derselben für dieses Jahr nicht möglich war[1]). Ich kann mich übrigens
keineswegs mit der neueren Einrichtung dieser Tabellen befreunden,
welcher zufolge man diejenigen unter den Verstorbenen, welche in
dem, dem Sterbejahre vorangehenden Jahre geboren wurden, als die
Summe der innerhalb des 1. Lebensjahres verstorbenen Kinder anzusehen hätte. Ein Kind, welches im Jahre 1866 geboren wurde und
im Jahre 1867 stirbt, kann auch nahezu zwei Jahre alt sein, wenn
es am 1. Jänner 1866 auf die Welt kam und sein Todestag auf den
31. Dezember 1867 fällt. In einer längeren Reihe von Jahren und für
allgemein statistische Zwecke dürfte dieser Umstand freilich nicht
so schwer in die Wage fallen, bezüglich eines einzelnen Jahres würde
man jedoch die Sterblichkeit des 1. Lebensjahres entschieden irrig
schätzen, wenn man sie nach den Ziffern so eingerichteter, blos das
Geburtsjahr, dagegen das stricte erreichte Alter gar nicht berück-
sichtigender Tabellen berechnen wollte. Bei älteren Individuen sind
einige Monate mehr oder weniger von geringem, bei Kindern dagegen
von äusserst grossem Belange und von der grössten Bedeutung bezüglich des 1. Lebensjahres. Daher ist für die ärztliche Statistik die
Scheidung des Verstorbenen nach dem am Todestage erreichten Alter
geradezu unentbehrlich. Zu dem fiel aber nach der für das Jahr
1867 gewählten, von dem Herausgeber dieses statistischen Werkes
in der Vorrede besonders gerühmten Einrichtung der Tabellen auch
.die Scheidung der Verstorbenen des 1. und der folgenden Lebensjahre
nach ihrer ehelichen oder unehelichen Abkunft weg, — ein Umstand,
der nach meiner wiederhohlt ausgesprochenen Ueberzeugung nicht
blos für den Arzt, sondern auch für den staatswirthschaftlichen
Zweck von ganz besonderer Bedeutung ist. Der folgende Versuch
aus dem Zahlenmeere des benützten Bandes der „Preussischen Statistik" die für meinen Zweck verwerthbaren Zifferangaben herauszu-
fischen und in der schlichten Weise wie das übrige Materiale dieser
Mittheilungen zu bearbeiten, wird hoffentlich am besten die eben
ausgesprochenen Ansichten bewahrheiten.

Ueberblickt man die Zahlenreihen der Tabelle VIII, so findet
man zunächst, dass für Berlin wie für Breslau das Jahr 1866 unter
diesen drei Jahren das reichste an Geburten sei. Die unehelichen
Kinder unter den Neugeborenen ergeben in Berlin nur im Jahre
1865 ein höheres Procent sämmtlicher Geburten, als in Böhmen nach
einem 12jährigen Durchschnitte (Vide dieses Jhrb. I p. 137). In

---

[1]) Ich verweise übrigens bezüglich dieses Jahres auf die Auszüge in dem
Berichte dieses Jahrbuches 1870 pag. 214 von Dr. Müller's, dann in diesem
Bande von Dr. Albu's die Kindersterblichkeit Berlins im Jahre 1867 betreffen-
den Arbeiten.

den folgenden zwei Jahren ist es dagegen nahezu um 1 pct. geringer, als die angeführte Mittelzahl in Böhmen. Dagegen ist der Antheil der unehelichen Kinder in Breslau durchaus ein namhaft (um 4 bis 5 pct.) grösserer, und das Procent der ehelichen Kinder ein constant viel kleineres als in Berlin und Böhmen; nur in München (Jahr 1868 l. c. p. 152) übertrifft das Procent der unehelichen Kinder jenes von Breslau beinahe um das Doppelte[1]). Auch dieses Vergleichsergebniss berechtiget kaum zu einer Vermuthung über seine Ursache. Wenn ich dessenungeachtet es wage eine Ansicht darüber auszusprechen, so bin ich weit davon entfernt, dieselbe etwa für mehr als eben für eine blosse Vermuthung zu erklären. Ich glaube nämlich, dass die Grenzen zwischen den empfangenden Geschwächten und den der Prostitution anheimfallenden ledigen Geschwängerten in Berlin weniger scharf hervortreten dürften als in Breslau, oder mit anderen Worten, dass in Berlin die unehelichen Kinder häufiger, als in Breslau von Geschwächten herrühren mögen, welche schon auf dem besten Wege sind sich dem öffentlichen Leben vollständig zu weihen. Für eine solche Erklärung däucht mir insbesondere das bedeutend höhere Procent der Todtgeborenen unter den unehelich Geborenen Berlin's. gegenüber jenen Breslau's zu sprechen. Ein so ansehnliches Plus von Todtgeburten (um 3 pct. und mehr) bei einer relativ kleinen Anzahl von unehelich Geborenen dürfte doch wohl nur dem in Häufigkeit vorwiegenderem Vorkommen constitutioneller Erkrankungen der Erzeuger zuzuschreiben sein. Das Verhältniss der Todtgeborenen unter den unehelichen Kindern dagegen ist schon in Berlin, noch mehr jedoch in Breslau ein günstigeres als in Wien und Prag.

Bei der Betrachtung der weiter unten auf unserer Tabelle folgenden Sterbeprocente des ersten Lebensjahres (auf gleiche Weise wie auf den früheren Tabellen von den Lebendgeborenen berechnet) dürfte es insbesondere einleuchten, wie unentbehrlich die Scheidung der verstorbenen Kinder nach ihrer Abstammung sei. Zur Beurtheilung der Kindermortalität einer Stadt (zumal einer grossen Stadt) kann nun einmal bloss der Sterbeétat der ehelichen Kinder verlässliche Anhaltspunkte liefern. Die Mortalität der unehelichen Kinder wird nämlich unter allen Umständen und allerorts durch Momente

---

[1]) Wien und Prag können der Findelanstalten wegen nicht wohl in den Vergleich mit einbezogen, da mindestens zwei Drittheile der unehelichen Kinder in diesen Orten von Müttern geboren werden, welche auswärts geschwängert bloss zur Niederkunft in die Hauptstadt kommen. Im Jahre 1869 fallen in Wien: 52·13 eheliche, 47·87 uneheliche
» Prag: 52·77   » 47·23   »   auf 100 Kinder.

5 *

			Berlin							
			1865			1866			1867		
			K.	M.	Zus.	K.	M.	Zus.	K.	M.	Zus.
Wurden geboren	lebend	ehelich	10.784	10.207	20.991	11.762	11.186	22.948	11.450	11.021	22.471
		unehelich	1.984	1.892	3.876	1.887	1.855	3.742	1.920	1.773	3.693
		Zusammen	12.768	12.099	24.867	13.649	13.041	26.690	13.370	12.794	26.164
	todt	ehelich	505	373	878	497	413	910	453	388	841
		unehelich	171	145	316	161	147	308	169	139	308
		Zusammen	676	518	1.194	658	560	1.218	622	527	1.149
	Zusammen	ehelich	11.289	10.580	21.869	12.259	11.599	23.858	11.903	11.409	23.312
		unehelich	2.155	2.037	4.192	2.048	2.002	4.050	2.089	1.912	4.001
		Zusammen	13.444	12.167	26.061	14.307	13.601	27.908	13.992	13.321	27.313
Auf 100 Geburten fallen		ehelich	83·97	83·85	83·91	85·69	85·28	85·49	85·07	85·64	85·35
		unehelich	16·03	16·15	16·09	14·31	14·72	14·51	14·93	14·36	14·65
Auf 100 Geburten Todtgeborene		ehelich	4·47	3·52	4·09	4·05	3·56	3·81	3·80	3·40	3·60
		unehelich	7·93	7·11	7·53	7·85	7·34	7·60	8·09	7·27	7·69
		Zusammen	5·02	4·25	4·58	4·59	4·11	4·36	4·44	3·94	4·20
Gestorben unter 1. Jahr		ehelich	3.318	2.744	6.062	3.195	2.065	5.260	.	.	.
		unehelich	972	762	1.734	921	819	1.740	.	.	.
		Zusammen	4.290	3.506	7.796	4.116	2.884	7.000	.	.	.
Von 100 Lebendgeborenen gestorben unter 1 Jahre		ehelich	30·76	26·88	28·87	27·16	18·54	22·92	.	.	.
		unehelich	48·98	40·28	44·71	33·59	23·23	31·35	.	.	.
		Zusammen	33·59	28·23	31·35	30·15	22·11	26·22	.	.	.

VIII.

			Breslau								
			1865			1866			1867		
			K.	M.	Zus.	K.	M.	Zus.	K.	M.	Zus.
Wurden geboren	lebend	ehelich	2.555	2·453	5·008	2.540	2.482	5.022	2.611	2.418	5.029
		unehelich	606	550	1.166	586	620	1.206	549	560	1.109
		Zusammen	3.161	3.013	6.147	3.026	3.102	6.128	3.160	2.978	6.138
	todt	ehelich	92	75	167	105	80	185	102	65	167
		unehelich	28	14	42	25	21	46	24	33	57
		Zusammen	120	89	209	130	101	231	126	98	224
	Zusammen	ehelich	2.647	2.528	5.175	2.645	2.562	5.207	2.713	2.483	5.196
		unehelich	634	574	1.208	611	641	1.252	573	593	1.166
		Zusammen	3.281	3.102	6.383	3.256	3.203	6.459	3.286	3.076	6.362
Auf 100 Geburten fallen		ehelich	80·68	81·05	81·07	81·23	80·00	80·61	82·60	80·72	81·67
		unehelich	19·32	18·50	18·93	18·77	20·00	19·39	17·40	19·28	18·33
Auf 100 Geburten Todtgeborene		ehelich	3·47	2·92	3·22	3·96	3·12	3·55	3·75	2·61	3·21
		unehelich	4·41	2·43	3·47	4·09	3·27	3·67	4·18	5·56	4·88
		Zusammen	3·65	2·85	3·27	3·99	3·15	3·57	3·80	3·18	3·52
Gestorben unter 1. Jahre		ehelich	823	714	1.537	988	826	1.814	.	.	.
		unehelich	319	287	606	297	279	576	.	.	.
		Zusammen	1.142	1·001	2.143	1.285	1.105	2.390	.	.	.
Von 100 Lebendgeborenen gestorben unter 1 Jahre		ehelich	32·21	29·10	30·69	38·90	33·28	36·12	.	.	.
		unehelich	52·64	51·42	51·97	50·68	45·00	47·76	.	.	.
		Zusammen	36·12	33·22	34·71	42·46	35·62	39·00	.	.	.

beeinflusst, welche ausser den normalen Verhältnissen der grossen
Mehrheit und des Kernes der Bevölkerung liegen, so wie sie zum
Theile auch durch die grössere oder geringere Zweckmässigkeit jener
Massregeln bestimmt wird, welche von Seite der Commune, des Landes
oder der privaten Wohlthätigkeit zum Schutze dieser ab ovo ungünstiger gestellten Klasse von Kindern getroffen werden. Wenden wir
uns nun den, Berlin betreffenden Ziffern der Tab. VII zu, so finden
wir, dass das Sterbeprocent der ehelichen Kinder im Jahre 1866
durchaus, namentlich aber bei den Kindern weiblichen Geschlechtes
ein bedeutend geringeres als im Jahre 1865 sei. Noch in einem
weit grösseren Massstabe verminderte sich das Sterbeprocent der
unehelichen Kinder, wo die Abnahme bei den K. 15 — bei den M.
12 — und bei allen Kindern 13 pct. beträgt. Dieses ganz ungewöhnliche Herabgehen des Sterbeprocentes der unehelichen Kinder Berlin's im Jahre 1866 dürfte wohl (wie ich wiederum nur vermuthen
kann, da mir darüber keine bestimmten Daten vorliegen) durch denselben Umstand bedingt sein, welcher in Wien und Prag die Sterblichkeit der unehelichen Kinder im ersten Lebensjahre so viel kleiner
erscheinen lässt, als sie wirklich ist, — nämlich dadurch, dass man
in diesem Jahre auch in Berlin allgemeiner als früher darauf bedacht
gewesen sein mochte, die der Gemeindeobsorge zufallenden Kinder
mehr an auswärtige, am Lande wohnende Pflegerinnen (Halteweiber)
abzugeben als an städtische, womit ein grösserer oder kleinerer
Theil der unehelichen Kinder Berlin's aus dem Bereiche der Stadt
gebracht worden wäre.

Das Procent der im 1. Lebensjahre in Berlin verstorbenen ehelichen Kinder ist im Jahre 1865 ein etwas höheres, im Jahre 1866
dagegen ein glänzend Besseres als in Wien und Prag. Ganz umgekehrt verhält es sich in Breslau, welches schon für das Jahr 1865
eine höhere Procentziffer ausweist, als alle die genannten Städte; im
Jahre 1866 aber das Vorjahr nach um 5 pct. überstieg, indem das
Sterbeprocent 36.12 betrug. Eben so übersteigt die Mortalitätsrate
der unehelichen Kinder Breslau's bis zum 1. Jahre jene Berlin's im
Jahre 1865 um 7, im Jahre 1856 um 16 pct., welche letztere Differenz wohl hauptsächlich durch die früher besprochene ganz auffallende Verminderung der Sterblichkeit der unehelichen Kinder Berlin's im Jahre 1866 bedingt sein dürfte. Die Sterblichkeit der unehelichen Kinder ist indess in Breslau in beiden, in Berlin im ersten
dieser zwei Jahre eine sehr bedeutende, so wie die Kindersterblichkeit Breslau's im Allgemeinen, wie es auch aus Dr. der von Finkenstein in der deutsch. Klinik gebrachten Arbeit über die Sterblichkeit Breslau's im J. 1869 hervorgeht, eine excessiv grosse genannt
werden muss.

ORIGINAL · AUFSÄTZE·

I.

Studien über den Icterus neonatorum.

Von

Prof. F. A. Kehrer in Giessen.

Es ist unstreitig eine merkwürdige Thatsache, dass ein Vorgang,
den wir gewohnt sind als einen entschieden krankhaften aufzufassen,
bei den neugebornen Kindern in der überwiegenden Mehrzahl der Fälle,
fast physiologisch in den ersten Lebenstagen sich einstellt. Man sollte
denken, dass die Entstehung und die Erscheinungen, der Verlauf und
die Folgen dieser Affection längst sichergestellt seien, da dieselbe zu
alltäglich ist, als dass sie den Aerzten seit den ältesten Zeiten hätte
entgehen können. Aber doch zeigt ein Einblick in die neuere Literatur,
dass auch hier noch manche Frage ungelöst ist und dass namentlich
die Aetiologie sich kaum über das Gebiet der Hypothesen erhoben
hat. Etwa 3 Vermuthungen über die Entstehung des Icterus neonatorum streiten sich heute noch um die Herrschaft.

Diese Unsicherheit wurde mir Veranlassung, den Gegenstand
gelegentlich eines Herbstaufenthaltes in Wien im Jahre 1869 nach
verschiedenen Richtungen hin zu untersuchen.

Dank der Liberalität, mit welcher die Herren Collegen C. Braun
und Späth mir die Benützung des reichen Materials der beiden Gebärkliniken überliessen, konnte ich 690 Kinder während ihres Aufenthaltes in den Gebärkliniken, d. h. im Durchschnitt bis zum 8. Tage,
untersuchen.

Ueber den Gang der Untersuchungen ist anzuführen, dass der
Befund täglich einmal, wenn möglich nach der Entkleidung vor dem
Morgenbade, erhoben wurde. Ausser der Färbung der Haut wurden
auch stets die Conjunctivae betrachtet und im Anschluss an einen

bekannten klinischen Usus nur die Kinder für icterisch angesehen, bei
denen die Scleralbindehaut eine deutliche Gelbfärbung zeigte.

So wenig Schwierigkeit die Untersuchung der Augen bei den Kindern bietet, welche sie spontan, also z. B. beim Entkleiden, öffnen so
mühsam ist es manchmal zum Ziele zu kommen, wenn die Kinder
die Augen geschlossen haben. Denn beim Versuch, mit zwei Fingern
die Lider zu öffnen, kneifen manche Individuen dieselben mit einer Hartnäckigkeit zusammen, dass man es höchstens soweit bringt, einen
Theil der Cornea, nicht aber die nach aussen und innen davon liegenden dreieckigen Felder der Sclera zur Ansicht zu bringen. Um
nicht länger dauernde Lidröthung, Schleimhautrisse am äusseren Augenwinkel u. dgl. zu bewirken, thut man gut eine grössere Gewalt in
solchen Fällen zu vermeiden und lieber kurze Zeit zu warten, bis das
durch anderweitige Reize nöthigenfalls zu erweckende Kind die Lider
von selber öffnet. Oder man verschiebt ein Augenlid allein gegen den
Orbitalrand und bringt dadurch eine Hälfte der vorderen Bulbusfläche
zur Anschauung. Da die Kinder geneigt sind die Bulbi bei diesen
Eröffnungsversuchen aufwärts zu richten, so wird man sich mit Vortheil an das untere Lid halten. — Bei Beurtheilung der Färbung der
Scleralbindehaut ist zu beachten, dass man die betreffende Fläche
nicht unter einem zu spitzen Winkel betrachten darf, weil nämlich
dann leicht der Eindruck einer schwachen Gelbfärbung entsteht, auch
wenn eine solche in Wirklichkeit nicht existirt. Sodann sei noch der
Vollständigkeit halber erwähnt, dass eine besondere Art der Gelbfärbung an der Conjunctiva bei der Rückbildung der nicht so seltenen
subconjunctivalen Ecchymosen vorkommt, die vielleicht zu Verwechslungen führen könnte. Diese ein bis mehrere Mm. breiten Ecchymosen laufen entweder kreisförmig um den ganzen Cornealrand oder
gewöhnlicher nur um einen Theil desselben und während sie gegen
diesen sich scharf linear absetzen, verblassen sie allmälig nach der
Peripherie. Die Umwandlungen des Blutrothes liefern nach einigen
Tagen ein Gelb, das mit dem bei Icterus Aehnlichkeit hat, allein
schon dadurch sich vom letzteren unterscheidet, dass es mit der Entfernung vom Hornhautrande bedeutend blässer wird.

Wenn im Folgenden von 3 Graden des Icterus die Rede ist,
so entgeht mir nicht das Willkürliche einer jeden derartigen Eintheilung, die zur Folge hat, dass man in manchem Falle im Zweifel ist
über die Rubrik, in der man ihn unterbringen soll. Auf der anderen
Seite glaubte ich jedoch die leichteren von den mittleren und hochgradigen Fällen irgendwie unterscheiden zu müssen. Es ist zu bemer-

ken, dass bei der Bezeichnung des Icterus-Grades immer die Affection
auf ihrem Höhepunkte ins Auge gefasst wurde.

So sind denn als Icterus I. Grades diejenigen Fälle aufgeführt,
in denen die Haut einen oder wenige Tage einen deutlichen Stich ins
Gelbe zeigte. Ob derselbe besteht, sieht man am besten bei der Ruhe
des Kindes, denn die Hautcongestion nach starkem Schreien, dem
Baden u. s. f. pflegt dieselben zu verdecken. Zeigte die Conjunctiva
nicht ebenfalls einen deutlichen gelben Anflug, so wurden solche Kinder selbst bei bestehender leichter Hautverfärbung als rein notirt.
Dass es sich auch in solchen Fällen um wirklichen Icterus handelt,
lehren die Sectionen, insofern die Flüssigkeiten der serösen Räume,
die im subpleuralen, subperitonealen, subcutanen Bindegewebe enthaltenen Transsudate, gelb gefunden werden. Dass dabei der Harn nicht
immer Gallenreaction zeigt, kann bei der geringen Gallenmenge, die
in solchen Fällen in den Urin übergeht, nicht gerade überraschen,
spricht jedoch keineswegs gegen die Diagnose als Icterus.

Beim II. Grade ist die Haut blassgelb gefärbt, mit Ausnahme
von Fusssohlen, Handtellern, Scrotum u. dgl. rothgefärbten Stellen.

Beim III. Grade ist die Farbe eine Eidotter-, Citronen-, selbst
Pomeranzengelbe, die Conjunctivae sind entsprechend intensiver gefärbt
und bei den höchstgradigen Fällen zeigt selbst die Mundschleimhaut,
wenn sie nicht gerade zu blutreich ist, eine entschieden gelbe Nuance;
der Nasenschleim u. a. physiologische und pathologische Secrete sind
gelbgefärbt.

Ich gebe zunächst eine Reihe von statistischen Werthen über
die Häufigkeit des Icterus überhaupt und den Einfluss einer
Reihe von Factoren auf die Entstehung dieses Processes, somit eine
Anzahl von Thatsachen, die auch Werth für die Aetiologie gewinnen.

Von 690 Kindern bekamen 474 = 68·7 % in den ersten 8 Lebenstagen Icterus.

Darunter litten:

$$214 = 45·1 \% \text{ an Icterus I. Grades}$$
$$190 = 40·0 \% \quad \text{\textquotedblright} \quad \text{\textquotedblright} \quad \text{II.} \quad \text{\textquotedblright}$$
$$70 = 14·9 \% \quad \text{\textquotedblright} \quad \text{\textquotedblright} \quad \text{III.} \quad \text{\textquotedblright}$$

Demgemäss zeigen beiläufig $2/_3$ aller Kinder innerhalb
der ersten Lebenswoche einen mehr oder minder entwickelten Icterus.

Sonach kann ich weder Brechet beistimmen, welcher behauptete, dass alle neugebornen Kinder Icterus bekommen, noch Denen,
welche diese Affection mehr ausnahmsweise beobachtet haben wollen.
Die angegebene grosse Häufigkeit ist jedoch nicht etwa den Entbin-

6 *

dungsanstalten eigen, sondern wird ebenso in der Privatpraxis beobachtet.

Die Frequenz des Icterus in den beiden Wiener Gebärkliniken war folgende:

In der I. Klinik litten von 384 Kindern 258 = 67·2% an Icterus, nämlich:

$$110 = 42\cdot6\% \text{ an Icterus I. Grades}$$
$$105 = 40\cdot6\% \quad „ \quad „ \quad \text{II.} \quad „$$
$$43 = 16\cdot6\% \quad „ \quad „ \quad \text{III.} \quad „$$

In der II. Klinik litten von 306 Kindern 216 = 70·5% an Icterus, nämlich:

$$104 = 48\cdot1\% \text{ an Icterus I. Grades}$$
$$85 = 39\cdot3\% \quad „ \quad „ \quad \text{II.} \quad „$$
$$27 = 12\cdot5\% \quad „ \quad „ \quad \text{III.} \quad „$$

Auf der II. Klinik wurde demnach der Icterus um 3·3% häufiger beobachtet wie auf der I. Kl., ferner die leichteren Formen relativ öfter als die hochgradigen.

Einfluss des Geschlechtes.

Unter 633 Kindern, deren Geschlecht in meinen Notizen angemerkt ist, befanden sich 321 = 50·7% Knaben, 312 = 49·2% Mädchen.

Von den 321 Knaben litten
$$230 = 71\cdot6\% \text{ an Icterus}$$
$$\text{und zwar } 98 = 42\cdot6\% \quad „ \quad „ \quad \text{I. Grades}$$
$$101 = 43\cdot7\% \quad „ \quad „ \quad \text{II.} \quad „$$
$$31 = 13\cdot4\% \quad „ \quad „ \quad \text{III.} \quad „$$

Von den 312 Mädchen litten
$$203 = 65\% \text{ an Icterus}$$
$$\text{und zwar } 106 = 52\cdot2\% \quad „ \quad „ \quad \text{I. Grades}$$
$$70 = 34\cdot4\% \quad „ \quad „ \quad \text{II.} \quad „$$
$$27 = 13\cdot3\% \quad „ \quad „ \quad \text{III.} \quad „$$

Demnach fand sich der Icterus überhaupt bei Knaben um 6·6% häufiger vor als bei Mädchen und waren die leichteren Grade bei den Knaben etwas seltener als bei den Mädchen, die mittleren bei jenen häufiger und die intensiveren nahezu gleich häufig bei beiden Geschlechtern.

Icterus bei Zwillingen.

Um die Vertheilung der Affection auf die einzelnen Paare zu illustriren, führe ich die Fälle speciell an.

1. a — Ict. I, b — ϑ.
2. Beide frei.
3. Beide — Ict. II.
4. a — Ict. II. b — ϑ † am 5. Tage.
5. a (5 Pfd. 13 Lth.) Ict. II. b (4 Pfd. 26 Lth.) ϑ.
6. 35. Woche. a — Ict. II. b — ϑ † am 8. Tage.
7. Frühgeboren. a — Ict. II. b — Ict. I. † am 4. Tage.
8. a (5 Pfd. 4 Lth.) und b (4 Pfd. 16 Lth.) Ict. II.
9. a (3 Pfd. 2 Lth.) ϑ. † am 3. Tage. b — Ict. II.
10. a (3 Pfd. 26 Lth.) und b (3 Pfd. 22 Lth.) — Ict. II.
11. 37. Woche, beide Ict. II.

Man sieht hieraus, dass sich die zusammengehörigen Zwillinge bald gleich bald ungleich in Bezug auf den Icterus verhalten.

Einfluss der Erst- und Mehrgeburt.

Unter 674 Kindern, von denen $462 = 68{\cdot}4\%$ an Icterus litten, stammten $312 = 46{\cdot}2\%$ von Erstgebärenden.
Von diesen 312 litten $221 = 70{\cdot}8\%$ an Icterus, nämlich:

$90 = 40{\cdot}7\%$ an Icterus I. Grades
$85 = 38{\cdot}4\%$ „ „ II. „
$46 = 20{\cdot}8\%$ „ „ III. „

$362 = 53{\cdot}7\%$ von den 674 Kindern gehörten Mehrgebärenden an.
Unter diesen 362 befanden sich

$241 = 66{\cdot}6\%$ mit Icterus, darunter
$116 = 48{\cdot}1\%$ „ „ I. Grades
$94 = 39{\cdot}0\%$ „ „ II. „
$31 = 12{\cdot}8\%$ „ „ III. „

Bei den Kindern Erstgebärender kam demnach der Icterus um $4{\cdot}2\%$ häufiger vor als bei denen Mehrgebärender, bei jenen waren die leichteren Grade seltener, die schweren häufiger als bei diesen.

Einfluss des früh- und rechtzeitigen Geburtseintritts.

Dass die Schwangerschaftsperiode, in welcher die Geburt eintritt, von merklichem Einfluss ist auf die Häufigkeit der Gelbsucht, ergibt sich aus folgenden Werthen:

638 von 674 Kindern waren reif oder fehlte ihnen nur wenig an der vollen Reife. Davon bekamen

> 436 = 68·3 % Icterus, nämlich:
> 207 = 47·4 %   „ I. Grades
> 169 = 38·7 %   „ II.   „
> 60 = 13·7 %   „ III.   „

Unter 674 Kindern befanden sich 36 = 5·3 % Frühgeborne. Davon bekamen 31 = 86·0 % Icterus und zwar:

> 4 = 12·9 %   „ I. Grades
> 20 = 64·5 %   „ II.   „
> 7 = 22·5 %   „ III.   „

Bei Frühgebornen ist also der Icterus um 17·7 % häufiger beobachtet worden als bei reifen Kindern und zwar zeigten sich bei jenen in relativ sehr bedeutender Frequenz die mittleren und höheren Grade der Affection.

Aehnliches hat u. A. auch Bednar gefunden (die Krankheiten der Neugebornen 1850. IV. 194). Doch geht derselbe zu weit, wenn er sagt: „Unter den mit Icterus behafteten Kindern ist die Mehrzahl unvollkommen entwickelt oder frühgeboren, obwohl auch nicht selten kräftig entwickelte Kinder damit zur Welt kommen."

Auch West (Pathol. d. Kinderkrankh. übers. v. Wagner p. 396) betonte das häufige Vorkommen des Icterus bei Frühgebornen.

Einfluss der Fruchtlage.

Von 663 Kindern hatten sich 642 = 96·8 % im gewöhnlichen Scheitellagen zur Geburt gestellt. Davon bekamen

> 437 = 68 % Icterus und zwar:
> 207 = 47·8 % Icterus I. Grades
> 169 = 39·1 %   „ II.   „
> 61 = 13·9 %   „ III.   „

Von 3 in Vorderscheitellagen Gebornen litten 2 an Ict. II. Grades, 1 an Icterus III. Grades; 1 in Stirnlage gebornes Kind hatte Icterus I. Grades.

Von 2 in Gesichtslage Gebornen zeigte 1 keinen, 1 einen Ict. I. Grades.

2 Kinder, die in Scheitellage mit Armvorfall sich präsentirt, bekamen Ict. II. Grades.

Ebenso litten 2 Kinder, bei denen die Nabelschnur neben dem Kopfe vorgefallen und reponirt worden, an Ict. II. Grades.

Bei 11 Kindern, die in spontaner oder durch Wendung bewirkter Fuss- oder Steisslage geboren wurden, trat

9mal = 81·8 % Icterus ein und zwar:
1mal = 11·1 % „ I. Grades
5mal = 55·5 % „ II. „
3mal = 33·3 % „ III. „

Bei der Kleinheit der Zahlen für anomale Lagen ist eine bestimmte Schlussfolgerung unzuverlässig. Immerhin scheint es bemerkenswerth, dass der Icterus bei den Beckenendlagen ungewöhnlich oft vorkommt. Wenn sich diess an grösserem Materiale bestätigte, dürfte es zum Theil mit einem früher erwähnten Umstande zusammenhängen, dass nämlich frühgeborne Kinder, die sich bekanntlich ungewöhnlich oft in Beckenendlage präsentiren, auch relativ häufiger mit Icterus behaftet sind wie reife.

Einfluss der Geburtsdauer.

Nach einer Geburtsdauer bis zu 6 Stunden, die unter 637 Fällen
214mal = 33·5 % vorkam, trat bei
134 = **62·6 %** der Kinder-Icterus ein
und zwar bei 64 = 47·7 % Icterus I. Grades·
61 = 45·5 % „ II. „
9 = 6·7 % „ III. „

Nach einer Geburtsdauer von 6—12 Stunden, die 205mal d. h. in 30·6 % vorkam, stellte sich
152mal = **74·1 %** Icterus ein
und zwar 71 „ = 46·7 % „ I. Grades
52 „ = 34·2 % „ II. „
29 „ = 19·0 % „ III. „

Nach einer Geburtsdauer von 12—30 Stunden, d. h. in
146 = 22·9 % der Fälle trat
109mal = **74·6 %** Icterus ein
nämlich 45 „ = 41·2 % „ I. Grades
45 „ = 41·2 % „ II. „
19 „ = 18·4 % „ III. „

Nach einer Geburtsdauer von mehr als 20 Stunden, die 72mal = 11·3 % notirt ist, ereignete sich
48mal = **66·6 %** Icterus
nämlich 23 „ = 47·9 % „ I. Grades
17 „ = 35·3 % „ II. „
8 „ = 16·6 % „ III. „

Aus diesen Zahlen würde man den Schluss ziehen müssen, dass nach den innerhalb 12—20 Stunden ablaufenden Geburten die Zahl der Icterusfälle eine etwas grössere ist als in den Fällen, in welchen die Geburt bis zu 6 oder über 20 Stunden gedauert hat. Ich lege jedoch den betreffenden Zahlen keinen besonderen Werth bei, da der Anfangstermin auf die subjectiven Angaben der Kreissenden über „die ersten Schmerzen" sich basirt, eine Quelle also, deren Werth zur Genüge bekannt ist, und überdem die betreffenden Angaben den Geburtsprotokollen ohne weitere Controle entnommen worden sind.

Einfluss des Geburtsverlaufes.

Unter 672 Fällen wurden 659 notirt, in denen die Geburt normal oder doch wenigstens ohne besondere Operativeingriffe verlief. Von diesen 659 Kindern bekamen

$$453 = 68·8 \% \text{ Icterus und zwar}$$
$$212 = 46·8 \% \quad \text{„} \quad \text{I. Grades}$$
$$178 = 39·2 \% \quad \text{„} \quad \text{II.} \quad \text{„}$$
$$63 = 13·9 \% \quad \text{„} \quad \text{III.} \quad \text{„}$$

Von 7 mit der Zange entwickelten Kindern bekamen 4 Icterus und zwar sämmtlich II. Grades.

2 nach Wendung extrahirte und 2 bei Fusslage extrahirte Kinder bekamen Icterus, und zwar litten je 1 an Ict. II. Grades, 1 an Ict. III. Grades.

Ein künstlich frühgebornes Kind bekam Ict. III. Grades. 1 Kind, bei dessen Geburt Secale gereicht wurde, bekam keinen Icterus.

Ich führe diese Fälle nur der Vollständigkeit halber an; zu Schlüssen sind sie wegen ihrer geringen Zahl natürlich unbrauchbar.

Einfluss der Meconium-Entleerung.

Mit Rücksicht auf eine von P. Frank herrührende Theorie, welche den Icterus von Resorption der Gallenbestandtheile des Meconium ableitet, habe ich den Einfluss der Zeit, in welcher das Meconium entleert wird, auf die Entwicklung des Icterus ins Auge gefasst und dabei Folgendes gefunden:

In 28 Fällen wurde das Meconium bereits während der Geburt, in Folge vorübergegangener Asphyxie, theilweise oder vollständig entleert. In diesen 28 Fällen trat

$$20\text{mal} = 71·4 \% \text{ Icterus ein}$$
$$10 \quad \text{„} \quad = 50·0 \% \quad \text{„} \quad \text{I. Grades}$$
$$9 \quad \text{„} \quad = 45·0 \% \quad \text{„} \quad \text{II.} \quad \text{„}$$
$$1 \quad \text{„} \quad = 5 \% \quad \text{„} \quad \text{III.} \quad \text{„}$$

Ausdrücklich hebe ich hervor, dass bei mehreren der Kinder die an Icterus litten, das Meconium bei der Geburt sehr vollständig entleert worden war, so dass bereits die ersten Entleerungen der Gebornen gelb gefärbt erschienen.

Einen Schluss darf man wohl aus diesen Beobachtungen ziehen, dass die vorzeitige Entleerung von Meconium die Entwicklung eines Icterus durchaus nicht hindert, indem nach Meconiumentleerung inter partum ebenso viele Kinder diese Affection bekommen wie auch sonst.

Bei 100 icterischen und 26 nichticterischen Kindern habe ich ausserdem angemerkt, an welchem Tage zuerst gelb gefärbte Fäces — anfangs fast immer noch mit Meconiumresten gemischt — entleert worden sind.

Der Anfang der Entleerung gelb gefärbter Fäces fiel auf den

Tag	Icterische u. z.	Ict. I. Gr.	Ict. II. Gr.	Ict. III. Gr.	Nichtict.
2	10	6	4	0	3
3	35	14	20	1	5
4	30	11	19	0	8
5	7	4	2	.1	6
6	11	5	6	0	2
7	5	3	2	0	2
8	2	1	1	0	0
	100				26

Wir ersehen aus dieser Tabelle, dass 75 % der Icterischen und 61·5 % der Nichticterischen bereits innerhalb der ersten 4 Tage ihr Meconium entleeren.

Man hat also auch keinen Grund zu behaupten, dass eine verspätete Meconium-Entleerung zur Entwicklung des Icterus in einer causalen Beziehung stehe.

Diese Thatsachen zeigen, dass eine Annahme falsch ist, die von P. Frank u. A. gemacht und, ich gestehe, früher auch von mir getheilt worden ist. Da nämlich nach W. Kühne (Lehrbuch der physiologischen Chemie p. 104) eine Gallenresorption vom Dickdarme aus geschieht und Icterus eintritt, wenn so viel Galle durch Klystiere eingeführt wird, dass an eine Fällung der Gallensäuren durch den sauer reagirenden Dickdarminhalt nicht mehr zu denken ist, so lag der Gedanke nahe, dass die Anfüllung des ganzen Colons der Neugebornen mit gallenreichem Meconium und das gewöhnlich mehrtägige Bestehen dieses grossen Gallendepots im Darm ebenfalls Icterus erzeugen könne.

Wenn sich beim reifen Fötus die Meconiummassen ebenso im
Darm angehäuft finden wie beim Neugebornen, und doch bei jenem
kein Icterus eintritt, so hätte man diesen Einwand gegen die Theorie
aus dem Grunde nicht für beweisend halten können, weil die Resorp-
tionsvorgänge nach dem Geburtsacte jedenfalls bedeutende Veränderungen erleiden. Nach den soeben gewonnenen Erfahrungen muss man
aber die ganze Idee von der Gallenresorption durch den Dickdarm
als Ursache eines Icterus neonatorum fallen lassen.

Es fragt sich nun, wodurch entsteht denn der fast physiologische Icterus neonatorum? Handelt es sich um einen hämatogenen Icterus, wie früher Virchow und Leyden wollten, oder um
einen durch Verminderung des Blutdruckes in der Pfortader bedingten
Resorptions-Icterus, wie Morgagni, Autenrieth, Frerichs u. A.
annahmen, oder um einen durch Katarrh des Intestinaltheils vom Ductus choledochus bedingten Stauungsicterus, wie Virchow später
ausführte?

Ganz abgesehen davon, dass neuerdings Naunyn (Dubois-
Reichert's Archiv 1868. IV. 401) die Existenz eines hämatogenen
Icterus überhaupt zweifelhaft gemacht hat, so zeigt gerade der Befund der Leber bei icterischen Kindern, dass man hier nicht an einen
Zerfall des Blut- in Gallenfarbstoff innerhalb der Blutbahn denken
darf. Denn die Leber ist in solchen Fällen, wie bekannt und auch
meine Sectionen gelehrt haben, entweder durchaus oder herdweise
gelb gefärbt durch in den Leberzellen enthaltene, wahrscheinlich von
den Lymphgefässen aus in diese diffundirte Galle. Daraus müssen wir
denn folgern, dass der Icterus neonatorum in der That ein Resorptions-Icterus ist.

Aber es fragt sich, warum wird die in die Gallengänge secernirte
Galle in diesen wieder von Lymph- und Blutgefässen resorbirt?

Frerichs (Klinik der Leberkrankheiten I. 199) leitete unseren
Icterus ab „von verminderter Spannung der Capillaren des Leber-
parenchyms, welche beim Aufhören des Zuflusses von Seiten der Umbilicalvene sich einstellt und vermehrten Uebertritt von Galle ins Blut
veranlasst." Diese Annahme schien eine gewisse Stütze zu gewinnen
durch Versuche von Heidenhain (Studien des physiologischen Insti-
tutes zu Breslau 1868. IV. 239) der sowohl nach Blutentziehungen
wie nach Aortencompression die Gallensäule eines in die Gallenblase
nach Unterbindung des Duct. choledochus eingefügten Manometers
sinken, nach Blutinjection in die Venen steigen sah. Das Sinken
der Säule leitete derselbe ab von einem Ueberwiegen der Resorption

über die Secretion, das Steigen von Ueberwiegen der Secretion über die Resorption. Es scheint mir jedoch zweifelhaft, ob das Sinken der Säule gerade auf Resorption und nicht vielmehr auf Erweiterung der Gallengänge bezogen werden muss. Denn in dem Maasse, wie die Gefässe blutleerer werden, müssen sich die neben denselben in dem relativ starren Leberparenchym eingebetteten Gallengänge erweitern, was ebenso gut einen Rückgang der Gallensäule erklärt. Man kann gegen diese Erklärung nicht einwenden, dass Heidenhain eine Lösung von indigoschwefelsaurem Natron aus dem Duct. choledochus in das Gefässsystem resorbirt werden und eine Blaufärbung verschiedener Organe bedingen sah. Denn in diesen Versuchen handelte es sich um einen höheren als den in den erstgenannten Versuchen zur Geltung gekommenen Secretionsdruck.

Sollen die obigen Versuche Heidenhain's zur Erklärung des Icterus verwerthbar sein, so muss man auch nach Blutentleerung oder Aortenunterbindung Gallenbestandtheile in den verschiedenen Körpersäften und Organen nachweisen, was bis jetzt nicht geschehen ist. Der Icterus ex inanitione (Naunyn-Trendelenburg) kann dieses Beweismittel nicht liefern, da diese Form nicht constant und ausserdem ihre Entstehung verschiedener Deutung fähig ist.

Andererseits hat Heidenhain gezeigt, dass durch Leberanämie die Gallenabsonderung beschränkt wird und ältere Versuche verschiedener Physiologen haben ergeben, dass Verengerung und Verschluss der Pfortader die Gallensecretion bis zum Verschwinden herabsetzen. Wollten wir also auch annehmen, dass gleich nach Beginn der Blutdruckverminderung in der Leber eine stärkere Gallenresorption geschähe, so würde einer Fortdauer dieser gesteigerten Resorption die verminderte Absonderung in der Folge entgegenwirken.

Was aber einen Hauptpunkt in der Frerichs'schen Hypothese anlangt, die behauptete Blutdruckverminderung in den Lebercapillaren der Neugebornen in Folge des Schlusses der Nabelvene, so ist es misslich, ohne Versuche über ein so complicirtes Phänomen, wie es die Organcirculation ist, eine bestimmte Ansicht auszusprechen. Da der Leberast der Nabelvene nur mit wenigen Zweigen das Capillarnetz der Leber versorgt, vielmehr fast alles Blut in den linken Pfortaderast ergiesst, und selbst jene Zweige durch zahlreiche Anastomosen mit denen der Pfortader zusammenhängen, so wird nach dem Wegfall der Nabelvene ihr Lebercapillarnetz von der Pfortader aus vollständig gefüllt werden und von einer auch nur partiellen Anämie bei der Massenhaftigkeit der Collateralen noch viel weniger die Rede sein können als bei einem weit gefässärmeren Gliede, an dem man einen

kleinen Arterienast unterbunden hat. Wie sich aber nach der gewiss
in wenigen Secunden erfolgenden Ausgleichung der Druckdifferenzen der
Capillardruck in der Leber gestaltet, das ist schwer zu sagen. In der
ersten Zeit wird der Druck sinken, entsprechend der Verminderung
des Aortendruckes und zwar so lange, bis der linke Ventrikel so viel
leistet als im Fötalleben bei offenem Ductus Botalli beide Ventrikel
zusammengenommen. Darf man die Röthung der Haut als relativen
Maassstab für die Energie der Circulation ansehen, so geht das
Stadium der primären Druckverminderung im arteriellen Systeme bald
vorüber. Wie sich in der nächsten Zeit der Pfortaderkreislauf verhält,
das wird ausser vom arteriellen Drucke von der Gasfüllung und Peri-
staltik der Gedärme, somit zum Theil auch von der Nahrungsaufnahme, von der respiratorischen und anderweitigen Thätigkeit der
Bauchpresse, von der Energie des Athmens und der Lungencirculation
etc. abhängen. Das sind lauter unberechenbare Grössen.

Da aber Druckverminderung mindestens zweifelhaft, wenn nicht
unwahrscheinlich ist und dieselbe andererseits auch die Gallen-
bereitung herabsetzt, so können wir nicht wohl eine erheblichere
Gallenresorption, einen länger dauernden Icterus in dieser Weise
erklären.

Virchow leitete später (Gesammte Abhandlungen p. 858) den
Icterus neonatorum von einem Katarrh des Ductus choledochus ab.
An der Leiche verräth sich dieser Zustand nach V. durch Schwellung
des Gewebes, einen im Gangstück enthaltenen Schleim- und Epithel-
pfropf, sowie plötzliche Erweiterung und gallige Färbung des übrigen
Ductus choledochus bei Enge und Blässe der Portio intestinalis. Bei
der Section von 8 an Icterus neonatorum leidenden Kindern habe ich
auf die angegebenen Veränderungen geachtet, aber stets auch die
Wandung des Intestinaltheils gelbgefärbt gefunden, in dem Lumen
desselben ferner keinen Schleimpfropf sowie auch keine Schwellung der
Schleimhaut nachweisen können. Schnitt man das Duodenum der Länge
nach auf, so sah man das Endstück des Ganges mit Galle gefüllt. Es
schien als gelber Streifen durch die Wandung des Duodenum durch
und entleerte sich aus demselben beim Zusammendrücken des gemeinsamen Gallenganges oder der Gallenblase ein Gallenstrom ohne Schleimpfropf. — Sowohl bei den Sectionen wie bei Untersuchung der Fäces
icterischer Kinder wurde stets ein dottergelber — nie blasser oder
lettiger Darminhalt gefunden, wie schon Burdach wusste, Leyden
u. A. bestätigt haben. Daraus geht nun hervor, dass das Hinderniss
der Gallenentleerung nur relativ ist, indem die Galle während der
Icterusdauer zwar zum Theil, nicht aber in dem Maasse in den Darm

abfliesst, als sie in die Gallengänge secernirt wird. Schon dieser Um_
stand macht die Anwesenheit eines obturirenden Schleimpfropfes in
dem engen Gangstücke gerade nicht wahrscheinlich, man müsste denn
annehmen, dass dieser Pfropf von Zeit zu Zeit ausgestossen und durch
einen neuen ersetzt würde. Wichtiger ist natürlich das obige negative
Ergebniss der auf den Nachweis eines Katarrhes direct gerichteten Un_
tersuchungen bei Individuen, deren ganz oder stellenweise gelbgefärbte
Lebern den Beweis lieferten, dass zur Zeit des Todes das Hinderniss
der Gallenentleerung noch nicht beseitigt war.

Auf Grund dieser Beobachtungen muss ich im Anschluss an
Frerichs mindestens für die Mehrzahl der Fälle die Richtigkeit der
Virchow'schen Annahme bezweifeln, ohne jedoch zu verkennen, dass
die endgiltige Entscheidung nur durch ein reicheres, speciell auf die_
sen Punkt untersuchtes Material geliefert werden kann.

Auch von einem Katarrh der feineren Gallengänge, der von
Ehstein u. A. als Ursache mancher Icterusformen erkannt worden
ist und sich durch Anfüllung dieser Gänge mit blassem epithelialen
Inhalt verräth, habe ich bei meinen Sectionen nichts bemerken
können.

Drei Möglichkeiten scheinen mir bei der Erklärung der Entste_
hung des Icterus neonatorum besonders ins Auge gefasst werden zu
müssen.

1. Eine solche **congenitale Enge** des Gallengangendes,
dass dasselbe die beim Neugebornen vermuthlich viel
reichlicher secernirte Galle nicht entsprechend der Se_
cretionsgeschwindigkeit abfliessen lässt. Bedenkt man, dass
nach Heidenhain ein verhältnissmässig geringer Gegendruck
hinreicht, eine reichliche Resorption des Inhaltes der Gallengänge
einzuleiten, so wird man es begreiflich finden, dass eine erhebliche
Enge des Endstückes, wie sie notorisch den Neugebornen zukommt,
bei der dickflüssigen Beschaffenheit des post partum vermuthlich reich_
licher abgeschiedenen Secretes, den vollständigen Gallenabfluss sehr
leicht hindern und damit Resorptions-Icterus bedingen kann. Ist dies
richtig, so werden wir bei solchen Kindern, die nicht an Icterus lei_
den, ein geräumigeres Endstück finden als bei Icterischen. Bei Ver_
suchen müsste man den vorsichtig mit dem Duodenum herausgeschnitte_
nen Ductus choledochus unter einem, in allen Fällen beim Versuchs_
beginne gleichen Quecksilberdrucke mit Galle von gleicher Consistenz
füllen und zusehen, bei welcher Steigerung der Druckhöhe ein Gallen_
ausfluss in das Duodenum stattfindet.

Möglich, dass sich eine oben angeführte Thatsache, wonach frühgeborne Kinder öfters an Icterus leiden als reife, und die im Durchschnitte kleineren Kinder der Erstgebärenden etwas öfter als die der Mehrgebärenden, zurückführen lässt auf die bei jenen bedeutendere Enge des Endstückes des Gallenganges.

Ausserdem könnte man noch an zwei andere Momente denken, nämlich:

2. An eine extrauterin beginnende oder gesteigerte Secretion der Henle'schen Schleimdrüsen. Wenn diese Drüsen, wie zu erwarten steht, nach der Geburt reichlicher Schleim ausscheiden, wie im Fötalleben, so kann das in den Gallengängen enthaltene Secret in einer Weise dickflüssig werden, dass sich seiner Entleerung bei den gegebenen Widerständen der Ausscheidung erheblichere Hindernisse entgegensetzen wie vorher, oder mit anderen Worten, dass es immer nur theilweise ausfliesst. Zur Prüfung dieser Möglichkeit müsste man den Schleimgehalt der Galle todtgeborner Früchte mit dem der icterischen wie nichticterischen Neugebornen vergleichen. Ohne auf diesen Punkt bei Sectionen speciell geachtet zu haben, muss ich bemerken, dass mir von einer besonderen Zähflüssigkeit der Galle icterischer Kinder bis jetzt nichts aufgefallen ist.

3. An ungenügende Zusammenziehungen des Ductus choledochus bei den Neugebornen.

Ich muss mich bescheiden diese Möglichkeiten anzudeuten, ohne aber einen Entscheid treffen zu können; dazu gehört reichliches frisches Material, worüber ich im Augenblicke leider nicht verfüge.

Verlauf.

Die icterische Färbung beginnt gewöhnlich in der Haut, so dass die Conjunctiva erst nach einiger Dauer der Hautfärbung ein gelbes Aussehen gewinnt. Seltener trifft man die ersten Spuren icterischer Färbung an der Conjunctiva. Fast immer beginnt die Gelbfärbung mit einem leichten Stich und entwickeln sich die dunkleren Nuancen erst allmälig, selten kommt ein Icterus II. und III. Grades in Zeit von wenigen Stunden zu Stande.

Ueber den Anfang des Icterus liegen mir Notizen von 410 Kindern vor, wonach derselbe fiel.

bei 22 $=$ 5·3 % auf den 1. Tag *)
„ 258 $=$ 62·9 % „ „ 2. „
„ 99 $=$ 24·1 % „ „ 3. „

---

*) Von der Geburtsstunde an 24 zu 24 Stunden gezählt, nicht den Tag der Geburt als voll gerechnet.

bei 20 = 4·8% auf den 4. Tag
„ 7 = 1·7% „ „ 5. „
„ 3 = 0·7% „ „ 6. „
„ 1 = 0·2% „ „ 7. „

Demnach nimmt der Icterus neonatorum gewöhnlich am 2., nächst häufig am 3. Tage seinen Anfang und nur in geringen % ·am 1., 4. und den folgenden Tagen.

Fälle, in denen Kinder „schon mit der Gelbsucht behaftet zur Welt kommen, welche in den ersten Tagen bisweilen an Intensität zunimmt" wie Bednar l. c. 194 anführt, sind in meinen Notizen nicht verzeichnet.

Leyden bemerkt auf Grund seiner Erfahrungen an Erwachsenen, dass es mindestens 48 Stunden dauere, bis eine Gallenstauung Icterus erzeuge. Da wir nicht wohl annehmen dürfen, dass die dem Icterus zu Grunde liegenden anatomisch-physiologischen Bedingungen bereits am Ende des Fötallebens Gallenstauung erzeugen — denn die Leber wird bei todtgebornen Kindern nie icterisch gefunden — so folgt aus obigen Zahlen und Leyden's Angabe über das I. Entwicklungsstadium des Icterus bei Erwachsenen, dass der Process bald nach der Geburt beginnt und überdem viel rascher zur icterischen Färbung führt als dies bei Erwachsenen zu geschehen pflegt.

Diese frühzeitige Entwicklung des Icterus scheint nun gegen die Annahme eines zu Grunde liegenden Katarrhs zu sprechen. Nicht als ob ein Katarrh länger als 1—2mal 24 Stunden bedürfte, um einen obturirenden Schleimpfropf zu liefern, vielmehr deshalb, weil es bei der beschränkten oder doch minimalen Nahrungsaufnahme in den ersten 2 Tagen eigentlich an palpablen Ursachen zu einem Gastroduodenalkatarrh fehlt. Später enthält eine quantitativ und qualitativ ungeeignete Nahrung sehr oft alle Bedingungen zur Entwicklung eines Magen-Katarrhs, der auch notorisch oft genug vorkommt, aber gerade später tritt der Icterus nur ausnahmsweise ein.

Nehmen wir dagegen eine congenitale Stenose des Gallengangendes als Ursache des Icterus neonatorum an, so begreift es sich, dass jene, eben weil sie gleich anfänglich vorliegt, auch frühzeitig Stauung der post partum voraussichtlich reichlicher secernirten Galle und damit den baldigen Eintritt eines Icterus veranlassen muss.

Ueber das Ende des Icterus liegen mir nur spärliche Zahlen vor, die überdem nicht geeignet sind, diesen Punkt zu entscheiden. Es ist nämlich nur in 193 Fällen der Zeitpunkt, in welchem die Hautfärbung wieder normal wurde, in die Zeit der Beobachtung gefallen. Darunter dauerte der Icterus bis zum

$$2 \text{ Tage in } 4 \text{ Fällen } = 2\cdot0\%$$
$$3 \text{ „ „ } 20 \text{ „ } = 10\cdot3\%$$
$$4 \text{ „ „ } 42 \text{ „ } = 21\cdot7\%$$
$$5 \text{ „ „ } 42 \text{ „ } = 21\cdot7\%$$
$$6 \text{ „ „ } 34 \text{ „ } = 17\cdot5\%$$
$$7 \text{ „ „ } 29 \text{ „ } = 15\cdot0\%$$
$$8 \text{ „ „ } 16 \text{ „ } = 8\cdot2\%$$
$$9 \text{ „ „ } 5 \text{ „ } = 2\cdot4\%$$
$$10 \text{ „ „ } 1 \text{ Falle } = 0\cdot5\%$$

In 197 anderen Fällen wurde nur der Tag notirt, an welchem die noch mit deutlichem Icterus behafteten Kinder zuletzt inspicirt wurden. Eine weitere Beobachtung musste theils wegen deren Entlassung ins Findelhaus, theils wegen zufälliger äusserer Hindernisse unterbleiben. Unter diesen 197 Fällen wurde Icterus noch gefunden

$$\text{am } 6. \text{ Tage } 33\text{mal } = 16\cdot7\%$$
$$\text{„ } 7. \text{ „ } 71 \text{ „ } = 36\cdot0\%$$
$$\text{„ } 8. \text{ „ } 74 \text{ „ } = 37\cdot5\%$$
$$\text{„ } 9. \text{ „ } 18 \text{ „ } = 9\cdot1\%$$
$$\text{„ } 10. \text{ „ } 1 \text{ „ } = 0\cdot5\%$$

Aus diesen Zahlen geht wenigstens Eines hervor, dass unter 390 Fällen 108mal = 27·6%, d. h. also nicht ganz in ⅓ der Fälle der Icterus bereits in den ersten 5 Tagen abläuft. In der Mehrzahl der Fälle endigt er am 6.—10. Tage, oft erst in der 2. oder selbst der 3.—4. Woche.

Ueber die Dauer des Icterus liegt mir folgendes Material vor. In 182 Fällen konnte dieselbe nach Wiederkehr der Normalfärbung sicher bestimmt werden und betrug sie

$$23\text{mal } = 12\cdot6\% \quad 1. \text{ Tag}$$
$$28 \text{ „ } = 15\cdot3\% \quad 2. \text{ Tage}$$
$$42 \text{ „ } = 23\cdot0\% \quad 3. \text{ „}$$
$$39 \text{ „ } = 21\cdot4\% \quad 4. \text{ „}$$
$$24 \text{ „ } = 13\cdot1\% \quad 5. \text{ „}$$
$$21 \text{ „ } = 11\cdot5\% \quad 6. \text{ „}$$
$$2 \text{ „ } = 1\cdot0\% \quad 7. \text{ „}$$
$$1 \text{ „ } = 0\cdot5\% \quad 8. \text{ „}$$
$$1 \text{ „ } = 0\cdot5\% \quad 9. \text{ „}$$

In 200 anderen Fällen wurde nur eine Minimaldauer bestimmt, indem das Ende des Icterus nicht in die Beobachtungsperiode fiel. Diese Minimaldauer betrug

$$3\text{mal} \;=\; 1\cdot5\,\% \quad 2 \text{ Tage}$$
$$19 \text{ „} \;=\; 9\cdot5\,\% \quad 3 \text{ „}$$
$$33 \text{ „} \;=\; 16\cdot5\,\% \quad 4 \text{ „}$$
$$48 \text{ „} \;=\; 24\cdot0\,\% \quad 5 \text{ „}$$
$$70 \text{ „} \;=\; 35\cdot0\,\% \quad 6 \text{ „}$$
$$24 \text{ „} \;=\; 12\cdot0\,\% \quad 7 \text{ „}$$
$$3 \text{ „} \;=\; 1\cdot5\,\% \quad 8 \text{ „}$$

Ich enthalte mich aller Schlussfolgerungen aus diesen Zahlen, indem ich die Frage nach der Icterusdauer den Forschern überlasse, welche Gelegenheit haben, die Kinder entweder länger in den Entbindungsanstalten oder auch nach ihrer Abgabe an Findelhäuser durch einige Zeit zu verfolgen. Die Angabe Bednar's, dass die Gelbsucht der Neugebornen 10 — 36 Tage dauere, ist jedenfalls zu hoch gegriffen.

An dieser Stelle sei noch bemerkt, dass zuweilen ein recidivirender Icterus vorkommt. Am 2.—4. Tage färbt sich die Haut gelb und nachdem dies 1—3 Tage angehalten, verliert sich der Icterus, um gegen den 4.—8. Tag nochmals wiederzukehren und nach 1— mehrtägigen Bestande abermals zu schwinden.

Prognose.

Die Bedeutung des Icterus ist von manchen Seiten her überschätzt worden. Dieser pessimistischen Auffassung gegenüber führe ich einige Zahlen an.

Abgesehen von einer Anzahl Kinder, die in den ersten 2 Lebenstagen an Asphyxie u. dgl. zu Grunde gingen oder wegen Erkrankung, Milchmangel etc. zu dieser Zeit ins Findelhaus transferirt wurden, wegen ihrer kurzen Lebensdauer also bei der Icterusfrage gar nicht in Betracht kommen, bleiben 680 Fälle statistisch verwerthbar. Davon wurden 659 = 96·9 % lebend entlassen

$$21 \;=\; 3\cdot1\,\% \text{ starben in der Anstalt.}$$

Von den 659 lebend gebliebenen litten

$$451 \;=\; 68\cdot4\,\% \text{ an Icterus und zwar:}$$
$$208 \;=\; 46\cdot1\,\% \text{ „ } \text{ „ } \text{ I. Grades}$$
$$178 \;=\; 39\cdot4\,\% \text{ „ } \text{ „ } \text{ II. „}$$
$$65 \;=\; 14\cdot4\,\% \text{ „ } \text{ „ } \text{ III. „}$$

Von den 21 zwischen dem 2.—8. Tage verstorbenen Kindern hatten   10 = 47·6 % an Icterus gelitten, und zwar:

$$3 \;=\; 30\cdot0\,\% \text{ „ } \text{ „ } \text{ I. Grades}$$
$$5 \;=\; 50\cdot0\,\% \text{ „ } \text{ „ } \text{ II. „}$$
$$2 \;=\; 20\cdot0\,\% \text{ „ } \text{ „ } \text{ III. „}$$

Von den 3 mit Icterus I. Grades behaftet gewesenen Kindern starb 1 an Pneumonie am 6. Tage (bei der Sturzgeburt war ein taubeneigrosses Hämatom des Nabelstranges durch Blutaustritt in die Sulze in der Nähe des Nabels entstanden, was jedoch auf die Verheilung des Nabels ohne Einfluss blieb), 1 von 2 Pfd. 24 Lth., das die Brust verweigerte, am 7. Tage, 1 Zwilling am 4. Tage. Von den 5 Kindern mit Icterus II. Grades starben 3 Frühgeborne am 7. Tage, 2 andere am 5. und 7 Tage. Von den 2 Kindern mit Icterus III. Grades starb 1 Zwilling am 7. Tage, 1 Frühgebornes am 10. Tage.

Von den 21 verstorbenen Kindern hatten 11 = 52·3% keinen Icterus gehabt.

Es war dies: 1 Kind vom 6. Mon. 29½ Stunden p. p. an Lebensschwäche verstorben, 2 Frühgeborne am 2. und 3. Tage, 1 Zwilling am 5. Tage, 1 Kind, dessen Mutter an Puerperaldiarrhöe litt, am 3. Tage, 1 am 6. Tage unter Ecclampsie, 1 am 8. Tage an Peritonitis, 2 unreife Zwillinge am 3. und 8. Tage, 1 in Gesichtslage asphyktisch gebornes am 2. Tage und 1 ebenfalls am 2. Tage an unbekannter Krankheit gestorbenes Kind.

Von den lebend Entlassenen hatten also ⅔ Icterus gehabt, von den Verstorbenen war nur die Hälfte mit dieser Affection behaftet gewesen. Diese geringe Häufigkeit des Icterus bei den Letztgenannten erklärt sich jedoch zum Theil dadurch, dass mehrere dieser Kinder bereits vor der Zeit zu Grunde gingen, in der sich Icterus zu entwickeln pflegt.

Jedenfalls liefern diese Zahlen durchaus keine Anhaltspunkte für die Annahme, dass das Eintreten des Icterus eine besondere Gefahr für das Kind einschliesse. Ja ich muss in vollster Uebereinstimmung mit Frerichs ausdrücklich hervorheben, dass nach den Beobachtungen, die ich an Kindern mit hochgradigem Icterus angestellt, selbst dieser Grad gar keine Nachtheile zu involviren scheint. Die Kinder tranken gewöhnlich gut, schliefen wie andere, ihre Fäces hatten eine je nach der Nahrung verschiedene aber ganz physiologische Beschaffenheit, der Puls die gewöhnliche Frequenz, kurz ich konnte, abgesehen von zufälligen Erkrankungen, ausser der Gelbfärbung keine anderen anomalen Symptome nachweisen, die auf Icterus bezogen werden mussten.

Man könnte vielleicht einwenden, dass meine Beobachtungen für die Prognose des Icterus deshalb nicht massgebend seien, weil sie sich bloss über die ersten 8 Tage erstrecken. Gegen die factische Begründung dieses Einwandes ist jedoch ein Doppeltes geltend zu machen: 1. dass in einer grossen Zahl von Fällen der Icterus bereits

in der 8tägigen Beobachtungszeit ablief, so dass also Krankheitssymptome und nachtheilige Folgen, die sonst während der Krankheitsdauer eintreten, Zeit gehabt hätten in die Erscheinung zu treten,
2. dass bei einer grösseren Reihe von Kindern in der Privatpraxis,
bei denen ich den Verlauf des Icterus und das Befinden nach dem
Verschwinden dieses Processes durch längere Zeit verfolgte, ebenfalls
keine functionellen Störungen zur Beobachtung kamen, die auf den
Icterus zurückzuführen waren.

In der Praxis der Findelhäuser und Kinderkliniken legt man
vielfach dem Icterus eine weit ungünstigere Bedeutung bei, und oft
genug werden Kinder als an Icterus verstorben angeführt, bei denen
die Section keine anderweitigen gröberen Veränderungen ergeben
hatte als sie dem Icterus zukommen. Von den Sectionen Erwachsener
her ist man so sehr gewohnt grobe anatomische Veränderungen als
palpable Todesursachen aufzufinden, dass man bei den Kindersectionen
froh ist in Ermanglung anderer gröberer Veränderungen wenigstens
von einem Icterus den lethalen Ausgang ableiten zu können. Man
sollte jedoch bedenken, dass gerade bei Kindersectionen die eigentliche
Todesursache pathologisch-anatomisch weit öfters nicht nachweisbar
ist als bei Erwachsenen. Das zarte Leben eines Kindes erliegt ja weit
leichter geringfügigen Veränderungen der Säftemasse und der Organ-
structur, die sich vielleicht kaum einer genauesten mikroskopischen
Untersuchung, geschweige denn der rohen Zergliederung mit dem Messer
verrathen. Da kann ein gelegentliches negatives Sectionsergebniss
nicht überraschen, aber es wäre voreilig in solchen Fällen das be-
queme Auskunftsmittel des Icterus zur Erklärung des Todes heran-
ziehen zu wollen. Gerade die klinische Erfahrung, die uns lehrt, dass
Hunderte von Kindern, obwohl ausgesprochen icterisch, dennoch im
Uebrigen gesund sind und leben bleiben, sollte uns zu grösster Vorsicht bei Verwerthung eines Icterus als Todesursache auffordern. So
lange nicht die allerdings tödtliche Form der Gelbsucht vorliegt, wobei die Gallenausscheidung in Folge von Atresie des Gallenganges
oder Verstopfung desselben, wie in den von Binz (Virchow's Arch.
35, 2) u. A. beobachteten Fällen vollständig gehemmt ist, muss man
nach meiner Ueberzeugung Anstand nehmen von einem Icterus allein
den lethalen Ausgang abzuleiten. Man kann wohl sagen, das Kind
ist gestorben, während es die Gelbsucht hatte, aber nicht weil es
an dieser gelitten hat. In wie weit der Icterus als Complication
vorausgegangener oder zutretender Krankheiten die Prognose zu trüben, den Verlauf jener zu verschlimmern im Stande ist, darüber müssen
noch genaue kritische Analysen zahlreicher Einzelfälle entscheiden.

7 *

Therapie. Nach dem Bemerkten liegt keine besondere Auf-
forderung vor, den Icterus neonatorum einer besonderen Behandlung zu
unterwerfen. Ob und welche Mittel im Stande sind, den Verlauf der
Affection zu mildern und abzukürzen, darüber können bei der Wan-
delbarkeit des Eintritts und Verlaufs nur grosse Versuchsreihen entscheiden. Es scheint jedoch, dass die beliebten Rhababerpräparate in
der That die Entwicklung höherer Icterus-Grade zu beschränken und
den Ablauf des Processes, vielleicht durch Anregung von Contractionen im Ductus choledochus, zu beschleunigen vermögen. So lange
die Frage nach der Bedeutung unseres Icterus als Complication noch
nicht verneinend beantwortet ist, dürfte es ferner der Vorsicht ange-
messen sein, alle diejenigen Krankheiten mit besonderer Aufmerksamkeit zu behandeln, neben denen ein höherer Grad von Icterus
besteht, für gute Ernährung, tägliche Bäder u. dgl. Sorge zu tragen.

II.

Ein bemerkenswerther Befund bei Laryngospasmus.

Von

Dr. L. Fleischmann

emer. I. Secundararzt im St. Josef-Kinderspitale.

Die Aetiologie des Spasmus glottidis ist gegenwärtig noch wenig aufgeklärt, vielleicht auch desshalb, weil man alle Mühe darauf verwendet, eine einzige Ursache für alle Fälle herauszufinden und sie darauf zurückzuführen. Dieses Streben bildet in der Geschichte des vorstehenden Leidens überhaupt ein ganz bemerkenswerthes Moment, und wurde wiederholt Veranlassung, dass man, so oft nicht alle Beobachtungen in den gegebenen Rahmen passten, die ganze frühere Erfahrung bei Seite legte, um sich mit frischen Kräften einer neuen ätiologischen Grundlage zuzuwenden. — Ich bin nun der Ansicht, dass keineswegs alle Fälle von Spasmus glottidis dieselbe Ursache haben, und dass man auf Grund der Obductionsbefunde dahin gelangen wird, für einzelne Reihen eine ganz bestimmte Störung nachweisen zu können, wie man dies für die Fraisen, für das Erbrechen der Kinder mit Erfolg gethan hat.

Einen Beitrag in dieser Richtung für Laryngospasmus zu liefern, diene folgende Arbeit:

U. Karl, 15 Monate alt, gut gebaut, von gesundem Aussehen, hat die grosse Fontanelle bis auf einen ganz geringen Rest geschwunden (normal); nirgends am Kopfe häutige Partien noch eine andere Abweichung von der Norm wahrzunehmen. Die Rippenköpfe in kaum merkbarer Weise verdickt; die Glieder normal. Im Unter- und Oberkiefer je 2 Schneidezähne vorhanden. Die Untersuchung des Thorax ergab am 10. Jänner 1871, an welchem Tage der Kranke aufgenommen wurde, beiderseits hellen und vollen Percussionsschall, rauh vesiculäres Athmen. Unter dem oberen Drittel des Sternums ist der Percussionsschall leer, sowohl bei der Iu- als Exspiration.

Aus der Anamnese entnahm ich, dass Patient seit 3 Wochen an
Stimmritzenkrampf leide, der sich oft bis zu einem sehr hohen Grade steigere. Die heftigsten derartigen Anfälle sind dadurch ausgezeichnet, dass
sich nach mehreren krähenden Inspirationen, während welcher das Kind
vergeblich nach Luft schnappt, endlich ein vollständiger Verschluss der
Glottis mit allen denselben begleitenden suffocativen Erscheinungen einstellt.
Das Gesicht wird anfangs geröthet, später hochgradig cyanotisch, der Hals
nach rückwärts gestreckt, die Augen aus ihren Höhlen hervorgetrieben,
strabotisch nach einwärts gerollt, der Mund wie zum Spucken geformt. Das
Zwerchfell steht in der Tieflage (Inspiration) still; ferner erfolgt ein Einschlagen der Daumen, Strecken der Hände (das Kind wurde in sitzender
Stellung gehalten). — Die beginnende Kohlensäurevergiftung bewirkte allmälig einen Nachlass der krampfhaften Erscheinungen, es kehrt die Respiration langsam, unter einigen klonischen Zuckungen des Zwerchfells zurück,
das Gesicht färbt sich wieder normal, der Mund wird geöffnet, es tritt
Schweiss auf Stirn und Gesicht, und ein gewisser Grad von Erschöpfung
bemächtigt sich des Kindes.

Ausser diesen hochgradigen Anfällen, die anfangs täglich öfter, später
nur einmal erfolgten, zeigte das Kind geringere, die sich beim Weinen,
während des Essens, beim schnellen Emporheben aus der Ruhelage einstellten. Es wurde dem Kinde Tinct. Strammonii, täglich 1 Tropfen, in stei-
gender Gabe verordnet. Im Verlaufe der nächsten Tage gesellten sich noch
einige ecclamptische Anfälle zum Stimmritzenkrampf hinzu — gewöhnlich
waren nur leichtere Anfälle mit krähendem Geräusche vorhanden, die jedoch
bald vorübergingen, ohne das Befinden des Kindes zu alteriren.

Am 15. Jänner erkrankte ein Kind, das neben unserem Patienten lag,
an Morbillen; bald darauf noch ein zweites in demselben Zimmer, welche
beide alsogleich entfernt wurden. Am 18. Jänner bekam Patient Fieber,
welches in gleicher Stärke zwei Tage hindurch anhielt; ausser geringer
Röthung der Conjunctiva, sowie den Zeichen eines ausgebreiteten acuten
Luftröhrenkatarrhs am Abend des 20. Jänner nichts weiter noch wahrzunehmen. Während der Nacht machte ein Fraisenanfall dem Leben des
Kindes ein Ende.

Bei der Obduction fand man: Schädeldach von gewöhnlicher Dicke,
hie und da durchscheinend, doch nirgends häutige Partien zeigend. Die
harte und die weichen Hirnhäute blutreich, — dessgleichen die Gehirnsubstanz, welche serösen Glanz hatte. In den Seitenkammern einige
Drachmen klaren Serums; die seitlichen Adergeflechte blass, griesig, von
hydropischem Ansehen, die weichen Hirnhäute an der Basis zart, mässig
blutreich. Die Schleimhaut des Kehlkopfes, der Trachea und der Bronchien
geröthet. Die Schilddrüse blutreich, feinkörnig, die Thymusdrüse durch ihre
Volumszunahme bemerkbar: sie erscheint auf dem Durchschnitte blassgrau
— die Hörner derselben beginnen etwa in der Mitte des Herzbeutels; der
Körper erstreckt sich bis zur Schilddrüse aufwärts, und zeigt eine Dicke
von etwa $2/3$ Zoll. Unter derselben und auf den grossen Gefässen unmittelbar
aufliegend sowohl kuglige Parenchymantheile derselben als auch
Lymphdrüsen käsige Herde aufweisend. Die Drüsen längs der

Trachea und der grossen Bronchien zu grossen käsig degene-
rirten Knoten verbunden, über welche der Nervus phrenicus
einerseits, der Vagus andererseits (namentlich rechts) bogen-
förmig gespannt erscheinen. In unmittelbarer Nähe der käsig dege-
nerirten Bronchialdrüsen rechts zeigt sich die Lunge verdichtet, luftleer,
und von zahlreichen miliaren grauen Knötchen durchsetzt, die zuführenden
Bronchien mit Eiter erfüllt und mit käsigen, umschriebenen Massen (Drüsen)
umlagert. Leber und Milz blutreich. Die Schleimhaut des Magens über den
Wülsten geröthet. Im untersten Dünndarmantheile 2 kleine, scharf umschriebene Geschwüre. (Tuberkel?)

Für den weiteren Verlauf der Discussion wird es nöthig sein,
vorher die Identität der geschilderten Anfälle mit denen bei Laryngospasmus zu constatiren. — Welche sind dessen wichtigste Symptome? Vor allem sind charakteristisch die den Anfall einleitenden
krähenden Inspirationen, welche kurz und plötzlich unterbrochen
sind, ohne dazwischen eintretende Exspiration und gegen das Ende
allmälig länger, weniger pfeifend, endlich ganz lautlos werden. Die
Exspiration ist, wie schon erwähnt, während der krähenden Inspirationen ganz unterbrochen und kehrt erst am Ende des Anfalles, gewöhnlich geräuschlos, anfangs kurz und äusserst mühsam, später
natürlich zurück; in leichteren Fällen folgen auf die einzelnen krähenden Inspirationen ebensolche Exspirationen jedoch von kurzer
Dauer (Barthez und Rilliet). Auf der Höhe des Anfalles folgt das
vollständige Aufhören der Athembewegung, jedoch in den hochgradigsten Fällen von ganz kurzer Dauer. Das Gesicht ist geröthet,
cyanotisch, oder um Mund und Nase ganz bleich; die Augen sind
hervorgetrieben, die Venen des Halses strotzend. Der Kopf ist nach
rückwärts gezogen, der Mund geöffnet oder wie zum Spucken geformt,
(Bednař, Krankheiten der Säuglinge) was auch in unserem Falle
eintraf. Gegen Ende des Anfalles gesellen sich ecclamptische Erscheinungen bei manchen Kindern hinzu, die sich von anderen derartigen
in nichts unterscheiden lassen. Nach dem Anfalle pflegen die Kleinen
entweder ihre früher unterbrochene Beschäftigung wieder ohne weitere
Störung in ihrem Befinden aufzunehmen, oder sie zeigen eine Abspannung, Ermattung und Schläfrigkeit.

Vorbotensymptome sind nicht immer beobachtet worden, und
haben, wenn sie vorkommen, nichts Pathognomonisches. In der Regel
erfolgt der Stimmritzenkrampf inmitten des besten Wohlseins. Bezüglich der Zahl und Intervalle der Anfälle herrscht keine Einstim-
migkeit in den Beobachtungen, das Leiden tritt in regellosen Paro-

xismen innerhalb einer gewissen Zeit ein. Für die Eigenschaft einer
Neurose des Vagus ist ferner nöthig, dass weder Husten noch Hei-
serkeit vorausgegangen, dass somit die Schleimhaut des Kehlkopfes
bei der Obduction gesund gefunden werde (Niemayer). Wir sehen
demnach eine vollständige Uebereinstimmung des Krankheitsbildes
mit unserem Falle; nur bezüglich des Larynxbefundes an der Leiche
wäre zu bemerken, dass die angeführte Gefässinjection der Schleimhaut sowie der kleineren Bronchien anfänglich als nicht vorhanden
angenommen werden konnte (negativer physikalischer Befund), und
dieselbe auf Rechnung der fieberhaften Erkrankung in den letzten
zwei Tagen kömmt, mit grosser Wahrscheinlichkeit ein Symptom der
geschehenen Maserninfection.

Wir wollen zur Aetiologie des Leidens übergehen, um aus
den bisher gefundenen Ursachen einen Vergleich mit unserem Falle
machen zu können. Was wir über den Stimmritzenkrampf bisher als
allgemein angenommene und feststehende Thatsache wissen, ist Folgendes: Er befällt vorzugsweise Kinder in der 1. Dentitionsperiode, d. i.
vom 6. bis 24. Lebensmonate, ist bei Knaben häufiger als bei Mädchen, zeigt eine Vorliebe für die Wintermonate, und kömmt im Nor-
den häufiger vor als in wärmeren Ländern; eine gewisse hereditäre
Anlage ist in bestimmten Fällen ganz unzweifelhaft nachgewiesen
worden. Kinder armer Leute, sowie Wasserkinder, werden häufiger
befallen als andere. Grössere Städte sollen caeteris paribus ein grösseres
Contingent liefern als die Landbevölkerung. Endlich wird die Rhachitis und seit Elsässer's Arbeit über Craniotabes der weiche
Hinterkopf allseitig als Ursache des Stimmritzenkrampfes beobachtet.

Aeltere Autoren: Richa (1723), Verdries (1726), Peter
Frank sprachen bereits von vergrösserter Thymus als Haupturache
des Asthma laryngeum; durch die Zurückführung aller Fälle von
Stimmritzenkrampf auf eine schon im Leben erkennbar vergrösserte
Thymus als Ursache, rief Kopp (1830) in der folgenden Zeit eine so
ausgiebige Reaction hervor, dass die Gegenwart das Asthma thymicum (Koppii) als Krankheitsbegriff vollständig aufgegeben hat. Der
englische Arzt Kyell führt unter anderen Ursachen Veränderungen
der Lymphdrüsen des Halses und der Brust, dann Hypertrophie der
Thymus an. H. Ley schreibt den Spasmus glottidis einer localen
Störung, namentlich dem Druck der Bronchialdrüsen auf den Pneu-
mogastricus und Recurrens laryngeus zu. Hérard, der die vollstän-
digste Monographie über Laryngospasmus geschrieben, läugnet in seiner
Arbeit allen Antheil der höchst variablen Thymusdrüse und behauptet

von den vergrösserten Bronchialdrüsen im Gegensatze zu Ley, dass
dieselben ganz andere Symptome veranlassen. Trousseau endlich
definirte die Krankheit als partielle Convulsionen der respiratorischen
Muskeln, und sicherte ihr in der Pathologie die gegenwärtige Stellung als reine Motilitätsneurose. Unter den neueren Arbeiten verdient
besondere Erwähnung die von Löschner (Beobachtungen aus dem
Franz Josef-Kinderspitale, II. Theil), nach welcher das Asthma infantum ein Symptom passiver Congestionen gegen die Meningen
und deren Folgen, veranlasst durch verschiedenartige Anomalien im
Kreislaufe ist. Solche Störungen können z. B. veranlasst werden
durch alle auf den Aditus superior ad thoracem, d. i. dessen Venen
Druck ausübenden Geschwülste. (Thymus, Lymphdrüsen, Abscesse
Fettgeschwulst etc.) Unstreitig die meisten Anhänger zählt heute die
Ansicht derer, welche Spasmus glottidis mit Schädelrhachitis in ursächlichen Zusammenhang bringen. Das häufige Vorkommen der
Craniotabes in specie und der Rhachitis im Allgemeinen ist über alle
Zweifel sichergestellt, doch reichen bis jetzt alle Erklärungsversuche
für das Zustandekommen des Leidens durch Craniotabes allein
nicht aus.

　Anmerkung. Im I. Trimester 1869 beobachtete ich unter 72 Fällen
von Rhachitis 4mal, im Jahre 1870 im I. Trimester unter 75 Rhachitischen
11mal Spasmus glottidis mit 2 Ausnahmen stets bei Craniotabes.

Der von Elsässer selbst supponirte Druck der harten Unterlage auf die weichen Stellen des Hinterhauptes und durch dieses auf
das Gehirn lässt uns im Stiche, da wir Anfälle bei aufrechter Stellung des Kindes ebenso häufig erfolgen sehen, und endlich ein directer
Druck auf die erweichten Partien nur in ganz vereinzelten Ausnahmsfällen den Anfall hervorzurufen im Stande ist. Man corrigirte nun die
Ansicht Elsässer's vom Drucke, und erklärte den einmal angenommenen genetischen Zusammenhang mit Craniotabes (Pollitzer)
durch Hyperämie der Schädelknochen, die eine Reizung der peri-
pherischen Nerven und reflectorisch Contraction des Recurrens vagi
veranlasse.

Die Thatsache, dass Laryngospasmus auch bei solchen Kindern,
vorkomme, die gar keine Spur von Craniotabes aufzuweisen haben,
konnte selbst den leidenschaftlichsten Anhängern des weichen Hinterkopfes nicht entgehen und sie sagten: Wo Craniotabes nicht vorhanden ist, ist sie bereits geheilt, oder es begründet die abnorme
Mischung des Blutes (Anämie, Chlorose etc.) eine anomale Innervation
des Vagus! Daran zu glauben, wird uns heute wohl schwer fallen,
dabei des Einwurfs gar nicht zu gedenken, warum eine abnorme Blutmi-

schung nur auf einzelne Fasern eines Nerven (Laryngeus recurrens) einwirken sollte.

Endlich soll die Gehirnhypertrophie Rhachitischer direct den Vagus zu krankhafter Thätigkeit reizen. Somit ist die Rhachitis jetzt an Allem ebenso Schuld daran, wie es die vergrösserte Thymus früher war. Ich füge nur noch hinzu, dass man im vollen Einklange mit der Theorie durch blosses Einreiben des Leberthrans auf den erweichten Hinterkopf Resorption der in die weichen und hyperämischen Knochen gesetzten Exsudate schon nach einigen Tagen erreichte, und damit auch die Anfälle vertrieb, Erfolge, die gegenwärtig freilich nicht mehr beobachtet werden. Wir sehen demnach, dass die Gründe, welche einen genetischen Zusammenhang des Spasmus glottidis mit Rhachitis annehmen, uns nicht als ausreichend erscheinen können.

Gegen die unbedingte Annahme des Asthma thymicum muss man sich ebenfalls mit Reid in folgenden Gründen aussprechen: 1. Kommt Spasmus glottidis ohne vergrösserte Thymus vor. 2. Lässt sich die periodische Krankheit aus den constanten, organischen Störungen der vergrösserten Thymus schwer erklären. 3. Müsste der Druck der vergrösserten Thymus auf die grossen Venen eher Zufälle von Seite des Herzens veranlassen. 4. Spricht dagegen die Heilung einiger Fälle durch antispasmodische Mittel.

Es bleibt nur noch übrig, des Einflusses der vergrösserten Bronchial-Mediastinaldrüsen zu gedenken. Dass Bronchialdrüsentumoren asthmatische Anfälle durch Druck auf die Vagusäste (Laryngei recurrentes) hervorrufen können, ist nicht in Abrede zu stellen und bereits vielfach bestätigt worden; so werden ähnliche Beobachtungen von Peter Frank, Ley, Housmann citirt, und selbst von Barthez-Rilliet zugegeben. — Bei Obductionen von Kindern, die an Spasmus glot. gelitten oder daran gestorben sind, hat man zu wiederholten Malen Drüsentumoren im Mittelfellraume, dicht an dem Recurrens, gefunden — sich aber lieber an alles andere eher halten zu müssen geglaubt, z. B. Entzündung der Darmschleimhaut (Flesch), quantitative und qualitative Belastung der Dauungsorgane etc., als an die naheliegende Thatsache. Löschner mit seiner reichen Erfahrung über Laryngospasmus sah sich genöthigt, diesen aus der Reihe der Neurosen ganz zu streichen, und nur materielle Störungen, die ihm so häufig dabei begegneten, als dessen Ursache anzunehmen. Man ist eben gegenwärtig mehr denn je misstrauisch gegen jedwede Art von Hypothesen, wenn sie auch noch so geistvoll sind, seit man materielle Störungen dort nachgewiesen hat, wo man stets nur abnorme Blutmischungen anzunehmen pflegte, oder den blossen Entzündungsreiz erkrankter Schleimhäute als ausreichend hielt, dauernde Lähmungen zu erzeugen. Ich erinnere an die Experimente Tiesler's (über Neuritis 1869 — Königsberg), wo die am Ischiadicus von Kaninchen angebrachte Entzündung Paralyse der untern Extremitäten erzeugte; man fand bei der Obduction im Rückenmarke an der Einpflanzungsstelle der Hüftnerven Eiterherde — (also keine Reflexparalyse). Prof. Leyden constatirte in zwei Fällen von Paraplegia urinaria diffuse Erweichung des Rückenmarkes u.- dgl. mehr. Die Lehre von der Reflexerregung und Lähmung hat somit eine anatomische Unterlage gefunden und ist dem Verständniss weit näher gerückt worden, als durch die Zuhilfenahme von reflektorischen Hemmungscentren, reflectorischen Contractionen der Gefässe etc.

Ich bin nun sehr geneigt, in obigem Falle die vorgefundenen Drüsentumoren anzuschuldigen, dass sie durch Druck oder Entzündungsreiz der über sie gespannten und gezerrten Nerven die spastischen Stimmritzenanfälle hervorgerufen haben. Namentlich war der linke Ramus recurrens da, wo er unter dem Aortenbogen nach rückwärts bog, dem Drucke ausgesetzt. Es wäre damit ein anatomischer Anhaltspunkt für die Krankheit gegeben, dem eine gewisse Berechtigung nicht abgesprochen werden kann. Wir werden auch sehen, dass sich aus der Annahme von Drüsentumoren die Eingangs erwähnten Thatsachen in Einklang bringen lassen.

Beginnen wir mit dem häufigen Vorkommen des Leidens mit Rhachitis und speciell mit Craniotabes. Ich gehe hier nicht von dem Gesichtspunkte aus, dass zwischen beiden Leiden ein genetischer Zusammenhang herrscht, sondern dass sie auf eine gemeinschaftliche Ursache zurückgeführt werden können. Diese Ursache ist die ungenügende Ernährung des kindlichen Körpers mit allen damit im Zusammenhang stehenden Potenzen (fehlerhafte Nahrung, schlechte Luft, Unreinlichkeit etc.). Die Einwirkung zeigt sich zunächst in ungenügender Anbildung, dann in mangelhafter Ablagerung von Knochensalzen und zwar am ersten (wie ich an einem anderen Orte zeigen werde) in den Zähnen, durch vollständigen Stillstand der Zahnung, dann in den Schädelknochen durch Erweiterung der Fontanellen und Nähte; im weiteren Fortschritte treten im Hinterhaupte häutige, knochenfreie Partien auf. Die Verdauungsstörungen zeigen sich am übrigen Körper durch Blässe der Haut, Anschwellung der Drüsen etc. Auf Grundlage zahlreicher Obductionsbefunde bin ich zu der Ansicht gekommen, dass ausser den Mesenterialdrüsen vorzüglich die intrathoracischen an den rhachitischen Störungen lebhaft theilnehmen.

Anmerkung. Im Jahre 1870 zeigten sich bei Kindern von 6 Mona-
ten bis 2½ Jahren 65% verkäste Bronchialdrüsen; im Jahre 1869 im selben
Alter 55%; zieht man alle von acuten Krankheiten inmitten des besten
Wohlseins ergriffenen und daran verstorbenen Kinder von der ganzen
Summe ab, so erscheinen die augegebenen Perzente bedeutend höher.

Es zeigt sich aber eine grosse Verschiedenheit in der Veränderung der Bronchialdrüsen; nicht immer trifft man sie in derselben
Ordnung intumescirt; einmal ist es die rechte, meist die linke Seite,
die stärker afficirt erscheint. Oft sind nur die im vordern Mediastinum gelegenen Lymphdrüsen vergrössert; aus Allem wird sich demnach eine grosse Mannigfaltigkeit in den Erscheinungen kundgeben.
Es können in einem Falle die Compressionssymptome der Drüsen auf
die Venen und Bronchien vorwiegen, und so die bekannten hartnäckigen Bronchialkatarrhe erzeugen (Phtisis bronchialis), im anderen
sind sie so gelagert, dass sie vorwiegend die Nerven reizen werden;
es wird sich eine vermehrte Empfindlichkeit dieser, ein
zu promptes Reagiren gegen alle Reize zeigen; dies ist
vielleicht der Grund der aus mangelnder Harmonie beim
Schlucken, Weinen etc. entstehenden spasmodischen Stimmritzenanfälle. Man wird sich aus dieser Annahme auch erklären können,
warum gerade die Rhachitis so häufig mit Laryngospasmus zusammen
vorkömmt, warum schlecht genährte Kinder häufiger befallen
werden, und warum die kälteren Monate mit ihren ungünstigeren
Einflüssen auf die Ernährung des Kindes durch das dicht gedrängte
Zusammenleben der ärmeren Classen in ungesunder Wohnung häufiger
Erkrankungen aufweisen. Der Aufenthalt in freier Luft, wie er im
Sommer und in südlichen Gegenden gestattet ist, übt ja einen theilweise compensirenden Einfluss aus auf die übrige unzweckmässige
Pflege des Kindes, wie wir dies bei unserer Landbevölkerung sehen.
Damit steht im Zusammenhang der günstige Heilerfolg bei Spasmus
glottidis, wenn die Patienten in eine sauerstoffreichere Luft versetzt
werden.

Dass Knaben häufiger befallen werden als Mädchen, mag sich
aus der bereits beim Kinde differenzirenden Entwicklung der Stimm-
organe erklären, da ja erfahrungsgemäss in allen anderen Nervenleiden
die Mädchen ein grösseres Contingent liefern. Selbst in den Fällen
mit einem einzigen Stimmritzenkrampf zeigt sich stets eine Zeit lang
eine grosse Empfindlichkeit des Kehlkopfes, welche sich durch geringere Symptome kundgibt, und 5—6 Wochen, die gewöhnliche Dauer
des Leidens, genügen, um Veränderungen in den Drüsen herbeizuführen,
entweder als Rückkehr zur Gesundheit oder zur vollständigen Ver-

käsung. Zu letzteren mögen diejenigen Fälle zu rechnen sein, wo die Anfälle sich stetig hartnäckiger gestalten, so dass das Kind unter einem solchen bleibt, oder den weiteren Folgen (Pneumonie, Tuberculose) erliegt. Bessert sich die Ernährung, so schwinden die Anfälle, um mit wiederkehrender Störung derselben zu exacerbiren; es findet in einzelnen Fällen ein Zu- und Abwogen bis über Jahresdauer statt. Dies ist jedoch Ausnahme.

Es lassen sich allerdings nicht alle Fälle auf vergrösserte Lymphdrüsen, auch nicht auf eine andere Geschwulst zurückführen. Immer aber ist es vorzuziehen, materiellen Störungen nachzuspüren, die man, wie die vielen Krankheitsgeschichten Löschner's beweisen, oft genug finden wird. Es bleiben noch immer räthselhafte Formen übrig, auf die man dann alle für Neurosen zu Recht gelegten allgemeinen und besonderen Erklärungsversuche anwenden möge. So hat Gerhardt (Lehrb. f. Kinderkr. 1871) das Cheyne-Stokes'sche Respirationsphänomen für die Erklärung einiger Fälle in Anspruch genommen. Nach Traube besteht dasselbe bekanntlich auf einer gesunkenen Erregbarkeit der Medulla oblongata oder besser des Respirationscentrums in Folge mangelnder Zufuhr arteriellen Blutes. Wo Laryngospasmus durch Hirnhypertrophie oder Hirngeschwülste, die eine Beschränkung der Blutzufuhr veranlassen, entstanden ist, lässt sich eine analoge Erklärung dafür geben. Die Anämie bei Rhachitis und den Druck des weichen Hinterkopfes dafür anzustrengen, scheint mir aus dem Grunde nicht zutreffend, weil das wesentliche Symptom der Cheyne-Stokes'schen Erscheinung, der allmälige Stillstand der Respiration fehlt, dann weil die Anfälle durch Druck auf den Kopf in der Regel nicht hervorgerufen werden, endlich weil sie bei andern anämischen Kindern nicht vorkommen. Ein Factum scheint allerdings für die Gehirnanämie zu sprechen, der Hinzutritt allgemeiner Convulsionen; wenn man jedoch bedenkt, dass diese zumeist auf der Höhe des Anfalles erfolgen, wo die Blutstauung schon eine bedeutende geworden ist, so lassen sie sich auch anderweitig erklären, denn auch „hyperämische Theile sind blutarm."

In einem merkwürdigen Gegensatze zur Theorie der Blutleere stehen die Erfahrungen Löschner's, der bei den Sectionen gerade die erweiterten, mit Blut strotzend gefüllten Sinus des Schädeldaches, also die venöse Stase in den Hirnhäuten als die zunächst bedingende Ursache des Spasmus glottidis ansehen musste was mit dem oben citirten Satze jedoch nicht im Widerspruche steht.

Auf andere, früher gangbare Hypothesen, wornach Spasmuu glottidis als Reflexkrampf von der entzündeten Mundschleimhaut aus beim Zahndurchbruche entstehe (West), oder reflectorisch vom Darmkanale aus (Reid), einzugehen, scheint mir aus dem Grunde unfruchtbar, weil jede Begründung für deren Annahme fehlt.

Die Beobachtungen von Barthez-Rilliet, auf Grund welcher sie die Aehnlichkeit der durch Vagusdruck erzeugten asthmatischen Anfälle mit Spasmus glottidis in Abrede stellen zu müssen glaubten, beziehen sich durchweg auf ältere Kinder mit bereits vorgeschrittenerer Drüsentuberculose. Dass unter solchen Umständen und bei älteren Kindern die Symptome in verschiedener Weise auftreten, negire ich nicht, glaube aber, dass man den Altersunterschied aufrecht halten müsse, da sich ja die Zahnungsperiode der Kinder in vielen anderen Dingen wesentlich von der späteren Zeit unterscheide. Die im ersten Kindesalter vorkommende prompte Reaction des lymphatischen Systems, namentlich der Mesenterial- und Bronchialdrüsen, gegen alle Ernährungsstörungen, ist für dieses eben so charakteristisch wie das leichte Zustandekommen der Rhachitis und gibt einen triftigen Erklärungsgrund für das Entstehen des Laryngospasmus vorwiegend bei Craniotabes, einem der ersten Stadien der Rhachitis. Im späteren Kindesalter trifft man häufiger Veränderungen der tastbaren Lymphdrüsen (Hyperplasien) und in schweren Fällen Bronchialphthisen.

Schliesslich bemerke ich noch, dass ich zu wiederholten Malen bei Pertussis, wo die Anfälle zuletzt eine solche Hartnäckigkeit erreichten, dass sie durch kein Mittel zu bekämpfen waren, Verkäsung der intumescirten Bronchialdrüsen in unmittelbarer Nähe des Vagus gefunden habe, welcher Umstand mir eine Bestärkung in der Ansicht war, dass eine materielle Störung des Vagus mit im Spiele war. —

Ich habe meinen Zweck mit vorstehenden Zeilen erreicht, wenn man bei passender Gelegenheit ein wachsames Auge auf die Mediastinal- und speciell die Bronchialdrüsen haben wird.

III.

Mittheilungen aus dem Franz Joseph-Kinderspitale in Prag.

Von

Dr. Theodor Neureutter

ordinirendem Arzte der Anstalt.

Die vorliegenden Mittheilungen bringen nebst Bemerkungen über die Morbilität und Mortalität des Jahres 1869, einen Beitrag zur Pathologie der Miliartuberkulose, und weiter einige klinische Beobachtungen von besonderem Interesse.

I.

A. Die Morbilität.

Laut des Jahresberichtes über die Wirksamkeit des unter der Leitung des k. k. Hofrathes und Directors Dr. Löschner stehenden Franz Joseph-Kinderspitals für das Jahr 1869, wurden im Spitale selbst 1018 und ambulatorisch 8220, zusammen 9238 Kinder (4726 Knaben, 4512 Mädchen) ärztlich behandelt.

Hievon entfielen auf das Alter

von der Geburt bis zum	1. Lebensjahre	3466
vom 1. Lebensjahre bis zum	4. „	3287
„ 4. „ „ „	8. „	1404
„ 8. „ „ „	14. „	1081
	Zusammen	9238.

Die meisten erkrankten Kinder kamen im Frühjahre, die wenigsten im Herbste zur Beobachtung; im Sommer und Winter war die Anzahl derselben eine mittelmässige, doch wurden in jenem mehr Kinder von Krankheiten heimgesucht als in diesem. Der Monat Mai war unter den Monaten dieses Jahres derjenige, in welchem die Krankenfrequenz die höchste, dagegen wieder der Monat Dezember, in dem sie die niedrigste Stufe in der Anzahl erreicht hatte.

Am zahlreichsten waren **die Krankheiten der Respirationsorgane** vertreten, und sie behaupteten in jedem Monate des Jahres den Vorrang
der Häufigkeit. Im Winter traten sie am zahlreichsten, im Herbste
am seltensten, im Frühjahre wieder häufiger als im Sommer auf. Die
höchste Stufe erreichten sie im Monate Jänner, die kleinste im September.

Als die häufigste Form derselben erscheint die katarrhalische
Entzündung mit ihren Folgezuständen. Die Laryngitis crouposa,
welche mit oder ohne gleichzeitiges Ergriffensein der Pharynxschleimhaut von der croupösen Entzündung der Respirationsschleimhaut aus
begreiflichen Gründen das meiste Interesse erregt, wurde in jedem
Monate des Jahres beobachtet, am häufigsten jedoch in den Monaten
März und Dezember. In der zweiten Linie der Häufigkeit stehen die
verschiedenen **Affectionen der Digestionsorgane**. Von diesen entfielen
auf den Sommer und das Frühjahr die meisten, auf den Winter und
Herbst die wenigsten behandelten Fälle. Die höchste Zahl derselben
zeigte sich in den Monaten April und Juni, die geringste im Jänner
und Dezember. Auch hier war die catarrhalische Entzündung der
Magen- und Darmschleimhaut die häufigste Krankheitsform.

Die allgemeinen Ernährungskrankheiten kommen der
Häufigkeit nach in die 3. Reihe. Sie waren im Frühjahre und im Sommer
zahlreicher vertreten als im Winter und Herbste, so zwar, dass im
Frühjahre die meisten, im Herbste die wenigsten Fälle vorgekommen
sind. Unter den Krankheitsformen dieser Art stand die Scrophulose
ziffermässig oben an, dieser folgte zunächst die Tuberculose und dann
die Rhachitis. Während die Scrophulose insbesondere in den Wintermonaten vorwiegend war, florirten die Tuberculose und Rhachitis namentlich in den Frühjahrsmonaten.

Eine grosse Anzahl der Kinder participirte endlich an den
sogenannten epidemischen Krankheiten. Die im Verlaufe des
Jahres 1869 aufgetretenen hieher gehörigen Erkrankungen reihen sich
ihrer Häufigkeit nach wie folgt: Tussis convulsiva, Morbilli, Variola,
Typhus, Scarlatina, Diphtheritis. Die Pertussis erreichte ihre höchste
Blüte im Sommer (Monat Juli), die Morbilli im Frühjahre (April), die
Variola und der Typhus im Winter (Jänner), die Scarlatina im Sommer (Juni) und die Diphtheritis im Herbste (November). Eine vollständige Unterbrechung im Auftreten zeigte sich nur bei den
Morbillen und bei der Scarlatina; jene wurden in den Monaten
September und October, diese im Monate März nicht beobachtet, alle
übrigen mit Ausnahme der Diphtheritis, die sich bisweilen bloss auf

einen oder zwei Fälle beschränkte, waren in jedem Monate durch eine nicht kleine Anzahl von Erkrankungsfällen vertreten.

Den Reigen der Epidemien eröffneten der Typhus und die Variola, hierauf folgten die Tussis convulsiva und die Morbilli. Während des Zenithes der letzteren trat erstere zurück, mit dem Nachlasse jedoch stieg sie wiederum. An die Stelle der abtretenden Masernepidemie trat die Scarlatina und Diphtheritis, welche nun mit der Pertussis gleichzeitig einhergingen. Zu ihnen gesellte sich als vierte im Bunde die Variola, so dass alle diese vier Krankheiten sich eine Zeitlang in die Herrschaft theilten. Die Pertussis, die Scarlatina und Diphtheritis räumten ihren Platz dem Typhus und den Schluss der Epidemienreihe des Jahres bilden wieder die Variola und der Typhus. Ueberhaupt traten die Epidemien der genannten Infectionskrankheiten nie vereinzelt, sondern immer combinirt auf. In Betreff der acuten Exantheme fand sich, dass die Morbilli der Variola, diesen die Scarlatina, und dieser wieder die Variola folgten, während der Keuchhusten alle drei Exantheme begleiten. ·

Dem Geschlechte nach sehen wir, dass bei der Tussis convulsiva mehr Mädchen als Knaben, bei den Morbillen, der Diphtheritis und dem Typhus mehr Knaben als Mädchen, bei der Scarlatina und Variola hingegen beide gleich häufig vertreten waren.

Die übrigen Erkrankungsfälle der Kinder vertheilen sich auf die Organe der bis jetzt nicht genannten Systeme und unter diesen weisen die Erkrankungen der Haut die grösste Ziffer der Häufigkeit aus. Das Vorkommen von Erkrankungen der Haut trifft zwar jeden Monat des Jahres, doch ist dasselbe häufiger in den kalten, als in den warmen Monaten, somit am häufigsten im Winter, am seltensten im Sommer. Scabies, Prurigo und Ekzema waren ihre Hauptrepräsentanten

Zu den übrigen Krankheitsformen, welche sich im Jahre 1869 durch eine ungewöhnliche Häufigkeit auszeichneten, gehören die Chorea und die Lithiase. Die erstere wurde bei ·39 Fällen (5 Knaben, 34 Mädchen) beobachtet, von denen die überwiegende Mehrzahl im Alter von 4—14 Jahren standen; sie kam am häufigsten in den Wintermonaten vor. Die Lithiase (Blasenstein) kam bei 11 Knaben zur Beobachtung. Von diesen wurden 5 Fälle dem Kinderspitale zur Behandlung übergeben. In zwei Fällen wurde der Stein, welcher sich plötzlich in der Urethra eingeklemmt hatte, per urethram extrahirt, bei einem Falle fand der Seitensteinschnitt mit günstigem Ausgange statt, ein Fall endete ohne vorgenommene Ope-

ration lethal, und ein Fall wurde nach zweitägigem Aufenthalte
auf Verlangen der Eltern wieder entlassen.

Im Ganzen war also die Morbilität im Jahre 1869 bei den
Knaben eine grössere; sie betraf insbesondere Kinder im Verlaufe des
ersten Lebensalters, war in der Altersperiode vom 1.—4. Jahre noch
bedeutend, und nahm vom 4. Jahre an der Zahl stetig ab.

B. Die Mortalität.

Im Jahre 1869 beziffert sich die Zahl der im Spitale gestorbenen Kinder mit 147 (76 Knaben, 71 Mädchen) und der im Ambula-
torium als gestorben gemeldeten mit 302 (165 Knaben, 137 Mädchen),
zusammen 449 (241 Knaben, 208 Mädchen). Das Mortalitätsverhältniss beträgt demnach mit Rücksicht auf die Gesammtzahl der zur
Beobachtung gekommenen 4·86 pct. mit Rücksicht auf die im Spitale
behandelten 14·44 pct. In Anbetracht des Geschlechtes beläuft sich
dasselbe im Spitale bei Knaben auf 14·53, bei Mädchen auf 14·32
pct. Von den 449 Verstorbenen befanden sich in dem Alter

  ˙von der Geburt bis zum 4. Lebensjahre 394 (208 Kn., 186 M.)

  vom 4. bis inclusive   14.   „   55 (33 „   22 „)

  Zusammmen 449 (241 Kn., 208 M.)

Im 1. Lebensjahre war die Anzahl der Sterbefälle am grössten.
— Auf die erste Jahreshälfte entfallen 259 (145 Kn., 114 M.), auf
die zweite 190 (96 Kn., 94 M.) von den gestorbenen Kindern. Die
meisten Sterbefälle kamen im Frühjahre vor, in den übrigen 3 Jahreszeiten sind dieselben fast in gleicher Häufigkeit vertreten.

Die Sterblichkeit erreichte das Maximum im Monate Mai (72),
das Minimum im Juli (27). Sie war an keinem Tage des Jahres eine
ungewöhnlich grosse gewesen. Die Zahl variirte meist zwischen 2—4
Fällen, ziemlich häufig waren derselben täglich 5, und die höchste
Ziffer an einem Tage war 6.

Die meisten Tage, wo kein Sterbefall vorkam, weisen die Monate Februar und Jänner auf, die wenigsten der Monat Mai und Juni.
Auf die ersten 12 Stunden des Tages (von Mitternacht bis Mittag
gerechnet) kommen 258 (134 Kn., 124 M.), auf die zweiten 191
(107 Kn., 84 M.) Todesfälle. Der Tod erfolgte zu jeder Stunde des
Tages, am häufigsten in der Zeit von 3—7 Uhr Morgens, und 3—6
Uhr Nachmittags. Um die 5. Morgenstunde sind die meisten Kinder
gestorben. Plötzliches, unerwartetes Eintreten des Todes wurde weder im
Spitale beobachtet, noch von den Eltern bezüglich der ausserhalb
der Anstalt gestorbenen Kinder gemeldet. Die vom Gehirne ausgehende

Todesart (mors per apoplexiam) war die häufigste gewesen, dieser stand zunächst die per suffocationem, aber in der Regel combinirten sich dieselben. Die Todesart per synkopen kam nicht vor. Bei den 147 in der Anstalt gestorbenen und secirten Kindern fanden sich immer anatomische Veränderungen vor.

Nur bei 24 Kindern wies die Autopsie nach, dass sie vollkommen gesund waren, bevor sie an der Todeskrankheit erkrankten. Die Scrophulose, Tuberculose, Rhachitis und der Darmkatarrh waren diejenigen Krankheitsformen, an denen die meisten Kinder vor der letzten Erkrankung litten. Das Verhältniss der früher gesunden zu den früher erkrankten Kindern ist etwa wie 1:6. Die Mortalität im Jahre 1869 ergibt ein Vorwiegen der Knaben; vergleicht man jedoch die Anzahl der Todesfälle mit der Anzahl der erkrankten Knaben und Mädchen, so stellt es sich heraus, dass das Mortalitätsverhältniss bei den Knaben ein günstigeres war als bei den Mädchen. Die Sterblichkeit war am grössten im 1. Lebensjahre, in der ersten Jahreshälfte, im Frühjahre im Monate Mai, in den Morgenstunden des Tages und zwar um 5 Uhr Morgens.

II. Beitrag zur Miliartuberculose im Kindesalter.

Die Resultate, zu denen unsere in den letzten Jahren gesammelten Beobachtungen über die miliare Form der Tuberculose führen, stehen nicht im vollen Einklange mit manchen über diese Krankheit herrschenden Anschauungen. Dieser Umstand, sowie die bei der 42. Naturforscherversammlung in der Section für Kinderheilkunde aufgeworfene Frage, ob beim Kinde acute Absetzungen miliarer Tuberkeln in den Meningen und Lungen häufig getrennt beobachtet werden, und welche dieser Ablagerungsstätten bei acuter Miliartuberculose am ehesten freibleibe, — sind auch die Veranlassung, warum wir diesem Gegenstande unsere volle Aufmerksamkeit zuwandten. Zu dieser Arbeit haben wir 210 Fälle benützt, bei denen durch die Autopsie die miliare Form der Tuberculose sichergestellt wurde. Unter diesen 210 Fällen (101 Kn., 109 M.) finden sich solche, bei welchen die Miliartuberculose für sich allein vorgekommen ist und solche, bei denen sich zu einer bereits bestehenden, chronisch verlaufenden Tuberculose die miliare gleichsam als acuter Nachschub gesellte. Die ersteren Formen beziffern sich mit 107 (50 Kn., 57 M.), die letzteren mit Fällen 103 (51 Kn., 52 M.) Nach dem Alter vertheilen sich aber sämmtliche 210 Fälle wie folgt:

8 *

Von der Geburt bis zum	1. Lebensjahre	18 (10 Kn.,	8 M.)
Vom 1. bis zum	4. „	101 (53 „	48 „)
„ 4. „ „	8. „	60 (22 „	38 „)
„ 8. „ „	14. incl. „	31 (16 „	15 „)
	Zusammen	210 (101 Kn.,	109 M.)

Mit Ausnahme von 18 Fällen (8 Kn., 10 M.) sind bei allen
übrigen die Lymphdrüsen erkrankt befunden worden. Diese waren
entweder käsig entartet, oder es zeigten sich in denselben isolirt
oder in Gruppen stehende, verschieden grosse, graue oder gelbliche
Knötchen, welcher letztere Befund jedoch der seltenere war.

Unter den 18 Fällen mit intact gewesenen Lymphdrüsen findet
sich nur ein Fall — betreffend einen 10 Wochen alten Knaben, in
welchem kein käsiger Knoten nachgewiesen werden konnte, bei den
übrigen war ein solcher entweder im Gehirne oder in den Lungen
oder in den Knochen vorhanden.

Die chronische Entzündung der Lungen als käsige Pneu-
monie war die zunächst häufigste Erkrankung, welche die miliare
Form der Tuberculose begleitete. Die Miliartuberculose wurde bei
Ablagerung derselben auf die Meningen mit sehr seltenen Ausnahmen
während des Lebens des Kindes bestimmt, sonst in der Regel als
Nebenbefund vorgefunden.

Die Miliartuberculose der Meningen ohne Betheiligung der Lungen findet sich unter den 210 Fällen 18mal vor
(9 Kn., 9 M.); von diesen war kein Kind unter einem Jahre alt; auf
die Altersklasse vom 1.—4. Jahre entfielen 12 (6 K., 6 M.), vom 4.—8. Jahre
3 (1 K., 1M.) und vom 8.—14. incl. 3 (2 K., 1 M.) Das jüngste Kind zählte
1 Jahr, 3 Mon., das älteste 11 Jahre. Nur in 4 Fällen fand sich ausser den
Meningen auch in anderen Organen (Milz, Leber, Nieren) eine miliare
Ablagerung, in den übrigen (14) waren die Meningen allein Sitz der
Tuberculose. In 3 Fällen letzterer Kategorie bildete die Tuberculosis
meningum die Complication der Hirntuberculose.

Die Miliartuberculose der Meningen mit gleichzeitigem Ergriffensein der Lungen zeigt sich bei 50 Fällen (22 Kn.,
28 M.) Von diesen hatten das erste Lebensjahr nicht erreicht 5 (3 Kn.,
2 M.), 19 (10 Kn., 9 M.) kamen auf das Alter vom 1.—4.; 14
(4 Kn., 10 M.) auf das vom 4.—8.; und 12 (5 Kn., 7 M.) auf das
vom 8.—14. Jahre. Das jüngste Kind war 9 Monate, das älteste 14
Jahre alt. In 38 Fällen participirten auch noch andere Organe an der
miliaren Erkrankung.

Die Miliartuberculose der Lungen mit Ausschluss der
Meningen betrifft 142 Fälle (70 Kn., 72 M.) Unter einem

Jahre standen 13 Kinder (7 Kn., 6 M.) in dem Alter vom 1.—4. Jahre, 70 (37 Kn., 33 M.), vom 4.—8. J., 43 (17 Kn., 26 M.), und vom 8.—14 J. 16 (9 Kn., 7 M.) Das jüngste Kind hatte das Alter von 10 Wochen, das älteste das 13. Lebensjahr erreicht. Die Theilnahme anderer Organe an der miliaren Ablagerung der Tuberculose zeigte sich bei dieser Gruppe am häufigsten und zwar in 98 Fällen.

Unterziehen wir diese statistische Zusammenstellung einer näheren Würdigung, so ersehen wir zunächst, dass sich die Majorität der Erkrankungen an miliarer Tuberculose zwar auf der Seite der Mädchen befinde, dass jedoch der Ausfall keineswegs ein so bedeutender sei, als dass man berechtigt wäre, dem Geschlechte einen wesentlichen Einfluss auf die Entwicklung dieser Form der Tuberculose im Kindesalter zuzuschreiben.

In den Zeitraum vom 1.—4. Lebensjahre fällt die grösste Anzahl der Erkrankungen an Miliartuberculose, und vom 8. Lebensjahre an nimmt dieselbe stetig ab; dem Alter vom 1. bis zum 8. Jahre kommen über 2 Drittheile der gesammten Summe zu.

Steffen (Jahrb. f. Kinderheilkunde und phys. Erziehung, 1869. Bd. 2) hat zwar bei seinen Fällen eine andere Reihe von Altersklassen, doch steht das gewonnene Resultat, verglichen mit dem eben Gesagten, im vollkommenen Einklange. Der Ausspruch Fränkel's (ibidem): „Die Miliartuberculose wird ebenso selten bei vorher vollkommen intacten Kindern beobachtet werden, wie in der Leiche der käsige Herd vermisst wird" — findet seine Bestätigung, denn unter den 210 Fällen war nur ein Fall, bei dem kein käsiger Herd nachzuweisen war.

Die Verkäsung der Mediastinaldrüsen und die chronischen entzündlichen Processe der Lungen stehen in erster Reihe unter den primären Erkrankungen, welche sowohl die acute als die chronische Tuberculose einbegleiten (Steffen). Die Miliartuberculose findet sich (mit nur wenigen Ausnahmen) bei Ablagerung auf die Meningen, also in der Regel als Nebenbefund vor, und die causa mortis wird daher im gegebenen Falle wohl in anderen Krankheiten als in der miliaren Tuberculose zu suchen sein. Hieraus ergibt sich weiter, dass die Meningealtuberculose zumeist bei dem lethalen Ausgange der Miliartuberculose participire (Förster ibidem). Der Sitz der Miliartuberculose ist am seltensten in den Meningen allein, am häufigsten in den Lungen, ohne gleichzeitige Betheiligung der Meningen und häufig genug gleichzeitig in beiden Organen. Sie verläuft daher im Allgemeinen selten ohne Betheiligung der Meningen, sowie der Lungen mit Ausnahmen nach beiden Seiten (Förster). Immerhin wird es aber häufig beobachtet, dass diese Ablagerungsstätten der Tuberculose auch getrennt vorkommen, und zwar häufiger in den Lungen ohne Betheiligung der Meningen, als umgekehrt.

Die Meningen bleiben von der miliaren Tuberculose weit häufiger frei als die Lungen, wenn sich der Process gleichzeitig über mehrere Organe ausbreitet. Die von Förster ausgesprochene Vermuthung: „Eine gleichzeitig über eine grössere Anzahl von Organen verbreitete Miliartuberculose scheint indessen häufiger die Meningen als die Lungen frei zu lassen", erscheint demnach auch hier bestätiget. Die miliare Meningealtuberculose kommt für sich allein zumeist nur dann vor, wenn miliare Absetzungen überhaupt nur die Meningen betreffen (Förster); von dieser Meningealtuberculose scheint das erste Lebensalter verschont zu werden, dagegen sind Kinder vom 1.—4. Jahre dieser gefährlichen Erkrankung insbesondere ausgesetzt. An der gleichzeitigen Erkrankung der Lungen und Meningen an miliarer Tuberculose sehen wir Kinder unter einem Jahre bereits theilnehmen; diese Theilnahme steigert sich dann bis zum 8. Lebensjahre, so dass diese Periode für die miliare Meningealtuberculose das grösste Contingent liefert. Die miliare Tuberculose breitet sich über viele Organe gleichzeitig aus und wird auch massenhafter abgesetzt, je länger die Meningen frei bleiben, woraus die Wichtigkeit der frühzeitigen oder späteren Ablagerung auf die Meningen einerseits für die Ausbreitung, andererseits in Bezug auf den lethalen Ausgang der Miliartuberculose klar am Tage liegt.

III. Casuistik.

1. Meningitis simplex durch Ausbreitung bis in die Ventrikel sich auszeichnend. — S. Ottokar, 13 Monate alt, Zwillingskind, von einem tuberculösen Vater abstammend, seit 3 — 4 Monaten an wechselnd sistirender und wiederkehrender Diarrhöe, seit letzterer Zeit auch an lockerem Husten und an von Rasseln begleitetem Athmen als Ueberresten des zuvor überstandenen Keuchhustens leidend, wurde 3 Tage vor dem Eintritte in das Kinderspital von Erbrechen befallen, welches ohne jede Ursache sich zu jeder Tageszeit wiederholte. Hiezu gesellte sich eine Unruhe, welche namentlich in der Nacht immer mächtiger geworden war.

Bei der Aufnahme wurde folgender Befund notirt: Der Körper abgemagert, die Haut bleich und schlaff, an den Unterschenkeln faltig. Der Schädel im Verhältniss zu dem übrigen Körper gross und beim

Emporheben schwer, die Fontanelle offen, vorgewölbt, die Pupillen gleich weit, beweglich, die sichtbaren Schleimhäute blass. Die Respiration mässig beschleunigt, der Percussionsschall linkerseits heller, voller als rechterseits; das Athmungsgeräusch beiderseits von dichtem, ungleichgrossem Rasseln begleitet, welches an den abhängigen Partien der Lungen hellklingend ist. Der Husten häufig, rasselnd, keine den Keuchhusten charakterisirenden Zeichen bietend. Die Herztöne begrenzt, der Puls beschleunigt. Der Unterleib gross, mässig aufgebläht, weich und unschmerzhaft, die Milz mittelst der Percussion und Betastung vergrössert nachweisbar. Im Bette liegend verhält sich das Kind ganz ruhig, sobald es aber aus dem Bette gehoben wird, wird es unruhig und legt beim Herumtragen den Kopf sofort auf die Schulter der Wärterin. Die gereichte Nahrung wird zwar gut verschluckt, aber immer nur in geringer Menge. Der abgesetzte Stuhl erscheint gallig gefärbt, dünnflüssig mit krümlichen Massen (Speiseresten) und hie und da mit Schleimflocken untermischt. — Im Verlaufe des Tages stellte sich wiederholtes Erbrechen ein, auch mehrere Stühle waren erfolgt, im übrigen blieb der Zustand ganz unverändert. Die Nacht war weit ruhiger, als man es nach den Angaben der Mutter erwartet hätte. Nicht so befriedigend war der Zustand am folgenden Tage; das Erbrechen und die Diarrhöe waren zwar seltener geworden, allein schon des Morgens zeigte sich bei dem Kinde eine grosse Unruhe, die sich durch häufiges Aufschreien, Wimmern und Herumwerfen bald der oberen bald der unteren Extremitäten kundgab. Diese Unruhe nahm im Verlaufe des Tages immer mehr zu, und war am Abend so mächtig geworden, dass man sich bewogen fand, das Kind zu separiren. Erst gegen Morgen trat plötzlich Ruhe ein, und mit dieser zugleich die Schlummersucht, aus der das Kind nicht mehr erwachte. Die bekannten Erscheinungen des Hirndruckes entwickelten sich nun nach und nach, und, wie es in der Regel zu gehen pflegt, sistirten das Erbrechen und die Diarrhöe gänzlich. Am nächsten Tage, dem 4. seines Aufenthaltes in der Anstalt, bemächtigten sich des Kindes tonische und klonische Krämpfe in einem solchen Grade, wie wir es bis jetzt noch niemals beobachtet haben. Diese Convulsionen waren über den ganzen Körper ausgebreitet, hielten den ganzen Tag und die ganze folgende Nacht ununterbrochen an, und liessen erst kurze Zeit vor dem Tode nach, der um 3 Uhr Morgens (am 5. Tage der Aufnahme) erfolgte.

Sectionsbefund. Der Körper abgemagert; die Haut blass; am Gesässe erscheint das Corion stark geröthet und durchfeuchtet und die Epidermis leicht ablösbar. Das Schädeldach gross, rundlich, die

Fontanelle $\frac{1}{4}$ Kreuzer gross: Die Meningen mässig bluthältig, stark
durchfeuchtet und im Verlaufe der Gefässe von eitrigem Exsudate durchsetzt, welches im hintern Umfange der linken
Hemisphäre die Oberfläche in einer ziemlich dichten
Schichte überzieht und theilweise an der entsprechenden
Partie der daselbst vascularisirten Dura anklebt; die Hirnsubstanz weich, blass, die Ventrikel zollweit klaffend, mit
eitrig sedimentirender Flüssigkeit erfüllt; das Ependym
und das umgebende Marklager erweicht. Die Meningen der
Hirnbasis sowie die Medulla oblongata von eitrigem Exsudate reichlich durchsetzt. In dem Sinus der Schädelbasis
lockere Blut- und Faserstoffgerinnsel. Die Schleimhaut des Pharynx
blass, wulstig. Die rechte Lunge im ganzen Umfange zellig angeheftet, ihr Gewebe blass, im Mittellappen verdichtet und beim Drucke
eine trübe, feinschaumige Flüssigkeit entleerend. Reichlicher, purifor-
mer Schleim in den Bronchien; die linke Lunge frei, ihr Gewebe
blass, stärker durchfeuchtet, reichliches eitriges Secret in den Bronchien. Im Herzen sulzige Blutgerinnsel. Die Milz 2" lang, schlaff, die
Malpighischen Knötchen vergrössert. Die Leber derb und zäh, graulich braun. Nieren gross, leicht zerreisslich, hell und blutarm. Im
Magen wenig wässeriger, trüber Inhalt, die Schleimhaut oberflächlich
macerirt. Die Gedärme von Gas gebläht, von dünnflüssigem, flockigen
Inhalt erfüllt. Die Schleimhaut des Dünndarms blass, die des Dickdarms fleckig geröthet.

Die Meningitis hatte dem Befunde zufolge ihren Sitz sowohl an
der Oberfläche als auch an der Basis des Gehirns, localisirte sich
auch an der Medulla oblongata und zog sogar die beiden Seitenven-
trikel in Mitleidenschaft, was bei der Meningitis simplex nur ausnahmsweise beobachtet wird, wie Parent-Duchatelet, der auf diese
Erscheinung der Meningitis simplex zuerst die Aufmerksamkeit lenkte,
und nach ihm andere Forscher bestätigen. Dieser Theil erregt somit
vom pathologisch-anatomischen sowohl, wie vom klinischen Standpunkte unser Interesse, denn der Grad und das Anhalten der Convulsionen, wie sie in diesem Falle ausgesprochen waren, stehen jedenfalls mit der Ausbreitung der Meningitis im Zusammenhang: Ob aber
ein solcher Grad und eine solche Continuirlichkeit der Convulsionen
dem Uebergreifen auf die Medulla oblongata und auf die Ventrikel
zuzuschreiben seien, ob die Höhe dieser Erscheinungen für die Diagnose
verwerthbar sei, müssen noch weitere Beobachtungen sicherstellen.

2. **Exsudatum pleuriticum mit Compression der Lunge; Pericarditis bei einem 13³/₄jährigen Knaben.** Am 15. Jänner 1869 wurde H. Josef dem Franz Joseph-Kinderspitale zur weiteren Behandlung überwiesen. Herr Dr. K., der den Knaben behandelt hatte, machte uns mit den anamnestischen Momenten bekannt, und so erfuhren wir, dass der Knabe von der allerfrühesten Kindheit her kränklich, aber sehr talentirt und geistig vorgeschritten sei, dass er unter sehr schlechten Verhältnissen sein Leben friste, und dass die gegenwärtige Erkrankung 16 Tage daure. Anfangs waren bloss die Symptome des pleuritischen Ergusses dagewesen, welche allmälig zugenommen hatten. Später beklagte sich der Knabe über Schmerzen in der Herzgegend, dabei wurden der Herzstoss und die Herztöne immer schwächer wahrnehmbar, ersterer schwand endlich gänzlich; es unterlag keinem Zweifel, dass sich eine Pericarditis zu dem pleuritischen Exsudate hinzugesellt habe. Die Untersuchung des Knaben bestätigte auch vollständig die Diagnose des früher behandelnden Arztes. Auffallend war bei dem sehr blassen und abgemagerten Kinde das schnelle und unregelmässige Athmen. Die linke Thoraxhälfte bewegte sich nämlich sehr lebhaft, während die rechte ganz unbeweglich war. Der Percussionsschall war über der ganzen Fläche der letzteren dumpf und leer, die Resistenz dabei gesteigert, und jedes Athmungsgeräusch wie auch der Stimmfremitus fehlend. Bei der Messung der Thoraxhälften fanden wir, dass die rechte um 6 Ctm. mehr betrage als die linke. Die Herzdämpfung war nicht möglich sicher abzugrenzen, da sie unmittelbar in die anstossende Dämpfung der rechten Thoraxseite überging; nur so viel konnte man sicherstellen, dass die Herzdämpfung im linken Thoraxraume eine grosse sei. Der Herzstoss war weder sicht- noch tastbar, die Herztöne dumpf aber begrenzt, der Puls sehr beschleunigt und klein. Wegen des Meteorismus und der Schmerzhaftigkeit des Unterleibes liess sich die Grösse der Leber und der Milz nicht bestimmen. Die Stühle waren breiig und höchst penetrant übelriechend. Ein häufiger, trockener Husten belästigte den Knaben, der sich übrigens nur über Brust- und Unterleibsschmerzen beklagte. Der Appetit fehlte gänzlich, dagegen war der Durst gesteigert. Gegen Abend nahmen die Fiebererscheinungen und mit diesen parallel die Athemnoth stetig zu. Die Kräfte des Knaben sanken um so mehr, da die Schlaflosigkeit eine hartnäckige war. Das Bewusstsein war ungetrübt bis zum Eintritte der Agonie, welche dem Tode nur etwa eine Stunde vorangegangen war.

Sectionsbefund. Der Körper mager, die Hautdecken blass, das Schädeldach compact, lockere Faserstoffgerinnsel in den Sinus; die

Meningen milchig getrübt, verdickt und namentlich rechterseits von
erweiterten Venen durchzogen. Die Hirnsubstanz fest, brüchig,
schmutzig weiss. Die Ventrikel etwa auf das Dreifache erweitert, mit
klarem Serum erfüllt; das Ependym zart, die Plexus blass. Schleimhaut der oberen Luftwege röthlich gelb, mit eitrigem Belege überzogen; die Schleimhaut des Pharynx blassroth. Im linken Pleurasack
seröses, flockig getrübtes Exsudat, die Lungen, oberflächlich einen
abstreifbaren Beleg zeigend, leicht verdichtet, sonst lufthaltig; die
rechte Lunge strangförmig mit der Costalpleura verwachsen, zu einem
flachen, luftleeren, röthlichgrauen Fetzen comprimirt, der rechte
Pleuraraum von eitrigem Exsudate ausgedehnt. Im Herzbeutel etwa
1 Pfund eitrig seröses Exsudat, das parietale Blatt des Pericardium
getrübt, hie und da durch aufgelagertes Exsudat rauh; das viscerale
Blatt durch eine etwa 1‴ dicke Exsudatschichte höckrig und warzig;
der untere Theil des linken Ventrikels bis zur Herzspitze mit dem
parietalen Blatte verklebt, in der Verklebungsstelle zahlreich einge-
streute kleine käsige Knötchen; die Musculatur leicht zerreisslich, in der
äusseren Schichte auffallend blass. Im Bauchfellsacke etwa ½ Pfund
klares Serum. Die Milz leicht zerreislich, die Pulpa ausdrückbar. Die
Leber gross, fest, brüchig, dunkelbraun, blutreich. Die Nieren gross,
die etwas verdickte Kapsel leicht abziehbar, die Oberfläche leicht
injicirt, die Corticalis stark geschwellt, brüchig und röthlich braun,
die Pyramiden blass. Der Magen contrahirt, leer, die Schleimhaut
schmutzig, an den Falten mässig geröthet. Wenig breiiger Chymus
im Dünndarm, die Schleimhaut blass, die Plaques rasirt. Breiige
Fäces im gasgeblähten Dickdarm, die Schleimhaut gelockert, fleckig
und streifig injicirt.

Dieser Fall verdient nicht so wegen der Pericarditis noch Pleuritis, sondern desshalb insbesondere unsere Beachtung, weil trotz
der Veränderungen an den Meningen und dem nicht unbedeutenden Venticularhydrops, welche zu ihrer Entwicklung doch eine
längere Zeit gebraucht haben, keine Störungen im Bereiche
der Functionen des Gehirns während des Lebens beobachtet
worden waren, ja im Gegentheile der Knabe immer geistig sehr po-
tent war. Dass er vor der gegenwärtigen Erkrankung nicht gesund
war, erweist übrigens der Sectionsbefund ganz unwiderleglich.

    3. Pneumothorax, Emphysema cutaneum wurde im Ver-
laufe von Lungenephysem bei einem 2 Jahre alten Mädchen beobachtet. Man brachte das Kind sterbend in das Kinderspital

dasselbe verschied zwei Stunden nach der Aufnahme. Ausser dem Vorhandensein des Hautemphysems (als besonders bei der Untersuchung hervortretende Erscheinung) ermöglichte der Zustand des Kindes keine bestimmte nähere Diagnose. Nach Aussage der Eltern soll das immer krankelnde Mädchen seit 6 Wochen an Diarrhöe gelitten haben, welche in der letzten Zeit sohr überhand genommen hatte. Gleichzeitig sei das Kind angeschwollen und sehr abgemagert.

Sectionsbefund: Der Körper abgemagert mit blassbraunen Hautdecken und eingesunkenem Unterleibe; Schädeldach diploëtisch. sparsame Faserstoffgerinnsel in den Sinus; die innern Hirnhäute in den hintern Abschnitten ödematös, blutarm; die Hirnsubstanz fest und brüchig, blass, die Ventrikel aufs Vierfache erweitert. Das Zellgewebe der vorderen Brustwand und des Halses emphysematös; die Schleimhäute des Halses blass; die linke Tonsille mässig geschwellt; in ihrem oberen Theile eine erbsengrosse Höhle, welche beim Druck einen missfärbigen Brei entleert. Das Bindegewebe des vordern Mediastinalraumes von Luftblasen durchsetzt. Die rechte Lunge im hintern Umfange zellig angeheftet, das Gewebe im obern und untern Lappen stellenweise verdichtet, an den Rändern gedunsen, an den hintern Abschnitten ziemlich blutreich. Die linke Lunge retrahirt, äusserlich mit leicht abstreifbaren Gerinnseln bedeckt, am Rande des Oberlappens mit bis bohnengrossen Luftblasen besetzt, von welchen aus sich kleine Bläschen rosenkranzförmig angereiht zwischen die Lobuli fortsetzen; das umgebende Gewebe grösstentheils knotig verdichtet, dazwischen feucht und feinschaumig ödematös. Sparsame Blut- und Faserstoffgerinnsel im Herzen. Die Milz 3'' lang, fest, derb, braunroth. Die Leber fest, brüchig, fettreich und gelblich roth. Die Nieren fest, brüchig, hellbraun, blutarm. Von kaffeesatzartigen Flocken durchsetzter Schleim im Magen; die Schleimhaut verdickt, rothgefleckt, hie und da mit flachen rundlichen Substanzverlusten besetzt. Die Schleimhaut im untersten Ileum verdickt und röthlichgrau. Wenig grünlichgrauer Schleim im Dünndarm. Missfärbiger Eiter im Dickdarm, die Schleimhaut verdickt, mit rundlichen, beim Druck Eiter entleerenden Substanzverlusten und auf der Höhe der Falten mit abstreifbarem, croupösen Exsudat bedeckt.

Das Resultat der Section ist demnach: Chronischer Hydrocephalus; linksseitiges Lungenemphysem; Pneumothorax; Hautemphysem; beiderseitige Bronchopneumonie; Fettleber; chronischer Milztumor; Dysenterie; Magenerosionen.

Nachdem die gewöhnliche Ursache des Pneumothorax bei Kindern: die Tuberculose oder Gangrän der Lungen sich nicht vorgefunden hatten, so kann nur das Lungenemphysem als Ursache des Pneumothorax in erster und des schon in vivo sichergestellten Hautemphysems in zweiter Reihe angeschuldigt werden. Indem aber das Lungenemphysem als Folge der Bronchopneumonie angesehen werden muss, so lernen wir zugleich aus dem vorliegenden Falle, dass Pneumothorax und Hautemphysem auch ohne Tuberculose oder Gangrän der Lungen im Verlaufe der Bronchopneumonie sich entwickeln können.

4. Noma ex Otitide bei einem 3 Jahre alten Mädchen. In Betreff der anamnestischen Momente erfuhren wir nur so viel, dass das Kind seit ³/₄ Jahren an Otorrhoe des rechten Ohres leide und dass seit 3 Tagen der Brand sich eingestellt habe. Etwas anderes wusste man uns nicht anzugeben. Die Umgebung des rechten Ohres erschien theils grünlich (peripher), theis schwärzlich (central) verfärbt und unmittelbar am Ohre zu einer schwarzen, breiigen, übelriechenden Masse umgewandelt. Die Untersuchung der letztgenannten Stelle mit der Sonde verursachte keine Schmerzen und ergab, dass die Nekrobiose bis in die äusserlich grünlich verfärbt erscheinende Partie sich erstrecke. Der Meatus auditorius externus war mit schmutzig braunen Krusten besetzt, nach deren Entfernung sich der ganze Gehörgang erweitert, seiner Auskleidung beraubt, die blossgelegte knorpelige und knöcherne Wandung missförmig, die Membrana tympani zerstört ergaben, während der Ausfluss höchst übelriechend war. Die sichtbaren Schleimhäute waren blass. Bei der Respiration wurde der Thorax nur mässig gehoben, die Respiration selbst war nicht beschleunigt, der Percussionsschall allenthalben voll und etwas tympanitisch, das Athmungsgeräusch durch dichtes mittelgrosses Rasseln gedeckt. Den nicht sichtbaren Herzstoss tastete man in der Magengrube. Die Herztöne waren dumpf; der Puls klein, schwach, sehr beschleunigt; der aufgetriebene Unterleib weich, der untere Leberrand tastbar, ebenso die Spitze der Milz. Das Kind lag ganz theilnahmslos im Bette, hustete nur zeitweilig und verlangte weder zu essen noch zu trinken. Der soporöse Zustand nahm immer mehr zu, und das Kind verschied am 3. Tage nach der Aufnahme.

Sectionsbefund: Der Körper ziemlich gut genährt, blass, die oberflächlichen Schichten in der Gegend des rechten Ohres vom Unterkieferwinkel bis in die Schläfegegend und vom vordern Rande des Kaumuskels bis hinter die Ohrmuschel zu einer jauchig durchtränkten leicht zerreisslichen Schichte umgewandelt, die tiefern Stellen missfärbig und stark durchfeuchtet. Das Schädeldach diploëtisch, in der Stirngegend schmal, zwischen den Scheitelhöckern weit, die inneren Hirnhäute etwas stärker durchfeuchtet, mässig bluthältig, die Hirnsubstanz brüchig, von sparsamen Blutpunkten durchsetzt; die Corticalis blassroth, die Ventrikel mässig erweitert; die Schleimhäute des Halses blass, das mediastinale Gewebe im hohen Grade emphysematös. Die Lungen beiderseits frei, das Bindegewebe zwischen den Läppchen des oberen Lappens von reihenförmigen bis erbsengrossen Luftblasen durchsetzt; der seröse Ueberzug stellenweise bis zu bohnengrossen Blasen erhoben, das Lungengewebe zart und stark gebläht, am Rande des rechten Oberlappens im Umfange einer Wallnuss honigwabenartig ausgehöhlt und mit dickem Eiter erfüllt; ähnliche aus sackig erweiterten Bronchien gehende Höhlungen im Mittellappen. Alle Bronchien mit reichlichem eitrigem Secrete erfüllt und in der linken Lunge stellenweise gleichförmig dilatirt. Die hinteren und unteren Partien der Lungen blutreich. Die Bronchialdrüsen verkäst. Im Herzen flüssiges Blut. Die Milz 2″ lang, welk und derb, braunroth. Leber gross, stumpfrandig, fettreich, röthlichgelb. Die Nieren derb und hellbraun. Der Magen contrahirt, leer, die Schleimhaut wulstig und blassroth, füssiger, gelbbrauner Inhalt im Dünndarm, die Schleimhaut etwas aufgelockert und stellenweise netzförmig injicirt. Breiiger Inhalt im Dickdarm; die Schleimhaut schmutzig grau, die Follikel hie und da pigmentirt.

Das Ergebniss der Section ist somit: Noma, Emphysema vesiculare et intervesiculare; Bronchiektasie; cat. pulmonum; hepar adiposum; cat. intest. chronicus. Dieser Fall reiht sich dem vorangehenden würdig an, indem er mit bestätigt, welch einen hohen Grad das Emphysem im Kindesalter in Folge von Bronchitis erreichen kann. Nicht minder interessant ist in diagnostischer Beziehung der Umstand, dass bei einem solchen Zustande der Lungen die Respiration nicht beschleunigt war, was wohl nur durch das gleichzeitige Ergriffensein des Gehirnes erklärt werden kann. Dass das Kind durch lange Zeit krank sein musste, resultirt nicht allein aus der Lungenaffection, sondern auch aus der Beschaffenheit des des Verdauungstractes.

5. Morbilli complicirt mit Pneumonie und ungewöhnlich heftigen Hirnerscheinungen. Diese Complication bei Morbilli ist zwar nicht selten, dass sie aber so ungewöhnlich heftige Erscheinungen hervorruft, wird selten beobachtet. Aus letzterem Grunde wird

man es wohl gerechtfertigt finden, wenn wir den beobachteten Fall mittheilen.

Die Mutter kam mit ihrer 8 Jahre alten Tochter in die Ambulanz, sich ärztlichen Rathes zu erholen und erschrak, als sie hörte, dass ihr Kind mit Morbilli behaftet sei. Die Diagnose war bei Vorhandensein des Nasen-, Rachen- und Lungenkatarrhs, der Conjunctivitis, der dunkelrothen Flecke an der Schleimhaut des harten Gaumens in Anbetracht der eben herrschenden Morbilliepidemie leicht zu machen. Den nächsten Tag kam der Vater des Kindes und berichtete, das Kind sei nicht ausgeschlagen, habe jedoch grosse Hitze, keinen Appetit und huste sehr viel, so dass das Kind des Hustens wegen in der Nacht nicht schlafen konnte. Auch am 3. und 4. Tage zeigte sich noch kein Exanthem an der Haut, während die katarrhalischen und fieberhaften Erscheinungen in gleichem Grade anhielten. Am 5. Tage zeigte sich das Exanthem im Gesichte und breitete sich die nächsten Tage allmälig über den ganzen Körper aus. Die katarrhalischen Erscheinungen an den Augen, der Nase und im Rachen traten wohl zurück, allein der trockene Husten war so heftig und dabei so häufig, dass das Kind in Folge dessen schon ganz erschöpft erschien. Nach dem Gebrauche von Morphium in sehr kleiner Gabe hatte der Reiz zum Husten etwas nachgelassen, in Folge dessen das Kind die Nacht gut schlief. Des Morgens war dasselbe ganz munter und klagte nur über grossen Durst. Die Untersuchung der Brust ergab wie bisher nur spärliche Rasselgeräusche in beiden Lungen. Ueber diese plötzliche Wendung waren die Eltern, deren Liebe zum Kinde beinahe läppisch war, sehr erfreut, und achteten nicht darauf, als man ihnen sagte, dass die Krankheit noch nicht abgelaufen sei. Am 3. Tage nach dem Ausbruche des Exanthems gerade zu Mittag kam der Vater wieder in die Anstalt und mit zitternder Stimme bat er sein Kind zu besuchen, indem es abermals starke Hitze habe, schnell athme und seit Morgens ununterbrochen schlafe. Was der Vater erzählte, fanden wir beim Besuche bestätigt: grosses Fieber, Schlafsucht, beschleunigtes Athmen, ausserdem entsprechend der Spitze der rechten Lunge gedämpften Percussionsschall und unbestimmtes Athmungsgeräusch, in den andern Partien spärliche Rasselgeräusche. Die Vermuthung einer sich entwickelnden Pneumonie, welche wir den Eltern gegenüber ausgesprochen haben, realisirte sich den nächsten Tag, indem alle Erscheinungen einer pneumonischen Infiltration wahrgenommen werden konnten. Das im Erblassen gewesene Exanthem trat ganz zurück, was die Eltern sehr beunruhigte, indem sie der Meinung waren, dass sich nun der Ausschlag auf die

Lunge geworfen habe, und beschuldigten uns, dass wir dem nicht vor-gebeugt hätten. — Die pneumonische Infiltration breitete sich nicht aus und blieb durch 11 Tage beschränkt auf den rechten oberen Lun-genlappen. Während dieser Zeit liessen die bedeutenden Fiebererscheinungen weder des Morgens noch am Abende nach, die Stühle, anfangs fest und zäh, wurden diarrhöisch, an den Lippen bildeten sich dunkelbraune Krusten, die Schleimhaut der Mund- und Rachenhöhle trocknete immer mehr aus, in Folge dessen das Schlingen beschwerlich wurde. Das Kind verfiel in tiefe Schlafsucht, aus der es immer schwer geweckt werden konnte, sprach wenn aufgeweckt unverständlich, das Vorgebrachte entbehrte jedes Zusammenhanges, es delirirte während des Tages, schrie heftig in der Nacht, machte endlich alles unter sich. Eine gleichzeitig vorschreitende Vergrösserung der Milz war nicht nachzuweisen. Wenn wir bemerken, dass die Familie in einer Kaserne wohnte, wo unter der Mannschaft zufällig mehrere verheirathete waren, so ist es begreiflich, dass die Erkrankung des Kindes, zumal wie sich jetzt gestaltet hatte, zu Besprechungen Veranlassung gegeben habe, in Folge dessen den Eltern viele Albern-heiten eingeredet worden sein dürften. Man kann sich daher auch nicht wundern, wenn die ohnehin unvernünftigen Eltern heute die Vermuthung aussprachen, ihr Kind leide an Gehirnentzündung, mor-gen wieder es leide an Typhus, übermorgen an Gehirnerweichung etc. Uebrigens war im Hause eine Stimme, dass das Kind sterben müsse, dass es ein Wunder wäre, wenn es genesen würde. Und so geschah es auch, dass wir das Kind zweimal mit einer Lichtmesskerze in der Hand gefunden haben, was die Eltern in der Meinung gethan hatten, dass das Kind schon im Sterben sei. Mittlerweile, als das Mädchen so schwer erkrankt darniederlag, erkrankte der Bruder desselben und noch ein Kind einer 2. Familie im Hause an Masern. Bei beiden Kindern war der Verlauf ein günstiger. Wie bereits erwähnt vergin-gen volle 11 Tage, bevor sich die Lösung der pneumonischen Infiltration eingestellt hatte. Den Tag zuvor liessen die Fieberbewegungen nach und die nun folgende Nacht hindurch schlief das Kind ganz ruhig. Am Morgen des nächsten Tages sank die Anzahl von Pulsationen auf 90, während sie bis jetzt immer zwischen 120—140 betragen hatte. Das Athmen war ruhiger geworden und ein lockerer Husten hatte sich eingestellt. An der Stelle der pneumonischen Infiltration hörte man zahlreiche Rasselgeräusche. Das Kind schlief, obwohl es schon etwas leichter aufgeweckt werden konnte, den ganzen Tag und die folgende Nacht ununterbrochen ruhig fort. Den Tag darauf er-wachte es des Morgens und verlangte zu essen.

Von diesem Tage an trat vollständige Reconvalescenz ein, und
die Erscheinungen der pneumonischen Infiltration, sowie alle übrigen
Symptome haben allmälig nachgelassen; ein mehrwöchentlicher Land-
aufenthalt führte eine vollständige Heilung herbei. Als Nachtrag sei
noch bemerkt, dass im Verlaufe der Reconvalescenz an der vordern
Fläche des rechten Unterschenkels und an den beiden grossen Schamlippen umschriebene Entzündungen mit Vereiterung sich entwickelt
hatten. Wer die Kranke in der Zeit der Höhe des Symptomencom-
plexes gesehen haben würde, der hätte irregeführt an einen Typhus,
der bei Kindern auch ohne besonders entwickelten Milztumor verlaufen kann, oder an eine Affection der Meningen oder des Gehirns weit
eher als an eine so bedeutende Complication der Masern gedacht. Der
Umstand, dass sich eine vollständige Lysis der pneumonischen Infiltration in unserem Falle eingestellt hatte, verdient mit Rücksicht
darauf, dass solche Pneumonien bei dieser Localisation und bei dieser Dauer (durch 11 Tage) im Verlaufe der Morbilli häufig zu
Phthisis und Tuberculosis pulmonum führen, besonders hervorgehoben
zu werden.

6. Tympanitis intestinorum et ventriculi cum irrita-
tione cerebri. Es war zur Zeit des Emausfestes (ein Volks-
fest) und gerade in dem Augenblicke, wo dasselbe seinen Culmina-
tionspunkt erreichte, als ein Dienstmädchen athemlos in das Kinderspital gerannt kam und das Ansuchen stellte, ein Arzt möge sich un-
verzüglich zu einem plötzlich an Erbrechen und Fraisen erkrankten
Knaben bemühen.

Wir fanden einen etwa 3 Jahre alten, gut genährten, mit geschlossenen Augen im Bette liegenden, zuweilen tief aufathmenden
Knaben. Der Gesichtsausdruck war schmerzhaft und bisweilen traten
sowohl an den Gesichtsmuskeln wie auch an den Muskeln der Extremitäten ziemlich lebhafte Zuckungen auf. Die Temperatur des Kopfes
war im Vergleiche zu dem des übrigen Körpers sehr erhöht. Die
Augen glänzten, die sehr engen Pupillen reagirten sehr lebhaft, die
Lichtscheu war hochgradig, die Conjunctiva aber zeigte keine Injection. Der etwas aufgetriebene Unterleib war namentlich in der Regio
epigastrica gegen Berührung sehr empfindlich. Der Pulsschläge zähl-
ten wir über 120 in der Minute. Der Knabe widersetzte sich sehr,
wenn die Mutter ihn aus dem Bette heben und tragen wollte; beim
Aufsetzen hielt er das Köpfchen nicht aufrecht, sondern neigte dasselbe nach der einen oder der anderen Seite und beim Tragen legte
er sofort sein Haupt auf die Schulter der Mutter. Auf die Frage, was
geschehen sei, gab man uns zur Antwort: „Wir wissen nichts, der

Knabe war bis zu diesem Augenblicke vollkommen wohl; er war zwar
mit dem Vater beim Volksfeste, allein er liebt keine Süssigkeiten,
darum kaufte man für ihn von dem bei solchen Gelegenheiten zum
Verkaufe gebotenen Naschwerke gar nichts."

Die nun folgende Nacht war er sehr unruhig; er schrie während
des Schlafes häufig auf, und begann gegen Morgen so schmerzhaft zu
schreien, dass sich die Eltern bewogen fanden, um uns in die Anstalt
zu schicken. Wir fanden das Fieber viel gesteigerter als den Tag zuvor, ein beschleunigtes und dabei oberflächliches Athmen, den Unterleib weit aufgetriebener und in der Regio epigastrica wie früher
schmerzhaft. Die Muskelzuckungen haben ganz nachgelassen, dafür
hüstelte der Knabe, und verlangte fortwährend etwas zu trinken. Die
ungeheure Empfindlichkeit und zunehmende Tympanitis des Unterleibes waren bei dem Kinde so auffallend, dass wir die Anfrage, ob der
Knabe nicht einen Diätfehler begangen habe, wiederholten, doch auch
diesmal erhielten wir eine verneinende Antwort.

Gegen Abend war der Zustand des Knaben derselbe, nur erzählte
die Mutter, dass er immer unruhiger wurde und geschrien habe, wenn
die Fenstervorhänge aufgezogen wurden, damit die Sonne in das Zimmer scheinen könnte, und dass er sich ebenso geberdete, als man am
Abend das Zimmer erleuchtete. Weiter sagte die Mutter aus, dass
sich bei dem Knaben im Verlaufe des Tages Aufstossen gezeigt habe
und auch Gase per anum abgegangen waren, worauf er immer auffallend ruhiger geworden war. Erbrechen und Stuhl sind den Tag über
nicht erfolgt. In der kommenden Nacht erreichte die Unruhe einen
noch höheren Grad und liess erst gegen Morgen nach.

Beim Morgenbesuche fanden wir, dass der Knabe sehr schnell
athme, dass jede Berührung des Unterleibes, überhaupt jede Körperbewegung für ihn unangenehm und schmerzhaft sei. In den Lungen
zeigte sich keine Veränderung, dafür war der Unterleib trotz dem
gereichten Laxans wiederum aufgetriebener und liess sich durch die
Percussion eine durch Gas bedingte Ausdehnung des Magens nachweisen.

Den Tag über waren das Rülpsen und die Gasentweichung per
anum häufiger gewesen, auch stellte sich ein übelriechender Stuhl
nach wiederholt applicirten Lavements und Laxanzen ein.

Am Abend hatte das Fieber merklich abgenommen; das Athmen
war weniger beschleunigt und nicht so oberflächlich gewesen. Auch
die Auftreibung und die Schmerzhaftigkeit des Unterleibes hatten
etwas nachgelassen. Trotz alldem weigerte sich der Knabe sein Köpfchen aufrecht zu halten, mied jedes grelle Licht, war noch verdriess-

licher und widerspenstiger als früher und zeigte stete Schlafsucht. Nachdem wir immerfort darauf bestanden, dass der Knabe einen Diätfehler begangen haben musste, erinnerte sich endlich die Mutter, dass der Knabe zwei Tage, bevor er bettlägerig geworden war, zwei harte Eier gegessen und seit der Zeit den Appetit verloren habe.

Die wiederholte Applicirung von Klystieren und die Anwendung von solvirenden und abführenden Mitteln hatten in einigen Tagen zur Folge, dass die Tympanitis des Unterleibes und die hiervon bedingte Hirnreizung vollständig zurückging, und dass der Knabe sich wiederum seines früheren gesunden Zustandes erfreute. Der Fall ist in zweifacher Beziehung beachtenswerth. Einmal zeigte er, mit was für heftigen Erscheinungen acute Magen-Darmerkrankungen verbunden sein können, und andererseits lehrt er ihre Wichtigkeit in diagnostischer Beziehung; denn wird, wie hier, ein Diätfehler in Abrede gestellt, dann kann der Arzt durch planloses Handeln dem armen Kinde mehr Schaden als Nutzen bereiten. Uebrigens kann er auch als ein eclatantes Beispiel aus der Reihe solcher Fälle bezeichnet werden, welche man für geheilte Hirnerkrankungen ausgibt und die doch nichts anderes sind, als geheilte Magen-Darmaffectionen verbunden mit nervösen Symptomen.

VII. Schwielige Hautnarben, Hydrocephalus, chron. rechtsseitige Bronchopneumonie, Abscess im zweiten rechten Intercostalraume, eitrige Peritonitis, Fettleber, acuter Milztumor, Morb. Brightii fand sich bei der Section eines 8 Jahre alten Mädchens, das durch lange Jahre bereits kränklich, einen Tag vor der Aufnahme in die Anstalt von Fiebererscheinungen und Erbrechen befallen worden war. Die Ernährung des Kindes war eine mangelhafte, die blasse, schlaffe, brennend heisse Haut zeigte schwielige Hautnarben über dem rechten Ellbogengelenke und an der linken Wade. Im 2. Intercostalraume der rechten Seite gewahrte man eine Fistelöffnung, aus der sich dünnflüssiger Eiter entleerte und die in einen ziemlich langen Kanal führte, ohne dass mit der Sonde die Blosslegung des Knochens nachweisbar war. Am linken Vorderarme fand sich eine etwa wallnussgrosse, weiche, schmerzlose, von unveränderter Haut überzogene Geschwulst. Die sichtbaren Schleimhäute waren blassroth und sowie die Lippen und die Zunge trocken. Bei der mässig beschleunigten Respiration wurde die rechte Thoraxhälfte weit weniger gehoben als die linke. Der Percussionsschall war rechterseits weit mehr verkürzt als links, welcher Unterschied insbesondere über den Lungenspitzen auffallend war. Das Athmungsgeräusch war rechterseits in den oberen Partien bronchial mit consonirendem Rasseln, in den untern unbestimmt, links scharf vesiculär, mit spärlichem Rasseln, dessen Schärfe gegen die Basis zu immer mehr an Intensität verlor. Der Puls war beschleunigt und die Herztöne begrenzt. Was jedoch bei diesem Mädchen insbesondere unsere Aufmerksamkeit erregte, war das Ergebniss der Untersuchung des Unterleibes. Das Kind beklagte sich über Schmerzen im Unterleibe, ohne angeben zu können, von wo der Schmerz ausgehe und an welcher Stelle derselbe am heftigsten sei. Wir fanden keine Auftreibung des Unterleibes, wohl aber dass die vordere Bauchwand gespannt war. Die Betastung des Unterleibes steigerte den Schmerz. An keiner Stelle wurde der Percussionsschall obtus und es war nicht möglich, durch Lageveränderung Flüssigkeit im Cavum peritonei nachzuweisen. Eine Vergrösserung der Leber und Milz liess sich durch Percussion und Palpation sicherstellen. Ein unlöschbarer Durst quälte die Kranke und es war vollständige Anorexie vorhanden.

Im weiteren Verlaufe steigerten sich die Empfindlichkeit und Schmerzhaftigkeit des Unterleibes unter Diarrhöe, aber ohne Entwicklung eines bedeutenden Meteorismus und ohne eine Mahnung zum Erbrechen zu einem solchen Grade, dass die leiseste Berührung des Unterleibes, die geringste Lageveränderung die grössten Schmerzen hervorriefen.

Albumen und ein reichliches, in fettigem Zerfall begriffenes Desquammat fanden sich in dem dunkler gefärbten und trüben Urine; doch trat keine Abnahme der Diurese ein. Der Befund der Lunge blieb sich constant gleich. Die Anorexie und der gesteigerte Durst hielten ununterbrochen an. Der Collapsus und die Somnolenz bildeten sich immer mehr aus und unter den Erscheinungen des zunehmenden Hirndruckes erfolgte endlich der Tod.

Die eitrige Peritonitis ist im Kindesalter eine grosse Seltenheit und dieser Umstand veranlasste uns auch diesen Fall mitzutheilen. Ziehen wir weiter in Erwägung, dass die Krankheit ein skrophulöses Individuum betroffen und durch Symptome sich kundgegeben hatte, wie man sie bei acuter tuberculöser Peritonitis zu beobachten pflegt, so dürfte der Fall auch vom klinischen Standpunkte der Erwähnung werth erscheinen.

VIII. Tuberculose des Bauchfells mit Perforation des Dünndarms und Entleerung des Inhaltes durch den Nabel (Kothfistel am Nabel).

Aloisie D., 4 Jahre alt, wurde in das Franz Josef-Kinderspital in einem Zustande aufgenommen, welcher den baldigsten Eintritt des

Todes erwarten liess. Die Eltern sagten aus, dass das Kind bis zu Ende des ersten Lebensjahres vollkommen gesund war, seit jener Zeit aber fortwährend krank sei, abwechselnd an Husten und Diarrhöe leidend. Vor etwa 4 Wochen wurde es von einer Krankheit heimgesucht, die der behandelnde Arzt für Bauchfellentzündung erklärt habe. Die Diarrhöe, welche mit dem Beginne der Erkrankung sich einstellte, bestehe seitdem in gleichem Grade fort. Seit einigen Tagen entleere sich eine nach Koth riechende Flüssigkeit durch den Nabel, welcher zuvor etwas geröthet wurde und anschwoll. Vor der Flüssigkeit sollen feste Kothmassen abgegangen sein. Höchst ungünstige Verhältnisse, besonders aber der üble Geruch der sich entleerenden Flüssigkeit veranlassten die Eltern, das Kind in diesem hoffnungslosen Zustande der Anstalt in die Pflege zu übergeben, deren sich dasselbe aber nicht lange erfreute, da der Tod schon am nächstfolgenden Tage eintrat.

Das Kind war begreiflicherweise unter den obwaltenden Umständen schlecht genährt und hochgradig abgemagert; die blasse Haut kalt; der Puls klein, beschleunigt, die glanzlosen Augen tief eingefallen, die Nase spitzig und die Lippen blass. Die Respiration ging regelmässig vor sich, der Percussionsschall zeigte sich an allen Stellen des Thorax hell und voll, das Athmungsgeräusch war schwach, unbestimmt; die Herztöne erschienen begrenzt, aber schwach. Der etwas aufgetriebene Unterleib war besonders um den Nabel herum hart anzufühlen, der Percussionsschall daselbst vollkommen leer.

Den Nabel und seine nächste Umgebung bedeckten braune, trockene Krusten. Nach Entfernung derselben entleerte sich unter Entwicklung von Kothgeruch aus einer kleinen Oeffnung des Nabels eine theils gelbliche, theils bräunliche, dünnbreiige Masse. Der Nabel und seine Umgebung waren blassroth, ob sie jedoch schmerzhaft waren, liess sich nicht bestimmen, wie überhaupt bei dem bereits besinnungslosen Kinde über subjective Symptome nichts weiter zu eruiren war.

Sectionsbefund. Der Körper mager, blass; die untern Extremitäten ödematös; Schädeldach schwammig; sulzige Gerinnsel im Sichelblutleiter; die Meningen und das Gehirn blutarm. Die Schleimhäute des Halses blass, die Lungen in hohem Grade gedunsen, blutarm, mit luftleeren Stellen in den hinteren und unteren Partien; die Bronchialdrüsen wallnussgross, käsig, im Herzen lockere Blutcoagula. In der Nabelnarbe eine von missfärbigen Rändern umgebene Oeffnung, aus welcher sich beim Drucke dünnflüssige Fäcalmassen entleerten. Nach der Eröffnung der Bauchhöhle findet sich ein von der Na-

belgegend bis ins rechte Hypochondrium und die rechte
Fossa iliaca reichender, mit dünnflüssigem Fäcalinhalte
erfüllter Hohlraum, welcher nach links und rückwärts durch
die dicht verwachsenen Baucheingeweide begrenzt wird.
Zwischen den Adhäsionen derselben und auf den Platten der Serosa
finden sich plaquesförmige, bis linsengrosse, gelbgraue, am Schnitte
käsige Knoten; der Dünndarm bildet ein faustgrosses, festverwach-
senes Convolut in der Mitte des Bauchraumes, welches auf seiner
vorderen, freien, schiefergrau verfärbten, mit schwartigen Pseudomembranen bedeckten Fläche vier von einem wulstigen, zart vascularisirten Ringe umgebene rundliche Oeffnungen trägt; dieselben führen in
das Innere der Darmschlinge, woselbst die Schleimhaut allenthalben
gewulstet und blass erscheint, doch nirgends Knötchen oder Substanzverluste zeigt. In der Nähe der Perforationsöffnungen übergeht sie in
die vorerwähnten, letztere wallartig umgebenden Granulationen. Die
Milz im ganzen Umfange angewachsen, 2" lang, pulpaarm, blutarm.
Die Leber welk, röthlichbraun, ringsum pseudomembranös fixirt. Die
Nieren auf der Oberfläche netzförmig injicirt, fast schmutzigbraun.
Die Harnblase bis über die Symphyse ausgedehnt. Der Dickdarm eng
und leer, die Schleimhaut blass.

Dieser Beobachtung reihen wir eine zweite an, welche aus dem
Jahre 1867 herrührt. Es kam in diesem Falle auch zu einer Kothfistel, allein ihre Ausmündung befand sich nicht im Nabel selbst,
sondern unterhalb desselben, und erst durch die mittlerweile sich ein-
gestellte Gangrän wurde auch der Nabel selbst in ihr Bereich mit
eingezogen. Während in dem folgenden Falle ein Trauma die veranlassende Uisache der Peritonitis bildete, lag die Ursache bei dem
eben mitgetheilten Falle in den häufig wiederkehrenden Diarrhöen
und ist die Angabe der Eltern wahr, dann fällt die Entwicklung des
Darmkatarrhes in die Zeit, wo das Kind abgestillt worden war, es
wäre dann die bei der Ablactation gewöhnlich stattfindende unzweckmässige Ernährungsweise als die veranlassende Ursache anzusehen.

IX. Kothfistel in Folge eines Traumas; Variola.

Ein fünfjähriges Mädchen wurde der Anstalt mit der Angabe
zur Behandlung übergeben, dass es vor 8 Wochen mit dem Bauche
auf einen spitzigen Stein gefallen sei.

Bald nach dem Falle wurde die Nabelgegend schmerzhaft, in
Folge dessen das Mädchen zu Bette gebracht werden musste. Eine

harte schmerzhafte Geschwulst bildete sich um den Nabel herum,
welche unter Anwendung warmer Umschläge allmälig erweichte. Der
nun so entstandene Abscess durchbrach endlich etwa einen halben
Zoll unter dem Nabel, wobei sich eine grosse Menge übelriechenden
Eiters entleerte. Die Menge des ausfliessenden Eiters nahm zwar
weiterhin ab, doch hörte die Secretion desselben trotz Anwendung
aller möglichen Mittel nicht auf. Zuweilen wurden neben dem Eiter
auch flüssige Kothmassen durch die Fistelöffnung entleert. Bei der
Aufnahme fanden wir den Unterleib des blassen, abgemagerten Mädchens auffallend eingefallen und in der Regio mesogastrica etwa 4
Querfinger um den Nabel hart und fest. Der Nabel selbst und die
Haut in seiner nächsten Umgebung waren geröthet und mit Krusten
bedeckt. Einen halben Zoll unter dem Nabel zeigte sich eine kleine
Oeffnung, durch welche man mit der eingeführten Sonde in einen
grossen Hohlraum gelangte, der zum Theile in den Bauchmuskeln,
zum Theile in der Unterleibshöhle selbst sich ausbreitete. Beim Drucke
auf das Abdomen und zwar auf dessen Regio meso- und hypogastrica
entleerte sich durch die Oeffnung ein brauner, übelriechender Eiter,
jedoch weder Gas noch Kothmassen. In den übrigen Organen war
nichts Abnormes nachzuweisen. Das Kind, welches auffallend einsilbig
und traurig war, immer nur wenig Nahrung zu sich nahm und gar
nicht fieberte, bot durch einige Tage gar keine auffallenden Veränderungen in seinem Zustande, nur erschien die erkrankte Partie weniger
roth, reinlicher und die Eitersecretion weniger übelriechend. Mit einem
Male traten immer gegen Abend Fieberbewegungen auf und in wenigen Tagen darauf brach die Variola bei dem Mädchen aus, deren
Zustand von nun an sich verschlimmerte. Die Eitersecretion wurde
wieder übelriechender, zuweilen auffallend gallig gefärbt und mit
bröckligen Massen gemengt. Weiterhin gingen neben dem Eiter reine
Kothmassen ab und beim Drucke auf die Magengegend und auf die
Regio hypogastrica bemerkte man die Entwicklung deutlicher Luftblasen und Entweichung von Gasen. Der Nabel und die Haut in
seiner Umgebung wurden brandig, die Gangrän breitete sich in die
Tiefe und nach der Fläche aus, doch erreichte sie keine grosse Ausbreitung, weil das ohnehin schon abgemagerte und daher nun wenig
Widerstand leistende Mädchen binnen einigen Tagen verschied.

Sectionsbefund. Allgemeine Anämie und Abmagerung, Hydrocephalus, chronischer Milztumor; an der Stelle des Nabels ein mit
pulpöser Masse versehener schwarzer Substanzverlust,
aus dessen unterem Segmente beim Drucke sich eine gallig gefärbte mit krümlichen Massen untermengte, nach

Koth riechende Flüssigkeit entleert. Die Bauchwand in der nächsten Umgebung grünlich verfärbt. Der in der Nabelgegend befindliche Substanzverlust bildet die vordere Wand eines Hohlraumes, der weiter begrenzt wird durch das verdickte Omentum majus und durch Darmwindungen des Dünndarms, welche unter einander und mit der Bauchwand ziemlich fest durch Adhäsionen verbunden sind. Diese Anwachsungen finden sich auch am übrigen Darmtractus, dann an der Leber und der Milz vor. Der erwähnte Hohlraum war von einer solchen Flüssigkeit erfüllt, wie sie sich beim Drucke auf den Unterleib durch den Substanzverlust entleert hatte. Der Dünndarm ist an einer Stelle durchbrochen und mit dem Hohlraume communicirend.

X. **Glossitis** bei einem 1½ Jahre alten Knaben nach Variola.

Die Mutter des Kindes erzählte uns, dass dasselbe vor etwa 8 Wochen Morbillen und Variola überstanden habe. Seitdem magere das Kind stetig ab, obwohl es genug esse und trinke. Vor 3 Tagen stellte sich ohne irgend welche Veranlassung Fieber ein und in dieser Zeit entwickelte sich die gegenwärtige Krankheit des Kindes. Was bei der Untersuchung des Knaben zunächst auffiel, war die in hohem Grade bestehende Geiferung, denn das um den Hals des Kindes umgebundene Sacktuch war durch und durch nass, ferner das stete Offenhalten des Mundes und das Vorstehen eines Theils der Zunge. Beim Oeffnen des Mundes bemerkte man, dass die Zunge in ihrem ganzen Umfange angeschwollen sei, und dass die geschwellte Schleimhaut von einer dicken Lage eines graugelben Beleges, der sich nur schwer entfernen lässt, bedeckt sei. Die Schleimhaut der Mund- und Rachenhöhle war etwas geröthet, aber frei von jeder Auflagerung. Die Mandeln erschienen etwas vergrössert. In den Lungen und am Herzen zeigte sich keine Veränderung, dagegen war der Unterleib aufgebläht und die Milz vergrössert nachweisbar. Uebrigens war das Kind sehr abgemagert, die Haut blass, mit Spuren überstandener Variola versehen, die Conjunctiva beinahe ohne jede Injection. Husten war nicht vorhanden, die Stuhlentleerung bald flüssig, bald breiig, aber nicht häufig. Ob das Kind im Verlaufe der Variola Halsbeschwerden gehabt habe, wusste die Mutter mit Bestimmtheit nicht anzugeben, da sie sich nur wenig zu Hause aufhält, woraus nothwendigerweise folgt, dass, wenn irgend welche Halsbeschwerden da waren, diese nicht bedenklich gewesen sein konnten. Angeordnet wurde neben Reinigung mit Kali chloric. eine tonische Kur. Ueber den weiteren Verlauf und den Ausgang dieser Affection können wir leider nichts angeben, weil die Mutter ausserhalb der Hauptstadt wohnend mit ihrem Kinde nicht mehr in die Ambulanz gekommen ist.

Im gegebenen Falle fand sich die Affection der Zunge vor ohne gleichzeitigen ähnlichen Beleg der Rachen- oder Wangenschleimhaut oder auf den Mandeln; sie entwickelte sich unter mit ihr im nothwendigen Zusammenhange stehenden Fieberbewegungen nach zwei auf einander folgenden acuten Exanthemen und zwar Masern und Variola. Zugegeben, dass im Verlaufe dieser beiden Infectionskrankheiten ein ähnlicher Exsudationsprocess in der Mund- und Rachenhöhle vorhanden war, wo wir uns dann die Glossitis als per continuitatem entstanden erklären könnten, so gehört dieser Fall immerhin, besonders bei Kindern, unter die selteneren Beobachtungen.

XI. Fremder Körper im rechten Schulterblatte bei einem 6 Jahre alten Mädchen.

Die Mutter führte das Kind in der Ambulanz mit der Bitte vor, dasselbe untersuchen zu wollen, indem es etwas Spitziges unter der Haut über dem rechten Schulterblatte habe. An der genannten Stelle sah man gar keine Veränderung, beim Betasten jedoch fühlte man unter der Haut etwa entsprechend der Mitte des rechten Schulterblattes einen harten, in den Weichtheilen festsitzenden Körper mit vorspringendem spitzigen Ende. Mit den Fingern der linken Hand den fremden Körper fixirend versuchte man mit der rechten die Haut mittelst der Spitze des Körpers durchzubohren. Der Versuch gelang vollständig und bei der Extraction präsentirte sich der Körper als ein Stück abgebrochener Stricknadel. Wie das Kind zur Acquisition dieses Körpers kam, wusste weder die Mutter, noch die Tochter anzugeben. Wahrscheinlich geschah dies während des Schlafes, in Folge der bekannten Unsitte, die 'Strümpfe sammt den Stricknadeln unter die Bettpolster zu verbergen.

IV.

Die Blutungen im frühesten Kindesalter

nach Beobachtungen

in der Prager Findelanstalt.

Von

Professor Dr. Ritter.

In einer Besprechung des kürzlich von Grandidier herausgegebenen Schriftchens: „Die freiwilligen Nabelblutungen der Neugebornen" äusserte der Referent *), dass diese Monographie eine Lücke
ausfüllte, welche bisher nur durch Journalnotizen und Zusammenstellung von mehr oder weniger Fällen überdeckt war.

Was nun das Bestehen der Lücke anbelangt, welche übrigens in
der Krankheitslehre der ersten Kindheit nicht vereinzelt dasteht, so
wird wohl Niemand etwas dagegen einzuwenden haben, — dass sie
aber durch die betreffende Arbeit Grandidiers' ausgefüllt worden
wäre, dürfte schier zu bezweifeln sein.

Wir haben da eben wieder nichts als eine Zusammenstellung
von einer etwas grösseren Anzahl von Fällen, noch dazu fremder
Beobachtung entnommen, und auch nicht die kleinste Zuthat eigener
Erfahrung aus neuerer Zeit. Tüchtige Compilationen besitzen allerdings auf jedem Gebiete der Wissenschaft ihren Werth, aber sie
können gerade nur dann tüchtig sein, wenn der Verfasser durch die
eigene Beobachtung urtheilsfähig geworden ist den Berichten und
Meinungen Anderer gegenüber, wenn er dahin gelangt ist sich vorerst
selbst eine eigene Ansicht über die Krankheitsform, deren Casuistik
er sammelt, bilden zu können. Ohne dieses Erforderniss werden
Schriften dieser Art nicht nur werthlos, sondern mitunter geradezu
dem Fortschreiten einer richtigen Auffassung der bezüglichen Krankheitsprocesse hinderlich; es werden dann am Schreibtische Resultate

---

*) Schmidt'sche Jahrbücher. 1871.

geboren, welche oft mit der thatsächlichen Beobachtung in argen
Widerspruch gerathen, und namentlich denjenigen irreleiten, der eben
nicht selbst Einiges von solchen Krankheitsformen gesehen und beobachtet hat. Darum ist es die Pflicht desjenigen, der in seinem Wir-
kungskreise Beobachtungen zu machen und zu sammeln Gelegenheit
hat, dieselben nicht unbenützt zu lassen. Für das, was man selbst
gesehen hat, kann man am besten einstehen, und nur durch den Vergleich der eigenen Resultate mit jenen anderer Fachmänner kann die
Erkenntniss der Wahrheit wirksam befördert werden. Darum zeigt
kein Theil der deutschen Literatur der menschlichen Krankheitslehre
so viele und so bedeutende Lücken, als jener, welcher das früheste
Kindesalter umfasst, weil es eben in Deutschland keine eigentlichen
Säuglingsanstalten gibt, und weil die grösseren österreichischen In-
stitute dieser Art bisher leider nur sehr vereinzelt als Fundgruben
klinischer Beobachtung verwerthet wurden. Darum wollen selbst bedeutende Kinderärzte in Deutschland nicht zu der Einsicht kommen,
dass der Krankheitscharakter und der Verlauf auch derselben Krankheitsform sich im frühesten Kindesalter, sehr verschieden von dem späteren verhalten. Der schöne und vielversprechende Anfang, den
Bednar gemacht hat, steht leider noch vereinzelt da, und es ist
tief zu beklagen, dass dieser Mann, der seiner Aufgabe so wohl gewachsen war, und an ihre Lösung mit so vielem Eifer ging, dem Wir-
kungskreise, welcher ihm die vollständigere Lösung dieser Aufgabe
möglich gemacht hätte, so unzeitig entzogen wurde.

Ich muss gestehen, dass gerade das Erscheinen der Grandidier'schen Schrift auf mich die Wirkung einer Art moralischen Zwanges
hatte, eine Erinnerung an die Pflicht zu sein schien, alle meine ziemlich zahlreichen bisherigen Beobachtungen von Blutungen der Neugebornen oder Säuglinge zu sammeln und zu ordnen, und zu einer
selbstständigen Arbeit über die Blutungen dieses Abschnittes der
Kindheit zu benützen. Vielleicht hat dieselbe eine bessere Aussicht
auf die Beachtung der geehrten Fachgenossen, als die in meinen bisherigen Jahresberichten veröffentlichten Fälle solcher und anderer
Art, so wie die klinische Erörterung derselben.

Man ist nämlich bei uns überhaupt gewohnt in Allem was Jahresbericht heisst, kaum etwas anderes als die Ziffer zu suchen und
vielleicht den ganzen Aufsatz, der diese Bezeichnung führt, gering-
schätzig zu überschlagen. In der That wurde der klinische Theil
dieser Berichte, in welchem ich vorzüglich bemüht war, manche wie mir
däucht unrichtige und doch sehr verbreitete Ansicht in der Krankheitslehre des Neugebornen auf Grund angeführter klinischer Beobach-

tungen zu beleuchten oder zu bekämpfen, so gut wie gar nicht beachtet. Hätte ich die, in diesen Jahresberichten niedergelegten zahlreichen kleinen Abhandlungen als selbstständige Journalartikel veröffentlicht, würden sie gewiss wenigstens durch die Anregung einer Controverse über manchen strittigen oder zweifelhaften Punkt ihren Zweck besser erfüllt haben; so — wurden sie sammt den Jahresberichten einfach ad acta gelegt, und nicht gelesen. Für dieses letztere liefert eben die Grandidier'sche Schrift, in welcher man doch auf eine ziemlich erschöpfende Benützung namentlich der heimischen Literatur, — und des Gegenstandes wegen auch jener der Jahresberichte österreichischer, russischer und anderer Findelhäuser zu rechnen berechtigt gewesen wäre, den ausgezeichnetsten Beweis, denn Grandidier wurde durch diese Nichtbeachtung der Hauptquellen für seine Casuistik sogar zu dem kostbaren und beinahe komischen Schlusse verleitet, dass die Krankheit, welche er freiwillige Nabelblutung nennt, in Deutschland eine geringere Verbreitung haben dürfte, als in Amerika.

Zu diesen Beweggründen die folgende bescheidene Arbeit aufzunehmen gesellte sich aber noch die Erwägung, dass die unter gleichen äusseren Verhältnissen an der Findelanstalt in einer Reihe aufeinanderfolgender Jahre und zu jeder Zeit des Jahres, unter wechselnden epidemischen Einflüssen beobachteten Fälle, desshalb und auch darum einige Bedeutung in ihren statistischen Ergebnissen besitzen dürften, weil die Leibesbeschaffenheit des Kindes, die Umstände, welche der speziell in Betracht zu ziehenden Erkrankung vorangingen, und manches Andere wenigstens in einer grossen Zahl der Fälle genauer. gewürdigt werden konnten, als dies in der Privatpraxis oder überhaupt bei einer ambulatorischen Behandlung solcher kleiner Patienten möglich ist. Man weiss ferner, dass Compilatoren wie z. B. Herr Ob.-Mediz.-Rath Grandidier, wenn sie sich einmal vornehmen, über Nabelblutung zu schreiben, eben nur solche Fälle von Blutungen in der Literatur berücksichtigen, in welchen die Nabelblutung die Hauptrolle spielte, allein bestand, oder wenigstens gleichzeitig mit anderen Blutungen auftrat, so wie, dass dem Compilator ohne eigenes Beobachtungsmaterial endlich nur die hochgradigeren Fälle von Blutungen dieser Art zu Gebote stehen, indem sich wohl Wenige derjenigen, die einzelne Fälle veröffentlichen, beifallen lassen, hiezu Beobachtungen geringfügiger Nabelblutungen auszuwählen. Die leichteren und Genesungsfälle sind aber zur Beurtheilung des Zustandes nicht minder der Beachtung werth, als jene mit profuser Blutung und lethalem Ausgange. Verglichen mit den letzteren führen sie sogar durch die charakteristische Analogie der Erscheinung, gehalten zu dem verschiedenen Intensitätsgrade erst

auf den rechten Weg und lehren manches Symptom, das man als
Folge der Blutung und des durch sie gesetzten Blutverlustes zu betrachten geneigt ist, auf andere Ursachen zurückzuführen.

Um was es sich mir aber bei dieser Arbeit hauptsächlich handeln
musste, das ist die Bekämpfung des schwer zu besiegenden Schlen-
drians, mit welchem man nach althergebrachter Weise die relative
Häufigkeit parenchymatöser Blutungen in diesem Kindesalter mit dem
Abnabelungsprocesse als solchem, mit den Involutionsvorgängen der
Nabelgefässe speciell oder besser gesagt ausschliesslich in ursächliche
Verbindung zu setzen pflegt. Bednar trennte wohl die Nabelgefässblutung von den parenchymatösen Blutungen der Neugebornen. Da er jedoch
gerade den letzten Theil seiner schönen, ja epochemachenden Arbeit bei
weitem flüchtiger abfertigte als die früheren Abschnitte, indem ihm
dabei die volle Benützung des Beobachtungsmateriales nicht mehr zu
Gebote stand, so finden wir diese Blutungen eben nur mit kurzen
Worten abgefertigt, und dabei nur sehr weniger (wahrscheinlich nur
der gerade vorzüglich in Erinnerung gebliebenen) Fälle gedacht. Das
Alles ist sehr wohl begreiflich, wenn man die Umstände erwägt, unter
welchen dieser Band geschrieben wurde, keineswegs jedoch berechtiget
es auf ein seltenes Vorkommen solcher Blutungen an der Wiener
Findelanstalt zu schliessen.

Gelingt es mir nun solche Anschauungen aus der Pathologie der
Neugebornen sei es auch nur theilweise zu verdrängen und einer
naturgemässen Beurtheilung den Weg zu bahnen, so werde ich die
nicht geringe Mühe, die ich auf diese Zusammenstellung verwendete,
überreichlich belohnt erachten; denn die Feststellung dieses Stand-
punktes ist von keiner geringen Wichtigkeit. Zunächst dürfte sie
dazu führen, manche therapeutische Vorgänge, auf die heut zu Tage
Viele nicht wenig halten, in ihrer Nichtigkeit erscheinen zu lassen.
Man würde dann nicht, wie jetzt noch so häufig bei Blutungen dieser
Art (Gefässblutungen natürlich ausgenommen) in der auf mechanischem
Wege geschaffenen Unmöglichkeit des weiteren sichtbaren Austrittes
des hervorsickernden Blutes an die Aussenfläche den Gipfelpunkt alles
Heilverfahrens erblicken wollen und darüber vergessen, dass trotz
des am Nabel fixirten Stempels ärztlicher Kunst die Ursache der
Blutung keineswegs behoben sei, ja dass die letztere so lange als die
hämorrhagische Disposition als solche besteht, auch mit anderen
Plätzchen auf den umfangreichen Ausbreitungen der serösen Mem-
branen, der Schleimhäute und der Cutis vorlieb nehme, oder sich
auch auf das gegen therapeutische Störungen wohlgeschützte Gebiet
des Gehirns, der Lungen, Nieren, Leber etc. verbreite, mag die

Blutung am Nabel gestillt sein oder nicht; man dürfte einsehen lernen, dass die örtliche Anwendung styptischer Mittel, so wichtig es nur immer ist, sie dort nicht zu vernachlässigen, wo es eben eine örtliche Behandlung geben kann, doch nicht die Hauptsache, nicht an sich vermögend sein könne die Heilung des Kindes zu erzielen; man dürfte dann auch den unglücklichen Ausgang solcher Fälle, wo der Arzt die örtliche Blutstillung etwa nicht so entsprechend anstrebte, den Collegen in der Eigenschaft eines Experten vor Gericht nicht als Folge strafbarer Pflichtvernachlässigung oder gar als groben Kunstfehler zur Last zu legen wagen. (Vide den Bericht unseres Jahrbuches Bd. II. 1870 pag. 273.) Um wie viel leichter jedoch als vor einem einsichtsvollen ruhigen, jede Chance der Schuld oder Nichtschuld abwiegenden Richter, können Ehre und Ruf eines Arztes durch die irrthümliche Auffassung collegialer Freunde (?), vor dem beweglichen, tausendstimmigen, zur Verurtheilung eines Arztes so geneigten Gerichtshofe der öffentlichen Meinung des grossen Laien-Publikums gerade in solchen Fällen vernichtet, oder doch empfindlich geschädigt werden.

Dass ich nicht von Nabelblutungen, sondern von Blutungen der Neugebornen überhaupt spreche, dürfte wohl kaum einer Rechtfertigung bedürfen. Um aber diese allgemeinere Auffassung, die Zusammengehörigkeit der Formen dieser Blutungen, mögen sie am Nabel oder anderswo auftreten, mehr in die Augen springen zu machen, ordnete ich die Casuistik absichtlich nach der Oertlichkeit der Blutung, voraussetzend dass die Analogie der einzelnen Fälle und der einzelnen Gruppen meinen Zweck am wirksamsten unterstützen dürften. Da es endlich von nicht minderem Interesse sein dürfte zu sehen, wie sich die Häufigkeit der einzelnen Localisationen der temporären, vorübergehenden Hämophilie (welchen Ausdruck Grandidier's ich mit Vergnügen adoptire) in den einzelnen Jahren gestaltet, wie sich einzelne Formen zuweilen gar nicht, zuweilen wieder in zahlreicheren Gruppen vertreten finden, so werde ich diese Verhältnisse später gleichfalls berücksichtigen.

Casuistik.

Zahlenübersicht.

Tabelle I.

			Verstorbene		Abgegebene		Alle		Summen		Zusammen
			K.	M.	K.	M.	K.	M.	K.	M.	
A. Nabelblutungen.	1. Einfache:	a) Capilläre . .	32	24	17	17	49	41			90
		b) Gefässblutungen .	3	3	1	—	4	3			7
	2. Complicirte mit anderen Blutungen:	Capilläre: a) Nabelblutung vorangehend . .	15	12	—	—	15	12			27
		b) Nabelblutung folgend	4	3	1	—	5	3			8
			—	—	—	—	—	—	73	59	132
B. Blutungen ohne Mitbetheiligung des Nabels.	Sämmtlich parenchymatös, grösstentheils complicirt:	a) Ohr . .	4	1	1	—	5	1			6
		b) Augenlider .	8	2	2	2	10	4			14
		c) Hautdecken	—	1	—	—	—	1			1
		d) Mund (Lippen)	2	4	—	—	2	4			6
		e) Nase .	1	1	—	—	1	1			2
		f) Magen (Hämatemesis)	1	5	1	1	2	6			8
		g) Darm .	6	7	1	1	7	8			15
		h) Blase (Hämaturie) . .	2	—			2	—			2
		i) weibliche Genitalien	—	3	—	1	—	4			4
			—	—	—	—	—	—	29	29	58
			78	66	24	22	102	88	102	88	190

Schon die einfachen Zahlenergebnisse, welche der Leser hier vor Augen hat, dürften hinreichen zu beweisen, dass man (abgesehen von den ausgesprochenen Nabelgefässblutungen) in der That von einer Bluterkrankheit der Neugebornen, keineswegs aber von der Nabelblutung als einer Nabelkrankheit im engeren Sinne des Wortes sprechen könne. Zu Folge der Tabelle I bilden die auf den Nabel allein beschränkten capillaren Blutungen nicht einmal die Hälfte sämmtlicher Blutungsfälle, sondern 46·84 pCt. (K. 48·04, M. 45·45) derselben.

Noch dazu sind aber hier auch jene leichteren Fälle von Nabelblutung mit einbegriffen, welche derjenige, welcher nun reichere Blutentleerungen mit dem Namen Omphalorrhagie bezeichnet wissen will, vielleicht gar nicht berücksichtigt hätte.

Noch weit spärlicher finden wir die Nabelgefässblutungen vertreten (7) welche bloss 5·55 pCt. (K. 5·0, M. 6·25) sämmtlicher Fälle betragen. Diese Gefässblutungen mit eingerechnet fallen also auf 100 Blutungen 50·52 (K. 51·76. M. 48·86) einfache Nabelblutungen.

Blutungen, welche an der Nabelfalte und zugleich an anderen Orten auftreten, bilden 18·95 (K. 19·60, M. 18·18) pCt. der Gesammtzahl, und wenn wir sämmtliche Beobachtungen in zwei Gruppen scheiden, von welchen die eine solche Fälle umfasst, in welchen überhaupt am Nabel eine Blutung vorkam, die andere aber jene, in welchen der Nabel von der Blutung ausgenommen blieb, so verhalten sich beide im Hundert wie folgt:

I. 69·47 (K. 71·57, M. 67·04)
II. 30·50 („ 28·43, „ 32·96)

Wenn nun nahezu ein Dritttheil sämmtlicher Bluterfälle, welche während 6 Jahren und 6 Monaten an einer Anstalt zur Beobachtung gelangten, — die Nabelblutung vermissen liessen, sonst aber in ihrem Entstehen und Verlaufe vollkommen jenen Fällen glichen, wo der Nabel an der Blutung mitbetheiligt war; so kann es doch als erwiesen betrachtet werden, dass die parenchymatöse Nabelblutung nicht die Erkrankung selbst, — sondern nur die Theilerscheinung der Erkrankung bilde, sowie dass das Fehlen oder Bestehen dieser Localisirung die Erkrankung zu keiner andern mache.

In höherem Grade als bei irgend einer anderen Krankheitsform steht der Verlauf und die Prognose der Blutungen in einer gewissen Uebereinstimmung mit den ätiologischen Momenten, namentlich mit den entfernteren Ursachen der sich entwickelnden Dispositionen zur Blutung. Es scheint mir demnach zweckmässiger zu sein, dasjenige was sich in dieser Beziehung aus der mitgetheilten Casuistik ergeben dürfte, früher in Betracht zu ziehen, als die Resultate der Beobachtungen bezüglich des Verlaufes und der Prognose; obwohl eine scharfe Scheidung der Erörterungen in beiden Beziehungen gar nicht möglich ist.

Die Häufigkeit der Fälle von Blutungen überhaupt im Verhältnisse zu der Zahl der von nahezu 13000 in dem Zeitraume, welchen die Casuistik umfasst, aufgenommenen Kindern unter 14 Tagen, beziffert sich mit 1·46 (K. 1·54, M. 1·34) vom Hundert. Dass sich dieses Verhältniss unter den ausser der Anstalt gebornen Kindern des Landes noch beträchtlich niedriger erweisen dürfte, ist wohl kaum zu be-

zweifeln, und es geben daher die obigen Ziffern gewiss keinen Massstab zur Beurtheilung der Häufigkeit von Blutungen unter den Kindern
Prags oder Böhmens, sondern einzig und allein jener unter den Kindern
der Findelanstalt in Prag. Die äusserst grosse Differenz, welche nach
Grandidier's Citaten (G. c. p. 7) in dieser Beziehung zwischen dem
obigen Ergebnisse und den statistischen Angaben amerikanischer und
französischer Aerzte besteht, welchen gemäss Roger bei 10000
Kindern in zwei Jahren die Krankheit — (welche? welche Art von
Blutung?) bloss zweimal gesehen haben will, Dr. Pearing auf je
4000 Geburten nur einen Fall zählt etc., wage ich bei der Unsicherheit und Unbestimmtheit dieser Angaben nicht zu erörtern. Man hat
aber allen Grund, dieselben für wenig verlässlich zu halten, sowie zu
vermuthen ist, dass z. B. Roger wohl 10000 Kinder habe aufnehmen
lassen, doch bei weitem nicht alle vielleicht auch nur gesehen, geschweige denn untersucht, noch weniger aber die Krankheitszustände
der einzelnen verzeichnet haben dürfte. Solche Herren pflegen sich
mitunter auch die Mühe der Durchstöberung ihrer Journale zu er-
sparen, und ein geflügeltes Wort über ihre tausendfältige Erfahrung
von Stapel zu lassen, wie es gerade zum Momente passt.

Die Zahl der Knaben ist auch unter den von mir gesammelten
Fällen eine grössere als jene der Mädchen, doch ist das Ueberwiegen
des männlichen Geschlechtes kein beträchtliches und es bilden die
Knaben 53·68, die Mädchen 46·32 pCt. sämmtlicher Fälle. Auch
Grandidier spricht sich dafür aus, dass bei den Nabelblutungen die
vorwaltende Disposition des männlichen Geschlechtes wohl auch, bei
weitem jedoch nicht so stark ausgesprochen sei, wie bei der Hämophilie, wo auf 11 männliche 1 weiblicher, bei den Nabelblutungen
dagegen 2 männliche auf 1 weiblichen Fall gerechnet werden. Rechnet
man aber in den Grandidier'schen Tabellen nach, so finden sich
127 K. auf 93 M., also 57·7 zu 42·30 pCt.; welches Ergebniss nicht
im vollen Einklange mit seiner obigen Angabe steht. Es nähert sich
dagegen weit mehr dem von mir gefundenen Verhältnisse, indem unter
meinen Fällen der Vorrang des männlichen Geschlechtes nur etwas
über 7 pCt. beträgt. Freilich nahm Grandidier in seine Tabellen
nur solche Blutungsfälle auf, in welchen die Nabelgegend mitbetheiligt
war, ich aber in die meinen alle Blutungen. In einzelnen Jahrgängen ist
der Unterschied noch kleiner, oder gar die Zahl der so erkrankten
Mädchen grösser, so in den Jahren 1866 und 1871 um 1, im Jahre
1870 um 3. Hierüber und über die Häufigkeit der Blutungen in den
einzelnen Jahrgängen gibt Tafel II Aufschluss.

Tabelle II.

Jahr	Capilläre Blutungen				Gefäss-blutungen				Summe				Gesammt-zahl	
	Verstorbene		Genesene		Verstor-bene		Ge-nesene		Verstorbene		Genesene			
	K.	M.	K.	M.	K.	M.	K.	M.	K.	M.	K.	M.	K.	M.
1866	10	7	1	5	—	—	—	—	10	7	1	5	11	12
1867	12	11	2	1	1	—	—	—	13	11	2	1	15	12
1868	11	12	5	3	1	1	1	—	12	13	6	3	13	16
1869	19	10	8	3	1	1	—	—	20	11	8	3	28	14
1870	14	15	4	5	—	1	—	—	14	16	4	5	18	21
1871	9	8	3	5	—	—	—	—	9	8	3	5	12	13
Summe	75	63	23	22	3	3	1	—	78	66	24	22	102	88
									144		46		190	

Das Jahr 1869 weist die grösste Ziffer von Blutern aus, — das Jahr 1866 die geringste. Das erstere Jahr hatte ein Mortalitäts-procent von 16·41, das letztere von 19·68; also gerade verkehrt zur Anzahl der Bluterfälle. Trotzdem würde der Schluss, dass das häufigere Auftreten von Blutungen nicht auch mit anderen Ursachen einer höheren Morbilität unter den Kindern gleichen Schrittes gehen sollte, meiner Meinung nach, ein viel zu voreiliger sein. Jedenfalls scheint die Jahreszeit nicht ohne allen Einfluss zu sein, wie nachstehende Uebersicht der Vertheilung der Fälle auf die einzelnen Monate (wobei der Tag des Auftretens allein berücksichtigt wurde) zeigen dürfte.

Tabelle III.

		Anzahl der Fälle von Blutungen in den einzelnen Monaten												
		Jänner	Februar	März	April	Mai	Juni	Juli	August	September	October	November	December	Summe
Knaben	Verstorben . . .	10	13	8	8	10	9	4	2	5	1	4	4	78
	Abgegangen . .	2	3	1	—	4	2	2	2	3	—	2	3	24
	Zusammen .	12	16	9	·8	14	11	6	4	8	1	6	7	102
Mädchen	Verstorben . . .	6	3	5	13	10	9	6	3	2	4	1	4	66
	Abgegangen . .	2	3	3	2	1	3	1	1	2	1	2	1	22·
	Zusammen .	8	6	8	15	11	12	7	4	4	5	3	5	88
Zu-sammen	Verstorben . . .	16	16	13	21	20	18	10	5	7	5	5	8	144
	Abgegangen . .	4	6	4	2	5	5	3	3	5	1	4	4	46
	Zusammen .	20	22	17	23	25	23	13	8	12	6	9	12	190

Auf die ersten Jahreshälften fallen (die im ersten Halbjahre
1871 beobachteten 25 Fälle abgerechnet)   105 Bluter
    Auf die zweite   60   „
somit beträgt nach Abschlag der Genesungsfälle von 1871 die Zahl der
letzteren durchschnittlich im ersten Halbjahr 18
                    „ zweiten „   20
oder 17·14 und 33·33 pCt.

Es fällt daher sowohl die grösste Anzahl Bluter, als die grösste
Sterblichkeit derselben auf die erste Hälfte des Jahres, welche letztere auch bisher in allen Jahren, welche ich an der Findelanstalt
verbrachte, das grösste Sterbecontigent aller Pfleglinge der Anstalt lie-
ferte. Das letztere jedoch fällt constant in die Monate März, April,
Mai, die grösste Anzahl von Blutern findet sich dagegen in den Monaten
April bis Juni, also um 1 Monat weiter gerückt. Es scheint daher,
dass so ziemlich dieselben Schädlichkeiten, welche die Morbilität und
Mortalität der Kinder an unserer Anstalt in dieser Jahreszeit steigern,
einen analogen Einfluss auf die (übrigens in keiner Jahreszeit gänzlich vermissten) Bluterfälle ausüben.

Die Beziehungen der Blutungen zu dem Alter der Kinder sind
ebenfalls nicht ohne Interesse; doch gewinnen die statistischen Verhältnisse erst dann eine praktische Bedeutung, wenn man die Blutungsfälle nach den Orten der Blutung scheidet.

Auf Tabelle IV versuchte ich eine solche Uebersicht zu geben,
und die Häufigkeit des Beginnes der Blutung an den einzelnen Alters-
tagen ersichtlich zu machen. Im Allgemeinen ergibt es sich aus diesen
Zifferreihen, dass nicht nur wie selbstverständlich die Nabel-Gefäss-
blutungen, sondern überhaupt parenchymatöse Blutungen ohne eine
erbliche Disposition erkennen zu lassen dem ersten Abschnitte des
kindlichen Lebens eigenthümlich seien. Fälle verspätet eintretender
Blutungen (namentlich am Nabel wie am 33. u. 63. Tage Beob. 124
und 82) stehen nur im scheinbaren Widerspruche mit dieser Behauptung.
Es gibt einen abnormen Stillstand in der Entwickelung nicht nur im
fötalen sondern auch im extrauterinalen Leben des Kindes. Viele
jener in Folge eines mangelnden Entwickelungsvermögens oder einer
latenten oder chronisch dahinschleichenden Erkrankung, wie namentlich
der Tuberculose Monate lang zwischen Leben und Sterben dahinsiechenden Kinder bleiben auch nach der äusseren Erscheinung, nach ihren
Körperdimensionen, nach der Zartheit und sonstigen Beschaffenheit
ihrer Hautdecken, ja selbst ihrer Nabelfalte in einem Zustande, welcher dem eines Neugebornen unter normalen Verhältnissen äusserst nahe
kömmt. Die Bedingungen, welche das Auftreten einer Blutung möglich

Tabelle IV.

	am Lebenstage	Die Blutung begann					
		bei Kindern					
		I.	II.	III.	IV.	V.	Summe
	2	1	....	—	--	1	2
	3	—	1	—	—	—	1
	4	2	1	2	—	3	8
	5	3	1	—	1	2	7
	6	2	2	—	—	2	6
	7	6	1	—	1	3	11
	8	16	5	1	3	4	29
	9	8	3	1	—	6	18
	10	11	2	3	—	—	16
	11	8	3	—	—	3	14
	12	10	2	—	1	2	15
	13	8	1	—	—	2	11
I. Einfache capilläre	14	2	2	1	—	—	5
Nabelblutungen	15	1	—	—	1	—	2
II. Complicirte paren-	16	3	2	—	—	3	8
chymat. Nabelblu-	17	2	—	—	—	—	2
tung mit Vorange-	18	2	—	—	—	2	4
hen —.	20	1	—	—	—	1	2
III. Mit späterem Ein-	22	1	—	—	—	1	2
treten derselben.	23	1	—	—	—	1	2
IV. Nabelgefässblutun-	24	—	1	—	—	—	1
gen.	25	—	—	—	—	1	1
	26	—	—	—	—	1	1
V. Parenchymat. Blu-	27	—	—	—	—	2	2
tungen an verschie-	33	—	1	—	—	2	3
denen Körperstellen	35	—	—	—	—	1	1
mit Ausnahme des	39	—	—	—	—	1	1
Nabels.	40	—	—	—	—	1	1
	41	—	—	—	—	4	4
	44	—	—	—	—	1	1
	47	—	—	—	—	1	1
	48	—	—	—	—	1	1
	52	—	—	—	—	1	1
	53	—	—	—	—	1	1
	55	—	—	—	—	1	1
	58	—	—	—	—	1	1
	59	—	—	—	—	1	1
	63	1	—	—	—	—	1
	97	—	—	—	—	1	1
		89	28	8	7	58	190

10 *

machen, werden bei solchen Individuen gleichsam über die Grenze des, eine solche Disposition vorzugsweise begünstigenden Alters forterhalten. Im Allgemeinen jedoch wird das Beginnen der Blutung am Nabel bei vorrückendem Alter des Kindes verhältnissmässig seltener als an anderen Orten. Tabelle IV zeigt dieses allmälige Zurücktreten der Häufigkeit einfacher und complicirter parenchymatöser wie Gefässblutungen am Nabel, in dem Grade als die Kinder älter werden, ganz deutlich.

Ueber den 23. Lebenstag hinaus begann die einfache parenchymatöse Nabelblutung nur noch in einem und zwar in dem früher berührten Falle am 63. Tage; aber auch neben anderen Blutungen einhergehende Nabelblutungen kamen über den 16. Lebenstag hinaus nur zweimal, nämlich am 24. und 33. vor, während die spätest beobachtete Nabelgefässblutung auf den 15. Lebenstag fällt.

Blutungen mit Ausschluss der Nabelfalte dagegen sah man auch bei etwas älteren Kindern, am spätesten bei einem 97 Tage alten. (Beob. 125 Otorrhagia). Doch bildet dieser Fall auch bezüglich solcher Blutungsfälle eine ebenso vereinzelte Ausnahme wie der obige Fall am 63. Lebenstage unter den einfachen Nabelblutungen.

Im Ganzen jedoch fallen Bluterfälle ohne Mitbetheiligung des Nabels häufiger auf eine vorgerücktere Lebenszeit als jene, wo der Nabel allein oder wenigstens mitblutete. Selbst wenn wir von dem berührten Ausnahmsfalle (am 97. Tage) absehen, haben wir noch immer 21 Kinder, bei welchen die Blutung nach dem 21. bis incl. zum 59. Lebenstage begann. Das ist wohl auch sehr begreiflich, da die vorschreitende Entwickelung der Hauptgebilde der Nabelfalte diese Stelle für das Austreten einer Blutung immer weniger geeignet macht, und die letztere, wo die krankhafte Disposition dazu besteht, daher häufiger an anderen, noch in späterer Lebenszeit zarteren und gefässreicheren Stellen der Haut: am Ohre, in den Leistenbeugen oder endlich in den Schleimhautflächen allein auftritt; während früher solche Stellen natürlich auch gleichzeitig mit der Nabelfalte bluten können.

Blutungen aller Art jedoch, treten wie Tab. IV zeigt, am zahlreichsten in der Zeit der zweiten Lebenswoche u. z. vom 7. bis zum 13. Lebenstage auf, auf welchen Zeitraum nichts weniger als 114 von 190 Bluterfällen, also gerade 60 % oder $^3/_5$ der Gesammtzahl fallen. Darunter ist der 8. Lebenstag der reichste, indem die Blutung 29mal an diesem Tage begann. Blutungen ohne Nabelblutung treten 4mal am 8., 6mal am 9. Tage auf und auch von solchen Fällen kommen 20 von 58 also 34·5 pCt. auf diese 7 Tage.

·   Da aber auf diese Woche auch noch 20 andere Beobachtungen
von Blutungen anderer Stellen als der Nabelfalte fallen, die nämlich
gleichzeitig mit Nabelblutungen auftraten, so dürfte schon aus diesen
Zahlenergebnissen allein zu entnehmen sein, dass diese krankhafte,
temporäre Hämophilie einmal überhaupt dem bezeichneten Lebensabschnitte vorzüglich zukomme, und dass nicht die Blutung im Allgemeinen, sondern nur eine der verschiedenen Oertlichkeiten des
Blutaustrittes (allerdings die häufigste) von Störungen der Involutions-
und Bildungsvorgänge der Nabelgegend abhängig gedacht werden könne.
Ja selbst bei den Nabelgefässblutungen, deren Beobachtungsfälle freilich einen sehr kleinen Theil meiner Casuistik bilden, fehlen wie wir
sehen werden sehr selten die Merkmale der bestehenden allgemeinen
Blutungs-Disposition.

Dass diese letztere von der Hämophilie im gebräuchlichen
Sinne des Wortes etwas Verschiedenes sei, darüber besteht unter den
Aerzten meines Wissens keine Meinungsverschiedenheit. Die unter-
scheidenden Merkmale beider Formen sind auch zu naheliegend, um
übersehen zu werden. Die Hauptverschiedenheit liegt jedenfalls darin,
dass wir diese Blutungen bei den Kindern niemals ohne allgemeine
Erkrankung derselben auftreten sehen, und es dürfen uns dabei jene
Fälle nicht täuschen, wo diese Erkrankung leichteren Grades ist und
unter Erscheinungen verläuft, welche nicht besonders auffällig sind.
Das Uebersehen derselben bei Patienten, welche keines bewussten
Ausdruckes ihres Gefühles fähig sind, welche unter allen Umständen
wehklagen und schreien, und bei welchen Gewebsveränderungen innerer Organe selbst durch die minutiöseste Untersuchung und genaueste
Beobachtung der allgemeinen Symptome nicht immer zu entdecken,
und während des Lebens sicher zu stellen sind, ist leichter als man
gewöhnlich und als insbesondere der Unerfahrene auf diesem Gebiete
zu glauben pflegt.

Ein weiteres Unterscheidungsmerkmal ist, dass die Blutung der
Kinder (Fälle von rituellen Beschneidungen vielleicht — aber auch
diese nur mit Vorbehalt ausgenommen, da Blutungen nach solchen
Operationsacten fast ausnahmslos nicht hieher gehören) durchaus oder
beinahe so spontan ohne einen zufälligen mechanischen Anstoss auftreten, wesshalb man ihnen auch das übrigens sprachlich unrichtige
und ganz unpassende Epitheton der freiwilligen (Nabel-) Blutungen
gegeben hat. Freilich gibt es auch bei Personen mit ererbter Hämophilie spontane Blutungen, doch sind die letzteren besonders heftig
und gefährlich bei operativen Eingriffen, Zahnreissen, Eröffnung von
Hautabcessen etc. Gerade das letztere, nämlich die Oncotomie habe

ich wiederholt bei Blutern des in Rede stehenden Kindesalters vorgenommen, ohne dass gerade darauf namhafte Blutungen an der
Schnittstelle gefolgt wären.

Die Erblichkeit der Hämophilie in ganzen Familien ist eine bekannte Thatsache; dass jedoch eine solche Uebertragbarkeit auch bezüglich der auf die früheste Lebenszeit beschränkten Blutungsdisposition
bestehe, ist nach meiner Ansicht kaum zu behaupten. Grandidier
selbst scheint in seiner früheren (1847 erschienen) Schrift über die
Bluterkrankheit mehr als in seiner jüngst publicirten Arbeit über die
freiwilligen Nabelblutungen geneigt, die Disposition zur Nabelblutung
bei wenigstens manchen Kindern mit der Hämophilie der Eltern in
Beziehung zu bringen. Es ist vielleicht die Möglichkeit, dass die Hämophilie der Eltern auch auf das Auftreten von Blutungen in der
frühesten Lebenszeit des Kindes einen fördernden Einfluss üben könne,
nicht zu bestreiten, aber wahrscheinlich ist das häreditäre Moment
bei dieser Art von Blutungen keineswegs.

Die letzteren verlaufen doch in einer sehr grossen Anzahl von
Fällen lethal, und wie wir sehen werden, sind es meist nur die spär-
licheren leichteren Blutungen, welche der Hoffnung auf Genesung
Raum geben, weil sie auf weniger gefährlichen Allgemeinzuständen
und daher auf einer geringeren Disposition zur Blutung beruhen.

Sollte sich nun das erbliche Moment der Hämophilie schon in
der ersten Lebenszeit geltend machen, so würde in einem solchen
Falle die Blutung sei es am Nabel, sei es anderswo, kaum je unter
die leichteren Fälle dieser Art gehören, und es dürften die meisten,
wenn nicht alle, unter solchen Umständen und so erkrankten Kinder
sterben.

In Grandidier's Fällen findet man aber sogar einige Fälle
von glücklich abgelaufenen Nabelblutungen bei Kindern angeführt,
welche aus Bluterfamilien stammten. Sollten daher die von bluter-
kranken Eltern erzeugten Kinder schon in der ersten Lebenszeit unter
dem Einflusse dieser bekanntlich meist mit der Pubertätentwickelung
sich deutlicher entwickelnden erblichen Disposition stehen, so würden
sie einfach sterben, und man würde eben keine erwachsenen Individuen
kennen, welche mit ererbter Hämophilie behaftet sind.

Man könnte aber die Frage so stellen, ob die Kinder solcher
Väter oder Mütter, die selbst in den ersten Wochen ihres Lebens
Nabel- oder andere Blutungen überstanden haben, — nicht eine grössere
Disposition zu solchen Erkrankungen mit auf die Welt bringen? Wir
wissen freilich bisher bei gar keinem der in der ersten Lebenszeit
beobachteten Bluterfällen, ob die Mutter oder der (weit unsicherer)

Vater des betreffenden Kindes in derselben Lebensperiode ihres Lebens an Nabel- oder sonstigen Blutungen gelitten haben. Diess könnte allenfalls zufällig hie und da der Fall gewesen sein. Im Allgemeinen dürfte jedoch das Bestehen einer Disposition zu solchen Blutungen, welche auch auf die Descendenz übertragen wäre, nur bei solchen Individuen zu vermuthen sein, welche nicht nur als Kinder, sondern auch später namhaftere Blutungen durchgemacht haben. Da indess die Kinder, bei denen solche Blutungen mit bedeutenderer Intensität auftreten, fast ausnahmslos zu sterben pflegen, so erscheint die Vererblichkeit dieser speciellen transitorischen Blutungsdisposition schon a priori kaum denkbar.

Die relativ grosse Häufigkeit solcher Blutungen in dem frühesten Lebensabschnitte und vorzüglich in der zweiten Lebenswoche der Kindheit kann nur auf Verhältnissen, welche diesem Theile des extrauterinalen Lebens eigenthümlich sind, keineswegs jedoch auf einem erblichen Momente wie die Hämophilie im engeren Sinne beruhen. Damit ist also ein weiteres differenzirendes Merkmal zwischen beiden gegeben. Ich habe es desshalb vorgezogen, die Frage der erblichen Uebertragbarkeit des Uebels schon hier zu ventiliren, weil die negative Beantwortung derselben weit mehr dazu angethan ist, die essentielle Verschiedenheit dieser und jener, der eigentlichen Hämophilie entsprechenden Blutungen darzuthun, als zu der Kenntniss ihrer ätiologischen Momente im Allgemeinen beizutragen.

Noch weit mehr in die Wage fallend ist jedoch in dieser Beziehung die Vergänglichkeit dieser Bluterneigung, das vollständige Schwinden der Disposition bei solchen Kindern, welche die im ersten Lebensalter aufgetretenen Blutungen ausnahmsweise glücklich überstanden haben. Hier dürften insbesondere die sub Nr. 66 67 p. 183 angeführten Fälle von Belang sein, in deren ersteren zweien die freilich mässige und einfach auf den Nabel beschränkte Blutung nach 24 und 48 Stunden sistirte, und einige Tage später die rituelle Circumcision vorgenommen wurde, ohne dass dieselbe von excessiver Blutung begleitet gewesen wäre. Mit dem Stillestehen der örtlichen Blutung war zugleich das Ende der Blutungsdisposition kundgegeben.

In dem letzt angeführten Falle (183) dagegen wurde die Beschneidung erst am 35. Tage vorgenommen, die Blutung war dabei eine bedeutende und wurde rasch gestillt. Erst 17 Tage später traten Darmblutungen auf, nachdem das Kind in Folge des Blutverlustes nach der Operation in seiner Ernährung bedeutend herabgekommen, und vielleicht dadurch, durch die mangelhafte Blutbildung zu dem Auftreten parenchymatöser Blutungen geneigt geworden war. Auch

dieser Knabe erholte sich wieder, und wenn gleich das Bestehen
einer solchen, die Blutung excessiver machenden Bluterneigung als
bereits zur Zeit der Operation als bestehend zugegeben werden kann,
so verlor sich doch auch bei diesem Kinde nach einer gewissen Zeit
jede Disposition zu ferneren Blutungen.

Nebenbei dürfte aus den obigen Ergebnissen deutlich hervorgehen, dass die rituelle Circumcision im Allgemeinen und besonders
durch die Bestimmung des confessionellen Gesetzes, laut welcher ihre
Vollziehung am 8. also an jenem Tage des Lebens. an welchem jeg-
liche Art von Blutungen bei dem Säuglinge am häufigsten und in der
gefährlichsten Form aufzutreten pflegt, anbefohlen ist, keineswegs
eine an sich gefahrlose Operation sei.

Die Besprechung anderer ätiologischen Momente dürfte erst dann
am Platze sein, nachdem der Verlauf und die Erscheinungen der
Blutung selbst, sowie die gleichzeitig beobachteten anderen Erkran-
kungssymptome in Betracht gezogen sein werden. Es dürfte vor Allem
darauf hinzuweisen sein, dass der Ort der Blutung in der Bluterkrankheit dieses Lebensalters kaum irgend welche erhebliche Verschiedenheit der allgemeinen Erscheinungen und des Verlaufes bedinge.
Einen gemeinsamen Punkt nämlich, dass die Blutungen jeder Art in
der zweiten Lebenswoche am häufigsten vorkommen, haben wir bereits
besprochen, Wir wollen nun sehen, wie es sich in Betreff der Genesungen verhält, unter welchen Fällen aus der Casuistik freilich nur
solche mit eingezählt wurden, wo das Kind, das früher an Blutungen
litt, später in die äussere Pflege abgegeben werden konnte, dagegen
solche, wo die Blutung schon längere Zeit vor dem Tode sistirte und
der letztere nicht wohl mit der Blutung selbst in ursächliche Beziehung gebracht werden konnte, den Blutungen mit tödtlichem Ausgange beigezählt wurden. Im Allgemeinen ergab sich, dass, wo die
Blutung bloss auf einen Ort beschränkt war, die Zahl der Genesende,
eine relativ grössere war.

Es genasen von 100 Erkrankten:

1. Bei den auf den Nabel beschränkten capillären Blu-
   tungen . . . . K. 34·71, M. 40·0, Alle 37·07 pCt.
2. Bei mit anderen Blutungen
   aufgetretenen Nabelblu-
   tungen . . . . K. 5·0, M. 6·25, Alle 5·55 pCt.
3. Bei Nabelgefässblutungen K. 25·0, M. 0·00, Alle 14·3 pCt.
   Von allen Blutungen, bei
   welchen der Nabel mit be-

theiliget war . . . . . . K. 26·02, M. 28·81, Alle 27·27 pCt.
Von den Blutungsfällen,
in denen die Nabelgegend
ausgeschlossen war . . . K. 17·24, M. 17·24, Alle 17·24.
Von sämmtlichen Blutun-
gen . . . . K. 23·53, M. 25·00, Alle 24·21.

Es ist auch leicht begreiflich, dass das Auftreten der Blutung an mehreren Orten als der Ausdruck des Bestehens eines höheren Grades der Disposition zur Blutung gelten müsse, mag die letztere auf was immer für einer Ursache beruhen.

Das percentuelle Verhältniss der Genesungen selbst unter den einfachen Fällen ist aber — wie jedenfalls hervorgehoben werden muss, in der vorliegenden Zusammenstellung desshalb ein so grosses, weil auch die leichtesten Fälle von Blutung namentlich an der Nabel-falte mit aufgenommen wurden. Nebst der Beschränkung der Blutung auf eine einzelne Stelle deutet wohl auch die Geringfügigkeit der Blutung und ihre kurze Dauer auf einen geringeren Intensitätsgrad des Zustandes, welcher die Disposition zu Blutungen bedingt. Nichts-destoweniger finden wir, dass die Blutung in relativ sehr vielen der Fälle, welche lethal verliefen, sich nur auf eine Stelle und nur auf leichte Spuren der Blutung beschränkte, ja erst kurz vor dem Tode eintrat, — dass somit in diesen Fällen nicht die Blutung als Ursache des Todes, sondern die Todeskrankheit als Ursache einer sich ent-wickelnden und nicht einmal immer hochgradigen Blutungsdisposition betrachtet werden musste.

Sowie es der Kinderarzt, welcher seine Erfahrungen sammelt, über-haupt und bei den meisten Krankheitsformen zu finden pflegt, so stellt sich auch hier bezüglich der Blutungen ein günstigeres Gene-sungs-Verhältniss für das weibliche Geschlecht heraus. Freilich sind weder die Zahl meiner Beobachtungen noch die Differenz des Pro-centes der Genesungsfälle zwischen den beiden Geschlechtern ansehn-lich genug, um die grössere Häufigkeit von Genesungen unter den blutenden Kindern weiblichen Geschlechtes als Regel erkennen zu lassen. Inzwischen ergibt sich auch aus Grandidier's casuistischen Tabellen ein ganz ähnliches Verhältniss. Wenn ich anders die Anzahl der Mädchen und Knaben unter diesen von Grandidier angeführten Fällen richtig gezählt habe (das Geschlecht ist nämlich nach der Tabelle wenigstens in den zwei ersten Fällen zweifelhaft), so kommen 127 K. auf 93 M.; die Genesungsfälle auf Grandidier's Tafeln be-tragen 36 (20 K. und 16 M.) nicht 38, wie er später im Texte anführt, und das Procent der Genesenen somit bei den Knaben 15·74, bei den Mädchen 17·20. Nach meiner Beobachtungsreihe ist also das Genesungsprocent der Mädchen um 1·47, nach Grandidier's Zusammenstellung um 1·46 pCt. grösser als jenes der Knaben.

Bemerkenswerth ist vielleicht, wenn anders die Resultate so kleiner Zahlen überhaupt eine Bedeutung haben können, dass unter den Blutungsformen, wo die Nabelfalte nicht betheiligt war, und die relativ häufiger nach der 3. Lebenswoche aufzutreten pflegten, die Zahl nicht nur der Erkrankungs- sondern auch der Genesungsfälle bei Knaben und Mädchen eine ganz gleiche war.

Welchen Einfluss die Jahreszeit auf die Genesungen haben dürfte, lehrt der bereits früher nach den Ergebnissen der Tabelle III gemachte Vergleich zwischen dem Procente der Genesenen in der ersten und in der zweiten Jahreshälfte. Was die Dauer der Blutungen und ihr Verhältniss zu den Genesungen anbelangt, so gestaltet sich das letztere folgendermassen:

Tabelle V.

Dauer der Blutung	In Fällen	Hievon Genesungen	Vom Hundert	
wenige Stunden	29	8	27·6	
1 Tag	80	22	27·5	27·70
2 Tage	39	11	28·2	
3 „	13	2	15·38	
4 „	5	1	20·00	
5 „	6	1	16·00	11·90
6 bis 16 Tage	18	1	5·55	

Diese kurze Uebersicht, welche einer sorgfältig zusammengestellten grösseren Tabelle entnommen ist, deren Abdruck in der Absicht unterlassen wurde, den ohnehin reichen Tabellenschmuck dieses Aufsatzes nicht noch überflüssig zu vermehren, lehrt, dass allerdings auch unter den Fällen von Blutung, die länger dauern, oder in welchen die Blutungen recidiviren, Genesungen eintreten, jedoch weit spärlicher als unter jenen Kindern, wo die Dauer der Blutungen 2 Tage nicht überschreitet.

Unter den angeführten Fällen finden wir übrigens auch dort, wenngleich seltener, Genesungsfälle, wo die Blutung ziemlich hartnäckig und nicht bloss auf die Nabelfalte beschränkt, ja wo der allgemeine Zustand des Kindes auch in anderer Beziehung ein mehr oder weniger bedenklicher, seine Ernährung schon beträchtlich herabgekommen war (58, 65, 81, 87, 132). Die mehr von der Besserung der allgemeinen Erkrankung als von dem Aufhören der Blutung selbst abhängig zu denkende Genesung ist somit unter allen Formen der Blutung möglich.

Nicht ohne Interesse dürfte übrigens iu Beziehung auf die in dem Früheren mitgetheilte Statistik auch der Umstand sein, dass nur in einem Falle, der lethal verlief (96), die Naht, in allen übrigen aber local nichts anderes augewendet wurde als das Auflegen von in Tinctura ferri sesquichlorati (ausnahmsweise in eine gesättigte Alaunlösung) getauchten Charpie-Bäuschchen ohne Compression, während die allgemeine Behandlung sich nach den anderweitigen Zuständen des Patienten richtete.

Nicht unwichtig dürfte endlich in Bezug auf die Genesungsfälle sowohl als auf manche andere Verhältnisse der Bluterkrankheit der Neugebornen die Berücksichtigung des Körpergewichtes der Kinder am Tage der Aufnahme sein.

Tabelle VI gibt darüber den nöthigen Aufschluss. Ich erlaubte mir die Mittelgewichte in österr. Pfunden und Lothen zu geben, weil es sich hier nicht um haarscharfe Endresultate, sondern um Differenzen zwischen den einzelnen Gruppen handelt, welche bei dieser Art Gewichtsbezeichnung besser in's Auge fallen, als bei den mehrziffrigen Zahlen des metrischen Gewichtes *). Da die Kinder verhältnissmässig nur selten am Tage der Geburt zur Aufnahme in die Findelanstalt gebracht werden, soudern dann meist schon 8 Tage alt sind und ihr Körpergewicht während der zurückgelegten ersten Lebenswoche auch schon beträchtlich abgenommen haben kann; so wäre man hier gar nicht berechtigt aus dem Gewichte unter 5 Pfd. allgemein den Schluss auf die Unreife des betreffenden Kindes zur Zeit seiner Geburt zu ziehen.

Wohl aber dürfte der Vergleich mit den an der Findelanstalt in Prag während desselben Jahres-Cyclus und noch über diesen hinaus sich gleich bleibenden Mittelzahlen des Aufnahmsgewichtes sämmtlicher Kinder statthaft sein. Fangen wir nun mit der letzten Rubrik dieser Tabelle an, so finden wir, dass das Mittelgewicht aller an Blutungen erkrankten Kinder unter dem Mittel des Aufnahmsgewichtes der Kinder der Findelanstalt stehe. Das Letztere war nach Tabelle 14 des im 2. Bande unseres Jahrbuches 1870 veröffentlichten Rückblickes pag. 172:

	Pfd.			Pfd.	Pfd. Minus.
bei den K.	5·332	bei den Blutern	K.	5·062	0·27
„ „ M.	5·13	„ „ „	M.	4·81	0.32
Allen	5·252		Alle:	4·890	0·362

*) 1 Pfd. öst. Gewicht = 1·197 Pfd. Zollgew.
1   „   Zollgewicht = 0·835 „ öst. Gew.
1 Lth. öst. Gewicht = 17·5 Grms.
1 Pfd.   „   „   = 2800·048 „

Tabelle VI.   Uebersicht der Durchschnittsgewichte der erkrankten Kinder am Aufnahmstage.

in Pfunden

	I.			II.			III.			IV.			V.			Bei sämmtlichen Nabelblutungen			Bei allen Blutungen		
	K.	M.	Zus.	K.	M.	Zus.	K.	M.	Zus.	K.	M.	Zus.	K.	M.	Zus.	K.	M.	Zus.	K.	M.	Zus.
Verstorbene . .	4,28·2	4,20	4,21·8	4,21·6	5,0·5	4,27·0	4,19·0	4,19·8	4,19·1	5,11·8	5,17·1	5,14·8	5,7·5	4,27	5,1·25	4,23·5	4,25·7	4,24·5	4,28·05	4,25·5	4,27·3
Genesene . . .	5, 8·5	4,25·8	5, 1·1	—	—	—	5,16·0	—	5,16·0·5	4,31·5	—	5	4,22·6	4,22·6	4,28·2	5,8·4	4,25·8	5,1·55	5,8·6	4,26·01	5,0·1
Alle	4,29·2	4,22·4	4,26·1	4,21·6	5,05	4,27·0	4,24·0	4,19·8	4,22·7	5,17·1	5,17·1	5,12·4	5,6·1	4,26·2	5,0·2	4,28·0	4,25·7	4,27·0	5,2	4,25·9	4,28·5

Das Gewichtsmittel der Mädchen war in jeder Classe der Blutungen um 3—8 Loth kleiner als jenes der Knaben, nur bei den Gefässblutungen am Nabel stellte es sich um fast 9 Loth (157·5 Grm.) höher heraus. Es würde diess bei der geringfügigen Anzahl der Nabelgefässblutungen dieses Resultat von gar keinem Belange sein, wenn nicht die Fälle aus verschiedenen Jahren stammten, und wenn nicht auch das Durchschnittsgewicht der Knaben, welche an eben solchen Blutungen erkrankten, das höchste unter allen Kategorien der Blutungen wäre. Zunächst folgen in der Höhe des Durchschnittsgewichtes bei den Knaben die Blutungen, bei welchen die Nabelfalte nicht betheiligt war, und wie Tabelle VI lehrt, beträgt das Plus gegenüber den sämmtlichen Fällen, wo der Nabel mit zu den blutenden Stellen gehörte, bei den Knaben 10 Loth, bei den Mädchen bloss 1 Loth, die letzteren zeigen wieder in der zweiten Kategorie der complicirten Blutungen mit vorangehender Nabelblutung das den Gefässblutungen zunächst kommende Mittelgewicht von 5 Pfd.

Prüft man vergleichend die Durchschnittsgenwichte der Kinder in allen fünf Reihen, so findet man, dass eigentlich nur zwischen den Gefässblutungen und den parenchymatösen Blutungen ein namhafter Unterschied, unter den letzteren selbst aber eine ziemlich geringe Differenz bestehe, welche noch dazu bei einem grösseren statistischen Materiale als das vorliegende ist sich vielleicht nur als eine zufällige erweisen könnte.

Fest steht nur so viel, dass die Blutungen jeder Art vorherrschend bei solchen Kindern auftreten, deren Entwickelung durch Frühgeburt, fötale oder andere Erkrankungen nicht zu der Mittelhöhe gelangt ist, und deren Ernährung auch längere oder kürzere Zeit vor dem Eintritte der Blutung keine normale war.

Die in unserer Casuistik häufig verzeichneten fortgesetzten Gewichtsaufnahmen bei den später an Blutungen erkrankten Kindern lehren übrigens, dass in den meisten Fällen die Kinder schon vor dem Eintritte der Blutung mitunter bedeutende Verluste an ihrem Körpergewichte bemerken liessen.

Abgesehen von seltenen und hier zweifelsohne vom Zufalle abhängigen Ausnahmen (wie in IV K., V M.) — war das Aufnahmedurchschnittsgewicht der Genesenden ein grösseres als jenes der Verstorbenen. Indessen ist die Differenz im Ganzen eine so bescheidene und finden sich auch unter den lethal abgelaufenen Fällen Kinder von so bedeutendem ursprünglichem Körpergewichte, dass es wohl berechtigt erscheinen mag auszusprechen, dass im Allgemeinen die Blutung häufiger bei Schwächlingen auftritt und bei diesen auch um so wahrscheinlicher

zum Tode führe, je höher der Grad der Körperschwäche sei, dass
aber nichtsdestoweniger die Minorität der starken, an lethal ablaufenden Blutungen erkrankter Kinder eine zu beträchtliche sei, als
dass man nicht einsehen sollte, wie die Häufigkeit und der Verlauf
nur in mittelbarer, entfernter Beziehung zu dem Körperbaue des
Kindes stehen. Die folgende Uebersicht der Häufigkeit der einzelnen
Aufnahmsgewichtsmaasse bei den Verstorbenen und Genesenen dürfte
diess beweisen.

Uebersicht der Häufigkeit der einzelnen Gewichtsmaasse.

Tabelle VII.

Oesterreichische Pfunde	Verstorbene		Genesene		Alle			Von 100
	K.	**M.**	**K.**	**M.**	**K.**	**M.**	**Zus.**	
2—3	—	1	—	—	—	1	1	0·526
3—4	13	14	1	2	14	16	30	15·789
4—5	31	24	9	14	40	38	78	41·052
5—6	24	20	12	6	36	26	62	32·632
6—7	8	5	1	—	9	5	14	7·368
7—7·13	2	2	1	—	3	2	5	2·632
	—	—	—	—	—	—	190	

Die schwächsten Kinder unter 3 Pfd. sind also so gut wie gar
nicht vertreten, trotzdem sie in der Findelanstalt nicht zu den besonderen Seltenheiten gehören und z. B. unter den 11430 Kindern, die
das statistische Materiale im Rückblicke (l. c. pag. 174) bilden,
99mal vorkommen. Man kann auch nicht sagen, dass derartige Kinder
bei uns immer früher sterben, ehe sie an Blutungen erkranken können,
— da viele derselben oft Monate lang in der Anstalt verpflegt wurden
und 5 Procent derselben sich sogar erholten und in die äussere Pflege
abgegeben werden konnten. Nicht minder eigenthümlich ist auch das
Ergebniss, dass die höheren Gewichtsmasse von 6 Pfd. bis 7 Pfd. 13 Lth.
gerade unter den nach Blutungen reconvalescirten Kindern gegenüber
den verstorbenen so äusserst spärlich, bei den Mädchen gar nicht vertreten sind. Die Mittelschwachen dagegen von 4—5 Pfd. sind nicht
nur die zahlreichsten unter den Blutern, sondern es genesen auch
unter ihnen relativ die meisten (23 v̇. 78 als 29·4 %, während von
den 5pfündigen 62 die Genesungsfälle 18, also 20·03 pCt. betragen)
und das Procent aller Genesenen, wie wir oben sahen, sich nur mit
24·21 pCt. beziffert.

Die Häufigkeit der Genesungen und die Aussicht auf einen
glücklichen Ausgang geht somit keineswegs ganz parallel mit dem
Körpergewichte, welches das Kind zur Zeit seiner Aufnahme besass;

doch ersehen wir aus Tabelle VI und VII, dass unter den Mädchen absolut und relativ bedeutend mehr von jenen genasen, die unter 6 Pfd. schwer waren als bei den Knaben, und dass bei diesen Letz‑teren wiederum die meisten Genesungsfälle unter jenen gefunden wurden, welche 5 bis 6 Pfd. schwer waren.

Was die Verhältnisse der Abstammung der erkrankten Kinder anbelangt, so kann man in einer Findelanstalt selbstverständlich nur äusserst selten etwas von dem Vater erfahren, doch ist auch die Mutter nur dann bekannt, wenn sie gesund ist und als Amme in die Findelanstalt transferirt wird *).

Tabelle VIII.

Mutter	Knaben			Mädchen			Zusammen		
	Verst.	Genes.	Alle	Verst.	Genes.	Alle	Verst.	Genes.	Alle
Ammenkinder	39	13	52	31	13	44	70	26	96
Puerp.-Erkran-kung . . .	16	4	20	18	6	24	34	10	44
Unfähig zu stil-len	4	1	5	1	1	2	5	2	7
Mit Lues behaf-tet	1	1	2	2	—	2	3	1	4
Carcinom . . .	—	—	—	1	—	1	1	—	1
Plötzlich ver-storben in d. Gebäranstalt	1	—	1	—	—	—	1	—	1
Klassenkinder	14	4	18	13	2	15	27	6	33
WeggelegteKin-der u. Stras-sengeburten	3	1	4	—	—	—	3	1	4
Summe .	73	24	102	66	22	88	144	46	190

Die Ammenkinder betragen nun nach der auf Tab. VIII gege-benen Uebersicht bei den K. eines über, — bei den M. gerade die Hälfte. Das Genesungsprocent unter den Ammenkindern ist 27·8 pCt.,

---

*) Der Ausdruck „Ammenkinder" auf der Tabelle VII. hat somit die Bedeutung, dass die Mutter sammt dem Kinde am 8. Tage nach ihrer Ent-bindung in die Anstalt kam, und in der überwiegendsten Zahl der Fälle das Kind während der ganzen Verpflegzeit des letzteren selbst stillte; alle übrigen heissen im Findelhausjargon „Nebenkinder," worunter die auf der Zahlabtheilung (oder -Klasse) geborenen Klassenkinder verstanden wer-den. Diese, sowie die im Lexikon der Gebär- und Findelanstalt als Gassen-geburten bezeichneten (von Frauenspersonen, die bevor sie zur Anstalt gelangten oder wirklich auf der Strasse von der Geburt überrascht wur-den, herrührenden) Kinder, kommen unmittelbar oder wenige Stunden nach der Geburt in die Findelanstalt, eben so viele der weggelegten Kinder und jene von kranken Müttern 1 bis 7 Tage alt. Die Ausdrücke selbst, habe ich der Kürze wegen, in der Tabelle beibehalten.

jenes unter den Nebenkindern 21·2 pCt. Unter den Letzteren wären
vielleicht noch jene, die einfach bald nach der Geburt in die Anstalt versetzt wurden, von jenen zu trennen, bei welchen diess wegen
einer Erkrankung der Mutter geschah. Von den Klassenkindern etc.
genasen 7 von 37, also 10 pCt.; von denjenigen, wo die Krankheit
oder der Tod der Mutter die Ursache der Transferirung war, 13 von
57, also 22·8 pCt. Das ungünstigste Genesungsprocent zeigen somit
nicht die von kranken Müttern herrührenden, sondern die im frühesten Lebensalter in die Anstalt gelangenden Kinder.

Dieses Ergebniss ist vielleicht durch den früher erörterten Umstand zu erklären, dass die grösste Häufigkeit des ersten Auftretens
der Blutung und zwar gerade der verderblichsten Fälle derselben in
die erste Woche fällt, während später auftretende Blutungen im Allgemeinen eine grössere Aussicht auf Genesung gewähren dürften.
Doch ist dabei nicht zu übersehen, dass gerade unter dieser Reihe
von Kindern auffällig viele Schwächlinge vorkommen und auch nicht
wenige von kranken Vätern herrühren mögen, so wie unter den schädlichen Einflüssen leiden, welche in dem einen Falle die mit der
Verheimlichung der Schwangerschaft und mit dem Gemüthsdrucke
verbundenen Umstände, in dem Andern die Misslichkeiten einer uner-
warteten Entbindung mit sich führen.

Im Allgemeinen liefern aber auch die Ergebnisse dieser Tabelle
einen weiteren Beweis zu der noch immer nicht genug beherzigten
Wahrheit, dass die Ernährung des gesunden, sowie des erkrankten
Kindes an der Brust der eigenen Mutter unter allen Umständen zu
den meist erfreulichen Resultaten führe.

Nachdem nun die statistischen Ergebnisse dieser casuistischen
Zusamenstellung im Allgemeinen besprochen worden sind, dürfte es an
der Zeit sein, die einzelnen Gruppen derselben durchzumustern und
auf manchen einzelnen Fall, dessen in dem Vorangehenden noch nicht
gedacht wurde, aufmerksam zu machen.

A. Gefässblutungen.

Wir wollen mit jener Art der Blutungen beginnen, welche
meiner Ansicht allein den Namen Nabelblutungen verdienen, nämlich
mit den Nabelgefässblutungen. (Fälle 91—97.)

Die verhältnissmässige Seltenheit dieser Art von Blutungen
wurde bereits früher hervorgehoben, und es dürfte hier noch der Umstand zu berücksichtigen kommen, dass alle diese Fälle in die käl-
tere Jahreszeit, (December bis Mai) fallen, sowie, dass die Jahre
1866 und 1871 gar keine Blutung dieser Art aufzuweisen hatten.

In 6 Beobachtungsfällen von 7 war das Blut schwärzlich, dickflüssig und gerinnungsfähig, auch einmal mit Eiter gemischt; im
Falle 93 dagegen wässerig und ohne Gerinnung. In diesem letzteren
Falle fand die Entleerung des Blutes im Strahle statt, in den übrigen
trat das Blut aus der Nabelwunde, oder um genauer zu sprechen,
aus der Gefässinsertionsöffnung derselben hervor, und wurde die Menge
desselben durch einen dem Verlaufe der Nabelarterien entsprechenden
Druck vermehrt. Die Blutung trat hier erst ziemlich spät (am 15.
Tage) auf, und recidivirte noch später. Erst am 23. Tage entwickelte
sich eine hochgradige beiderseitige Pneumonie, welche den Tod des
Kindes herbeiführte.

Leider wurde gerade in diesem in seinem Verlaufe so wesentlich von den anderen Beobachtungen dieser Art abweichenden Falle
die Section nicht vorgenommen, obwohl in dieser Reihe von Blutungen verhältnissmässig die meisten Sectionsbefunde (4) vorliegen.
In dem sub 92 mitgetheilten Beobachtungsfalle verlor das Blut allmälig seine Gerinnungsfähigkeit.

Auch bezüglich der Zeit und Art der Abnabelung in diesem
und in den andern Fällen von Nabelgefässblutung sind unsere Aufzeichnungen lückenhaft, nur von dem Mädchen (Beob. 94) wurde notirt
dass die Blutung bald nach dem am 5. Lebenstage erfolgten Abfalle des
Nabelstrangrestes eintrat, im Falle 95, dass die Abnabelung am 3. Tage
erfolgte, während die Blutung erst am 12. Tage sich einstellte.

Indess ist es bei Blutungen solcher Art einleuchtend, dass der Verschluss der Nabelfalte ausnahmslos ein unvollständiger sein müsse, indem
sonst das Blut nicht direct aus den Gefässen entleert werden könnte.

Die klaffenden Gefässenden waren auch an der Leiche sichtbar,
die Nabelarterien fast stets bedeutend voluminös, in ihren Wandungen verdickt, einmal Wülste von der Dicke eines kleinen Fingers
bildend, mit Blutgerinnungen oder mit dickem Blute bis nahe zur
Blasenscheitelhöhe gefüllt, — hinter den Pfröpfen waren sie meist
leer oder mit flüssigem Blute gefüllt. (95.)

Was die Nabelvene anbelangt, so war sie wohl in einem Falle
(92) klaffend und ihr Nabelende mit Granulationen umgeben, dagegen
leer; in den übrigen Fällen jedoch verschlossen und mehr weniger
involvirt.

Dieses Ergebniss, die erwähnte Art des Hervortretens des Blutes,
sowie die einfache Betrachtung der Stromrichtung des Blutes in den
Nabelgefässen dürften wohl hinreichen darzuthun, dass Gefässblutungen am Nabel ausschliesslich nur aus den Nabelarterien erfolgen
können, während es die mit der Geburt veränderte Richtung der

Blutströmung andererseits begreiflich macht, dass Blutungen dieser
Art nur dort eintreten können, wo die Involution und Retraction der
betreffenden Gefässe abnorm behindert ist, und wo namentlich die Zugkraft der Lunge nicht hinreichend ist, oder es durch Krankheitszustände
wird, den Blutstrom von diesen fötalen Ausgangsgefässen vollständig ab-
zulenken. Dadurch wird auch die schon an sich grosse Seltenheit solcher Gefässblutungen, sowie die noch weit grössere Seltenheit solcher
Fälle begreiflich, in welchen das Blut sowie bei Gefässblutungen im
Allgemeinen und unter andern Verhältnissen im Strahle entleert wird.

Nicht uninteressant ist in dieser Beziehung die Beob. 92, indem an
der Leiche dieses am 9. Lebenstage verstorbenen Knaben nebst der bereits
erwähnten Durchgängigkeit des Nabelendes der Vena umbilicalis auch
ein frühzeitiger Verschluss der fötalen Herzwege angetroffen wurde.

In der sub 93 angeführten Beobachtung mit aus den Arterien
im Strahle heraustretendem Blute war sowie bei dem sub 95 angeführten Mädchen beiderseitige Bronchopneumonie vorhanden, in einem
andern Falle dagegen (91) die Lungen lufthältig, das Herz schlaff.

Ich muss gestehen, dass diese Befunde ganz und gar nicht im
Stande sind, auch nur annäherungsweise zu erklären, warum eigentlich in diesen Fällen die Gefässblutung eingetreten ist. Die gleiche
Beschaffenheit, Verdickung, Thrombosirung der Arterien mitunter
selbst begleitet von einer mehr weniger hochgradigen Insufficienz der
Lungen finden wir auch in Fällen, wo sich keine derartige oder überhaupt keine Blutung einstellte.

Noch schwerer dürfte es halten, die diphtheritische Erkrankung
oder gar die Darmkatarrhe in anderen Fällen mit der Gefässblutung in irgend eine directe Beziehung zu bringen.

Trotzdem scheint es mir unzweifelhaft, dass der Eintritt solcher
Blutungen von den zwei oben bezeichneten Bedingungen abhängig
gedacht werden müsse. Es bleibt beinahe kein anderer Ausweg offen
als zu vermuthen, dass die Zugkraft der Lungen in solchen Fällen
auch in anderer Weise und durch andere Zustände in dem entsprechenden Grade vermindert werden könne, als durch die mittelst des
anatomischen Messers nachweisbare theilweise Unwegsamkeit der Lungenzellen, dass auch die Beschaffenheit des Blutes selbst, sowie die
Functionsstörungen vasomotorischer Centren Behinderungen oder Anomalien des Kreislaufes hervorrufen dürften, für welche die nachweisbare Beschaffenheit der Kreislaufsorgane selbst keine hinreichende Erklärung liefert. Es ist jedoch einleuchtend, dass das eben bezüglich
der Gefässblutungen und der denkbaren Bedingungen ihres Auftretens

Gesagte fast unverändert auf alle Blutungen dieses Lebensalters seine Anwendung finde.

Ohne die Durchgängigkeit der Nabelarterien gegen den Nabel zu und ohne die Möglichkeit eines Blutzuflusses in dieselben kann freilich keine Nabelgefässblutung vorkommen, diese letztere tritt jedoch nur in den wenigsten Fällen wirklich ein, wenn auch diese Vorbedingung besteht, sie kann nicht als der Grund sondern nur als eine unerlässliche Bedingung dieser Blutungen gelten, gerade so wenig als die Beschaffenheit der Nabelfalte oder andere blutende Flächen für die Ursache der capillären Blutungen angesehen werden können. Wir finden auch bei den Nabelgefässblutungen, dass der Blutverlust an sich, wenn auch häufiger als bei parenchymatösen Blutungen, doch nur in dem kleinsten Theile solcher Fälle die eigentliche Todesursache ausmache. Die Anämie ist mitunter schon eine hochgradige, bevor das erste Tröpfchen Blut aus den Nabelarterien hervortritt, und die mittelst der Anlegung einer Naht rechtzeitig erzielte Stillung der äusseren Blutung bei dem sub 96 angeführten Mädchen wandte in diesem unseren einzigen ebensowenig wie in so vielen von Andern auf diese Weise behandelten Fällen den Tod ab. Die Sache dürfte vielmehr hier sowie bei anderweitigen Blutungen so liegen, dass das Kind, wenn es einmal zu dem Auftreten von Blutungen kömmt, sich bereits in einem Zustande befindet, der es in eine grössere oder geringere Lebensgefahr versetzt, und dass der Blutverlust selbst bei Gefässblutungen bei weiten nicht immer, ja vielleicht in der kleinsten Minderzahl der Fälle den tödtlichen Ausgang bedinge, sondern ihn wohl je nachdem mehr oder weniger beschleunige, mitunter aber auch völlig unschuldig an dem Tode sein könne.

In den Fällen von Gefässblutungen, die in den Bereich meiner Beobachtung fielen, zeigen ferner die bedeutenden Krankheitszustände eine merkwürdige Analogie mit jenen, welche die Kinder auch bei Blutungen anderer Art darbieten, und es gibt unter jenen, welche ich ihres weiteren Verlaufes und Sectionsbefundes wegen unter die parenchymatösen Blutungen einreihen musste, manche, bei denen die Bestimmung, zu welcher Klasse sie eigentlich gehören, nicht so leicht war.

Es dürfte daraus zu folgern sein, dass selbst das Auftreten von Gefässblutungen mitunter und vielleicht allgemeiner als man bisher anzunehmen glaubt, durch das Bestehen einer Bluterdiathese bedingt oder wenigstens gefördert werde; und dass die Gefässblutungen nicht immer unabhängig von Letzterer sein können.

Ist diese Auffassung eine berechtigte, dann ist aber auch für eine grosse, wenn nicht für die Mehrzahl von Nabelgefässblutungen in der mechanischen künstlichen Beschränkung des Blutabflusses kein sicheres Gewähr für die Heilung des Kindes zu suchen und ihre Unterlassung keineswegs immer als die Ursache des Todes desselben anzusehen.

B. Parenchymatöse Blutungen.

Man wird es nun erklärlich finden, dass ich in der folgenden Besprechung der Beobachtungsergebnisse von parenchymatösen Blutungen des Neugebornen und jüngsten Säuglings auf Manches zurückkommen werde müssen, was ich bezüglich der Nabelgefässblutungen hervorhob. Auch hier beabsichtige ich bloss die eigenen Beobachtungsresultate zu erörtern. Es dürfte nicht überflüssig sein, diess ausdrücklich hevorzuheben. Da nämlich selbstverständlich viele dieser Ergebnisse und demnach auch viele meiner auf dieselben gestützten Ansichten mit den Folgerungen übereinstimmen, zu welchen Andere wie Wiederhoffer, Wrany, Grandidier etc. ebenfalls gelangt sind; so könnte es mir allenfalls vorgeworfen werden, in solchen Punkten nichts Neues zu bringen oder auch die Unterlassung der jeweiligen Citirung aller derjenigen, die eine ähnliche oder dieselbe Ansicht, welche ich vertheidige, schon von mir ausgesprochen haben, als Nichtbeachtung der Leistungen Anderer oder gar als Unkenntniss der betreffenden Fachliteratur gedeutet werden. Ich will mich aber eben darauf beschränken, nur dort, wo mich meine Erfahrungen zu Schlüssen führen, welche sich von den Ansichten anderer Fachmänner über die betreffenden Punkte mehr weniger wesentlich unterscheiden, meinen Standpunkt zu vertheidigen und dann, je nachdem es nothwendig erscheint, die Auffassung, welche mir nicht richtig scheint, zu citiren und zu widerlegen. Zahlreiche Citate oder gar eine vollständige Anführung und Würdigung der betreffenden Literatur würden den Umfang dieser Arbeit überflüssig vermehren, da es eben nicht in meiner Absicht liegt, eine Monographie dieser Krankheitsform zu schreiben, sondern vielmehr einen bescheidenen Beitrag für künftige Handbuch- oder Monographienverfasser zu liefern, damit sie nicht immer und ewig dasselbe abschreiben müssten, um einem dringenden Bedürfnisse abzuhelfen.

1. Die einfachen parenchymatösen Nabelblutungen, welche im Casuisticum sub I in den Fällen von 1—90 vertreten erscheinen, unterscheiden sich eigentlich in ihrem Verlaufe und den Nebenerscheinungen durch gar nichts von den anderen Bluterfällen mit oder ohne Nabelblutung, als eben durch den Umstand, dass sie sich auf den Nabel beschränken und mit dieser Beschränkung am häufigsten vorkommen, wesshalb ich auch die Erörterung namentlich der begleitenden allgemeinen Zustände erst später summarisch für alle Blu—

tungen aufzunehmen gedenke, um nicht in allzuhäufige Wiederholungrn zu verfallen.

Hier dürfte zunächst jener Fälle zu gedenken sein, in welchen die einfache Blutung bei noch adhärirendem Nabelschnurreste eintrat. Solcher Fälle zählt unsere Casuistik 3, nämlich Nr. 60 K. und Nr. 38 und 30 M. Diese Erscheinung ist an der Findelanstalt, wo es relativ wenig neugeborne Kinder gibt (350—400 des Jahres), selten genug. Der Lebenstag, an welchem die Blutung auftrat, war in dem ersten Falle nicht genau zu bestimmen, weil das Kind ein weggelegtes war, doch höchstwahrscheinlich der dritte, in den andern der zweite und fünfte. In dem ersten war die Blutung nur sehr mässig; in dem zweiten der Nabelstrang stark sulzig; ein bedeutender meningealer Bluterguss und Atelektase der Lungen, welchen Zuständen noch ein pericardiales Exsudat und eine bedeutende Blutüberfüllung der Hirnblutleiter, der Schilddrüse etc. beihalfen, die im Leben beobachteten Erscheinungen der hochgradigen Cyanose und der erschwerten Respiration hervorzurufen. Nur im letzten Falle (39) war die Haut im Umkreise des adhärirenden Nabelstrangrestes nekrotisirt, in den übrigen Fällen intact. Auch hier war das Lungengewebe stellenweise atelektatisch. Dass aber die Blutungen dieser Art ebenso wie Hautblutungen an jeder anderen Stelle durch allgemeine Zustände und nicht durch Zerrung des Nabelstrangrestes oder durch Continuitätsstörungen der Haut hervorgerufen wurden, dürften die angeführten Fälle deutlich genug erweisen.

In sehr vielen Fällen der einfachen wie der in Gesellschaft mit anderweitigen Hämorrhagien auftretenden Nabelblutungen sind mehr weniger bedeutende krankhafte Veränderungen der Nabelgefässe in ihrem Verlaufe in der Bauchhöhle der Kinder zu constatiren. Nicht nur aber, dass diese noch in einer weit grösseren Zahl von Fällen dort vorkommen, wo es keine Nabelblutung gibt, dass anderseits Nabelblutungen ganz gleichen Charakters wie im Falle 82, wo schon dem Alter des Kindes zu Folge, aber noch mehr aus der Beschaffenheit der Nabelfalte selbst zu schliessen die Involution der Gefässe vollständig zu Stande gekommen war bei völlig überhäuteter Nabelfalte eintreten, sondern auch der anatomische Befund, sowie der ganze Verlauf lassen in solchen Fällen meist keine ursächlichen Beziehungen der Arteriitis oder anderer Gefässveränderungen zu der Nabelblutung erkennen.

Sowie im Falle 24 und 26 steht in manchen andern die Gefässinsertionsstelle der Nabelfalte offen, der eitrige oder jauchige Inhalt entleert sich gleichzeitig neben dem an dem Hautringe der Nabelfalte hervorsickernden Blute und mischt sich mitunter mit dem letzteren; ja es tritt selbst wie im Falle 27 etwas dickliches Blut aus den klaffenden Gefässostien oder aus der Nabelkloake hervor. Hier ist es in der That nicht so leicht zu entscheiden, ob man es mit einer Gefässblutung zu thun habe oder nicht, umsomehr als, wie ich oben bemerkte, auch die Gefässblutungen meist von Erscheinungen wirklicher Bluterdiathese begleitet zu werden pflegen. In diesem sub 27 angeführten Falle jedoch deuteten schon im Leben die allgemeine Venostase und die Ecchymosirung der Hautdecken an der Stirne, — die erschwerte Respiration, der gedämpfte Percussionsschall und die Consonanzerscheinungen darauf, dass diese Blutung keine Gefässblutung sei. Die Section dagegen zeigte, dass die Nabelarterien contrahirt waren und einen schlanken Pfropf führten dagegen die Nabellacune sehr geräumig und in ihren Wandungen blutig imbibirt war, somit von einer Gefässblutung keine Spur bestand. Die Anlegung einer Naht hätte hier gewiss keinen Sinn gehabt.

Das Hinzutreten von Gangrän der blutenden Stellen wie im Falle 26 oder Blutungen nach vorangegangener Gangrän kam mir namentlich im ersten Jahre meiner Dienstleistung häufiger, aber auch später mitunter vor. Bereits im Jahresberichte pro 1867 habe ich einige derartige Fälle (Jhrb. f. Physiol. und Pathol. des ersten Kindesalters pro 1863—1866) angeführt und zugleich die genetische Verwandtschaft zwischen Blutungen und Gangrän hervorgehoben, welch letztere ebensowenig oder noch weniger als die erstere Anspruch auf den Titel einer Nabelkrankheit hat.

Im Uebrigen will ich nur noch Eines bemerken. Ebenso wie bei anderweitigen Blutungen so auch bei den einfachen Nabelblutungen ist das hervorsickernde Blut keineswegs immer unfähig zu gerinnen. Insbesondere bei leichteren Blutungen und zu Anfang der Blutung bilden sich sogar häufig wenngleich sparsame Blutgerinnsel, wie diess auch in zahlreichen Fällen meiner Casuistik notirt ist.

Umgekehrt ist bei den Gefässblutungen aus den Nabelarterien die Gerinnungsfähigkeit des Blutes keineswegs constant, wie bereits früher gemeldet wurde. Ebenso wie die Dauer und Heftigkeit der Blutung ist somit hier wie bei allen Blutungen die Gerinnungsfähigkeit von der Art der allgemeinen Erkrankung und von der Blutbeschaffenheit abhängig, welche die Blutung bedingen, und kann an sich kein Unterscheidungsmerkmal zwischen Gefäss- und Gewebsblutungen abgeben.

2. Die Nabelblutungen, welche im Vereine mit anderen Blutungen auftreten, bieten wohl weder in ihrem Verlaufe, noch in ihrem Charakter irgend welche greifbare Unterschiede, möge die Blutung am

Nabel vor oder nach den anderen Blutungen eintreten. Ich schied auch diese zwei Reihen Bluterfälle bloss desshalb , weil das spätere Eintreten der Nabelblutung ganz unwiderleglich erweist, dass die Blutungen anderer Stellen oder Organe nicht als die Folge der Nabelblutung aufgefasst werden dürfen, wie diess so häufig geschieht, — und dass die Nabelblutung in solchen Fällen durchaus keine andere Rolle spiele als die Blutung an jeder beliebigen anderen Stelle.

Es ist begreiflich, warum das spätere Eintreten der Nabelblutung seltener vorkomme als die umgekehrte Folge, wo der Nabel den Reigen beginnt; es genügt zu constatiren, dass solche Fälle überhaupt beobachtet werden, und dass sie nicht seltener sind als die Nabelgefässblutungen. Zunächst dürfte in Betracht zu ziehen sein, an welchen Orten die Blutung bei diesen complicirten Blutungsfällen neben dem Nabel beobachtet wurde.

Unter den 35 Fällen beider Reihen complicirter Nabelblutungen finden sich nachstehende Orte vertreten:

Mund (Lippen, Zahnfleisch) . . . . in 17 Fällen.

Darmschleimhaut . . . . 12 „

Magen (Hämatemesis) . . . . 9 „

Hautdecken . . . . 5 „

Lidbindehaut . . . . 5 „

Aeusseres Ohr . . . . 2 „

Nase . . . . 2 „

Blase (Hämaturie) . . . . , 1 Fall

Mit Ausnahme der weiblichen Genitalien also finden wir unter den die Nabelblutung begleitenden oder ihr vorangehenden Blutungen alle Orte vertreten, welche wir, wie auf Tabelle I ersichtlich ist, auch in jenen Fällen blutend finden, wo die Nabelfalte bei der Blutung nicht mitbetheiligt ist. Die Blutungen der Mundschleimhaut und der Lippen bildeten in fast der Hälfte aller Fälle die Begleiter der Nabelblutung; zunächst kommen, was die Häufigkeit anbelangt die Darm- und Magenblutungen.

Unter den der Nabelblutung vorangehenden Blutungen stehen obenan die Augenlidblutungen, welche in 5 von 8 oder in allen Fällen, wo sie bei complicirten Nabelblutungen vorkommen, den Anfang machten, und unter jenen Fällen, wo die Nabelblutung den Anfang machte, gar nicht beobachtet wurden. Ich werde noch später Gelegenheit haben, auf dieses Verhalten zurückzukommen.

Bezüglich der Dauer der Blutungen sind auch hier die Fälle mit kürzerer Dauer von wenigen Stunden bis 2 Tagen vorherrschend, doch ist die Gesammtdauer der Blutungen schon öfter eine längere, sowie jene der zunächst zu berücksichtigenden parenchymatösen Blutungen ohne Omphalorrhagie.

Nicht jede einzelne der blutenden Stellen blutete so lange als die Blutungen überhaupt anhielten, indem die Blutungen z. B. des Mundes oder des Ohres etc. nicht immer gleichzeitig, sondern meist die eine später als die andere, mitunter nach bereits erfolgter Stillung der früheren gleichsam vicariirend eintreten, in einzelnen Fällen die Blutung an bereits früher betheiligten Stellen recidivirte.

Unter den einzelnen Fällen dürfte der sub Nr. 118 angeführte einer der interessantesten sein. Er reiht sich an die weiter oben besprochenen Fälle einfacher Nabelblutung bei adhärirendem Nabelstrangreste an. Am 5. Lebenstage trat gleichzeitig Blutung im Umkreise des fast adhärirenden Nabelstranges und Darmblutung auf, dabei war das Kind, das früher auf einzelne Gliedmassen beschränkte Zuckungen und andere Gehirnsymptome, sowie eine beträchtliche Cyanose, erhöhte Körperwärme und Abnormitäten des Schädelwachsthumes (und der Schädelform) dargeboten hatte, bereits apathisch. Die Blutung dauerte bloss 18 Stunden. Bei der Leichenschau fand man nicht nur eine bedeutende Gehirnhyperämie und Oedem der Meningen (analog dem meningealen Bluterguss in dem früher angezogenen Falle 60), sondern auch blutiges Secret an den Schleimhäuten des Halses und einen subpleurealen Bluterguss an den Oberlappen beider Lungen vor. Wie aus dem Befunde ferner hervorgeht, fand sich im peripheren Theile der Nabelarterien schon eitriger Inhalt, die Nabelvene contrahirt, etwas flüssiges Blut führend. — Dieser Befund kömmt auch bei gewöhnlichen Nabelblutungen sehr oft vor, und es dürfte daher dieser Fall, wo der vertrocknete Nabelstrangrest so fest adhärirte, dass an einen Zusammenhang der localen Blutung mit der beschriebenen Beschaffenheit dieser Gefässe nicht zu denken ist, darthun, dass sicher auch in den allermeisten oder in allen Fällen parenchymatöser, nach erfolgter Abnabelung eingetretener Nabelblutung ein anologer Befund mit der letzteren nichts zu thun haben dürfte.

Man muss dann wiederum sagen: dieselben allgemeinen Ursachen, welche die regelmässige Involvirung der betreffenden Gefässe behinderten, den eitrigen Zerfall des Thrombus der Arterien beförderten, — haben auch entweder die Bluterdiathese und das Auftreten der capillären Blutung überhaupt oder wenigstens ihr Erscheinen an der Nabelfalte bedingt.

3. Ich komme nun in dieser cursorischen Musterung der einzelnen Gruppen auf jene Blutungen, bei welcher der Nabel gar nicht mitbetheiligt war. Da die meisten auch dieser Fälle complicirt, hier

jedoch nur nach derjenigen Blutung rangirt sind, welche die erste
aufgetreten oder die heftigste war oder vereinzelt blieb, so dürfte es
nicht überflüssig erscheinen, auch hier wie in der Gruppe der complicirten Nabelblutungen die Häufigkeit der einzelnen Blutungsorte in
Betracht zu ziehen.

In der folgenden Uebersicht gibt die erste Reihe die Häufigkeit
solcher Blutungen in jenen Fällen, wo keine Nabelblutung vorkam; —
die zweite die Summe dieser und jener in der vorigen Uebersicht
bei complicirten Nabelblutungen zusammengestellten Zahlen von Blutungen an anderen Stellen.

Darmblutungen	in 24 Fällen	. . . .	39
Blepharorrhagie	„ 12 „	. . . .	20
Stomatorrhagie	„ 11 „	. . . .	28
Hämatemesis	„ 11 „	. . . .	20
Otorrhagie	„ 7 „	. . . .	9
Blut. weibl. Genit.	„ 7 „	. . . .	7
Rhinorrhagie	„ 4 „	. . . .	4
Hautblutung	„ 2 „	. . . .	7
Hämaturie	„ 2 · „	. . . .	3

Die Darmblutungen sind somit nach den Nabelblutungen am
zahlreichsten und zwar mit 18·94 pCt. sämmtlicher Bluterfälle vertreten; zunächst kommen die Mundblutungen mit 14·73 pCt. und dann
die Hämatemesis und die Blutungen der Conjunctiva mit 10·52 pCt.
Freilich ist hier überhaupt nur derjenigen Blutungen gedacht, bei
welchen während des Lebens das entleerte Blut sichtbar geworden,
und sind somit weder die Gewebsblutungen innerer Organe noch Blutaustretungen in den serösen Ausbreitungen, noch die mit der Bluterdiathese in innigster Beziehung stehenden Sugillationen und Ecchymo-
sirungen selbst der äusseren Haut oder sichtbarer Schleimhautflächen
mit einbezogen worden.

Die Genesungsfälle in der Gruppe der Blutungen, mit welcher
wir uns gegenwärtig beschäftigen, betreffen sämmtlich nur einfache
Blutungen, von welchen

auf die Blepharorrhagie	. . . .	4 Fälle	(2 K. 2 M.)
„ „ Stomatorrhagie	. . . .	1 „	(1 „ 0 „)
„ „ Enterorrhagie	. . . .	2 „	(1 „ 0 „)
„ „ Hämatemesis	. . . .	2 „	(1 „ 1 „)
„ „ Vaginalblutung	. . . .	1 „	(0 „ 1 „)

fallen. Mit Ausnahme eines einzigen bot in allen diesen Fällen die
blutende Fläche keine Continuitätsstörung; soweit das Auge während
des Lebens oder bei der Obduction zu dieser Constatirung benützt

werden konnte. Dieser Fall ist in Beob. 142 mitgetheilt. Nach vorangegangener parenchym. Keratitis ergoss sich Blut in die vordere
Augenkammer und der Fall gehört somit eigentlich gar nicht unter
die Blepharorrhagien.

Man könnte endlich — wenigstens in einzelnen dieser Fälle
eine vorangegangene mechanische Reizung als zufälliges zum mindesten förderndes Moment der Blutung betrachten. Diess wäre allerdings nur nur dort denkbar, wo eben der Sitz der Blutung solchen
Einwirkungen zugänglich ist, also bei Blutungen der Mund- und Lid-
schleimhaut, der Nase und der Genitalien.

Bei der relativ grossen Seltenheit der Rhinorrhagie und dem
kleinen Umfange der Nasenöffnungen kann man auch bezüglich dieses
Blutungsortes füglich von der Einwirkung solcher zufälliger Gelegenheitsursachen absehen. Bezüglich der anderen genannten Orte wäre
es jedoch allerdings denkbar, dass in dem einen Falle die in Folge
aufgetretenen Secretes nöthig gewordene Reinigung des Mundes, in
dem andern die bei der Ophthalmia purulenta zur Entfernung des
Secretes nothwendigen Vorgänge, in dem dritten endlich die bei Beseitigung der die Genitalien verunreinigenden Ex- und Secrete verursachte Reibung mitunter einen Anstoss zur Blutung geben könnten.
In der Wirklichkeit und der Erfahrung jedoch findet man meist nichts
von allem dem. Blutungen der Mundschleimhaut sowie der Conjunctiva
palpebrarum treten plötzlich und ohne vorausgegangene örtliche Leiden
auf, welche den Verdacht rege machen könnten, dass die unsanfte
Hand der reinigenden Pflegerin oder die Schärfe des angewandten
Aetzmittels zu der eintretende Blutung beigetragen haben könnten.
Andererseits gibt es wieder eine bedeutende Zahl von Fällen, wo die
Befreiung der Mundschleimhaut von Soorpilzen in der That mit wenig
Geschick und mit schwerer oder kräftiger Hand geschieht, wo die
Genitalien ebenso unzart abgewischt werden, wenn sie verunreinigt
sind, oder wo die Heftigkeit der Ophthalmie ein entschiedenes und
energisches Einschreiten erfordert, — und wo alle diese Eingriffe auch
nicht die Spur einer Blutung, wenigstens nicht die einer capillären
Blutung zur Folge haben.

Bei Augenlidblutungen der Art, wie die angeführten Fälle 139,
141 und 142—152 sie darbieten, finden wir vielmehr das Blut aus
der geschlossenen Lidspalte in kleinen, bei der geringsten Lüftung
derselben in grossen Mengen sich entleeren. Die Blutung ist meist
am Tarsaltheil am heftigsten, oft ziemlich lange anhaltend, oft in
wenigen Stunden spontan sistirt. Gleichwohl ist es leicht begreiflich,
dass schon die katarrhalische, namentlich aber die sich als diphtheri-

tische kundgebende Lidschleimhautentzündung durch den vergrösserten Gefässreichthum und die Turgescenz dieses Schleimhautgebietes die Localisation der anderweitig vorbedingten Blutung auf dieser Stelle — begünstigen, sowie ähnliche Verhältnisse unter gleichen Umständen zu der Häufigkeit des Blutaustrittes am Nabel führen.

Ebenso ist es begreiflich dass, die Hyperämie der Mundschleimhaut aus dieser oder jener Ursache die Entwicklung der Soorpilze nicht wenig fördern, und zugleich bei sich entwickelnder Bluterdisposition auch das Auftreten von Blutungen der Mundschleimhaut begünstigen könne. Die Reinigung des Mundes auf mechanischem Wege und der Eintritt der Blutung daselbst können dann leicht zusammenfallen, ohne dass man letztere auf diese Gelegenheitsursache zurückzuführen Grund hätte.

Uebrigens fand man auch an der Leiche, nachdem der agonisirende Zustand des Kindes eine eingreifende Reinigung der Mundhöhle schon durch längere Zeit vor dem Tode nicht mehr zuliess, die Zunge oder das Gaumengewölbe mit Schichten theils geronnenen theils flüssigen Blutes bedeckt. Wohl aber ging auch der Blutung der Mund- und Rachenschleimhaut zuweilen die diphtherische Erkrankung der letzteren voran, selbst in solchen Fällen, wo andere Organe bluteten.

. Noch viel auffallender ist das spontane Auftreten in den Blutungsfällen der weiblichen Genitalien. Sollte die Derbheit des Reinigungsvorganges auch hier die veranlassende Ursache der Blutung sein, so müsste die Anzahl der Blutenden eine ganz immense sein, während doch diese sogenannte Menstruatio praecox von manchem Fachschriftsteller als besonders seltene Merkwürdigkeit behandelt wird und auch selten vorkommt. In der That sollte man von dieser durchaus unwissenschaftlichen Bezeichnung gänzlich abgehen. Die Blutungen der Schleimhaut der Vagina und Schamlefzen bei weiblichen Neugebornen oder Säuglingen sind ihrer Wesenheit nach durchaus nicht verschieden von den Blutungen, welche wir in diesem Kindesalter an anderen Stellen des Körpers auftreten sehen. Desshalb ist diese Erscheinung auch nur dem ersten Kindesalter eigenthümlich, in welchen wir auch so viele andere den puerperalen Zuständen analoge physiologische und pathologische Verhältnisse antreffen. Der Involution des Uterus und seiner zahlreichen Gefässe entspricht die Involution der Nabelgefässe; hier wie dort wird eine allmälige Abstossung der ausser Verbindung tretenden Gebilde durch Zerfall oder Fäulniss der letzteren unter gleichzeitiger Reintegrirung der früheren Verbindungsstellen eingeleitet, die während der Schwangerschaft bei der Mutter sowie bei der Frucht gegen den

Unterleib, hier gegen die Aus- und Einführungsgefässe, dort zur
Placenta und zum Uterus in reichlicherem Masse zuströmende Blutmenge hat sich in anderen Richtungen zu vertheilen, und wir finden
in der That, dass nicht nur die Brüste der Wöchnerin, sondern auch
jene des Kindes in Folge dieses Umstandes mehr weniger turgesciren,
dass die Brustdrüsen auch beim Kinde serceriren, und dass dieser
Zustand (namentlich die Anschwellung) mitunter sehr bedeutend werden ja sogar zu ähnlichen Eiterungsprocessen führen könne wie an
den Brüsten der Wöchnerin. Ebenso finden wir oft bei neugeborenen
Mädchen Scheidenblennorrhoen mit zuweilen äusserst reichlicher Secretion und dicklichem weissem Ausflusse.

Was jedoch die Hauptsache und der Grund der meisten dieser
angeführten und noch anderer den Wöchnerinen und den Neugeborenen eigener verwandter Erscheinungen ist, — das ist die beiden
gemeinsame Disposition zur Venostase und Pyämie, welche als Folge
von Störungen der zur Fortsetzung des Lebens nothwendigen Vorgänge in der Blutbildung und Circulation zu betrachten sind, welche
krankhafte Abweichungen sich unter den durch die Geburt bedingten
begünstigenden Verhältnissen so leicht und bei Wöchnerinnen und
Kindern relativ so häufig entwickeln.

Es ist unbegreiflich, dass diese Wahrheit, nämlich die den Wöchnerinnen sowohl als den Neugeborenen eigene Disposition zur pyämischen Erkrankung noch immer so wenig von den Fachgenossen beachtet wird. Es kann diess lediglich auf dem Mangel zahlreicher
Beobachtungen von Seite der Mehrzahl der Beobachter einer- und
andererseits auf der Einseitigkeit der Beobachtungen beruhen, indem
man aus wenigen oder gar vereinzelten Fällen Schlüsse ziehen will,
ohne grössere zu verschiedener Zeit und im Verlaufe mehrerer Jahre
gesammelte Beobachtungsreihen zur vergleichenden Würdigung zu
Gebote zu haben. Wenn man noch dazu in den einzelnen Fällen
weniger das Gesammtbild der Erkrankung und ihres Verlaufes als die
einzelne Erscheinung beachtet, welche man wie z. B. den Icterus, die
Meningitis, die Apoplexie, die Hyperämie des Gehirnes, das Sclerem oder
die Nabelblutung etc. herausreisst und als die Hauptsache, — dagegen
alle andern Krankheitserscheinungen nur neben ihnen oder als unterge-
ordnet betrachtet, so kann man freilich niemals zu einer solchen den
Zustand in seiner Totalität erfassenden pathologischen Anschauung
gelangen. Nur auf diese Art kann man sich der Erkenntniss ver-
schliessen, dass die Erkrankungen der Neugeborenen gerade so und
in demselben Masse wie jene der Wöchnerinnen vorwiegend pyämischer Art sind und dass die Anomalien der Blutbildung und der

Circulation welche im Wochenbette so gut wie bei den Neugeborenen leicht eintreten können, ebenso die Disposition zur pyämischen Erkrankung wie zu allgemeiner Venostase, damit selbst zu mehr weniger localen Kreislaufstörungen und zu Blutungen bedingen. Sowie bei der Wöchnerin der Uterus und die Genitalienschleimhaut die am häufigst blutenden Stellen sind, so ist es beim Neugeborenen, wie leicht zu begreifen, der Nabel, der am häufigsten blutet. Mitunter geht aber die Analogie mit dem puerperalen Processe so weit, dass auch die Genitalienschleimhaut des neugeborenen Mädchens zum Sitze der Blutung wird, ja dass sich die Blutung auf diesen Ort beschränkt, — dass sich (wie so häufig bei den Wöchnerinnen) in der dritten oder vierten Woche nach der Geburt eine nur geringfügige Blutsekretion daselbst einstellt.

Man muss dabei festhalten, dass der pyämische (folglich auch der puerperale) Process sowie die andern erwähnten Zustände in allen Graden der Intensiät auftreten können, und dass somit Erkrankungen leichteren Grades nicht anderen Charakters seien als jene, welche die Beispiele der höchsten Entfaltung des Processes darstellen. Demgemäss sind auch leichte Blutungen wegen der Geringfügigkeit der Localerscheinung oder der Störungen des allgemeinen Zustandes nicht etwa als physiologische Vorgänge, sondern immer als abnormer krankhafter Zustand aufzufassen. So verhält es sich auch mit den Genitalblutungen neugeborener Mädchen, zu welchen ich nach dieser, wie mich bedäucht, keineswegs überflüssigen Erörterung zurückkomme.

Dass die Genitalienblutung in diesem Lebensabschnitte nicht als physiologische Varietät betrachtet werden könne, beweist schon der Umstand, dass die Blutung in 4 von den beobachteten 7 Fällen mit Blutungen anderer Schleimhäute vergesellschaftet war. Niemals trat sie, wie übrigens schon bemerkt wurde, mit Nabelblutung gleichzeitig auf. In 6 von 7 Fällen erfolgte der Tod der betreffenden Kinder, doch auch der mit Genesung endende Fall (190) verlief nicht ohne anderen Erkrankungssymptomen. Die Brustdrüsen waren infiltrirt, eine ziemlich hochgradige Pyophthalmie trat auf, und endlich gesellten sich auch, freilich viel später, exsudative Anschwellungen verschiedener Gelenke hinzu.

In den übrigen Fällen war die Genitalienblutung viermal von Darmblutungen und in einem dieser letzteren Fälle (156) auch von Mundblutung und Meläna, in zweien von Bronchopneumonie begleitet. In den übrigen zwei lethal abgelaufenen Fällen waren heftige Darmkatarrhe und in einem derselben auch grünliches Erbrechen aufgetreten. Das Blut war überall, sowie es im Falle Nr. 191 beschrieben wird, dicklich, mitunter hell, zuweilen aber auch dunkelroth und schmierig.

Diese Beobachtungen, sowie die ihnen vorangeschickten Bemerkungen, insbesondere endlich die Häufigkeit des Zusammentreffens der Darm- und Genitalienblutungen dürften hinreichen zu erweisen, dass die Blutungen der Genitalienschleimhaut neugeborener Mädchen nicht als eine Menstruatio praecox, sondern so gut als Localerscheinung einer bestehenden Bluterdiathese zu beurtheilen seien wie jede andere Haut- oder Schleimhautblutung in diesem Alter.

Weit ungleicher als bei den Vaginalblutungen war die Beschaffenheit des aus dem Verdauungstractus durch Erbrechen oder durch den After entleerten Blutes. Mitunter kamen auf letzterem Wege selbst ziemlich umfangreiche schwärzliche Gerinnungen zum Vorschein, mitunter dünnes flüssiges, mehr hellrothes Blut, zuweilen auch nur Blutstreifen in den Stühlen, oder es bildeten flüssige, schwärzliche Stühle die Vorläufer der später eintretenden Blutung. Sowie in Fällen besonders heftiger Mundblutungen die Mundschleimhaut, so fand man auch bei Darmblutungen die Schleimhaut des Magens, Dünndarmes, meist jedoch jene des Dickdarmes stark injicirt und hyperämisch, häufig gelockert, mitunter aber auch blass; in anderen Fällen wieder streifig geröthet. Gewöhnlich (aber nicht immer) gingen Magen- und Darmkatarrhe den Blutungen voran.

Die Hautblutungen traten entweder plötzlich und an Stellen auf, wo die Oberhaut unverletzt war, wie in der Achselgrube, in der Leistenbeuge; und es stellte sich dann erst später Gangrän an diesen Stellen ein, oder es entwickelten sich früher Brandblasen und es blutete das entblösste Corion. Der erstere Verlauf ist analog mit jenem zuweilen bei Nabelblutungen vorkommenden. Die bedeutende Blutung aus der Beschneidungswunde des Präputiums in dem zur Genesung gebrachten Falle 183 dürfte wohl ebenfalls nicht auf das Trauma allein zu beziehen sein und eine bereits bestehende Disposition zur Blutung verrathen, indem sich, freilich erst 17 Tage später, Darmblutung einstellte. Gleichwohl habe ich den Fall nur mit Rücksicht auf die letztere meiner Casuistik eingereiht.

Die Blutungen am äusseren Ohre stellen eben auch nur Hautblutungen dar. Wohl in den meisten aber durchaus nicht in allen solchen Fällen war eine Entzündung des äusseren oder des Mittelohrs der Blutung vorangegangen, doch entleerte sich das Blut seltener aus dem äusseren Gehörgange als aus dem Hautüberzuge der Concha oder am Ohrläppchen, welcher erstere aber stets unverletzt war.

Was die Blutungen der Blasenschleimhaut anbelangt, so dürfte diese seltenere Localisirung der Blutung durch die in dem einen Falle nachgewiesene eitrige Peritonitis und in dem andern vorgefundene Nephritis purulenta hinreichend erklärt sein. In keinem dieser Fälle jedoch ging die sonst hie und da auch bei anderen Bluterfällen im im Leben beobachtete Dysurie voran, so wie bemerkt werden muss, dass purulente Nephritis oder Nierenapoplexie und Bright'sche Nierenerkrankung in vielen anderen Fällen zur Beobachtung kamen, wo keine Blutung oder wenigstens keine Hämaturie eintrat.

Durch das Vorangeschickte dürfte es auch wohl begründet erscheinen, dass ich der, die verschiedenen Blutungen begleitenden anderweitigen Krankheitssymptome bei der Besprechung der verschiedenen Gruppen der Blutungen und der einzelnen Fälle nur hie und da Erwähnung that. Die parenchymatösen Blutungen der ersten Kindheit müssen als zusammengehörig betrachtet werden, das dürfte bereits hinreichend erörtert und, wie ich glaube, erwiesen worden sein. Wie wir sehen werden, bieten auch die Krankheitszustände, welche sie begleiten und das Krankheitsbild vervollständigen, soviel Gleichartiges dar, mag die Blutung an dieser oder an jener Stelle aufgetreten sein, dass man bei diesen Erörterungen die Blutungen nicht mehr gruppenweise nach dem Orte ihres Auftretens, sondern in ihrer Gesammtheit in's Auge fassen muss.

Es dürfte sich nun darum handeln, auf die Spur der diese vorübergehende Hämophilie im Allgemeinen veranlassenden Ursachen zu kommen. Ich habe in dieser Beziehung schon bei der Erörterung der Genitalienblutungen vorgearbeitet und Manches erwähnt, was hier zur Geltung gebracht werden soll. Damit jedoch die Begründung dieser theilweise schon früher ausgesprochenen Ansichten eine breitere Basis gewinne, dürfte es nicht überflüssig erscheinen die Krankheitsprocesse, welche die Blutungen in den Fällen unseres Casuisticums begleiteten (besser gesagt, welche in den Krankengeschichten eben berührt waren) aufzuzählen.

Tabelle IX enthält die diesfalligen Ergebnisse aus den Krankengeschichten und Tabelle X jene der Sectionsprotokolle. Von den 39 Obductionsbefunden betreffen 24 Knaben und 15 Mädchen. Von den begleitenden Krankheitserscheinungen ist die häufigste der Darmkatarrh, der in 53 oder in 28 pCt. sämmtlicher Fälle vertreten ist. Welche Bedeutung derselbe hinsichtlich des Verlaufes in solchen Fällen haben dürfte, geht wohl daraus am besten hervor, dass er in den Genesungsfällen der Bluter nur dreimal vorkam. Dagegen lässt sich bei dem Umstande, dass secundäre Enterokatarrhe (pyämische Diarrhoen) in der That die häufigste Theilerscheinung der zum Tode führenden Erkrankungen der Kinder dieses Alters bilden und bei einer sehr viel grösseren Anzahl von Kindern auftreten, als es Bluterfälle unter ihnen gibt, durchaus keine directe Beziehung derselben zu dem Auftreten der Blutung constatiren, umsomehr, als selbst unter den 22 Fällen von Darmblutungen bei 6 Kindern keine Diarrhoe vorkam (134, 172, 174, 176, 180, 183), in einem (171) die Diarrhoe erst viel später nach der Blutung eintrat. Man kann also höchstens vermuthen, dass dieselben Umstände in den betreffenden Fällen das Auftreten von Darmkatarrh und die Blutung der Darmschleimhaut begünstigt haben mochten, dass die Bluterdiathese nebst anderen Momenten auch durch die mit der Diarrhoe zunehmende Schwäche indirect gefördert worden sein konnte; keineswegs ist man jedoch zu dem Schlusse berechtigt, dass der Darmkatarrh eine zur Darmblutung gehörige Erscheinung ist.

Ich habe übrigens in meinen Jahresberichten wiederholt Gelegenheit genommen zu bemerken, dass die colliquativen Diarrhoen tabescirender Kinder nicht mit den in Folge von ungeeigneter Nahrung oder Entziehung der Wärme, durch die Verdunstung nasser Windeln etc. herbeigeführten primär katarrhalischen Zuständen der Darmschleimhaut gleichzustellen seien. Sie sind vielmehr beinahe ausnahmslos secundär und completiren das Bild der pyämischen Krankheitsprocesse der Kindheit zu deren Ausgangsformen sie gewöhnlich gehören.

Fasst man ihre Bedeutung von diesem, wie ich überzeugt bin, einzig richtigen Standpunkte auf, dann wird man auf die Häufigkeit des Ikterus in Bluterfällen, welche jener der Diarrhoe am nächsten kommt, leicht begreiflich finden, wenn man sich nämlich nach und nach daran gewöhnt haben wird, in dem Ikterus dieses Lebensabschnittes in allen Fällen und in allen Graden desselben eine pyämische Erscheinung zu erkennen. Der Ikterus kam in 40 von 190 Fällen oder in 21 % derselben, darunter aber nur bei 4 Genesenen vor; er war — was wohl zu beachten ist — in einzelnen Jahren ein häufigerer, in anderen ein selteneren Begleiter von Blutungsfällen, — und nach dem früher bezüglich der Darmkatarrhe Gesagten dürfte es keiner weitläufigen Erörterung bedürfen darzuthun, dass seine Beziehungen zu den Blutungen und zu der Bluterdiathese nicht weiter her seien, als die besprochenen der Darmkatarrhe. Auch der Ikterus kömmt bei überschwenglich mehr Kindern vor, welche nicht bluten, als bei solchen, die bluten; bei den letzteren fehlt er dagegen in nahezu $4/5$ aller Fälle.

Nebst diesen Erscheinungen, welche die Anwesenheit pyämischer Erkrankung in einer nicht unbedeutenden Anzahl von Bluter-

Ergebnisse der klinischen Beobachtung.

Tabelle IX.

Begleitende Krankheitserscheinungen		Knaben verstorbene	Knaben genesene	Mädchen verstorbene	Mädchen genesene	Zusammen
Haut	Ikterus	32	3	11	1	40
	Anämie	14	.	11	.	25
	Cyanose	5	.	8	.	13
	Sklerem	.	.	2	.	2
	Oedem (d. Scrotums der Extremitäten etc.)	3	.	1	.	4
	Hautabscesse	5	.	.	.	5
	Gangrän (Decubit.)	3	.	6	.	9
	Eczem, Pemphigus, Miliaria, Herpes	4	.	2	.	6
	Peliosis, Ecchimoses Sugillationes .	4	.	4	.	8
	Melano (Venostasis)	11	.	7	.	18
Kopf, Gehirn	Abnormitäten des Schädelwachsthums: Lückenbildung . .	1	.	4	.	5
	Abnormitäten des Schädelwachsthums: Lynostosis praecox und Formanomalien	2	.	3	.	5
	Kephalohaematom	5	.	1 occip.	.	6
	Bluterguss in der Galea	2	.	. .	.	2
	Fissur des Scheitelbeines	1	.	.	.	1
	Otitis purul.	4	.	2	.	6
	Pyophthalmia	13	.	13	2	29
	Zittern, Convulsionen, contract. Lähmungen	10	.	7	.	17
Mund	Soor	2	.	2	.	4
	Diphtheritis	2	.	2	.	4
Verdauungstractus	Erbrechen	5	1	2	.	8
	Enterocatarrhus	25	1	25	2	53
Respirationsorgane	Lungencatarrhe. Bronchopneumon. Pleuritis	18	.	15	.	33
	Atelektasis	.	.	2	.	2

Körpertemperatur von 31 Fällen						
30	32	33	35	36	37	38
1	1	2	3	8	9	7

Ergebniss des Sections-Protokolls.

Tabelle X.

Befunde		Knaben	Mädchen	Zu-sammen
Blutaustritt in die Galaea, Pericran.		3	.	3
Meningitis purulenta		2	1	3
Hyperäm. cerebri und mening.		3	2	5
Anaemia cerebri und mening.		2	.	2
Sklerosis cerebelli und med. oblong.		1	.	1
Oedema mening.		2	1	3
Sugillat. mening.		.	1	1
Apoplex. mea.		1	.	1
Apoplex. capill. cerebri		.	2	2
Oedema cerebri		.	1	1
Infiltr. caseosa pulmon.		.	1	1
Bronchopneumon.		5	3	6
Pneumon. cruposa		2	.	2
Bronchocatarrh.		2	1	3
Atelektasis pulmon. part.		2	4	6
Infarctus pulmon.		3	3	6
Exsud. pleur.		2	.	2
Sugill. Pleura		1	.	1
Compressio pulm. und exsud. pleur.		1	.	1
Röthung, Imbibition, Lockerung, Ecchymosirung der Schleimhaut des	Mundes	1	1	2
	Halses	3	1	4
	Magens	4	.	4
	Dünndarmes	1	2	3
	Dickdarmes	2	5	7
Fötalwege	Ductus Botalli geschl.	1	.	1
	Arteria umbil. geschl.	4	5	9
	Arteria umbil. retrahirt	1	1	2
	Blut in Arterien umbilic.	2	1	3
	Blut in der Vene „	2	.	2
	Vene obliter. „	3	2	5
	Phlebothrombosis	1	.	1
Herz	Musculatur ecchymosirt	1	.	1
	fettig entartet	3	1	4
	Ecchym. d. Pericard.	1	.	1
Leber	gelblich derb	1	1	1
	fettig entartet	2	1	3
	gross, blutreich	3	1	4
	klein, blutreich	1	.	1
Milztumor		1	2	2
Croup laryngis et fauc.		1	1	2
Blut im Magen		2	2	4
„ in der Mundhöhle, Rachen		2	1	3
„ im Darmkanale		1	3	4
in der Blase		1	.	1
Corion suffundirt von Extravasaten		1	1	2
Peritonitis eitrige		1	.	1
Ecchym. d. Periton.		1	.	1
Conjunctiva-Blutgerinnsel		1	.	1
Blutgerinnsel am Nabel		1	1	2

fällen erkennen lassen, fanden sich aber auch noch directere Symptome eines solchen Zustandes bei Blutern vor. Wir finden in einigen Fällen Pemphigus, Miliaria etc. in anderen Hautabscesse, purulente Otitis, vereiternde Kephalohämatome; in den Sectionsprotocollen und wahrscheinlich auch noch sonst bei mehreren Kindern, deren Leichen nicht obducirt wurden, purulente Meningitis, Pleuritis, Peritonitis, Nephritis, eitrigen Zerfall des Thrombus der Nabelarterien, in einem Falle auch Phlebothrombosis umbilicalis, Decubitus-Geschwüre und Gangrän der früher blutenden Stellen, wie in der Achselgrube, an der Nabelfalte etc. an. Nimmt man nun dieses Resultat einfach wie es sich aus der Betrachtung einer immerhin ansehnlichen Reihe von Fällen ergibt, so wird man freilich nicht zu dem Schlusse gelangen, dass die Pyämie als solche die Ursache aller Blutungen sein könne. Wie ich bereits im Jahresberichte der Prager Findelanstalt pro 1867, l. c. pag. 60 etc. hervorgehoben habe, ist die Pyämie auch hier sehr häufig vertreten und relativ nicht viele der so erkrankten Kinder sind Bluter, so wie sich unter den letzteren nicht wenige befinden, welche gar keine oder wenigstens keine so deutlichen und ausgesprochenen Erscheinungen der Pyämie darboten, als viele andere Kinder, bei welchen keine Hämorrhagien beobachtet wurden.

Nichtsdestoweniger ist das Zusammentreffen der Pyämie und der Blutung eines oder mehrerer Organe, sowie das Verschmelzen der letzteren mit den übrigen Erscheinungen zu einem Processe, das Gangränesciren blutender Stellen oder umgekehrt die capilläre Blutung an necrotisirten Gewebspartien etc. häufig genug, um es wahrscheinlich zu machen, dass die nicht zu läugnende grosse Disposition zur pyämischen Erkrankung, sowie die gleichfalls auffallende Häufigkeit der Anlage zu capillären Blutungen, welche beide diesem Abschnitte des Kindeslebens eigen sind, gemeinsam auf jene Momente zurückzuführen sind, welche die Störungen der Blutbildung, der regelmässigen Oxydirung, Zusammensetzung, Entwickelung von Blutgasen und Oligämie in eben diesem Alter begünstigen Das Verhältniss der letzteren zu den Blutungen ist nämlich ein analoges wie jenes der Pyämie. Es können 50 Kinder mit hochgradiger Anämie sterben, ohne dass mehr als eines oder zwei davon bluteten, nichtsdestoweniger finden wir bei 25 Blutern die Anämie ausdrücklich verzeichnet, was nur in besonders hochgradigen Fällen der letzteren geschieht; auch ersehen wir aus den Krankengeschichten, dass die Anämie bereits einen hohen Grad erreicht haben könne, ehe die Bluter auch nur den ersten Tropfen Blutes auf dem Wege capillärer Blutung verloren haben. Uebrigens lehrt es die Erfahrung auch bei Erwachsenen, dass die Neigung zu

12 *

Blutungen überhaupt mit dem Steigen der Oligämie zunehme, und warum sollte es sich in dem kindlichen Alter, von welchem wir sprechen, anders verhalten? Trotzdem tritt hier, wie gesagt, selbst bei der hochgradigsten Blutarmuth verhältnissmässig nur äusserst selten Blutung auf. Dass es überhaupt nicht die Blutbeschaffenheit allein sein könne, welche zu der Blutung führt, dürfte auch der Umstand erweisen, dass das Blut selbst bei capillären Blutungen einmal dick, gerinnungsfähig, dunkel, ein anderes Mal hellroth, flüssig, ein drittes Mal ganz dünn und wässerig, blassroth ist. Man darf auch die Anämie und Pyämie in diesem Alter, wo es nichts als Uebergänge und complicirte Formen gibt, nicht für weit auseinander zu haltende Begriffe ansehen, da diese Zustände nicht selten in dem einzelnen Falle gar nicht zu scheiden sind. Die Anämie entwickelt sich vorwiegend als Folgezustand pyämischer Erkrankung; Schwächlinge haben wiederum die grösste Anlage zur Pyämie.

Wenn nun auch die capilläre Blutung niemals auftreten dürfte, wo nicht der Grund dazu durch eine solche Alienation der Blutbildung, der Blutbeschaffenheit, der vitalen Eigenschaften des Blutes überhaupt gelegt ist, so kann doch dieselbe, abgesehen von der Höhenstufe, die sie erreicht hat, nicht für sich allein die Blutung hervorrufen, sondern es müssen sich zu ihr noch andere Umstände gesellen, welche den Anstoss zur Blutung geben, das Auftreten des Blutes je nach dem Falle an verschiedenen Orten vermitteln. Diese Momente dürften nach den Ergebnissen der Beobachtung einerseits in allgemeinen, andererseits in local beschränkten Störungen des Kreislaufes zu suchen sein. Dass diese Störungen in den Bluterfällen nichts seltenes sind, lehren nebst der verhältnissmässigen Häufigkeit der Meläna, Venostase und Cyanose, die in manchen Fällen verzeichneten Ecchymosen, Oedeme und Sklereme der Hautgebilde. Es fehlt auch nicht an anatomischen Befunden, welche in Anbetracht der relativ kleinen Anzahl von Sectionsfällen sich merkwürdig oft wiederholten, auf deren Vorkommen man auch in vielen nicht obducirten Fällen aus den klinischen Erscheinungen zu schliessen berechtiget ist und welche ferner an sich die Erklärung der aufgetretenen Circulationshindernisse beträchtlich erleichtern. Wir finden in 4 Fällen Fettdegeneration des Herzmuskels, in 3 Fettleber, wir finden 23mal die Permeabilität der Lungenzellen, abgesehen von Lungeninfarcten, durch Atelektase, Compression, Pneumonie theilweise beschränkt oder aufgehoben; wir finden in einem Falle die die vasomotorischen Gefässcentra umfassende Medulla oblongata sklerosirt, in anderen vorzeitige Synostirung einzelner Schädelnähte, abnorme Kleinheit des Schädelraumes etc.

Diess dürfte wohl in genere vermuthen lassen, dass vielleicht in gar keinem Falle capillärer Hämorrhagie derartige mehr weniger bedeutende Störungen des Kreislaufes durch Verminderung der Propulsivkraft des Herzens in Folge der fettigen Degeneration seiner Muskulatur durch behinderten Lungenkreislauf, durch Functionsstörung der vasomotorischen Nervencentra, durch Verfettigung der Leber etc. gänzlich fehlen und indem sie zu der bereits bestehenden krankhaften Blutmischung hinzutreten, das Auftreten der Blutungen befördern. Dass dem so sei, dafür bürgen wohl auch die zahlreich vertretenen Blutaustretungen in inneren Gebilden des Körpers, die öftere allgemeine Ecchymosirung der serösen Ausbreitungen des Herzfleisches, die subpericranialen, die meningealen und cerebralen Apoplexien, die Nierenextravasate, die Röthung und Imbibition der Schleimhäute, namentlich des Verdauungstractus, die Infarcte des Lungengewebes, sowie endlich selbst die bedeutenderen Fälle von Hyperämie der Leber, der Milz, der Meningen, sowie das Oedem der letzteren und des Gehirnes, welche wir als Begleiter der Blutungen antreffen. Die Häufigkeit solcher (zum Theile angeborener) Befunde ist aber, wie leicht begreiflich, in keinem Lebensalter eine so grosse wie bei Neugeborenen oder überhaupt in der ersten Zeit des Lebens, wiewohl sie von der Häufigkeit pyämischer Processe und oligämischer Zustände in diesem Lebensabschnitte noch weit übertroffen wird.

Es ist daher leicht begreiflich, warum gerade bei so jungen Kindern Blutungen dieses Charakters häufiger als später auftreten.

Viele der angeführten pathologischen Veränderungen, namentlich der angeborenen unter ihnen sind solche, welche eine Wiederherstellung der normalen Gewebsbeschaffenheit und physiologischen Functionstüchtigkeit der betroffenen Organe nicht möglich erscheinen lassen; ebenso schliessen die höheren Grade der Oligämie und der pyämischen Erkrankung mit ihren Folgeerscheinungen grösstentheils die Möglichkeit einer Genesung des Kindes aus. Es ist somit leicht erklärlich, warum die Blutungen, welche diesem Kindesalter eigen sind, in der überwiegenden Mehrzahl der Fälle zum Tode führen, welcher letztere, wie ich schon wiederholt hervorgehoben habe, wohl nur in den seltensten Fällen, ja vielleicht niemals als Folge der Blutung selbst, sondern als nothwendige Folge der die letztere veranlassenden pathologischen Zustände und Veränderungen zu betrachten ist. Diese letzteren müssen eben zurückgehen; es muss die Blutbildung eine normale, es müssen die Hindernisse des Kreislaufes in den Lungen, in der Leber beseitigt werden, wenn nicht bloss die Blutung sistirt, sondern das Kind überhaupt am Leben erhalten werden soll.

Dass diess wirklich in einem freilich relativ kleinen Theile der
Fälle geschehe, lehrt die Erfahrung. Die betreffenden Störungen der
Blutbildung und der Circulation, welche nun in solchen Fällen rückgängig gemacht werden konnten, sind jedoch in ihrer Wesenheit
gewiss nicht verschieden von jenen, welche wegen ihrer Hochgradig-
keit, wegen der Wichtigkeit der betroffenen Organe oder anderer
Umstände halber in den lethal abgelaufenen Fällen nebst der Blutung
auch den Tod des Kindes herbeiführten. Sie sind den letzteren namentlich darin gleichzustellen, dass sie wie die Disposition zur Pyämie,
zur Venostase und mangelhaften Blutbildung überhaupt, die Ate-
lektasie und angeborene Impermeabilität einzelner Lungengebiete etc.
eben nur diesem Abschnitte des Lebens eigen sind, und dass sie sich,
wenn das Kind die Gefahr und die gefährliche Lebenszeit zugleich
überstanden hat, — auch nicht mehr, wenigstens nicht als Combination der Kreislaufstörung mit der betreffenden Alienation der Blutbildung wiederholen können. Daraus wird es auch ersichtlich, warum
diese Hämophilie der ersten Kindheit eine temporäre, eine vorübergehende sein müsse, wenn das Kind am Leben bleibt; — dass der
Tod auch lange nach der Zeit des Auftrittes der Blutungen erfolgen
und mit den letzteren selbst gar nichts zu thun haben könne.

Wenden wir uns nun zu den Orten der Blutung, so können wir
allerdings in vielen Fällen die Begünstigung des einen oder des andern
durch die anatomischen Verhältnisse und physiologischen Zustände
derselben, durch besondere Erkrankungen oder Localisirungen des allgemeinen Krankheitsprocesses erkennen. Die Ursache der Blutung
überhaupt jedoch dürfen wir nicht an der blutenden Stelle suchen,
und es ist eben nach meiner Ansicht ein grosser Fehler, wenn man
mehr den Ort der Blutung als die Bluterkrankheit berücksichtiget.

Ich habe es bereits oben hervorgehoben, dass man die Abnormitäten der Involution oder krankhafte Veränderungen der Nabelgefässe, welche man bei Nabelblutungen (abgesehen von den Gefässblutungen) antrifft, noch viel häufiger und relativ ebenso häufig bei
Kindern vorfinde, deren Nabel nicht blutete. Wir finden auch unter
unseren Sectionsbefunden Eiterpfröpfe in den Nabelarterien, wo die
Blutung bei noch adhärirendem Nabelschnurreste eintrat. Wir finden
ferner selbst dort, wo das Lumen der Arterien im peripheren Theile
mit Blut gefüllt erschien und dasselbe im weiteren Verlaufe durch
feste Pfröpfe von der Verbindung mit den hypogastrischen Schlagadern abgeschnitten; wir finden wieder die Nabellacune mit Blut
gefüllt, ihre Wandungen imbibirt, wo die Nabelarterien Eiter oder
zerfallene Thromben bargen. Die Innenwände der Lacune selbst haben

geblutet, oder es drang das ausserhalb hervorsickernde Blut in den Hohlraum. Die Häufigkeit der parenchymatösen Nabelblutungen muss somit einen anderen Grund haben als diese erweisbaren anatomischen Veränderungen der Nabelgefässe.

Bedenkt man aber, dass die Raschheit, womit der Verschluss des Nabelringes durch die concentrisch vorrückenden Hautdecken bewirkt werden muss, auch einen nicht unbeträchtlich grösseren Gefässreichthum dieser Gegend voraussetzen lässt, — dass die Oberhaut und sämmtliche Hautgebilde der frisch gestalteten Nabelfalte zart sind, dass endlich die Verwendung des grösseren Blutzuflusses mit der vollendeten Abnabelung keine vollständige mehr sein und somit vor dem allmäligen Zurückgehen des Gefässreichthumes dieses Gebietes, das Eintreten von Stockungen des capillären Kreislaufes an diesem Orte öfters vorkommen könne, als an anderen Orten der Hautfläche des Körpers: so kann es wohl Niemand Wunder nehmen, dass bei einmal sich entwickelnder Bluterdiathese dieses Plätzchen mit Vorliebe und häufiger als andere von Blutungen heimgesucht werde.

Es lässt sich dabei wohl die Möglichkeit nicht ausschliessen, dass mechanische Reizungen — nachlässige Verwahrung des Restes der z. B. sehr sulzigen Nabelschnur — und die hieraus entspringenden Nachtheile nicht bloss den regelmässigen Verlauf der Abnabelung stören, sondern auch das Auftreten von Blutungen am Nabel fördern können — doch fand ich im Kreise meiner Erfahrung gerade bei den Nabelblutern am allerwenigsten Grund, den Verdacht auf das Vorangehen einer solchen örtlichen Schädlichkeit lenken zu können. Noch weniger ist diess in Beziehung auf allenfällige Zellgewebsentzündungen, Excoriationen etc. der Nabelfalte der Fall, denen man einen Antheil an der Hervorrufung der Blutung an diesem Orte zumuthen könnte. Gerade bei solchen Affectionen kamen mir niemals Nabelblutungen vor, wenn gleich die Nabelfalte sich in anderen Fällen ziemlich häufig vor dem Eintritte der Blutung lebhafter zu röthen pflegte. Dagegen war an anderen der beobachteten Blutungsorte das Vorangehen von die locale Blutung begünstigenden Umständen in vielen meiner Beobachtungen nicht zu läugnen. Wie es sich mit etwaigen rauhen Manipulationen bei der Reinigung solcher Stellen und ihrer Beziehung zu dem Bluten derselben verhalte, habe ich bereits früher erörtert. Gewiss ist es aber, dass das Auftreten diphtheritischer oder croupöser Krankheitsprocesse das Bluten der Schleimhaut der Mundhöhle, des Rachens; Kreuzzustände und Katarrhe jenes der Magen- und Darmschleimhaut, — gangränöse Processe jenes mancher Hautstelle, die Otitis jenes am Ohre, die Pyophthalmie jenes der Conjunctiva, des Auges, Reizzustände der Blase, Dysurie und Nierenerkrankungen jenes der Blasenschleimhaut in nicht wenigen Fällen gefördert haben dürften.

Im Ganzen genommen haben somit die Vascularisation, die Art der Gewebs- und Gefässbildung, mag dieselbe eine ursprüngliche oder sich später in Folge örtlicher pathologischer oder physiologischer Vorgänge entwickelnde sein, wohl einen unbestrittenen Antheil an der Localisirung der Blutung, obgleich eine stricte Erkenntniss dieser Verhältnisse zur Zeit noch nicht möglich ist.

Dass aber der allgemeine Zustand des kleinen Patienten durchaus, ja vielleicht ausschliesslich nur von dem Krankheitsprocesse abhängig sei, in dessen Verlaufe Blutungen neben anderen krankhaften Erscheinungen auftreten, dürfte auch die der Tabelle IX angehängte Uebersicht von 30 Fällen erweisen, wo die Körpertemperatur der betreffenden Kinder bei oder bald nach dem Auftreten der Blutung aufgenommen wurde. In 24 Fällen war die Temperatur normal oder gesunken, wie es nur bei äusserst tiefem Collapsus vorkömmt — nur in 7 war sie erhöht und das waren dann auch Fälle von Croup, Meningitis, Pneumonie, und jener Fall von Sklerose des verlängerten Markes, wo die Temperatur sowie bei Tetanus mit zunehmendem Collapsus stieg.

Nach diesen Erörterungen hoffe ich auch Entschuldigung zu verdienen, wenn ich die Therapie der Blutungen mit Hinweisung auf das bereits früher hie und da in dieser Beziehung Gesagte hier bloss mit wenigen Worten berühre. Ganz im Gegensatze zu Herrn G. R. Dr. Grandidier gelangte ich zu dem Schlusse, dass die örtliche Behandlung an dem Zustandekommen der Heilung des Kindes nur sehr ausnahmsweise und dann einen nur zweifelhaften, in der Regel aber gar keinen Antheil habe. In dem einzigen Falle (96). wo von der Anlegung einer Naht Gebrauch gemacht und die Blutung auch richtig gestillt wurde (und das war doch eine Gefässblutung) wurde der Tod des Kindes nicht abgewendet; bei dem Genesenen mit Gefässblutung beschränkten wir uns auf unsere bereits früher besprochene locale Behandlung. Hierbei wurde jedoch gewöhnlich keine Compression in Anwendung gebracht. Bei Augenlidblutungen wandten wir Eisumschläge an; Alaunklystiere bei Darmblutungen, Tamponade bei Rhinorrhagien.

Man würde mir Unrecht thun, wollte man mich (blutige Eingriffe ausgenommen) für einen Verächter der localen Behandlung erklären. Auch kann ich sagen, dass die angegebenen Massregeln fast ausnahmslos hinreichten, die an den betreffenden äusseren Stellen vorkommende Blutung ganz zu stillen oder wesentlich zu beschränken.

Wäre es so leicht möglich gewesen, die Ursachen der Hämophilie, die Krankheitszustände, welche ihr und anderweitigen Erscheinungen zu Grunde lagen, zu beheben, so hätten wir eine sehr grosse Zahl Genesener auszuweisen. Sowie mir dürfte es aber Anderen auch ergehen, und daher mag es kommen, dass die eben sponte genesenden Kinder als durch die Anlegung der Ligature en masse etc. oder mit einem Worte einzig und allein durch die Stillung der örtlichen Blutung gerettet betrachtet wurden. Wo überhaupt von einer Behandlung der die Blutung einleitenden oder begleitenden Erkrankungen die Rede sein kann, dort findet der Arzt den vornehmsten Anhaltspunkt einer erspriesslichen Thätigkeit in der Berücksichtigung der letzteren. Was zur Kräftigung des Kindes, zur Stillung der Darmkatarrhe, zur Milderung der Lungenaffection, zur Beschränkung und Reinigung peripherer Eiterungsprocesse, zur Verminderung der Brechneigung, der Convulsionen etc. beigetragen werden kann, das geschieht auch für die Hemmung der Blutung. Wohl aber ist zur Besserung des allgemeinen Zustandes die Verhinderung weiterer Blutverluste nothwendig, wo dieselbe eben möglich ist.

Ich erlaube mir nur noch zum Schlusse dieser Abhandlung die Hoffnung auszudrücken, dass mir die geehrten Fachgenossen nicht etwa zumuthen werden in der Absicht geschrieben zu haben Polemik zu treiben. Einem solchen Verdachte dürfte der Aufwand an Zeit und Mühe widersprechen, welcher · dieser Arbeit gewidmet wurde; und zugleich beweisen, dass mir wohl daran lag, Ansichten über diese Erkrankungsform zu bekämpfen, welche nach meiner innigsten Ueberzeugung irrig sind und sich trotzdem zur Zeit einer grossen (wie ich dafürhalte) schädlichen Autorität erfreuen, — dass ich aber gegen die Verfechter solcher Ansichten nicht desshalb auftrete, um die Ersteren zu bekämpfen, sondern um dem, was ich für wahr halte, Bahn zu brechen und auch Andere zur eigenen Prüfung mancher besprochenen Punkte anzuregen.

Beobachtungs-

A. Nabel-

I. Einfache capilläre

Kna-

Verstor-

Nummer	Findlingszahl Name	Ge- wicht	Körper- länge	Alters- tage	Alters- tage bei	Orte	Weitere Orte	Dauer
		bei der Aufnahme			der ersten Blutung		der Blutung	
1	12116 Zakostelný Josef	5 Pfd. 13 Lth.	50	8	8	Omphalo- rhagia	—	1
2	11420 Klima Johann	4 Pfd. 17 Lth.	49	8	8	Omphalo- rhagia	—	1
3	11179 Kallus Josef	5 Pfd. 26 Lth.	50	8	8	Omphalo- rhagia	—	1
4	11016 Huizdo Karl	4 Pfd. 10 Lth.	48	8	8	Omphalo- rhagia	—	7
5	10065 Coram Josef	4 Pfd. 13 Lth.	46	2	9	Omphalo- rhagia	—	wenige Stunden
6	12466 Smolik Jaroslav	6 Pfd. 10 Lth.	52	8	8	Omphalo- rhagia	—	1

fälle 1866—1871.

blutungen.

Nabelblutungen.

ben.

b e n e.

Ab-gegeben	Ge-storben	Klinische Erscheinungen	Sectionsbefunde	Auf-nahms-tag. Be-obacht.-Jahr	M u t t e r
Alterstag					
—	9	Nabelfalte vollständig überhäutet.		28./10. 1866	28jähr. mit-telkräftige erstgebär. Magd von Prag
—	41	8. Tag. Intensiver Ik-terus, flüssige Stühle. 34. Tag. Nackencon-tractur. Convulsionen.	Meningitis.	7./7. 1866	28jähr. mit-telkräftige zweitgebär. Magd vom Lande
—	17	12. Flüssige Stühle. 13, 5 Pfd. Gewicht. 16. Grünlichgelbe Fär-bung der Hautdecken. Convulsionen. Nacken-contracte. Nabelblutung. Gewicht 4·17 Pfd.		2./6. 1866	Processus puerper.
—	15	Fleischnabel, schwärz-liche Färbung der Ge-fässinsertionsstelle, ca-pilläre Blutung, wel-che am 15. Tage reichlich wurde.		10./5. 1866	19jährige mässig kräf-tige erstge-bärende Bauern-tochter vom Laude
—	9			16./1. 1866	Mastitis
—	9	8. Oedema scroti und präputii, regionis pubis, fahle Färbung der Haut-decken, Stühle flüssig. Unterleib gespannt, Tem-peratur 37°, bedeutende capill. Blutung der über-häuteten Nabelfalte. Puls 132 (Jahresber. 1866. B. IX.)	Hautdecken auffallend roth. Scro-tum hühnereigross, die Weichtheile vom Nabel herab, am Schnitte starr, intensiv roth, serös infiltrirt, das Fettgewebe ha-t, geschrumpft. Im Längsinus der Dura mater viel dunk-les Blut. Die grösseren Gefässe von Blut strotzend, Hirnsubstanz blut-reich; in den Basalsinus viel dick-flüssiges, dunkles Blut. In jedem Pleurasacke 3—4 Unzen gelben Se-rums, die unteren Lappen, sowie die hinteren und unteren Partien der linken Lunge durch Compression luftleer. Kranzgefässe des Herzens von Blut strotzend, Leber mässig, Milz stark blutreich; aus den Na-belarterien durch Druck blutig ge-farbte eitrige Flüssigkeit entleerbar. Nabelvene involvirt.	20./12. 1866	23jährige kräftige zweitgebär. Magd in Prag

Nummer	Findlingszahl Name	Ge- wicht	Körper- länge	Alters- tage	Alters- tage bei	Orte	Weitere Orte	Dauer
		bel der Aufnahme			der ersten Blutung		der Blutung	
7	12993 Kalas Wenzl	4 Pfd. 29 Lth.	51	18	18	Omphalo- rhagia	—	3 Stunden in der Anstalt
8	14388 Strejček Karl	3 Pfd. 13 Lth.	51	10	10	Omphalo- rhagia	—	wenige Stunden
9	12528 Wotipka Josef	4 Pfd. 10 Lth.	49	8	12	Omphalo- rhagia	—	1
10	12844 Tvrdý Anton	3 Pfd. 28 Lth.	48	6	8	Omphalo- rhagia	—	2
11	14063 Vorliček Wenzl	4 Pfd. 6 Lth.	49	8	12	Omphalo- rhagia	—	1
12	13484 Hollar Karl	4 Pfd. 15 Lth.	50	1	16	Omphalo- rhagia	Pe- liosis	1

Ab-gegeben / Alterstag	Ge-storben	Klinische Erscheinungen	Sectionsbefunde	Auf-nahms-tag. Be-obacht.-Jahr	Mutter
— —	18 3 Stun-den nach der Auf-nahme	Intensiver Ikterus. Ke-phalohämatom am rech-ten Scheitelbeine. (Jahresb. 1867. Beob. VI.)	Am rechten Scheitelbeine das Pe-riost abgehoben, darunter eine ½ Zoll dicke Schichte coagulirten Blu-tes. Der Knochen ist in der Mitte von der Pfeilnaht aus über 1 Zoll weit gesprungen. Gehirnsubstanz gelb-lich-weiss. Plexus gelb gefärbt. Unter der Dura mater und in den inneren Meningen des Kleingehirns sparsa-mer Bluterguss, ebenso in den hin-teren Partien zwischen den Menin-gen der linken Grosshirnhemisphäre. Die rechte Nebenniere wallnussgross, die Kapsel gespannt, im Inneren dickflüssige Blutgerinnsel.	28./12. 1867	38jährige schwache zweitgebär. vom Lande
—	¼ bald nach der Auf-nahme	10. Soor der Mundhöhle, Verfall, sehr schwach zu vernehmende Herztöne, Frequenz 92. Hochgradig abgemagert. Apathisch. Temper. 33°. (Beob. XI.)		24./10. 1867	24jähr. mit-telst. erstg. Magd von Prag
—	13	8. Ikterus, der in den folgenden Tagen immer intensiver wurde. 12. Nabelblutung be-deutend. (Beob. XII.)		29./12. 1866	41jährige scwache fünftgebär. vom Lande
—	12	8. Nabelblutung in sehr geringer Menge war am 10. Tage sistirt. Ikterus Arteriitis umbil. Pyämie. (Beob. XIII.)		5./2. 1867	Processus puerper.
—	13	8. Beträchtliche Abma-gerung. — 9. Vorüberge-hende Convulsionen. — 12. Decubitus am Ge-sässe. Opisthotonus. Temp. 38° (Beob. XIV).		29./8. 1867	23jähr. mit-telkrft. erst-geb. Magd vom Lande
—	17	16. Oedem der oberen und unteren Extremitä-ten, livide Ecchymosen in den Hautdecken und an der Schleimhaut der Mundhöhle; Otitis purul. ext. Sooreruption. Temp. 35. Frequenz der Herzaction 72; mässige Nabelblutung. 17. Diarrhoe, Cyanose der Extremitäten, Dys-pnoe, Rasselgeräusche ohne Dämpfung. Temp. 34°. Vorfall. Nabelblu-tungen sistirte spontan. (Beob. XX.)	Blasse Hautdecken, Corion von hanfkorngrossen Extravasaten durch-setzt. Musculatur blassroth von hanf-korngrossen Blutflecken durchsetzt. Schleimhäute des Halses im hohen Grade aufgelockert, injicirt stellen-weise ecchymosirt; Lungen blutreich, in den hintern Abschnitten derb, luftleer, blutreich. Pericordium ec-chymosirt. Herz klein, Musculatur und Endocardium ecchymosirt. Leber gross, blutreich. Nieren an der Ober-fläche von nadelstichförmigen rothen Punkten durchsetzt. Peritonäum ec-chymosirt, Schleimhaut des Magens dunkelroth injicirt, das submucöse Gewebe ecchymos, ebenso im Dick- und Dünndarme um die Follikel her-um Nabelarterien ungleich dilatirt Wandungen schiefergrau, ihr Nabel-ende mit zerfallenen Thromben er-füllt.	24./5. 1867	Auf der Zahlclasse entbunden.

Nummer	Findlingszahl Name	Ge- wicht	Körper- länge	Alters- tage	Alters- tage bei	Orte	Weitere Orte	Dauer
		bel der Aufnahme			der ersten Blutung		der Blutung	
13	16873 Zimmermann Wenzl	4 Pfd. 12 Lth.	49	8	10	Omphalo- rhagia	—	1
14	15531 Novotný Carl	4 Pfd. 12 Lth	50	7	7	Omphalo- rhagia	—	2
15	15665 Rosendorf Wenzl	6 Pfd. 30 Lth.	53	10	12	Omphalo- rhagia	—	2
16	16468 Brodský Augustin	4 Pfd. 26 Lth.	50	9	9	Omphalo- rhagia	—	12 Stun- den
17	15927 Ebenböh Johann	4 Pfd. 25 Lth.	53	10	10	Omphalo- rhagia	—	einige Stun- den
18	17530 Weiss Johann	5 Pfd. 22 Lth.	51	—	7	Omphalo- rhagia modica	—	Bis zum Tode 8
19	18107 Němeček Carl	7 Pfd. 4 Lth.	53	—	11	Omphalo- rhagia modica	—	1

Ab- gegeben	Ge- storben	Klinische Erscheinungen	Sectionsbefunde	Auf- nahms- tag. Be- obacht.- Jahr	Mutter
		Alterstag			
—	11	8. Fahl ikterische Haut-färbung, trinkt fast gar nicht. 10. Ikterus intensiv, an der Nabelfalte sickert blassröthliches Blut her-vor, Augen halonirt, Fontanellen eingesun-ken, Gesäss- und Steiss-gegend livid geröthet, haselnussgrosser Haut-abscess am linken Ge-sässbacken, aus welchem blutiger Eiter entleert wurde, verkürzter Perc.-Schall von oben bis zur 4. Rippe beiderseits. Temp. 37·8°. Stühle grau schwärzlich.	Galaea und Pericranium am Scheitel blutig suffundirt. Theerartiges Blut in den Blutleitern, die innern Hirn-häute ödematös, blutreich, an den hintern Partien des Kleingehirns blutig getränkt. Der Nabel äusser-lich mit vertrockneten Blutgerinnseln bedeckt, die Nabelkloake bildet ein mit gelbgrauem Exsudate ausgeklei-detes Hohlgeschwür, welches durch zahlreiche kleine Extravasate in sei-nen Wandungen gesprenkelt er-scheint. Nabelarterien im peripheren Theile mit puriformen Brei erfüllt; Nabelvene in ihren Wandungen ver-dickt, ihr Lumen mit festgestellten braunen Gerinnseln erfüllt, Lungen retrahirt, lufthältig, rosenroth.	3./10. 1868	33jährige schwäch-liche erst-gebärende Nähterin von Prag
—	9	7. Livide ikterische Färbung der Hautdecken, die Rippenknorpel ver-breitert. Blutung aus der völlig verschlossenen Na-belfalte, bedeutende Ab-magerung. Temp. 38·2°. Dämpfung an der linken Seite des Thorax. Con-sonanserscheinungen, Stimmfremitus etc. Pneu-monie.		11./4. 1868	Processus puerper.
—	9	10. Livide Hautfärbung. 11. Diarrhoe. 12· Collapsus Ptosis. palpebr. Temp. 38°. Na-belblutung.		26./4. 1868	26jähr. mäs-sigkräftige viertg.Magd von Prag
—	9	Wurde mit Nabelblu-tung eingebracht, starb 12 Stunden nach der Auf-nahme, die Nabelfalte erwies sich an der Lei-che vollkommen über-häutet.		28./8. 1868	Mässig kräf-tige erstgeb. 22jährige Magd von Brünn
—	10	10. Nabelblutung, all-gem. Cyanose der Haut-decken, mässiger Cutis-nabel, Abnabelung nor-mal, Oedem der untern Extremitäten. Unbe-stimmtes Ein- und Aus-athmen linkerseits. Ath-mungsfrequenz 84 in der Minute. Temperat. 37·6°. Pneumonia. Pyämia.		2./6. 1868	23jährige erstgebär. mässig kräf-tige Magd von Prag
—	15	Am 2. Tage Diarrhoe, die nicht zu stillen war. 7. Tag. Ikterus. 11. Tag 4 Pfd. 20 Lth. 12. Tag Jauchiger Ausfluss aus der Nabelfalte. 14. Tag Grünes Erbrechen.		7./1. 1869	Classenkind
—	12	Augenblennorrhöe bei d. 4. Abnabelung. 6. Tag. Erbrechen und grüngelbe flüssige Stühle. Infiltr. d. Mammae. 8. Tag. 6 Pfd. 10. Tag. Blennorrhöe der Nabelfalte.		17./4. 1869	Classenkind

Nummer	Findlingszahl Name	Ge-wicht	Körper-länge	Alters-tage	Alters-tage bei	Orte	Weitere Orte	Dauer
		bei der Aufnahme			der ersten Blutung		der Blutung	
20	18001 Souček Josef	5 Pfd. 10 Lth.	53	5	12	Omphalo-rhagia	—	1
21	18502 Kiesewetter Aug.	3 Pfd. 15 Lth.	46	4	13	Omphalo-rhagia	—	1
22	17395 Wondrak Ottokar	4 Pfd. 30 Lth.	52	10	10	Völlig über-häutete Nabelfalte. Schwärzlich. flüssig. Blut	—	1
23	17713 Waberschuh Anton	4 Pfd. 13 Lth.	49	10	10	Nabelfalte	—	2
24	18261 Nový Wenzl	4 Pfd. 17 Lth.	52	10	13	Omphalo-rhagia	—	3
25	18320 Fischer Hugo	3 Pfd. 16 Lth.	48	8	8	Omphalo-rhagia	—	weni-ge Stun-den
26	17450 Soukup Wenzl	3 Pfd. 25 Lth.	48	10	12	Omphalo-rhagia	—	2
27	19594 Dufek Franz	5 Pfd. 4 Lth.	52	1	12	Omphalo-rhagia	—	2

Ab-gegeben / Alterstag	Ge-storben	Klinische Erscheinungen	Sectionsbefunde	Auf-nahms-tag. Be-obacht.-Jahr	Mutter
—	13	Kephalohämatom am l. Scheitelbein. Anämie, Pemphigusbläschen in d Umgebung des ganz rei-nen Nabels. Soor.	Anämie. Kephalohämotom.	3./3. 1869	Processus puerper.
—	14	Blennorrhöe der Augen-lider beiderseitig. Cya-nose, cat. bronchial.		6./6. 1869	Processus puerp.
—	11	Apathisch, ungleich, dilatirte Pupillen, Stra-bismus, Collapsus cranii. Diarrhöe, Respiration mühsam, unregelmässig. In der Gesichtslage ge-boren.	Pericran. blutig suffund. Hyperämie des Gehirnes. Meningen an der Basis ödematös. L Nabelart. con- trahirt. R. weit, im periphéren Theile puriforme Massen, Intima gelblich weiss. Lungen an der Basis atelektatisch. Hepar. adiposum, fötale Herzwege offen. Catarrhus ventr. und intest.	21./1. 1869	38jährige mittl. kräft. Zweitgeb. vom Lande Agalaktie
—	12	Catarrhus intestinal. Ikterus.		18./2. 1869	37jährige kräftige Zweitgebär. vom Lande
—	31	Bei der Aufnahme sehr abgemagert. Cat. intestin. mit der Blutung an der Insertionsstelle, zugleich Entleerung missfärbigen Eiters aus den Arterien.		27./4. 1869	29jährige kräftige Erstgebär. von Prag
—	8	Collapsus. Starb un-mittelbar nach seiner Aufnahme.		8./5. 1869	28jährige mitt. kräft. Zweitgebär. von Prag
—	15	Am Aufnahmstage sta-tionäre Abschuppung, Blässe, Abmagerung, Lückenbildung in beiden Scheitelbeinen, Cutis-nabel mit offen stehen-der Insertionsstelle und Entleerung jauchigen Ausflusses. Am 12. Lebenstage Me-teorismus verlangsamte Herzaction, Diarrhöe. Blutung. Am 14. Gangrän des Nabels.		19./1. 1869	20jährige schwache Erstgebär. vom Lande
—	14	1. Conjunctivitis pal-pebr. 11. Tag. Catarrhus bronchialis. Nabelfalte konisch hervorgetrieben, geröthet, Eiterentlee-rung aus den Arterien. 13. Tag. Aus der Ge-fässinsertionsstelle dick-liches Blut austretend. Mundschleimhaut trok-ken, geröthet. Hautve-nen turgescirend (Veno-stase). Rechts gedämpf-ter Percussionsschall, bronchiales Ein- u. Aus-athmen. 14. Tag. Ecchymosen an der Stirne. Tod.	Linke Lunge retrahirt, lufthältig, im rechten Pleurasacke ein Löffel trübe Flüssigkeit, Lungengewebe rechts bis auf die gedunsenen vor-dern Ränder grauroth infiltrirt. Milz 1½ Zoll lang, weich. Leber blutreich, gross. Nabelvene contrahirt, leer, die über den contrahirten einen schlan-ken gelben Propf führenden Nabel-arterien befindliche Lacune sehr ge-räumig, ihre Wandungen blutig im-bibirt.	17./12. 1869— 1870	Gassen-geburt

Nummer	Findlingszahl Name	Ge-wicht	Körper-länge	Alters-tage	Alters-tage bei	Orte	Weitere Orte	Dauer
		bei der Aufnahme			der ersten Blutung		der Blutung	
28	19953 Janos Josef	3 Pfd. 4 Lth.	45	8	8	Omphalo-rhagia	—	1
29	20509 Tilt Johann	3 Pfd. 15 Lth.	46	9	12	Omphalo-rhagia	—	we-nige Stun-den
30	20733 Křemen Anton	4 Pfd. 22 Lth.	50	1	16	Omphalo-rhagia	—	—
31	22710 Walter Franz	5 Pfd. 10 Lth.	52	9	11	Omphalo-rhagia	—	2
32	22849 Fritsche Carl	5 Pfd. 16 Lth.	50	1	12	Omphalo-rhagia	—	we-nige Stun-den

Ab-gegeben	Ge-storben	Klinische Erscheinungen	Sectionsbefunde	Aufnahms-tag. Be-obacht.-Jahr	M u t t e r
Alterstag					
—	9	Collapsus cranii. Abge-magert, erdfahle Haut-decken schwache Respi-rationsbewegungen.		13./2. 1870	Kräftige 25jährige Erstgebär. vom Lande mit linkseit. Facialpara-lyse ex trau-mate(Sturz)
—	12	Kryptorchie, Icterus, Blennorrhoea bilateralis Venen der Kopfhaut und am Bauche strotzend. Diarrhoe. 12. Nabelblutung. Tod		1./5. 1870	Mittelkräft. 19jähr. erst-gebär. Magd vom Lande
—	16	1. Caput succedaneum, Dolichocephalus. 16. Nabelblutung, Rha-gaden an den Mundwin-keln, Erythema ad anum.		14./6. 1870	Classenkind
—	31	10. Icterus; die Haut-farbe ins Grünliche spie-lend, Diarrhoe. 13. Nathabstände und Fontanellen eingesun-ken, Stuhlgang fest. Temp. 38°. Meteorismus. Die Hautvenen im Ge-biete der Epigastrica strotzend, Nabelfalte roth, zart. 14. Nabelfaltung. Bron-chialkatarrh. Temp. 39°. Icterus anhaltend. Con-sonanzerscheinungen, Stimmfremitus, Blutspu-ren an den Plaquets in den Gaumenecken (Pyä-mie, Bronchitis).		5./5. 1871	Processus puerper.
—	12	3. Diarrhoe. 4 Pfd. 31 L. 5. Abgenabelt. 7. 4 Pfd. 20 Lth Fon-tanellen eingesunken. Temp. 36°. Meteorismus. 8. Oedem des Gesich-tes und der untern Ex-tremitäten. Anurie seit 36 Stunden (?) colliqua-tive Diarrhoe. Temp. 35.6. 11. Anurie, beim Ca-thetrisiren wenig Harn (2 Loth) entleert, der dunkelbraun, viel Albu-men enthielt. 12. Blutung aus der Nabelfalte. (Nephritis parenchy-matosa). Catarrh intestin.		5 /6. 1871	Auf der Zahlabthei-lung geboren

13 *

Mäd-

Verstor-

Nummer	Findlingszahl Name	Ge-wicht	Körper-länge	Alters-tage	Alters-tage bei	Orte	Weitere Orte	Dauer
		bei der Aufnahme			der ersten Blutung		der Blutung	
33	10028 Rezniček Barbara	3 Pfd. 13 Lth.	44	8	8	Omphalo-rhagia	—	1
34	10843 .... Franziska	5 Pfd. 8 Lth.	49	3	8	Omphalo-rhagia	—	1
35	11149 Hlinowec Anna	4 Pfd. 22 Lth.	49	12	12	Omphalo-rhagia	—	1
36	11178 .... Amalie	5 Pfd. 11 Lth.	50	2	5	Omphalo-rhagia	—	1
37	12413 Krakovitz Anna	3 Pfd. 6 Lth.	46	8	9	Omphalo-rhagia	—	1
38	12555 Strelitz Julie	7 Pfd. 1 Lth.	52	2	2	Nabel-gegend adhaernete funiculo.	—	2
39	12954 Schalda Emilie	4 Pfd. 17 Lth.	47	5	5	Omphalo-rhagia adhaerente funiculo	—	we-nige Stun-den

ohen.
b e n e.

Ab-gegeben	Ge-storben	Klinische Erscheinungen	Sectionsbefunde	Auf-nahms-tag. Be-obacht.-Jahr	Mutter
	Alterstag				
—	9	8. Hochgradige Anämie der Hautdecken, Cyanose der Schleimhautränder und Vola manus. Temperatur 36° C.		2./1. 1866	26jhr. kräft. erstg. Magd von Prag. Vat. angebl. tuberculös.
—	9	Anämie.		24./4. 1866	Processus puerper.
—	13	Epigastrium beträchtlich vorgewölbt. Meteorismus. Darmkatarrh. Anämie.		25./5. 1866	37jährige mittelkräft. drittgebär. Bauerntochter v. Laude.
—	15	5. Ikterus. 14. Vorfall. Monotones Schreien. dünnflüssige Stühle, Temp. 36°. Convulsionen.		8./6. 1866	Auf der Zahlclasse entbunden.
—	10	8. Arteriitis umbilicalis. 9. Sparsame Nabelblutung.		10./2. 1866	20jährige mittelkräft. erstgebär. Magd von Prag.
—	3	Adhärirender stark sulziger Nabelstrangrest; rings um seine Insertion. capilläre Blutung, Gesicht cyanotisch, Äthmen mühsam, Herstöne klappend. Pulsfrequenz 134. Tod 36 Stunden nach der Aufnahme. Diagn. Atelektasia pulm. (Jahresber. 1867. Beobacht. VIII.)	Apoplexia intermeningealis. Zwischen der Dura und den innern Meningen an der hintern Partie der Oberlappen dickflüssig.Blut ergossen Die Blutleiter strotzend von solchem Blute, ebenso die weichen Hirnhäute ad basim und die Drosselvenen. Schilddrüse dunkel-violettroth. Im Herzbeutel ein Esslöffelvoll Serum. Kammern und Vorkammern strotzend von dunklem flüssigem Blute, die fötalen Herzwege offen, Klappen schliessend. Milz 2½ Zoll lang und ¾ Zoll breit. Pulpa breiig, Leber blutreich. Zwerchfell an der 4. Rippe, Lungen im Parenchym dunkelviolettroth, am Schnitt wenig schaumiges dickfl. Blut entleerend; der untere Rand des rechten Oberlappens rosenroth, beim Einschnitte knisternd. Die übrigen Partien schlaff homogen. (Atelektas.)	7./1. 1867	Processus puerper.
—	5	5. Mässiger Ikterus, violettrothe runde Flekken hie und da am Körper zerstreut, welche nicht über dem Niveau hervortreten,Pemphigusblasen an den Fusssohlen, Blutung an d. Hautdecken rings um den Nabel, am Abende weit copiöser, bald darauf der Tod. (Beob. IX.)	Nabelstrangrest mumificirt, um den Nabelring necrotische Gewebsfetzen. Allg. Blutarmuth; im Unterlappen der linken Lunge, ein Streifen atelektatischen Gewebes. Leber parenchym. fast braun. Nabelarterien einen Zoll vom Nabel aus thrombosirt.	26./2. 1867	Processus puerper.

Nummer	Findlingszahl Name	Ge-wicht	Körper-länge	Alters-tage	Alters-tage bei	Orte	Weitere Orte	Dauer
		bei der Aufnahme			der ersten Blutung		der Blutung	
40	14397 Přibik Elisabeth	4 Pfd. 14 Lth.	49	3	4	Omphalo-rhagia	—	2
41	14216 Kot Anna	4 Pfd. 4 Lth.	48	5	11	Omphalo-rhagia	—	1
42	13154 Lederer Maria	3 Pfd. 19 Lth.	44	2	9	Omphalo-rhagia	—	1
43	14132 Čedik Anna	5 Pfd. 22 Lth.	54	21	23	Omphalo-rhagia	—	1
44	14267 Veselý Maria	4 Pfd. 8 Lth.	48	—	14	Omphalo-rhagia	—	we-nige Stun-den
45	17029 Malý Katharina	4 Pfd. 14 Lth.	48	9	10	Omphalo-rhagia	—	1

Ab-gegeben / Alterstag	Ge-storben	Klinische Erscheinungen	Sectionsbefunde	Aufnahms-tag. Beobacht.-Jahr	Mutter
—	6	3. Teleangiektasie am linken Stirnbeine, Cyanose, apathisch. Abmagerung. 4. Nabelblutung. (Beob. X.)	Hochgradige Abmagerung. Meningen stark injicirt, in den Blutleitern viel dunkles flüss. Blut. Nabelvene mit einem Thrombus verschlossen, in den Arterien dicker grünlicher Eiter. Die Adventitia derselben geschwollen. Die Media verdickt, und sowie die Intima getrübt und blassgelb. Vom Blasenscheitel an erscheinen die Arterien contrahirt, und mit Thromben gefüllt. Leber schlaff, blassgelblich-braun. Milz welk, runzlig, blassroth.	2./11. 1867	Processus puerper.
—	12	11. Verfall des Kindes, farblose, sehr flüssige Stühl. Die Morgens mässige Nabelblutung wird im Verlaufe (10 U. Nchts.) copiös. Temper. Früh 38°. Beobacht. XV.		29./9. 1867	Processus puerper.
—	16	Nabelfalte vollkommen geschlossen, Blutung sistirte nach 24 Stunden. (Beob. XVI.)	.	26./3. 1867	Processus puerper.
—	24	22. Unruhe, Strabismus oculorum, convulsivische Bewegungen, flüssige Stuhlentleerungen, Temp. 39°. Leber reicht bis zum Nabel, Milz vergrössert. Vorfall. Wurde restituirt. Die Abnabelung war in der Anstalt regelmässig erfolgt.		18./9. 1867	Auf der Zahlclasse entbunden
—	14	7. Abgenabelt. 3 Pfd. 27 Loth. 8. Convulsionen. Ikterus. Decubitus am Kreuzbeine. Die Venen der Kopfschwarte strotzend durchschimmernd, flüssige copiöse Stühle. Temp. 38°. Apathisch. 9. Agonisirend. Die Fontanellen eingezogen, nur die Bewegungen am Unterleibe verrathen die langsamen in Pausen von 1—1½ Secunden erfolgenden Athemsüge. Herztöne undeutlich, nur ein schwaches Geräusch, 31 mal in der Minute, zum Schlusse mässige Nabelblutung.		2./10. 1867	Auf der Zahlclasse entbunden
—	12	9. Cyanose des Gesichtes, mühsame Respiration, Nabelfalte vollkommen überhäutet 10. Blutung, Dämpfung an der linken Brusthälfte vorn und hinten. Temp. 35°. Oedem der unteren Extremitäten, erster Herston nicht begränzt, an der Rückseite der Brust deutlich zu vernehmen. 11. Temp. 34°. (1868. Beob. VIII.)	Locker geronnenes Blut in den Blutleitern, Meningen leicht ödematös. Etwas blutig gefärbtes Serum in den Pleurasäcken, beide Lungen gedunsen, in den hintern und mittleren Theilen lobuläre dunkelrothe Hepatisationen, besonders in der linken Lunge. Etwas blutig gefärbte Flüssigkeit im Bauchfellsacke, Milz pulpareich, 1½ Zoll gross, dunkelroth. Leber leicht zerreisslich, braun und blutreich. Nieren succulent. In der Umbilicalarterie eitrig zerfallende Thrombi.	24./11. 1868	25jährige mäss. kräft. gebaute Erstgebär. Magd von Prag

Nummer	Findlingszahl Name	Gewicht	Körperlänge	Alterstage	Alterstage bei	Orte	Weitere Orte	Dauer
		bei der Aufnahme			der ersten Blutung		der Blutung	
46	15126 Wetešnik Božena	4 Pfd. 26 Lth.	49	10	13	Omphalorhagia	—	1
47	15753 Skala Anna	4 Pfd. 14 Lth.	48	8	22	Omphalorhagia	—	2
48	15897 Chadima Jaroslava	4 Pfd. 28 Lth.	50	8	13	Omphalorhagia	—	2
49	17090 Jukawec Katharina	4 Pfd.	45	1	20	Omphalorhagia	—	1
50	15618 Liebezeit Aloisia	4 Pfd. 5 Lth.	48	1	5	Omphalorhagia	—	1

Ab-gegeben	Ge-storben	Klinische Erscheinungen	Sectionsbefunde	Auf-nahms-tag. Be-obacht.-Jahr	Mutter
	Alterstag				
—	14	10. Apathisch. Profuse flüssige Darmentleerungen. Contraction der Nackenmuskeln. 12. Im Bereiche der Mundhöhle und an der Zunge stösst sich das verdickte zerfallende Epithel in bräunlichen Fetzen ab. Mastitis. Temperat. 37°. 13. Heisere Stimme, mühsames Athmen (56 in der Minute). Temp. 38°, Rechterseits am Thorax Dämpfung, unbestimmtes Ein- und Ausathmen. Nabelblutung. Darmentleerungen chocoladebraun, (Pneumonie). Nabelblutung sistirte kurz vor dem Tode.		17./12. 1868	24jährige mäss. kräft. zweitgebär. Magd vom Lande
—	24	22. Bedeutend abgemagert, die Hautdecken blass cyanotisch, Fontanellen und Hautabstände eingefallen, Nabelblutung. Der Nabel vollkommen geschlossen. 3 Pfd. 6 Lth. 24. Decubitusstellen am Gesässe blutend. Verfall.		10./5. 1868	23jährige kräftige erstgebär. Magd vom Lande
—	14	10. Verbreiterte Rippenknorpel, profuse Diarrhöe. Soor der Mundhöhle. Temperat. 37.5°. 11. Graugelbe Hautfärbung hie und da in's Grünliche spielend, übelriechende schwarzgelbe Stühle, Respiration normal. 13. Nabelblutung bei völlig geschlossener Nabelfalte, der Ikterus intensiv. Decubitus am Hinterhauptshöcker. Nabelblutung hielt bis zum Eintritt des Todes an.		29./5. 1868	23jährige kräftige erstgebär. Magd vom Lande
—	21	1. Randständige Lücken an den Scheitelbeinen. 4. Abnabelung, 3 Pfd. 27 Lth. 9. 3 Pfd. 26 Lth. 10. Arteriitis umbilical. 3 Pfd 24 Lth. 20. Nabelblutung, schwärzliche, übelriechende Stühle. Scheitelbeine übereinander geschoben. Die Kopfperipherie um 1 Ctm. vermindert. Temp 36.6°.		11./12. 1868	Auf der Zahlclasse entbunden
—	16	8. 4 Pfd. 18 Lth. Hierauf Darmcatarrh. Abnahme und Verfall.		30./4. 1868	Auf der Zahlclasse entbunden

Nummer	Findlingszahl Name	Ge- wicht	Körper- länge	Alters- tage	Alters- tage bei	Orte	Weitere Orte	Dauer
		bei der Aufnahme			der ersten Blutung		der Blutung	
51	18005 Smrček Maria	5 Pfd.	53	11	13	Omphalo- rhagia	—	1
52	19796 Guth Johanna	4 Pfd. 16 Lth.	48	5	17	Omphalo- rhagia (Peliosis)	—	2
53	20304 Weirauch Božena	2 Pfd. 29 Lth.	44	6	6	Omphalo- rhagia	—	2
54	20320 Weirauch Magdalena	3 Pfd. 11 Lth.	45	8	10	Omphalo- rhagia Melana	—	4
55	22474 Srut Bohumila	4 Pfd. 14 Lth.	50	8	16	Omphalo- rhagia	—	1
56	22860 Radda Josefa	3 Pfd. 5 Lth.	45	8	17	Omphalo- rhagia	—	we- nige Stun- den

·Ab-gegeben	Ge-storben	Klinische Erscheinungen	Sectionsbefund	Auf-nahms-tag. Be-obacht.-Jahr	Mutter
Alterstag					
—	14	12. Nackencontractur, Abmagerung, Zittern der Extremitäten, Bulbi nach rechts rotirt. Temp. 36⁰. Bronchialcatarrh, Diarrhoe.	Atrophie, Bronchial- und Darm-catarrh, Sugillationen der Meningen des Kleingehirnes. Eitriger Inhalt im peripheren Theile der Nabelarterien, Intima necrotisch, Media bleigrau, Schleimhaut des Dickdarmes ge-lockert, stellenweise dunkelroth in-jicirt.	26./3. 1869	Schwache 21jährige erstgebär. Magd vom Lande
—	19	11. Mässige Lidbinde-hautentzündung beider-seits. Enterocatarrhus. 14. Ecchymosirung der Hautdecken, Soor. Tem-perat. 35 4⁰. 16. Oedem der unteren Extremitäten. 17. Lippe mit Krusten bedeckt, Nabelblutung. Mundschleimhaut um die Placques herum necro-tisch. 18. Temp. 32.2⁰. Col-lapsus.		23./1. 1870	Erkrankt an Processus puerperalis
—	8	Ecchymosirung der Munschleimhaut am Gau-mengewölbe.		6./4. 1860	Erkrankung Zwillings-geburt
—	92	10. Livide ausgebrei-tete Hautstelle am Rück. Nabelblutung. 11. Diarrhöe. Am 16. Tage erhielt die Amme Ferrum lactis einzunehmen. Gewicht schwankte, nahm unge-nügend zu bis zum 78. Tage (3 Pfd. 25 Loth). Abermaliges Auftreten von Enterocatharrhus, keine weitere Blutung trat ein, die Melaena trat zurück, Atrophie.		6./4. 1870	Zwillings-kind von 53
—	17	13. Nackencontract., er-weiterte Pupillen, nimmt die Brust nicht. 16. Nabelblutung (Hy-peraemia cerebri).		5./4. 1871	25jährige kräft. erst-gebärende Magd vom Lande
—	17			31./5. 1871	19jährige kräft. erst-gebär. Per-son von Prag

						Kna-		
						G e n e-		
Nummer	Findlingszahl N a m e	Ge- wicht	Körper- länge	Alters- tage	Alters- tage bei	Orte	Weitere Orte	Dauer
		bei der Aufnahme			der ersten Blutung		der Blutung	
57	12074 Kraus Josef	4 Pfd. 14 Lth.	50	7	10	Omphalo- rhagia	—	2
58	12252 Kaplan Franz	4 Pfd. 16 Lth.	46	8	18	Omphalo- rhagia	—	2
59	12705 Kolin Josef	5 Pfd. 10 Lth.	52	9	9	Omphalo- rhagia	—	1
60	15162 Sobota Peter	5 Pfd. 7 Lth.	50	2	3	Omphalo- rhagia	—	einige Stun- den
61	1?616 Padevět Josef	5 Pfd. 25 Lth.	51	10	11	Omphalo- rhagia	—	1
62	16463 Salman Josef	6 Pfd. 30 Lth.	53	1	6	Omphalo- rhagia	—	einige Stun- den
63	19550 Maša Thomas	5 Pfd. 17 Lth.	50	6	8	Omphalo- rhagia	—	1

ben.

s e n e.

Abgegeben	Gestorben	Klinische Erscheinungen	Sectionsbefunde	Aufnahmstag. Beobacht.- Jahr	Mutter
Alterstag					
14	—	14, 4 Pfd. 22 Lth.		23./10. 1866	Unvermögen zu stillen.
55	—	8, Oedema präputii, der rechte Hode noch nicht herabgestiegen. Nabel excorirt. 12. Arteriitis umbil. Erbrechen gelblich gefärbten wässrigen Schleimes. Ikterus. 15. 4 Pfd. 5 Lth. 18, Bedeutender Meteorismus. Mässige aber anhaltende Blutung an der ganz verheilten Nabelfalte. Temper. 38º. 20. 4 Pfd. 6 Lth. 25. 4 Pfd. 11 Lth. 30. Wieder Erbrechen, wie früher, jetzt auch Diarrhöe. 45. 4 Pfd. 1 Lth. 55. 4 Pfd. 28 Lth. (Beob. XIX.)		16./11. 1866	25jährige kräft. zweitgebär. Magd in Prag. Nährte das Kind die ganze Zeit hindurch selbst.
20	—	9. Temp. 38º. 11. Eczema vesiculosum über der ganzen Körperperipherie. 19. 5 Pfd. 24 Lth. 20. 5 Pfd. 25 Lth. (Beob. XXX.)		17./1. 1867	30jährige mittelkräft. zweitgebär. Magd von Prag.
7	—	Bei der Aufnahme Nabelstrang bereits stark mumificirt, mit einem linienbreiten Stücke anhängend. Mässiger Ikterus. Am 3. Tage in der Umgebung des flottirenden Restes mässige capilläre Blutung. Am 4. Tage. 5 Pfd. 8 Loth.		28./2. 1868	Weggelegtes Kind
15	—	11. Rechts von der 4. Rippe abwärts weniger sonorer Percuss.-Schall; Respirat. unrhythmisch. Hautfärbung und Ernährung normal. Stuhlgang grünlich, etwas flüssig mit Milchgerinnsel. Temp. 37·8. Blutung an der Nabelfalte.		21./4. 1868	Processus puerper.
19	—	Abnabelung am 4. Tage. 6, Leichte Blutung an der Nabelfalte, mässiger Bronchialcatarrh. Ophthalmie. 19. 7 Pfd. 14 Loth.		4./9. 1868	Auf der Zahlclasse entbunden
16	—			14./2. 1869	Syphilis der Mutter

Nummer	Findlingszahl Name	Ge- wicht	Körper- länge	Alters- tage	Alters- tage bei	Orte	Weitere Orte	Dauer
		bei der Aufnahme			der ersten Blutung		der Blutung	
64	19017 Schiffner Anton	4 Pfd. 22 Lth.	49	2	9	Omphalo- rhagia	—	1
65	17109 Wydra Josef	5 Pfd. 21 Lth.	50	10	10	Omphalo- rhagia	—	2
66	18472 Pick Rudolf	4 Pfd. 8 Lth.	48	7	9	Omphalo- rhagia	—	1
67	19335 Dalmeřitz Emanuel	5 Pfd. 12 Lth.	51	7	7	Omphalo- rhagia	—	2
68	20786 Langer Franz	4 Pfd. 22 Lth.	49	1	10	Omphalo- rhagia	—	1
69	21120 Kraus Josef	7 Pfd. 2 Lth.	53	10	10	Omphalo- rhagia	—	1
70	20983 Sedioý Anton	4 Pfd. 17 Lth.	51	8	8	Omphalo- rhagia	—	2
71	21085 Gube Jaroslav	4 Pfd. 24 Lth.	48	1	6	Omphalo- rhagia	—	2
72	22685 Dwořak Ignaz	5 Pfd. 25 Lth.	52	8	11	Omphalo- rhagia	—	1

Ab-gegeben Alterstag	Ge-storben	Klinische Erscheinungen	Sectionsbefunde	Auf-nahme-tag. Be-obacht.-Jahr	Mutter
11	—	Gewichtszunahme: am 9. Tage 4 Pfd. 25 Loth. Ueberhäutete Nabelfalte, Blutung. Am 11. Tage 4 Pfund 29 Lth.		11./9. 1869	Process. puerper.
33	—	Injection und Schwellung des Papillarkörpers beider Augenlider. Kephalomaton am rechten Scheitelbeine, Vereiterung desselben, Eröffnung am 28. Lebenstage. Gewichtsabnahme 5 Pfd. 9 Lth. Von da an Zunahme 5 Pfd. 16 Lth.		5./12. 1869	21jährige schwache zweitgeb. Magd in Prag
19	—	Bei der Aufnahme Miliaria crystall. am Capillitium. Diarrhöe. Temp. 37·6. Am 18. Tage rituelle Circumision. Am 19. Tage Gewicht 5 Pfd. 29 Lth.		30./5. 1869	Mittelkräft. 22jährige erstg. Magd vom Lande
24	—	7. Tag. Excoriirte Nabelfalte. Aus der Nabelwunde sickert dünnes schwärliches Blut; Kronennaht beiderseits in den tiefern Partien unbeweglich. 21. Tag. Rituelle Beschneidung.		7./11. 1869	Process. puerper.
14	—	Geringe Gewichtsabnahme am Tage der Blutung, 4 Pfd. 22 Lth, hierauf Zunahme auf 4 Pfd. 26 Lth. Ossificationsdefecte, Lückenbildung in den Scheitelbeinen.		23./6. 1870	Classenkind
15	—			12./8. 1870	Schwächl. 32jährige Drittgebär. von Prag
32	—	Bereits vor der Aufnahme an der Diarrhöe erkrankt, nahm bis zum 19. bis auf 4 Pfd. 12 Lth. ab; von da an, wo die Mutter Eisenpulver zu nehmen begann, Zunahme bis zum 32. Tage 5 Pfd. 2 Lth.		7./7. 1870	Schwache 22jährige Erstgebär. von Prag
16	—	4. Injection u. Schwellung der Palpebralbindehaut. Ikterus. 6. Conjunctivitis.		15./8. 1870	Classenkind
13	—	11. Nach dem Bade mässige capilläre Blutung der verschlossenen Nabelfalte, welche nach Anwendung von Bäuschchen mit tinct. ferri sesquichl. bald sistirte.		4./5. 1871	20jährige zweitgeb. Eisenbahnarbeiterin von Prag

Nummer	Findlingszahl N a m e	Ge- wicht	Körper- länge	Alters- tage	Alters- tage bei	Orte	Weitere Orte	Dauer
		bei der Aufnahme			der ersten Blutung		der Blutung	
73	22141 Burauda Ferdinand	4 Pfd. 30 Lth.	51	13	13	Omphalo- rhagia	—	1

Mäd-
G e n e-

Nummer	Findlingszahl N a m e	Ge- wicht	Körper- länge	Alters- tage	Alters- tage bei	Orte	Weitere Orte	Dauer
74	12139 Topan Katharina	5 Pfd. 24 Lth.	52	9	9	Spuren von Omphalo- rhagia	—	we- nige Stun- den
75	11855 Koči Maria	4 Pfd. 21 Lth.	49	7	7	Omphalo- rhagia	—	1
76	11363 Lang Ottilie	4 Pfd. 30 Lth.	49	8	8	Omphalo- rhagia	—	1
77	11255 Kvevur Marie	5 Pfd. 19 Lth.	51	2	4	Omphalo- rhagia	—	1
78	10585 Kazda Anna	5 Pfd. 10 Lth.	50	8	8	Omphalo- rhagia	—	we- nige Stun- den
79	14796 Hlaska Elisabeth	4 Pfd. 15 Lth.	50	8	16	Omphalo- rhagia	—	5
80	15907 Kraus Anna	5 Pfd. 21 Lth.	50	2	11	Omphalo- rhagia	—	2
81	19227 Pokrupa Maria	3 Pfd 30th .	49	8	8	Omphalo- rhagia	—	1
82	18530 Frisch Johanna	4 Pfd. 30 Lth.	50	8	63	Omphalo- rhagia	—	2

Ab-gegeben	Ge-storben	Klinische Erscheinungen	Sectionsbefunde	Aufnahms-tag. Be-obacht.-Jahr	Mutter
Alterstag					
22	—	13. Mässige Blutung an der Nabelfalte, die bald sistirte. 17. 5 Pfd. 2 Lth. 22. 5 „ 4 „		10./2. 1871	21jähr. mäs-sig kräftige Erstgebär. vom Lande.

chen.
s e n e.

11	—			30./10. 1866	23jährige mittelkräft. erstg. Magd vom Lande.
10	—	10. 4 Pfd. 26 Lth.		14./9. 1866	Processus puerperal.
12	—	12. 5 Pfd. 6 Lth.		28./6. 1866	25jähr. mit-telkr. zweit-geb. Magd von Prag
11	—	3. Abnabelung normal. 6. 5 Pfd. 11. 5 Pfd. 6 Lth.		18./6. 1866	Processus puerperal.
10	—			15./3. 1866	28jährige kräftige drittg. Magd vom Lande Zangengeb.
60	—	12. 4 Pfd. 18 Lth. 16. Catarrh. intestin. parenchymatöse Nabel-blutung. 21. Sistirt; das Kind sehr schwach, 4 Pfund 5 Lth. 53. 4 Pfd. 18 Lth. 57 4 „ 21 „ 60. 4 „ 30 „		6./1. 1868	20jährige kräftige zweitgebär. Magd vom Lande
16	—	5. Abnabelung normal. 9. Soor. Diarrhöe. 11. Nabelblutung. 13. Blutung sistirt. 5 Pfd. 4 Lth. 16. 5 Pfd. 8 Lth.		6./6. 1868	Auf der Zahlabthei-lung gebor.
35	—	8. Ikterus, hochgradige Abmagerung. Temp. 38. Ophthalmie. Gewicht am 35. Tag 4 Pfd. 18 Lth.		16./10. 1869	24jährige kräftige erstg. Magd vom Lande
84	—	8. Mässige Ophthalmie. 59. Bronchialcatarrh. 68. Blässe gesteigerte Heftigkeit des Catarrhs. Blutung. 84. Gew. 5 Pfd. 16 Lth.		7./6. 1869	24jährige mitt. zweitg. Magd vom Lande.

Nummer	Findlingszahl Name	Ge-wicht	Körper-länge	Alters-tage	Alters-tage bei	Orte	Weitere Orte	Dauer
		bei der Aufnahme			der ersten Blutung		der Blutung	
83	19562 Krahl Maria	4 Pfd. 12 Lth.	47	8	12	Omphalo-rhagia	—	1
84	19967 Mottel Anna	4 Pfd. 14 Lth.	49	2	7	Omphalo-rhagia	—	3
85	21156 Sroubek Marie	4 Pfd. 25 Lth.	52	8	9	Omphalo-rhagia	—	1
86	21582 Vajkant Barbara	3 Pfd. 22 Lth.	48	8	8	Omphalo-rhagia	—	1
87	22109 Čedik Barbara	4 Pfd. 14 Lth.	49	8	11	Omphalo-rhagia	—	1
88	22714 Krondl Josefa	4 Pfd. 8 Lth.	84	8	13	Omphalo-rhagia levis	—	1
89	22569 Hopp Anna	5 Pfd. 20 Lth.	53	8	13	Omphalo-rhagia levis	—	1
90	21871 Pelzel Sofie	5 Pfd. 27 Lth.	51	—	11	Omphalo-rhagia	—	1

Ab-gegeben	Ge-storben	Klinische Erscheinungen	Sectionsbefunde	Aufnahms-tag. Beobacht.-Jahr	Mutter
Alterstag					
20	—	Gewichtszunahme. 12. Tag 4 Pfd. 18 Lth.		14./12. 1870	Kräftige 34jährige drittg. Magd vom Lande
16	—	14. Gewicht 4 Pfund 21 Lth.		20./2. 1870	Erkrankt an Peritonitis
14	—	9. Lückenbildung an beiden Scheitelbeinen in den hintern Partien, Nabelblutung. 10. Enterocatarrhus.		23./8. 1870	Mäss. kräft. 25jähr. erstg. Magd vom Lande
19	—	Gewichtszunahme: 13. Tag. 4 Pfd. 8 Lth. 17. „ 4 „ 18 „ 18. „ 4 „ 20 „		16./11. 1870	24jährige kräft. zweit-geb. Magd vom Lande
51	—	8. Nervus maternus am rechten Stirnhöcker. Ikterus, Augen einander auffallend nahestehend. Ueber den Augenbrauenbogen der Knochen zu einer Querfurche vertieft. Das rechte Scheitelbein abgeflacht; die Kopfhaut daselbst um den Höcker herum grünlich verfärbt. 11. Nabelblutung, Soor, trinkt wenig; Einreibungen der Körperperipherie mit Spiritus und Oel, von da an Gewichtszunahme. 17. 4 Pfd. 24 Lth. 20. 4 „ 30 „ 30. 5 „ 4 „ 42. 5 „ 30 „		11./2. 1870	22jährige mäss. kräft. erstgebär. Magd vom Lande
16	—	Lückenbildung am rechten Scheitelbeine unfern dem Höcker und bis gegen den inneren Rand zureichend. 13. Nabelblutung. Mutter nahm Eisen. 14. Blutung gestillt. 15. 4 Pfd. 11 Lth. 16. 4 „ 15 „		7./5. 1871	20jährige schwache skrophulöse erstg. Magd vom Lande
17	—			17./4. 1871	25jährige mäss. kräft. erstg. Person vom Lande
14	—	1. Mässige Injection der Palpebralschleimhaut beiderseits. 4. Abnabelung normal. 11. Spuren von Nabelblutung.		16./1. 1871	Zahl-abtheilung

14 *

II. Nabelgefäss-
Verstor-
Kna-

Nummer	Findlingszahl Name	Ge- wicht	Körper- länge	Alters- tage	Alters- tage bei	Orte	Weitere Orte	Dauer
		bei der Aufnahme			der ersten Blutung		der Blutung	
91	13109 Lustik Josef	4 Pfd. 10 Lth.	50	7	7	Omphalo- rhagia	—	we- nige Stun- den
92	15210 Mellen Franz	6 Pfd. 2 Lth.	51	8	8 ⸱	Nabel- öffnung	—	1
93	17567 Malý Ferdinand	5 Pfd. 22 Lth.	51	—	15	Omphalorhagia. Entleerung des Blutes im Stuhle, früher nur Entleerung von roth gefärb- ter wässeriger Flüssigkeit	—	2 Tage, dann wieder- holt 4 Tage, später bis zum Tode

Mäd-

Nummer	Findlingszahl Name	Ge- wicht	Körper- länge	Alters- tage	Alters- tage bei	Orte	Weitere Orte	Dauer
94	15646 Kepner Johanna	5 Pfd. 1 Lth.	49	1	5	Omphalo- rhagia	—	we- nige Stun- den
95	18070 Miller Elisabeth	5 Pfd. 20 Lth.	52	1	12	Nabel	—	3

blutungen.

b e n e.

b e n.

Ab- gegeben	Ge- storben	Klinische Erscheinungen	Sectionsbefunde	Auf- nahms- tag. Be- obacht.- Jahr	M u t t e r
Alterstag					
—	7 wenige Stunden nach der Aufnahme	7. Aus der Gefässin- sertionsstelle der Nabel- falte ergoss sich dunkles coagulirendes Blut in mässiger Menge. Kind blass, apathisch, kleiner Hautabscess am Rücken der linken Hand. (Beob. VII.)	Allgemeine Blutarmuth, Lungen lufthältig, Herz schlaff, die Nabel- arterien gegen die Nabelwunde zu bedeutend ausgedehnt, mit rostbrau- nen festhaftenden Blutgerinnseln er- füllt.	12./3. 1867	Processus puerperalis
—	9	8. Blutung aus der Ge- fässinsertionsstelle. des Nabels, welche sich beim Drucke auf die Unter- bauchgegend vermehrt. Blut gerinnt 9. Blutung profus. Blut coagulirt nicht mehr. Anämie. (J.-B. 1868. Beob. V.)	Aeusserst blasse Hautdecken. Pericranium an der Scheitelhöhe blutig suffundirt. Blutgerinnsel längs den Sulcis an der Innenfläche der Dura. Meningen und Gehirnsubstanz äusserst blutarm. Im Grunde der Nabelwunde die klaffenden von Granulationen umge- benen Gefässenden sichtbar, Nabel- vene leer, Nabelarterien mit dick- flüss. Blute erfüllt, und im weiteren Verlaufe mit schlanken Gerinnseln. Die Fötalwege des Herzens ge- schlossen.	28./2. 1868	21jährige kräftige erstgebär. Magd vom Lande
—	24	Stark verknöcherte Kro- nennath. Am 23. Tage beiderseit. Pneumonie. Temp. 39-40°. Decubitus sacralis, Epi- dermis am Rücken, schält sich in ganzen Stücken los.		10./2. 1869	Classenkind

c h e n.

—	9	5. Abgenabelt und bald darauf Blutung aus der Nabelwunde, welche bald sistirte. 6. Waren bloss ankle- bende Blutgerinnsel an d. Nabelfalte zu sehen. 7. Der Nabel rein. 4 Pfd. 16 Loth. 8. Diarrhöe, flüssige grünliche Stühle, Haut- decken blass, das Kind verfallen, apathisch. Temp. 38°. 9. Diphtheritis der Mund- u. Rachenschleim- haut		4./5. 1868	Auf der Zahlabthei- lung geboren
—	15	Stationäre Abschup- pung. 7. Nabelfalte missfär- big ulcerirt. 12. Grosse Blässe der Hautdecken. 14. Bronchopneumonie. Gewicht 4 Pfd. 10 Lth. Temp. 35·6° C. Die Abnabelung er- folgte am 3. Tage.	Nabelwunde mit Blutgerinnseln bedeckt. Innere Hirnhäute injicirt. Im Unterlappen der linken Lunge. Nabelarterien bilden beiderseits bis zur Dicke eines kleinen Fingers mit locker geronnenem Blute er- füllte Wülste, die linke bis in die Höhe des Blasenscheitels, die rechte bis 2''' von der Einmündungsstelle in die Hypogastrica, Intima necroti- sirt, das umgebende Gewebe blutig infiltrirt, hinter den Blutgerinnseln sind die Arterien von normalem Vo- lumen und enthalten flüssiges Blut.	12./4. 1869	Lues

Nummer	Findlingszahl Name	Ge-wicht	Körper-länge	Alters-tage	Alters-tage bei	Orte	Weitere Orte	Dauer
		bei der Aufnahme			der ersten Blutung		der Blutung	
96	20335 Václav Franziska	6 Pfd.	52	2	8	Omphalo-rhagia ex art. umbilic.	—	1

G e n e-

K n a-

97	17094 Holler Thomas	5 Pfd.	50	8	8	Omphalo-rhagia	—	einige Stun-den

III. Cap. Nabelblutungen mit gleichzeitig oder

V e r s t o r-

K n a-

98	10688 Babak Franz	4 Pfd. 21 Lth.	47	7	10	Omphalo-rhagia	Hä-mate-mesis	5
99	10655 Novotný Wenzl	6 Pfd. 2 Lth.	51	1	10	Omphalo-rhagia	Stoma-torhagia Häma-temesis, Entero-rhagia	6
100	12869 Fieber Josef	6 Pfd. 9 Lth.	50	1	3	Omphalo-rhagia	8. Tag Sto-mato-rha-gia	8

Ab-gegeben	Ge-storben	Klinische Erscheinungen	Sectionsbefunde	Aufnahms-tag. Beobacht.-Jahr	Mutter
Alterstag					
—	9	4. Abnabel. Diarrhöe. 5. Heftige Blutung aus den Insertionsstellen. Hochgrad. blasse Hautdecken. NB. Die Blutung wurde mittelst Anlegung einer Naht gestillt	Wohlgenährt, hochgradige Anämie sämmtlicher Organe und Gewebe, die Nabellacune von frischen, lokeren Blutgerinseln ausgedehnt, ebenso die Nabelarterien bis zum Blasenscheitel, von wo aus sie leer sind. Das subseröse Bindegewebe in der Gegend des Nabels blutig suffundirt. Nabelvene contrahirt und leer.	13./4. 1870	Erkrankt

s e n e

b e n.

Ab-gegeben	Ge-storben	Klinische Erscheinungen	Sectionsbefunde	Aufnahms-tag. Beobacht.-Jahr	Mutter
13	—	8. Arteriitis umbilical. Blut mit Eiter gemischt tritt aus der Nabelwunde hervor, beim Drucke auf den Unterbauch in grösserer Menge. 13. 5 Pfd. 7 Lth.		4./12. 1868	25jährige kräft. erstg. Magd vom Lande

später auftretenden anderen Blutungen.

b e n e.

b e n.

Ab-gegeben	Ge-storben	Klinische Erscheinungen	Sectionsbefunde	Aufnahms-tag. Beobacht.-Jahr	Mutter
—	19	9. 4 Pfd. 12 Lth. 10. Dünnflüssig. braunrothes Blut aus der Nabelfalte. 12. Blutiges Erbrechen. Stuhlgang schwärzlich. Nabelblutung copiös. 15. Blutung gestillt. 16. Meningitis.		30./3. 1866	Processus puerperal.
—	16	8. Abnabelung. 10. Decubitus 11. 5 Pfd. 25 Lth. 12. Decubitus am linken Ellbogen. Mundblutung. 15. Hautsugillationen 15. Haematemesis. Die Sugillat. werden grünlich.	Meningitis ad basim. Streifige Röthung und Lockerung der Schleimhaut des Magens. Nabelarterien bis an ihre Einmündungsstellen in die Hypogastrica mit Eiter gefüllt. Nabelvene obliterirt.	1./4. 1866	Auf der Zahlclasse entbunden
—	12	3. Reine Abnabelung. Blutung der Nabelfalte. Oedem des Scrotums. 8. 5 Pfd. 17 Lth. Blutungen aus der gelockerten Mundschleimhaut. 11. 4 Pfd. 17 Lth. Temp. 34°. Blutungen sistirten. Beob. XXIII.)	Hyperämie der Meningen u. des Gehirnes; Infarcte des Unterlappens der linken Lunge, Herz schlaff, in beiden Ventrikeln dunkles, dickflüssiges Blut, die fötalen Wege offen. Leber und Milz klein, mässig blutreich. In einer Pyramide der linken Niere erbsengrosser Herd dunklen coagulirten Blutes, in den Nabelarterien dunkles dickflüssiges Blut.	6./2. 1867	Auf der Zahlabtheilung entbunden

Nummer	Findlingszahl Name	Ge-wicht	Körper-länge	Alters-tage	Alters-tage bei	Orte	Weitere Orte	Dauer
		bei der Aufnahme			der ersten Blutung		der Blutung	
101	14555 Reiser Franz	5 Pfd. 13 Lth.	53	1	8	Omphalo-rhagia Sto-matorhagia	10. Tg. Erneu-erte Sto-mato-rhagia	1
102	15325 Guber Franz	5 Pfd. 5 Lth.	51	9	11	Omphalo-, Stomato- u. Entero-rhagia	12. Der-mato-rhagia, Nabel-wunde	2
103	17057 Grund Josef	4 Pfd.	50	8	8	Omphalo-und Entero-rhagia	—	1
104	17886 Steiner Ottokar	4 Pfd. 14 Lth.	48	—	11	Nabelfalte und Mund	—	1

Ab- gegeben	Ge- storben	Klinische Erscheinungen	Sectionsbefunde	Auf- nahms- tag. Be- obacht.- Jahr	Mutter
	Alterstag				
—	11	2. Farblose nur hie und da mit gelben Flocken gemengte Stühle. 6. 5 Pfd. 11 Lth. 8. Verkürzter Percussionsschall an der rechten Brustseite, consonnir. Rasselgeräusche. Temp. 37·2º. Herzaction 100. Diarrhöe, Nabelblutung, blutiger Beleg an der Zunge, kleine Substanzverluste an dieser und an den Lippen, Röthung der Schleimhaut des Mundes. 9. Blutungen sistirt. Am 10. dicke Lagen grüngelben Exsudates am Zungengrund u. Gaumengewölbe, reichliche Blutung. (Beobacht. XXIV.)		4./12. 1867	Auf der Zahlclasse entbunden
—	12	9. Arteriitis umbilic. Mäss. Ikterus. Diarrhöe. 11. Begin der Blutungen aus Mund, After, Nabel. 12. Blutung in der rechten Achselgrube, rechten Leiste und aus der Gefässinsertionsstelle des Nabels. (1868 Beob. VII.)	Meteoritisch aufgetriebener Unterleib. In der rechten Achselgrube erscheinen die oberflächlichen Hautschichten zu einem missfärbigen Schorfe umwandelt, am Nabel eine etwa hanfgrosse Höhle mit missfärbigem Eiter erfüllt. Pericranium des Hinterhauptes blutig suffundirt, mit kaffeesatzähnlichen Massen untermischter Inhalt im Magen, braunrother dicklicher Inhalt im Dickdarme, Leber fest zäh.	13./3. 1868	19jährige erstgebär. kräftige Wäscherin in Prag
—	9	8. Cyanose. Mühsames Athmen. Nabelblutung bei vollkommen überhäuteter Nabelfalte, gränliche mit reinem Blute gemengte Stuhlentleerung, piepende schwache Stimme, Mund- und Gaumenschleimhaut geröthet, mit Ecchymosen besäet. Percussionsschall beiderseits verkürzt. Temp. 37º. Respirationen 68 in der Minute.	Theerartiges Blut in den Blutleitern. In der Nabelkloake dickflüssiges Blut, die Nabelvene unmittelbar hinter derselben mit dickflüssigem Blute gefüllt, im übrigen Verlaufe collabirt, dickwandige Nabelarterien mit puriformem Brei erfüllt; — Intima gelblich grau, die übrigen Häute verdickt, schiefergrau. Der Zerfall reicht in den Arterien bis zum Blasenscheitel, woselbst ihr Lumen durch festhaftendes braunrothes Gerinnsel von den untern Abschnitten der Hypogastricae abgeschlossen ist. Blutig gefärbte Flüssigkeit in der Trachea und im Pharynx, die rechte Lunge an den Rändern hell, sonst blauroth, blutreich und an der Peripherie atelectatisch. Die linke Lunge mit hellbraunem Exsudate bedeckt, unter welchem die Pleura ecchymosirt und stellenweise von extravasirtem Blute abgehoben erscheint. Foetalwege des Herzens offen. Dickflüssiges Blut im Herzen. Schleimhaut des Dick- und Dünndarmes gelockert und dunkelroth injicirt.	30./11. 1868	30jährige mäss. kräft. zweitgebär. Magd vom Lande
—	12	Cyanose. Dysurie am 3. Tage. 10. 3 Pfd. 13 Lth.		21./3. 1869	Classenkind

Nummer	Findlingszahl Name	Ge- wicht	Körper- länge	Alters- tage	Alters- tage bei	Orte	Weitere Orte	Dauer
		bei der Aufnahme			der ersten Blutung		der Blutung	
105	18835 Stěpanek Josef	3 Pfd. 9 Lth.	46	2	4	Aus der voll- kommen überhäutet. Nabelfalte Entero- rhagia	—	Eini- ge Stun- den
106	17416 Treštik Adolf	4 Pfd. 6 Lth.	49	8	8	Nabel, Homateme- sis	—	2
107	19390 Janovský Josef	4 Pfd. 26 Lth.	50	8	12	Omphalo- rhagia, Entero- rhagia, Hämaturie, Hämate- mesis	Sugilla- tionen der rechten Körper- seite	4
108	19904 Anger Eduard	4 Pfd. 10 Lth.	51	8	9	Omphalo- u. Stomato- rhagia	—	1
109	20423 Müller Josef	5 Pfd.	50	8	16	Omphalo- u. Stomato- rhagia	—	1
110	22006 Třešnak Karl	4 Pfd. 1 Lth.	48	8	9	Omphalo- rhagia modica	Stoma- torha- gia	3

Abgegeben	Gestorben	Klinische Erscheinungen	Sectionsbefunde	Aufnahmstag. Beobacht.-Jahr	Mutter
Alterstag					
—	4	2. Abnabelung. Ikterus pyaemicus. Collapsus cranii; schwache Herzaction. Temp. am Tage der Blutung 36° C.		3./8. 1869	Classenkind
—	10	Stieren Blick. Monotones Wimmern, Zittern der rechten obern Extremitäten, Collapsus.		17./1. 1869	29jährige Zweitgeb. aus Lemberg, M. Sträfling.
—	16	Ikterus pyaemicus. Conjunctivis palpebralis. Catarrh. intestinalis. Collapsus. Temp. 37·4° am Aufnahmstage. 10. Lebenstage. Soor. 4. Abnabelung.		19./1. 1869	20jährige schwache Erstgebär. vom Lande
—	10	8. Sehr abgemagert. Intensiver Ikterus. 9. An der ganz überhäuteten Nabelfalte entleert sich reichliches dünnflüssiges Blut, mässig. Diarrhöe. Die Zunge mit einer Schichte Blutes bedeckt.		7./2. 1870	Schwache 23jährige erstgebär. Magd vom Lande
—	17	8. Radial verlaufende Lücken am innern Rande der Scheitelbeine. 13. 4 Pfd? 25 Lth. Strabismus. Eingesunkene Fontanellen. 15. Nackencontractur. Hyperämia cerebin. Diarrhöe und Erbrechen. Stühle dunkelgrün. Temp. 37°. 16. Diffuse livide grünliche Verfärbung in den Lendenbeugen, Blutspuren am Munde und am Nabel. 17. Etwas profusere Nabelblutung. Tod.		19./4. 1870	31jährige mittelkräft. zweitgebär. Magd vom Lande
—	12	8. Ankyloglosson. Diarrhöe. 9. Spuren von Blut am Nabel. 10. Mundhöhlenschleimhaut besonders die Zunge hoch geröthet. Rigidität der Gelenke. Decubitus. 11. Zunge mit Blut bedeckt, theils verkrustet.		28./1. 1871	21jährige mittelkräft. erstgebär. Magd vom Lande

Nummer	Findlingszahl N a m e	Gewicht	Körperlänge	Alterstage	Alterstage bei	Orte	Weitere Orte	Dauer
		bei der Aufnahme			der ersten Blutung		der Blutung	
111	22144 Heller Ferdinand	4 Pfd.	49	10	10	Omphalorhagia modica	Vulnus ex circumcisione Rhinorhagia	1
112	22378 Krautschneider Leopold	4 Pfd. 17 Lth.	50	4	24	Omphalorhagia	33 Omphalorhagia recidiva Otorhagia, Stomatorhagia	2 4

M ä d-

| 113 | 11366 Zelenka Marie | 5 Pfd. 4 Lth. | 48 | 6 | 11 | Omphalorhagia | Stomatorhagia | 13 |
| 114 | 10981 Šindel Karoline | 6 Pfd. 4 Lth. | 51 | 3 | 4 | Omphalorhagia | Dermatorhagia, Stomatorhagia | 6 |

Ab-gegeben Alterstag	Ge-storben	Klinische Erscheinungen	Sectionsbefunde	Auf-nahms-tag. Be-obacht.-Jahr	Mutter
—	56	10. Blutspuren am Nabel, keine weitere Blutung. 20. 4. Pfd. 10 Lth. 25. Oedema scroti. 28. Diarrhöe. 4 Pfund 13 Lth. 41. 4 Pfd. 26 Lth. Cat. int. geheilt. 49. 5 Pfd. 12 Lth. Circumcisio ritualis. 50. Diarrhöe. 51. Bedeutende Blutung aus der Circumcisionswunde und Nase, Collapsus, trotzdem die Blutungen gestillt wurden, und sich nicht mehr wiederholten.		14./2. 1871	35jährige mäss. kräft. zweitgebär. Magd vom Lande Agalaktia
—	37	6. Otitis externa sinistra. Der Processus mastoideus aufgetrieben. Eitriges Secret. Lücke im linken Scheitelbeine. 12. Herpes facialis. 16. 4 Pfd. 20 Loth. 24. Spuren von Nabelblutung. 26. Gestillt. 30. 3 Pfd. 30 Lth. Verfall. 33. Blutung aus dem Ohre, Nabel und Munde.		26./3. 1871	Processus puerperal.

o b e n

Ab-gegeben Alterstag	Ge-storben	Klinische Erscheinungen	Sectionsbefunde	Auf-nahms-tag. Be-obacht.-Jahr	Mutter
—	24	11. Ikterus. Nabelblutung. 18. Nabelblutung anhaltend, beträchtliche Blutung d. Mundschleimhaut. 20. Livide Flecken am ganzen Körper, Blutspuren in den Stühlen. (J.-B. Beob. VIII.)	Anämie, Lungenpleura, beiderseits ecchymosirt, Herz mittelgross, Muskulatur derb, die fötalen Herzwege durch. Leber blassbraun, Gewebe fest, wenig bluthältige Gewebe der Milz brüchig, blutarm. Nabelarterien wulstig verdickt, mit hellrothem Blute gefüllt. Im Dickdarme röthl. Inhalt. Follikel geschwellt, zwischen ihnen zahllose Ecchymosen.	17./1. 1866	Milch-mangel
—	20	6. Tag. 6 Pfd. 5 Loth. Restit. 9. Tag. 10. Ophthalmie. Hautdecken anämisch. 6 Pfd. 2 Loth. 13. Schwärzliche brandige Blasen von Capillitium erbsen- bis bohnengross. Darmkatarrh, Pulsfreq. 140. Z. T. 17°, Körperwärme 37 2°. 13. Bedeut. Nabelblutung. Die verschorften Stellen am Capillitium verbreiteten sich, ausgebreitete Zellengewebs- und Mundblutungen.	Abmagerung, blassgelbe Hautdecken, Schädelhaut mit Borken besetzt, an den abhängigen Körperpartien livide Stellen, an welchen beim Einschnitte das Corion blutig suffundirt erscheint. Die Lungen blutarm, Emphysema intralobulare, Unterlappen von Hepatisation durchsetzt, Herzmuskulatur blass, fest, Milz 3″ lang, braunroth, brüchig, Leber mittelgross, blassbraun. Die Umbilicalarterien mit missfärbigem Eiter gefüllt Umbilicalvene normale Thromben enthaltend.	11./5. 1866	Processus puerperalis

Nummer	Findlingszahl N a m e	Ge- wicht	Körper- länge	Alters- tage	Alters- tage bei	Orte	Weitere Orte	Dauer
		bei der Aufnahme			der ersten Blutung		der Blutung	
115	13074 Pačes Karoline	5 Pfd. 12 Lth.	—	2	7	Omphalo- rhagia	Stoma- torhagia	1
116	18105 Schmied Franziska	3 Pfd. 14 Lth.	44	8	8	Nabel	Entero- rhagia	5
117	18111 Tuma Marie	4 Pfd. 29 Lth.	50	8	9	Omphalo- rhagia Hämateme- sis	—	einige Stunden
118	17519 Hilger Anna	5 Pfd. 3 Lth.	51	2	5	Omphalo- rhagia ad- haerente chorda um- bilicali, En- terorhagia	—	18 Stun- den
119	19743 Petraček Anna	3 Pfd. 16 Lth.	44	8	31	Omphalo- rhagia	Derma- torhagia implica ingui- nali dextra	2

Ab-gegeben	Ge-storben	Klinische Erscheinungen	Sectionsbefunde	Aufnahms-tag Be-obacht.-Jahr	Mutter
Alterstag					
—	10	2. Injektion der Lidbindehaut beiderseits. 4. Blennorrhöe der Vagina. Taubeneigross. Kephalohämatom am obern Winkel der Occipitalschuppe, ein kleineres am linken Scheitelbein. 7. Nabelblutung. 9 Mundblutung. 4 Pfd. 9 Loth. Dünnflüssige copios. Stühle. Temp. 36°.		13/.3. 1867	Carcinoma
—	13	Ikterus, Mikro-Brachycephalus. Alle Näthe des Craniums synostosirt. Kopfperipherie 29. Gerader Durchmess. 9½ Quer hint. „ 8 „ vord. „ 7½ Aus der Gefässinsertionsstelle blutgemischter Eiter. Blutung der Nabelfalte, Temp. 38°. 9. Gangrän. Blasen an den Nates. 10. Gangrän an der grossen Zehe des linken Fusses; Nabelgangrän.	Schädel in der Stirngegend verflacht, Hinterhaupt bedeutend hervorgetrieben, so dass die Schuppe in ihrer oberen Hälfte winklig gekeilt erscheint. Nabelkloake und das umgebende Gewebe missfärbig mit grünlichschwarzer Flüssigkeit gefüllt, ebenso die erweiterten peripheren Enden der Nabelarterien, unterhalb dieser Stellen die Arterien durch feste Thromben verschlossen. Das subperitonäale Bindegewebe am Blasenscheitel jauchig infiltrirt. Fötalwege offen. Milz klein.	9./4. 1869	21jährige kräft. erstgebärende Magd vom Lande
—	9	Livide Färbung der Augenlider und d. Hautdecken am Rücken und den Seiten des Rumpfes. Cyanose, Bronchitis; Catarrh intestinalis. Aus dem Nabel sickerte fast wässrige blutige Flüssigkeit hervor.		10./4. 1869	Schwache 20jährige erstgebär. Magd vom Lande
—	5	Plagiocephalus, Synostosis praecox suturae lambdoideae et frontalis. 2. Continuirliche Zuckungen der linken obern Extremität., im Gesichte, Cyanose, Kopf gegen die rechte Schulter angezogen, Strecker der Finger stark contrah. Temp. 38·4. 5. Apathie; Hinterhauptschuppe im obern Theile stark hervorragend, das rechte Auge nach Aussen und Oben fixirt. Am Umfange der adhärirend. Nabelschnur die Hautdecken blutend. Reichliche blutige Stuhlentleerung.	Das linke Scheitelbein höher stehend als das rechte. Hyperämie des Gehirnes, innere Hirnhäute leicht ödematös. Serum in der hintern Schädelgrube, Nabelstrang fest adhärirend, vertrocknet, Nabelarterien im peripheren Theile mit eitrigem Inhalte erfüllt. Nabelvene contensirt, etwas flüssiges Blut führend. Schleimhäute des Halses dunkelroth mit blutig gefärbter Flüssigkeit bedeckte Lungen, in den hintern untern Abschnitten blutreich; am vordern Rande der Oberlappen unter dem Ueberzuge blutig suffundirt, Leber leicht zerreisslich, dunkelroth. Darmschleimhaut aufgelockert, dunkelroth.	4./2. 1869	Processus puerperalis
—	15	Angeblich gleich am 3. Tage Diarrhöe eingetreten. 13. Nabelfalte röthlich gefärbt, dunkles flüssiges Blut hervorquillend, bedeutend abgemagert. Herzact. verlangsamt. 84. 14. Collapsus, Nabelblutung sistirt. 15. Blutung in der rechten Leistenbeuge, wo sich die Epidermis abgestossen hat, Oedem der unteren Extremitäten.		9./1. 1870	Mäss. kräft. 23jährige erstgebär. Magd vom Lande

Nummer	Findlingszahl N a m e	Ge- wicht	Körper- länge	Alters- tage	Alters- tage bei	Orte	Weitere Orte	Dauer
		bei der Aufnahme			der ersten Blutung		der Blutung	
120	20734 Kohn Franziska	3 Pfd. 17 Lth.	43	—	6	Omphalo- rhagia Hämateme- sis	Melaena	1
121	20749 Burda Josefa	5 Pfd. 16 Lth.	57	8	14	Omphalo- rhagia	Ecchy- mosi- rung der Haut- decken a. Halse. Entero- rhagia	5
122	22514 Guster Ida	7 Pfd. 10 Lth.	55	—	8	Omphalo- rhagia	10 Ompha- lorhagia recidiva, Entero-, Stoma- torha- gia. Haemat- emesis	1
123	22691 Vrtnicky Johanna	4 Pfd. 31 Lth.	51	—	15	Omphalo- rhagia	16 Haemat- emesis, Entero-, Stoma- torhagia	1
124	22338 Kobylak Josefa	5 Pfd. 20 Lth.	51	10	33	Omphalo-, Otorhagia	—	11

Abgegeben / Gestorben — Alterstag	Klinische Erscheinungen	Sectionsbefunde	Aufnahmstag. Beobacht.-Jahr	Mutter
— 7	1. Sklerem der unteren Extremitäten. 6. Bohnengrosse Sugillation am linken Knie, blutiges Erbrechen, Nabelblutung, schwärzliche undeutlich begrenzte Stellen am Rücken. Temp. 32·8°. Herzact. 52. Herztöne schwach zu vernehmen.		16./6. 1870	An Syphilis erkrankt
— 19	12. Diarrhöe. Ikterus. Ecchymosirung des Halses. 13. Nabelblutung, Herzbewegung verlangsamt. 16. Bronchopneumonie. Blutige Stühle.		11./6. 1870	Sechstgeb. mittelkräft. 37jährige Wittwe in Prag
— 11	1. Vorkopf. rechtes Scheitelbein. Dolichocephalus. Sinaphie des vorderen Drittels der Pfeilnaht. 8. Blutung um den noch adhärirend. Nabelstrangrest. 9. Nabelstrang abgefallen. Blutung sistirt. Collapsus, Stomatitis phytoparas. 10. Nabelblutung recidiv, blutige Stühle. Bluterbrechen, Mundblutung. Temp. 35.	Blasse, fettreiche Hautdecken. Meningen ödematös, Hirn blutarm, in den Ventrikeln wenig Serum; in den Blutleitern dunkles, flüssiges Blut, Zunge, Mundhöhle, Rachen voll von dunklem halbgeronnenem Blute. Lungen nur in den untern Partien atelectasirt, sonst durchaus lufthältig. Magen und Darmtractus von dunklem dicklichem Blute erfüllt, Schleimhaut theilweise mit Blut imbibirt, Leber gross, blassbraun.	19./4. 1871	Auf der Zahlclasse entbunden
— 18	Radiäre Lücken am inneren Rande beider Scheitelbeine. 8. 4 Pfd. 20 Lth. 15. 4 Pfd. 17 Lth. Geringe Blutung an der Nabelfalte. 16. Bluterbrechen und blutige Stühle. In der Mundhöhle Blutcoagula; livid gefärbte, infiltrirte Flecke und Flächen am Rücken und Kreuzbeine. Pyämia. 17. Collapsus.		12./3. 1871	Auf der Zahlclasse entbunden
— 50	10. Mäss. Pyophthalmie. 15. 6 Pfd. 18 Lth. 32. Nabelfalte mit jauchigen, bräunlichrothen Secrete bedeckt. Percussionsschall nicht verkürzt, beiderseits starker Stimmfremitus und fein blasige Rasselgeräusche; Gewicht 4 Pfd. 17 Lth. Temp. 36·4°. 33. Beträchtliche capilläre Blutung der Nabelfalte, ebenso am linken Ohre aus der Concha, Percussion beiderseits am Thorax weniger sonor. Temp. 36°. 35. Mutter nimmt Eisen. 44. Nabelblutung sistirt. Tuberculosis pulm.		14./3. 1871	34jährige mäss. kräft. drittgebär. Magd vom Lande. Narben von Condylomen.

IV. Capilläre Nabelblutungen

Verster-

Kna-

Nummer	Findlingszahl Name	Ge- wicht	Körper- länge	Alters- tage	Alters- tage bei	Orte	Weitere Orte	Dauer
		bei der Aufnahme			der ersten Blutung		der Blutung	
125	11117 Matejka Franz	3 Pfd. 22 Lth.	48	8	8	Omphalo- und Blepharo- rhagia	—	1
126	15036 Stěpanek Josef	3 Pfd. 24 Lth.	48	8	9	Blepharo- rhagia, Omphalo- rhagia	—	2
127	19826 Hanslik Johann	5 Pfd. 30 Lth.	51	3	8	Labia oris	Ompha- lorha- gia, Haut- blutung an den Füssen	2
128	20616 Kadleček Wenzl	5 Pfd.	51	8	23	Rhino- rhagia	46 Ompha- lorhagia 129 Gingive	1 1 1

auf andere Blutungen folgend.

b e n é.

ben.

Abgegeben	Gestorben	Klinische Erscheinungen	Sectionsbefunde	Aufnahmstag. Beobacht.-Jahr	Mutter
Alterstag					
—	9	8. Grosse Abmagerung. Cyanose d. Extremitäten.		24./5. 1866	Schwächl. tuberculöse 21jährige erstgebär. Magd von Prag
—	10	8. Sehr mager, dünne fahl ikterisch gefärbte Hautdecken. Aus der Nabelwunde entleerte sich Eiter. Keine Affection der Conjunct. palpebralis. 9. Spontane Blutung der letzteren beiderseits, stärker rechts, fast gleichzeitig Blutung der Nabelfalte, mühsames Athmen, Sopor, Verfall.	Der rechte Conjunctivalsack mit Blutgerinnseln erfüllt, röthlich gefärbter Eiter in der Nabelwunde; Schleimhaut des Pharynx gewulstet, Glottisbänder ödematös. Herz klein, fötale Herzwege offen, dunkelrothe Infarcte im Unterlappen der rechten Lunge. Milz klein, dunkelroth, Leber brüchig, gelblichbraun.	5./2. 1868	28jährige drittgebär. kräftige Magd vom Lande
—	20	3. Cutisnabel, Abnabelung. 7. Catarrh. intestinalis. 8. Nabelblutung, Catarrh. bronchialis. 9. Röthung der Füsse u. des Hodensackes. Hervorsickern von Blut in geringer Menge in den Fussbeugen. 14. Am Winkel des Unterkiefers links härtlicher Tumor. 18. Abcessbildung daselbst. (Peritonitis.)		31./1. 1870	Processus puerper.
—	149	8. Pyophthalmie beiderseitig. 23. Nasenblutung. 39. Catarrh. bronchial. Anämie. 46. Spuren von Nabelblutung. Gewicht 4 Pfd. 17 Lth. 114. Abscess in der linken Wange. 127. Gew. 4 Pfd. 26 Lth. 123. Bohnengrosse Decubitusgeschwüre an beiden Gesässbacken. 129. Geschwüre gangränös. Zahnfleischblutung. 139. Necrose desselben, einzelne Zähne werden entblösst. 145. Gew. 4 Pfd. 7 Lth.	Hirnventrikel mässig erweitert, innere Hirnhäute ödematös; Leber gross, blutreich, Milz derb, 2" lang, Darmkanal contrahirt. Schleimhaut im Dickdarme grau pigmentirt, verdickt. Atrophia.	18./5. 1870	Metrorhagie. Syphilis. Macula. Nahm früher Eisen, dann Sublimat vom 81.Tage der Entbindung an.

15 *

M ä d-

Nummer	Findlingszahl Name	Ge- wicht	Körper- länge	Alters- tage	Alters- tage bei	Orte	Weitere Orte	Dauer
		bei der Aufnahme			der ersten Blutung		der Blutung	
129	18045 Jung Emilie	4 Pfd. 20 Lth.	52	8	9	Blepharo- und Omphalo- rhagia	Entero- rhagia	3
130	22623 Červenka Julie	4 Pfd. 7 Lth.	52	8	33	Haemate- mesis	Blepha- ro-, En- tero-, Ompha- lorhagia	3
131	22844 Koha Emilie	4 Pfd. 21 Lth.	50	8	11	Stomato- rhagia	12 Ompha- lorha- gia, En- tero- rhagia	4

G e n e-

K n a-

| 132 | 22626 Sikora Josef | 5 Pfd. 16 Lth. | 52 | — | 6 | Blepharo-, rhagia | Ompha- lorhagia | 5 |

c h e n.

Abgegeben	Gestorben	Klinische Erscheinungen	Sectionsbefunde	Aufnahmstag. Beobacht.-Jahr	Mutter
	Alterstag				
—	12	Nach Angabe der Amme schlief das Kind nach einem Safte, den es vor der Aufnahme in die Anstalt erhalten hat, 3 Tage fast ohne Unterbrechung und ohne zu trinken. 8. Apathisch, abgemagert, keine Convulsionen aber profuse Diarrhöe. Die Blutung aus den Augenlidern so profus dass das Blut bei dem Versuche sie zu lüften. im Strome hervorquoll.	Hautdecken an den Augenlidern ecchymosirt, Conjunctiva wie ausgewaschen. Meningitis purulenta. In der Nabelkloake rostbraune Flüssigkeit, in den peripheren Enden der Nabelarterien eitriger Brei. Drei bohnengrosse hämorrhagische Infarcte an der Peripherie des Oberlappens der rechten Lunge; pleurit. Adhäsionen daselbst. Hämatome an den Herzklappen; Milz 2″ lang, welk, Leber fest, blutreich, blutig tingirter Schleim im Magen; Schleimhaut im unteren Theil d. Ileum und Dickdarm gelockert und schwarz melirt.	3./4. 1869	Kräftige 30jährige erstgebär. Magd vom Lande
—	36	19. 4 Pfd. 29. 3 Pfd. 26 Lth. 33. Bluterbrechen. 85. Darm- und Nabelblutung.	Sehr blasse Hautdecken, linke Lunge im Oberlappen hepatisirt, leer, der Magen u. Darmkanal mit theils geronnenem, theils flüssigem Blute angefüllt. Schleimhaut röthlich imbibirt. Leber blass, Milz sehr klein.	26./4. 1871	19jährige schwache erstgebär. Schauspielerin v. Lande
—	15	11. Schleimhaut des Mundes. Lippen stellenweise excorirt, blutend, das Kind trinkt wenig. 13. Gaumengewölbe mit Blut bedeckt. Blutung aus der verschlossenen Nabelfalte, blutige Stühle, linksseitige Pneumonie. 14. Hautblutung am Gesässe.		28./5. 1869	28jähr. mässig kräftige zweitgeb. Magd vom Lande

s e n e
b e n.

| 19 | — | 1. Conjunctiva der Lider gleichmässig injicirt, an der Sclera dendritisch; mässige Secretion. 4. Blutung an d. Augenlidern, dieselben geschwellt, Abnabelung ganz rein, die Nabelfalte vollständig geschlossen, und überhäutet. 5. Capill. Blutung am Nabel. Ther. Extract. Chinae. 7. Nebst Anhalten der genannten Blutungen schwärzliche Stühle, Ecchymosen der Mundschleimhaut. 9. Blutungen gestillt. 13. 5 Pfd. 12 Lth. 14. 5 „ 19 „ | | 4./5. 1871 | Auf der Zahlabtheilung geboren |

B. Capilläre Blutungen

I.

Verstor-

Kna-

Nummer	Findlingszahl Name	Ge- wicht	Körper- länge	Alters- tage	Alters- tage bei	Orte	Weitere Orte	Dauer
		bei der Aufnahme			der ersten Blutang		der Blutung	
133	9888 Martinek Karl	4 Pfd. 15 Lth.	46	2	22	Concha auris sin.	24 Derma- torhagia in peni et scroto inguini- bus et femori- bus	1
134	13476 Pichler Karl	5 Pfd. 26 Lth.	49	1	53	Oto- und Entero- rhagia	—	2
135	18445 Hausner Johann	3 Pfd. 26 Lth.	46	8	97	Ohrmuschel beiderseits	—	9
136	21770 Novoveský Bohumil	5 Pfd. 20 Lth.	50	8	39	Oto- und Rhino- rhagia	Hae- mate- mesis, Entero-, Der- mato- rhagia	5

ohne Nabelblutungen.
Ohr.
b e n e.
ben.

Abgegeben	Gestorben	Klinische Erscheinungen	Sectionsbefunde	Aufnahmetag. Beobacht.-Jahr	Mutter
	Alterstag				
—	25	5. Normale Abnabelung. 22. 4 Pfd. 19 Lth. Dünnes hellrothes Blut. Schleimhäute und Nabel bluteten nicht. (Jahresb. 1866. Beob. XV.)	Die fötalen Herzwege offen, bedeutende Anämie, Ecchymosirung der Lungenpleura; Fettleber, sowie die Milz gross. Im Magen schleimiger mit kaffeesatzähnlichen Flocken untermischter Inhalt.	19./12. 1865	Processus puerper.
—	35	1. Zitternde Bewegungen bald der oberen, bald der unteren Gliedmassen. Puls 120. Herztöne rein. Temp. 37. 6. 5 Pfd. 8 Lth. 14. Blennorrhöe der Nabelfalte. 30. Mit dem Verfalle lässt das Zittern nach, Temp. steigt von 36·5° auf 38°. Gew. 4 Pfd. 12 Loth. 33. Blutungen. Temp. 39.4°. Pulsfrequenz 142. Nimmt die Brust ununterbrochen bis noch 5 Stunden vor dem Tode. (Beob. XXVII.)	Kopfknochen übereinander verschoben, Blutleiter wenig Blut enthaltend, Meningen und Hirnsubstanz wenig blutreich. Varolsbrücke und Medulla oblong. sehr schlank, härtlich, Kleingehirn, höchstens wallnussgross, die hintere Schädelgrube sehr klein. Nabelvene dünn, mit dickflüssigem Blute erfüllt. feste Blutgerinnsel im obern Theile der Nabelarterien; Ductus Botalli geschlossen, Leber welk, blass gelblich, Milz auch welk. Magen ausgedehnt, von locker geronnenem Blute. Schleimhaut sowie im Darmkanale durch Imbibition hellroth, ähnlicher Inhalt im Darm.	24./5. 1867	Auf der Zahlclasse entbunden.
—	106	Beiderseitige Augenblennorrhöe bei der Aufnahme. Mässiger Ikterus. Später Pneumonie beiderseitig. (Tuberculosis.)		25./2. 1869	35jähr. mittelkräftige Zweitgeb. vom Lande
—	44	8. Ophthalmie. 21. Diarrhöe. 32. Temp. 39°. 33. 38·4°. 38. Onychitis rechte grosse Zehe, Blutung aus der linken Ohrmuschel und Nase. 39. Blutung heftiger. Stühle grünlichschwarz. Collapsus. 41. Erbrechen, Blutstreifen in schleimiger Flüssigkeit; livide Hautstellen, Rasselgeräusche zu Ende der Inspiration. 42. Blutung an d. rechten grossen Zehe aus einer schwärzlich. Stelle, blutiges Erbrechen und Stühle. 43. Hautblutung an beiden Ohren.		23./12. 1870	23jährige mittelkräft. erstgebär. Magd vom Lande

M ä d-

Nummer	Findlingszahl Name	Gewicht	Körperlänge	Alterstage	Alterstage bei	Orte	Weitere Orte	Dauer
		bei der Aufnahme			der ersten Blutung		der Blutung	
137	15372 Stranský Anna	3 Pfd. 23 Lth.	50	8	53	Otorhagia	—	6

G e n e-
K n a-

| 138 | 17257 Sněke Franz | 3 Pfd. 23 Lth. | 49 | 8 | 25 | Aeusseres Ohr rechterseits | — | 4 |

II. A u g e n-
V e r-
Kna-

139	16268 Svoboda Karl	5 Pfd. 3 Lth.	49	1	2	Blepharorhagia	—	6
140	14370 Wazal Franz	4 Pfd. 12 Lth.	48	9	13	Conjunctiva palpebralis oculi dextri	—	2
141	17702 Schmidek Adalbert	4 Pfd. 10 Lth.	49	2	7	Augenlidschleimhaut beiderseits, bedeutend	Lippen	2 Hörte am Todestage auf
142	17947 Jedlička Josef	5 Pfd. 31 Lth.	53	7	16	Auge	Mundhöhle, Haematemesis Enterorhagia	16

o h e n.

Ab-gegeben	Ge-storben	Klinische Erscheinungen	Sectionsbefunde	Auf-nahms-tag. Be-obacht.- Jahr	Mutter
Alterstag					
—	60	8. Oedem der Augen-lider. 14. 3 Pfd. 30 Lth. 30. 4 Pfd. 1 Lth. 44. Otitis purul. externa. 53. Parenchym. Blu-tung an der Ohrmuschel. 54. Rhagaden am rech-ten Ohre. Catarrh. Inte-stinal., ungemeiner Me-teorismus ex Atonia. (Verfall.)		19./3. 1868	24jährige mässig kräft. erstgebär. Magd vom Lande

s e n e
b e n.

| 76 | — | 8. Ikterus universal. Abmagerung, Pyophthal-mia. 23. 4 Pfd. 22 Lth. 45. Cat. bronchial. et intestinalis. Perforation der Cornea u. Prolapsus iridis am linken Auge. Synostose der Pfeil- und Lambdanaht. 75. 5 Pfd. 11 Lth. | | 26./12. 1868 | Kräftige 24jährige erstgebär. Magd vom Lande |

lidbindehaut.
storbene
ben.

—	10	Bedeutende Schwel-lung und eiterförmiges Secret der Conjunctiva palbebralis linkerseits. 3. Blutung an der Bin-dehautfläche der Augen-lider beiderseits. 4. Keratitis parenchy-mat. Andauernde Blu-tung. 6. Melaena.		29./7. 1868	Auf der Zahlabthei-lung geboren
—	26	9. Brustdrüsenschwel-lung. Stationäre Ab-schuppung. 19. Parotitis dextra.		17./3. 1868	20jährige kräftige Erstgebär.
—	10	7. Diarrhöe. Naevus der linken Wange. Blut dünn-flüssig ohne Coagula.		24./2. 1869	Agalaktie Eczema mammae
—	32	Blenorrhoea oculi si-nistri. Parenchymatöses Hornhautgeschwür. 4. Bluterguss in die Augenkammer. Diarrhöe.		22./3. 1869	Processus puerper.

Nummer	Findlingszahl Name	Ge-wicht	Körper-länge	Alters-tage	Alters-tage bei	Orte	Weitere Orte	Dauer
		bei der Aufnahme			der ersten Blutung		der Blutung	
143	18230 Cyrner Mathias	3 Pfd. 25 Lth.	46	3	10	Lidschleim-haut des linken Auges	Darm-blutung einen Tag später	5
144	20012 Witek Josef	5 Pfd. 4 Lth.	50	2	8	Blepharo-rhagia	—	1
145	22089 Vlk Josef	7 Pfd. 13 Lth.	55	8	11	Blepharo- und Otorhagia	—	1
146	22846 Živný Karl	4 Pfd. 18 Lth.	48	2	7	Blepharo-rhagia	—	—
								Mäd-
147	14483 Bursik Katharina	4 Pfd. 30 Lth.	50	9	35	Blepharo-rhagia	Entero-rhagia	1
148	15143 Kuper Rosalie	4 Pfd. 9 Lth.	49	10	-12	Blepharo-rhagia	—	wenige Stunden

Ab-gegeben	Ge-storben	Klinische Erscheinungen	Sectionsbefunde	Auf-nahms-tag. Be-obacht.-Jahr	Mutter
Alterstag					
—	15	Ikterus pyaemicus, Collapsus, Bronchitis. Collapsus cranii.		30./4. 1869	Hemiplegie
—	9	3. Ikterus der Hautdecken. 5. Abmagerung. Diarrhöe. Collapsus cranii. 6. Nackencontractur, Unvermögen die Brust zu nehmen. 8. Blutung aus der Palpebralconj. des linken Auges.		28./2. 1870	Processus puerper.
—	11	8. Links. Ophthalmie. 11. Starke Blutung der Palpebral-Conjunctiva desselben Auges.Blutung aus dem linken Ohre. Die Blutungen wiederholen sich mehrmal des Tages. Catarrh. bronch.		9./2. 1871	23jähr.schwache erstgebärende Magd in Prag. Agalactie, Rhagaden. Fremde Amme,
—	—	7. Aus der Palpebral-Conjunctiva beid. Augen quillt Blut. Die Blutung war gering, das Kind schon bei ihrem Beginne äusserst anämisch.		3./6. 1871	Processus puerper.

ohen.

—	14	9. Blennorrhöe am rechten Auge. 33. Bronchitis. 35. Temp. 35°.	Meningen zart, Hirnsubstanz rosenroth. Im hintern Theile des rechten Seitenventrikels die Wandungen von capillären Apoplexien durchsetzt. Die Umgebung schwefelgelb imbibirt, ausserdem hie und da hanf-bis linsengrosse Extravasate, in den Hemisphären blutig getränktes Serum in den Ventrikeln, die Meningen an den untern Flächen des Kleingehirns sugillirt. Rechte Lunge lufthältig, von rothbraunen Flecken durchsetzt, eine keilförmige Partie der übrigens ähnlich beschaffenen nur ödematösen linken Lunge im Unterlappen käsig infiltrirt. Im Magen chocoladfärbiger röthlichbrauner Inhalt im Dünndarm, Schleimhaut blass, Nieren blutarm.	13./11 1867	28jährige kräftige
—	12	10. Bedeutender Soor. Mäss. beiders. Pyophthalmie, weite Abstände der Nahtränder der Kopfknochen. 11. Zunge blutig roth, Exsudat rothbraunes am Gaumen und Rachen. Stimme rein. Temp. 38.6°. Diarrhöe, verschärftes Exspirium. 12. Livide Färbung des Gesichtes, der Extremitäten u. abhängigen Partien. Blutung der Augenlidschleimhaut beiders., Abmagerung. Temp. 30°.		19./2. 1868	23jährige mässig kräftige erstgebärende Magd vom Laude

G e n e-

Kna-

Nummer	Findlingszahl N a m e	Ge- wicht	Körper- länge	Alters- tage	Alters- tage bei	Orte	Weitere Orte	Dauer
		bei der Aufnahme			der ersten Blutung		der Blutung	
149	15613 Swoboda Johann	4 Pfd. 20 Lth.	48	4	40	·Blepharo- rhagia	—	einige Stun- den
150	17523 Běštak Johann	5 Pfd. 26 Lth.	51	8	8	Palpebral- conjunctiva rechterseits	—	1

Mäd-

| 151 | 12842 Trnck Anna | 4 Pfd. 22 Lth. | 48 | 2 | 9 | Blepharo- rhagia | — | 1 |
| 152 | 15364 Schönbach Josefa | 4 Pfd. 27 Lth. | 48 | 8 | 9 | Blepharo- rhagia | — | 3 |

III. H a u t-

Verstor-

| 153 | 13033 Kodera Josefa | 5 Pfd. 18 Lth. | 48 | 1 | 41 | Dermato- rhagia | — | 1 |

s e n e.

ben.

Ab-gegeben	Ge-storben	Klinische Erscheinungen	Sectionsbefunde	Auf-nahms-tag. Be-obacht.-Jahr	Mutter
Alterstag					
58	—	4. Ikterus, Conjuncti-vitis palpebral. bilater. Später bedeutende Blen-norrhöe. 40. Blutung aus dem linken Conjunctivalsacke. 49. 4 Pfd. 22 Lth. 53. 4 „ 23 „ 57. 5 „ 5 „		26./4. 1868	Processus puerper.
10	—			30./1. 1869	26jährige kräft. zweit-gebär. Magd vom Lande

chen.

18	—	10. Diarrhöe. 4 Pfd. 4 L., erholte sich dann, und erreichte 4 Pfd. 25 Lth.		10./2. 1867	Processus puerperal.
38	—	8. Blennorrhöe des rechten Auges. 9. Blutiges Secret der Augenlider beiders. Cat. bronchyl. und intestintal. 12. Keine Blutung mehr.		6./6. 1868	Unvermögen zu stillen.

d e c k e n.

bene.

—	45	3. Intensiver Ikterus, flüssige Stähle, Lidbinde-haut beider Augen inji-cirt. 5 Pfd. 4 Lth. 37. 4 Pfd. 20 Lth. Temp. 38°. Rechterseits am Tho-rax tympan. gedämpfter Percussionsschall, bei-derseits dichte Rassel-geräusche u. Consonanz. (Pneumonie.) 41. 4 Pfd. 18. Lth. Haut-blutung in der rechten Leiste. Temp. 36°. 45. Brandige Blasen am Capillitium erbsengross, an der Stirn 4 linsen-grosse Pusteln, Athmen mühsam.		9./3. 1867	Auf der Zahlclasse entbunden

IV. Mund- und
Verstor-
Kna-

Nummer	Findlingszahl Name	Ge- wicht	Körper- länge	Alters- tage	Alters- tage bei	Orte	Weitere Orte	Dauer
		bei der Aufnahme			der ersten Blutung		der Blutung	
154	17867 Skořepina Anton	4 Pfd. 22 Lth.	52	8	10	Mund- schleimhaut	Tags darauf Entero- rhagia	3
155	21725 Tobner Emil	5 Pfd. 22 Lth.	50	1	4	Stomato- rhoe	—	3

Mäd-

156	15956 Adler Therese	5 Pfd. 15 Lth.	50	11	28	Stomato- rhagia	Blutung der Ge- nitalien und Darm- schleim- haut	13
157	14669 Semerad Pauline	3 Pfd. 25 Lth.	45	1	12	Stomato- rhagia	—	3
158	15582 Hrbek Anna	6 Pfd. 7 Lth.	53	3	13	Stomato- rhagia	—	2

Rachenhöhle.
b e n e
ben.

Ab-gegeben	Ge-storben	Klinische Erscheinungen	Sectionsbefunde	Aufnahms-tag. Beobacht.-Jahr	M u t t e r
	Alterstag				
—	13	Pechähnliche Stühle. Collapsus des Craniums bei der Aufnahme. Am 11. Tage härliches Oedem im Gesichte, an den Kieferwinkeln und Gelenken; graue Färbung der Hautdecken. Verschärftes Athemgeräusch beim Ausathmen.	Phlebothrombosis, Infarctus pulmonum, Nabelvene gegen den Nabel zu retrahirt, blauschwarz und ihr Lumen mit einem schlanken Eiterpfropf gefüllt, 1'' über den Nabel sich erweiternd, ihre Häute besonders die Intima verdickt, linsengrosser Thrombus, Darüber rein. Nabelarterien retrahirt. Mundhöhle Blutextravasat, Leber fest, blutreich. Magenschleimhaut am Fundus punktförmig injicirt.	11./3. 1869	26jährige mittelkräft. Erstgebär. vom Lande. Agalaktie
—	7	1. Injection u. Schwellung der Bindehäute beider Augen. Abmagerung. 3. Diarrhöe. 4. Am Gaumengewölbe dünne Schichte geronnenen Blutes. 5. Ebens. in der Zunge. Temp. 34·6°. Rigidität der Gelenke, der Extremität. 6. Decubitus, Collapsus universalis. Temp. 34.3°		19./2. 1870	Klassenkind

chen.

—	1	11. Beiders, Pyopthalmie. 38. Blutung der äusseren Genitalien, reines Blut in den flüssigen Stuhlentleerungen, am Körper zerstreute diffuse blaugrünliche livide Hautstellen. Temp. 38·4°. Melaena Pyämie.		4./6. 1868	38jährige mässigkräft. zweitgebär. Magd vom Lande
—	18	1. Sklerem der untern Extremitäten und unteren Bauchgegend. 8. 3 Pfd. 12 Lth. 12. Blutung der Mundschleimhaut.		22./12. 1867	Pneumonie
—	15	4. Abnabel. regelmäss. 7. 5 Pfd. 31 Lth. 10. 5 Pfd. 28 Lth. Soor. 12. Strabismus, diphtheritischer Beleg am Gaumensegel u Zuugengrunde, Verbreiterung u. Vertiefung der Plaques an den Gaumenecken mit grauem Grunde. 13. Pupillen stark verengt, Mundblutung, Nekrosirung der Wangenschleimhaut und an den Alveolarfortsätzen. Temp. Früh 37 6°, Abds. 37°. 14. Mundblutung bedeutend, in den Stühlen gleichfalls Blut. Temp. 36°. Cyanose der Extremitäten.		22./4. 1868	Peritonitis

Nummer	Findlingszahl Name	Ge- wicht	Körper- länge	Alters- tage	Alters- tage bei	Orte	Weitere Orte	Dauer
		bei der Aufnahme			der ersten Blutung		der Blutung	
159	20552 Frank Karoline	3 Pfd. 23 Lth.	46	1	48	Stomato- rhagia	—	2

V. Nasen-

Verstor-

Kna-

| 160 | 22786
Chrpa Josef | 5 Pfd.
16 Lth. | 50 | 1 | 26 | Rhino-
rhagia | — | we-
nige
Stun-
den |

Mäd-

| 161 | 22660
Blažek Karoline | 5 Pfd.
12 Lth. | 51 | 9 | 41 | Rhino-
rhagia | 43
Entero-
rhagia,
Oto-
rhagia,
Haema-
temesie | 10 |

Ab- gegeben	Ge- storben	Klinische Erscheinungen	Sectionsbefunde	Auf- nahms- tag. Be- obacht.- Jahr	Mutter
	Alterstag				
—	50	Nahm bis zum 28. Tage auf 4 Pfd. 15 Lth. im Gewicht zu. 35. Diarrhöe, rasche Abmagerung. 48. Mundschleimhaut am Gewölbe und an der Zunge mit Blut bedeckt. Catarrh. bronchial. 49. Dunkelbraune flüssige Stühle. Erbrechen ähnlicher Massen.		16./5. 1870	Auf der Zahlabtheilung geboren

s c h l e i m h a u t.

b e n e

ben.

| — | 26 | 1. Ecchymosen an der Stirne.
24. Ozaena, Nase geschwollen, stinkende Jauche entleert sich aus der linken Nasenöffnung. Pneumonie.
26. Kurz vor dem Tode reichlicher Blutausfluss. (Diphteritis Pneumonia.) | Graues Exsudat auf der Schleimhaut der Nase, Knorpel und Knochen necrotisirt, Schleimhaut des Pharyax und Oesophagus blass, in der Trachea blutiges Serum. In beiden Lungen die untern Lappen hepatisirt, am Schnitte granulirt. | 26./5.
1871 | Gassengeburt |

ohen.

| — | 51 | 21. Bronchitis capillaris. Temp. 38°.
29. Noch immer dichte kleinblas. Rasselger. Consonanz links. Temp. 38°.
40. Die obigen Erscheinungen anhaltend, am linken Scheitelbeine ein kreuzergrosser Fleck mit adhärirender Blutkruste, livide Flecken am Kreuzbeine.
41. Aus der linken Nasenöffnung entleert sich etwas dunkles Blut.
48. Bräunl. schwärzl. Stühle. Blutung aus dem rechten Ohre. Erbrechen schwärzlicher Massen. Die Blutungen, so wie die physikal. Erscheinungen hielten unter zunehmender Anämie an. | Mässige Abmagerung. Hochgradige Anämie. Marksubstans des Gehirnes von sehr spärlichen feinen Blutpunkten durchsetzt; in der linken Hälfte der hintern Hemisphäre ein haselnussgrosses Blutextravasat. Der ganze linke untere Lungenlappen, sowie der Oberlappen der rechten Lunge käsig infiltrirt. Fettleber. | 29./4.
1871 | 29jährige schwache zweitgebär. Magd in Prag |

VI. Magen

Verstor-

Kna-

Nummer	Findlingszahl Name	Ge-wicht	Körper-länge	Alters-tage	Alters-tage bei	Orte	Weitere Orte	Dauer
		bei der Aufnahme			der ersten Blutung		der Blutung	
162	14721 Kasper Josef	5 Pfd. 16 Lth.	52	8	17	Haemate-mesis Blepharo-rhagia	—	2

Mäd-

163	18462 Stědry Mathilde	5 Pfd. 16 Lth.	51	8	58	Haemate-mesis	59 Oto-rhagia sin.	3
164	18027 Gregor Josefa	3 Pfd. 20 Lth.	48	9	18	Haemate-mesis	—	2
165	19113 Stekl Klara	3 Pfd. 21 Lth.	46	9	41	Haemate-mesis	—	1

(Haematemesis).

b e n e

ben.

Ab-gegeben	Ge-storben	Klinische Erscheinungen	Sectionsbefunde	Aufnahms-tag. Beobacht.- Jahr	Mutter
Alterstag					
—	37	8. Zellgewebsinfiltration und Excoriationen über d. Scheitelhöckern; angeblich hat das Kind in der Gebäranstalt Blut gebrochen. Mässiger Ikterus. 13. 5 Pfd. 15 Lth 17. Blutung aus der Palpebral-Conjunctiva beider Augen. 34. Suffillationen an der Kopfhaut. Melaena, grünliche Hautfärbung an den Schläfen, Hinterhauptshöcker. Pyämie.		29./12. 1867	Wegen Unvermögen zu stillen nicht in die Findelanstalt gekommen

chen.

—	61	8. Blennorhöe beider Augen. Oxycephalus. 39. Catarrh. bronchial. 42. Catarrh. intestinal. Temp. 38°. 47. Grünl. Stühle. 50. Melaena, Pneumonia. 58. Haematemesis. 59. Otorhagia. 60. Phlegmonöser Abscess an der rechten obern Extremität.	Oedema cerebri. Pneumonia sinist. Anämia.	28./5. 1869	Mässig kräftige 20jährige erstgebär. Bauernstochter vom Lande
—	20	Allgemeiner Collapsus.	.	30./3. 1869	Schwache 28jährige zweitgebär. Bauernstochter vom Lande
—	53	30. Dipht. der Gaumenschleimhaut u. des Zahnfleisches. 41. Haematemesis mit Coagulis. Lehmige Stühle. Necrose d. Zahnfleisches. 51. Heraustreten des linken zweiten Backenzahnes.	Unterlappen der Lungen grösstentheils atelektatisch. Herzmuskel blass und welk, Ductus Botalli verklebt. Magenschleimhaut blass mit flachen Substanzverlusten, Nabelarterien verklebt, Nabelvene contrahirt.	23./9. 1869	29jährige schwache erstgebär. Magd vom Lande

16 *

Nummer	Findlingszahl N a m e	Ge- wicht	Körper- länge	Alters- tage	Alters- tage bei	Orte	Weitere Orte	Dauer
		bei der Aufnahme			der ersten Blutung		der Blutung	
166	21113 Diviš Anna	5 Pfd. 7 Lth.	50	8	47	Haemate- mesis	—	1
167	21008 Zelinka Marie	5 Pfd. 7 Lth.	52	1	27	Haemate- mesis	—	2

G e n e-

Kna-

| 168 | 19042 Bakalař Wenzl | 5 Pfd. 21 Lth. | 53 | 10 | 41 | Haemate- mesis | — | 12 |

Mäd-

| 169 | 20994 Kubeš Anna | 4 Pfd. 7 Lth. | 48 | 1 | 23 | Mässige Haemate- mesis | — | 1 |

Ab- gegeben	Ge- storben	Klinische Erscheinungen	Sectionsbefunde	Auf- nahms- tag. Be- obacht.- Jahr	Mutter
Alterstag					
—	48	8. Beiderseit. Pyoph- thalmie. 43. Gelbliche Flüssig- keit wird erbrochen. 46. Rigiditätd. Gelenke. Zuckende rhythm. Bewe- gungen des Kopfes nach rechts. Bulbi fixirt. 47. Oedem der Haut- decken, sehr schwach zu vernehmende Herztöne. Leber ½'' unter dem Rippenrande hervorra- gend. Milz nicht ver- grössert. Haematemesis. Colliquat. Diarrhöe. Col- lapsus.		12./8. 1870	Mässig kräftige 23jährige Erstgebär. in Prag
—	49	Gewichtsabnahme. 25. 4 Pfd. 14 Lth. 38. 4 „ 11 „ 47. 4 „ 2 „		27./7. 1870	Auf der Classen- abtheilung geboren
s e n e ben					
70	—	Pyophthalmie beiders. 30. Links Prolapsus iridis. 46. Ecchymosirung der Hautdecken am Rücken, Melaena, Vorfall, Di- arrhöe, welche am 47. Tag gestillt war. Bron- chitis. Temp. 38°. Abscess am Kreuzbeine. 58. Sehr collabirt, mäs- sige Otitis ext. pural. Von da ab allmälige Er- holung.³ 70. 5 Pfd. 28 Lth.		18./9. 1869	Kräftige 22jährige zweitgebär. Bauerns- tochter
ohen.					
37	—	Gewichtszunahme 20. 4 Pfd. 14 Lth. 35. 4 „ 19 „ 37. 4 „ 21 „		25./7. 1870	Erkrankt

Nummer	Findlingszahl Name	Ge-wicht	Körper-länge	Alters-tage	Alters-tage bei	Orte	Weitere Orte	Dauer
		bel der Aufnahme			der ersten Blutung		der Blutung	
170	13293 Kubovský Franz	5 Pfd. 16 Lth.	49	5	18	Entero-rhagia Stomato-rhagia	19 Rhino-rhagia	2
171	13745 Haček Bohumil	6 Pfd. 15 Lth.	52	1	5	Entero-rhagia	—	1
172.	19275 Pavliček Bohumil	5 Pfd. 16 Lth.	50	9	28	Darm-schleimhaut	—	2
173	19989 Raček Josef	6 Pfd. 5 Lth.	51	1	11	Entero-rhagia	—	1
174	21091 Svara Wenzl	4 Pfd. 15 Lth.	51	8	9	Entero-rhagia	—	1

Darm.
b e n e.
ben.

Abgegeben	Gestorben	Klinische Erscheinungen	Sectionsbefunde	Aufnahmstag. Beobacht.-Jahr	Mutter
Alterstag					
—	20	Brachycephalus, Kopfperipherie 38 Ctm. 13. 4 Pfd. 17 Lth. 17. Profuse Diarrhöe. 18. Blut in den Stuhlentleerungen, zugleich Blut d. Mundschleimhaut. 19. Massenhafte zum Theil coagulirte Blutmassen aus dem Mastdarme entleert, weniger reichliche Blutung aus Mund und Nase. Convulsionen, Nackenmuskulatur contrahirt. Temp. 39°. Pupillen dilatirt. (Beob. XXVI.)	Meningen blutarm, an der Gehirnbasis mit bräunlich-gelbem Exsudate durchsetzt. Laryngeal-Bronchialcatarrh Herzmuskulatur blass, leicht zerreisslich. Chokoladähnlicher Inhalt im Magen. Im Colon und flex sigmoidea dickliche Blutgerinnsel. Schleimhaut gelockert, blassroth.	19./4. 1867	Wegen Unfähigkeit zu stillen nicht transferirt worden
—	14	4. Regelmässige Abnabelung. 5. Mastdarmblutung belders. Pyophthalmie. 8. 5 Pfd. 10 Lth. Decubitus am Kreuzbeine. Diarrhöe, fortschreitende Abgmagerung. (Beob. XXIX.)		7./7. 1867	Plötzlich in der Gebäranstalt gestorben
—	34	An Stirne und Schläfen Purpura haemorrhagia. 27. Kephalohaematom am L. Scheitelbeine im Umfange von 28 Ctm. Vereiterung. Pyämie.	An der Stelle des Kephalohaematomes ein das ganze Scheitelbein einnehmender, mit rostbraunem Eiter gefüllter Abscess umgeben von einem linienhohen Knochenwalle. Bronchopneumonie. Eitrige metastatit. Nephritis.	25./10. 1869	26jährige mittelkräft. erstgebär. Magd aus Prag
—	12	1. Taubeneigrosses Kephalohämatom am rechten Scheitelbeine. 4. Diarrhöe, Exsudat am Rachen. 11. Darmblutung, beschleunigte Respiration. Rechts Consonanserscheinungen.	Hyperämia meningum. Pneumonia dextra. Croup. faucium et laryngis, Enterorhagia.	25./2. 1870	Gassengeburt
—	10	8. Scheitelbein linkerseits über das Stirnbein verschoben. Diarrhöe. 9. Blutige Stühle, monotones Schreien, beschleunigte Respiration. Temp. 37·4°. Collapsus. (Hyperaemia cerebri.)	Hirn blutreich. Leber gelbbraun, derb. Im Dünndarm mit Blut gemischte Fäces. Schleimhaut dunkel geröthet.	9./8. 1870	Schwache 29jährige drittgeb. Magd vom Laude

Nummer	Findlingszahl Name	Ge- wicht	Körper- länge	Alters- tage	Alters- tage bei	Orte	Weitere Orte	Dauer
		bel der Aufnahme			der ersten Blutung		der Blutung	
175	20918 Hauser Josef	3 Pfd. 30 Lth.	46	9	55	Entero- rhagia	—	1

Mäd-

176	14694 Major Anna	3 Pfd. 23 Lth.	44	8	17	Darm- schleimhaut	—	1
177	17841 Hollaý Elisabeth	5 Pfd.	51	8	8	Entero- rhagia	Stoma- torhagia	9
178	18277 Prochazka Marie	3 Pfd. 20 Lth.	48	5	6	Entero- rhagia	—	2
179	19736 Stejskal Marie	5 Pfd. 7 Lth.	52	1	6	Entero- rhagia, Haemo- rhagia vaginalis	—	3
180	20454 Hampel Marie	5 Pfd. 11 Lth.	50	2	4	Entero- rhagia	—	1
181	20826 Sejkora Julie	6 Pfd. 16 Lth.	53	8	44	Entero- rhagia	46 Haema- temesis 47 Melaena	5

Abgegeben Gestorben Alterstag	Klinische Erscheinungen	Sectionsbefunde	Aufnahms- tag. Be- obacht.- Jahr	Mutter
— 56	9. Blennorhöe beider Augen. Enterocatarrhus. 27. Blennorhöa geheilt. 35. Erbrechen und Diarrhöe. 4 Pfd. 6 Lth. 38. Cat. bronchialis. 48. 3 Pfd. 20 Lth. 54. 3 Pfd. 8 Lth. 55. Enterorhagia.		4./7. 1870	Schwache 35jährige viertgebär. Wittwe vom Lande

ohen.

— 18	17. Bei der Messung der Temperatur des sehr collabirten Kindes (30·5º), war der Bulbus des Instrumentes mit dickflchemdunkelrothem Blute bedeckt.		19./12. 1868	25jährige mäss. kräft. zweitgebär. Magd vom Lande
— 17	8. Stark abgemagert. Grünliche flüss. Stühle. Am After ·Blutgerinnsel. Pyophthalmia. Temp. 36º.		7./3. 1869	Kräftige 23jährige erstgebär. Magd vom Lande
— 10	5. Ikterus. Pyophthalmie des linken Auges. Collapsus cranii, grünlich-schwarze Stühle, Bronchitis. 8. Phlegmonöser Abscess am rechten Vorderarm. Brandblasen unter dem rechten Auge.		4./5. 1869	Processus puerperal.
— 12	2. Enterocatarrhus. 6. Collapsus. 10. Bronchopneumonia. Temp. 29º.		19./1. 1870	Auf der Classen-abtheilung entbunden
— 4	2. Caput succedanum das linke und theilweise das rechte Scheitelbein bedeckend. Schädel lang gestreckt. 4. Gesicht verfallen. Acne. Temp. 36º. Untere Extremitäten ödematös, Blut in den Windeln, Nabelstrang adhärirend.	Atelektasia pulmonum partialis, Catarrhus intestinal. et Enterorhagia. Ikterus Tumor lienis acutus.	7./5. 1870	Erkrankt
— 58	Ophthalmie am 18. Tage. 51. Enterocatarrhus. Der Blutabgang im Stuhle wurde nur am ersten Tage (44. Lebenstage) beobachtet.		22./6. 1870	Kräftige 26jährige zweitgebär. Magd vom Lande

Nummer	Findlingszahl Name	Ge-wicht	Körper-länge	Alters-tage	Alters-tage bei	Orte	Weitere Orte	Dauer
		bel der Aufnahme			der ersten Blutung		der Blutung	
182	20903 Winterblum Theresia	4 Pfd. 10 Lth.	50	7	7	Entero-rhagia	—	2

G e n e -
Kna-

| 183 | 15391 Zinner Leopold | 5 Pfd. 5 Lth. | 52 | 8 | 52 | Entero-rhagia | — | 1 |

Mäd-

| 184 | 22205 Hrabý Anna | 4 Pfd. 15 Lth. | 49 | 8 | 9 | Entero-rhagia | — | 1 |

VIII.
V e r s t o r -
Kna-

| 185 | 12712 Kračmer Franz | 4 Pfd. 30 Lth. | 50 | 8 | 8 | Haematurie, Stomato-rhagia | — | 1 |

Abgegeben	Gestorben	Klinische Erscheinungen	Sectionsbefunde	Aufnahmstag. Beobacht.-Jahr	Mutter
	Alterstag				
—	64	7. Grünl. mit Blut gemischte Stühle zugleich Blutung der Vaginalschleimhaut. 13. 4 Pfd. 15 Lth. 14. Cat. bronchial. 45. Broncho-Pneumonia. Temp. 39°. 54. Vollständige Besserung. 55. Recidive. 62. Pleuritis sinistra. 4 Pfd. 10 Lth.		5./7. 1870	Erkrankt an Processus puerperalis

s e n e ben.

85	—	8. Mässige Ophthalmie. 34. 6 Pfd. 2 Lth. 35. Circumcisio ritualis. Die Wundfläche blutete bedeutend. 46. 4 Pfd. 12 Lth. 52. Blutige Stühle, hochgradige Anämie und Abmagerung, atonische Aufblähung der Darmschlingen. Temp. 38°. Chininlösung 1 gran ad unc. j. 57. Stühle thonartig, grau. 58. Gelbe dünnflüssige Stühle; von da an Erholung. 84. 5 Pfd. 18 Lth.		22./3. 1868	24jährige kräftige erstgebär. Person vom Lande

ohen.

54	—	9. In dem sonst normalen Stuhle Blutstreifen ohne Wiederholung. Nahm allmälig an Gewicht zu.		25./2. 1871	23jährige mäss. kräft. erstgebär. Magd vom Lande

Blase.
b e n e ben.

—	9	8. Gelbl. blasse Hautdecken, Augen tief eingesunken, halonirt. Krämpfe der obern Extremitäten, Nackencontractur, Blutungen, Nabelfalte geschlossen. Mundschleimhaut zum Theil des Epithels beraubt, flüssige Stühle, Blase ausgedehnt. Temp. 36°. An den tieferen Partien des Thorax gedämpfter Percussionsschall. Rasselgeräusche. (J.-B. 1867. Beob. XXII.)	Ikterus. In den Sinus der Dura m. dickflüssiges schwarzrothes Blut; Meningitis purulenta; eiterähnliche Flüssigkeit an der Lungenpleura rechterseits, das Lungengewebe um die mit eiterähnlichem Schleime gefüllten Bronchien hepatisirt. Herzmuskulatur blass; Peritoneum stellenweise mit eitrigem Exsudate bedeckt. Leber fest und zäh, blutreich. Milz geschwellt, braunroth, leicht zerreisslich. Schleimhäute blass.	18./1. 1867	32jährige mittelkräft. zweitgebär. Magd vom Lande

Nummer	Findlingszahl Name	Ge-wicht	Körper-länge	Alters-tage	Alters-tage bei	Orte	Weitere Orte	Dauer
		bei der Aufnahme			der ersten Blutung		der Blutung	
186	21382 Wytejček Josef	6 Pfd.	51	2	9	Haematuria	—	18 Stunden vor dem Tode eingetreten

IX. Weibliche
Verstor-

187	13177 Traube Anna	4 Pfd. 17 Lth.	49	1	4	Vagina	—	1
188	20812 Koplent Barbara	6 Pfd. 4 Lth.	52	8	59	Labia pudenda	Enterorhagia	2
189	21201 Seidl Louise	4 Pfd. 28 Lth.	51	1	4	Vagina	10 Vagina	Jedesmal einige Stunden

Gene-

| 190 | 17843 Prokop Franziska | 5 Pfd. 20 Lth. | 51 | 4 | 4 | Haemorrhagia vaginalis. | — | 1 |

Ab-gegeben	Ge-storben	Klinische Erscheinungen	Sectionsbefunde	Auf-nahms-tag. Be-obacht.-Jahr	Mutter
	Alterstag				
—	10	2. Ikterus. 24 Stunden nicht Harn gelassen. 3. Nach Katheterisiren wieder eine so lange Pause. 9. Cyanose, Apathie, verlangsamte Herzaction. 10. Früh Tod. Die Windeln mit blutigem Urin durchnässt.	Muskulatur des Herzens verfettet, acuter Milchtumor 2 Zoll lang, Pulpa weich, dunkelroth, Leber sehr gross, gelblichroth, brüchig. Corticalis der sehr grossen Nieren von gruppirten Eiterherden durchsetzt. Blutiger Harn in der Harnblase. Darmschlinge zusammengezogen.	12./10. 1870	Agalaktie der Mutter

Genitalien.

bene.

—	10	Magerte gleich in den ersten Tagen rasch ab, nahm die Brust gut, war ruhig. 4. Blutige Streifen in den Windeln, Scheidenschleimhaut blutend. Flüss. Stühle. 3 Pfd. 24 Lth. 10. Erbrechen grünlicher Flüssigkeit.		31./1. 1867	Auf der Zahlklasse entbunden
·	61	Blennorhöe des linken Auges führte zu Geschwürsbildung der Cornea. Prolapsus Iridis. Synechie, Atrophia bulbi. 54. Meteorismus. Anämie. 57. Enterocatarrhus. 59. Blutung der äuss. Genitalien, schwärzlichbraune Stühle. 60. An der rechten Nymphe eine haselnussgrosse Geschwulst, mit grünlich-schwarzer Färbung und blutigem Inhalte. Blutige Stühle. Temp. 40°.		19./6. 1870	24jährige mittelkräft. zweitgebär. Magd vom Lande
—	16	Enterocatarrhus. Gewichtsabnahme. 10. 4 Pfd. 3 Lth. 15. 3 „ 20 „	·	10./9. 1870	Auf der Classe geboren

sene.

41	—	4. Bildung der Genitalien normal, Brustdrüsen infiltr. Augenlidschleimhaut beiderseits injicirt. Das entleerte Blut dicklich hellroth. 6. Pyophthalmie. 29. Gelenkanschwellungen am rechten Knie und den Fingern der rechten Hand. 41. 6 Pfd. 19 Lth.		11./3. 1869	Processus puerperal.

Bericht

über die

Leistungen auf dem Gebiete der Pädiatrik

bearbeitet von

Dr. Friedr. **Ganghofner** (G.), Dr. Maxim. **Herz** (H.), Dr. Victor **Janovsky** (J.), Dr. Josef **Kornfeld** (K.), Prof. Dr. **Ritter** (R.), Docent Dr.
Adalb. **Wrany** (W.).

Statistik und Hygiene.

I. Mortalität.

(1) Thirty first Annual Report of the Registrar-General of Births, Deaths
and Marriages in England. Abstracts of 1868. London 1870.

(2) Dr. J. Albu: Ueber die Säuglingssterblichkeit in Berlin und die Mittel
zu deren Verminderung. Deutsche Klin. 1870. Beil. N. 6, p. 41.

(3) Docent Dr. R. Finkenstein: Die Sterblichkeit in Breslau im Jahre
1869. Deutsche Klin. 1870. Monatsbl. f. med. Stat. Nr. 3.

Der 31. statistische **Jahresbericht des Registrar-General** (1) umfasst
die Bevölkerungsbewegung Englands im Jahre 1868 unter fortlaufendem
Vergleiche mit den früheren 30 Jahren vom Jahre 1838 angefangen. Wir
entnehmen hieraus, dass die Gesammtbevölkerung Englands während dieser
31 Jahre um 6,337.121, im Jahre 1868 um 306.236 oder täglich 839 Seelen
zugenommen habe. Die Zahl der Verstorbenen belief sich nämlich auf
480.622, jene der Lebendgeborenen auf 786.858. Unter den letzteren befanden sich 400.383 Kn. und 386.475 M. (103·6 : 100), wobei die ehelich Geborenen die Ziffern von 376.686 Kn. und 363.834 M. (103·5 : 100), die
Unehelichen 23.697 Kn. und 22.641 M. (104·7 : 100) ergaben. In London
allein waren geboren worden eheliche Kinder 55.371 Kn. } 102·9

53.828 M. } 100

uneheliche   »   2.439 Kn. } 106·1

2.299 M. } 100

im Ganzen   »   57.810 Kn. } 103

56.127 M. } 100

Die unehelichen Geburten bildeten diesem zu Folge in London 4·2, in ganz
England 5·9 %. Ref. muss gestehen, dass ihm die absolute Zahl und das

eben angeführte percentuelle Verhältniss der unehelichen Geburten in England und noch mehr in London so auffällig klein erscheinen, dass ihm ein kleiner Zweifel darüber, ob eben auch alle unehelichen Geburten namentlich in London richtig zur Verzeichnung gekommen seien, vielleicht nicht zu hoch angerechnet werden kann. Nach den obigen Ergebnissen müsste London eine wahre Tugendstadt sein oder nur castas virgines und abandonirte Prostituirte ohne Mittelclasse unter seinen mannbaren ledigen Einwohnern weiblichen Geschlechtes zählen. Betrugen doch in Prag in demselben Jahre nur die zugewachsenen Ammenkinder in der Findelanstalt, von denen erhoben war, dass ihre Mütter in Prag geschwängert waren, 10·2 % sämmtlicher Lebendgebornen Prags, — wobei die ausser der Anstalt von in Prag geschwängerten Müttern geborenen Kinder und solche, die schon in der Gebäranstalt starben, gar nicht mitgezählt wurden. Wie bei allen grösseren statistischen Zusammenstellungen scheint also auch hier die Schwäche des Ganzen in der Ungenauigkeit und Unverlässlichkeit der ursprünglichen Sammlung von Einzelndaten zu liegen. — Das Ueberwiegen der geborenen Knaben gegenüber den Mädchen verhielt sich in England während der letzten nacheinanderfolgenden 10 Jahre im Mittel wie 104·3 Kn., — in London wie 103·6 Kn. auf 100 Mädchen. Die Gesammtsterblichkeit Englands betrug im Verlaufe von 31 Jahren

beim männlichen Geschlechte 23·34 %
                    „   weiblichen   „   21·49 %

oder 104 männliche auf 100 weibliche Individuen. Im Jahre 1868 kamen sogar 106 männliche auf 100 weibliche Verstorbene.

Im Jahre 1868 starben in England

Kinder unter einem Jahre 67.290 K. oder 16·8 % der lebend Geborenen
                      54.785 M.   „   14·7 %   „   „   „
                     122.075 Kin.,   15.5 %   „   „   „

im Alter von 1—2 Jahren 20.844 K.   „   5·2 %   „   „   „
                       19.992 M.   „   5·1 %   „   „   „
                       40.836 Kin.,   5·19 %   „   „   „

im Alter von 0—5 Jahren 108.325 K.   „   27·5 %   „   „   „
                       94.804 M.   „   24·7 %   „   „   „
                      203.129 Kin.,   25·6 %   „   „   „

Von 1000 Verstorbenen starben

unter 1 Jahre K. 27·19,   von 0—5 Jahren K. 43·9
          M. 23·03   M. 40·5
       Kinder 25·3   Kinder 42·2

Von 1000 Lebenden starben während 30 Jahren durchschnittlich im Alter von 0—5 Jahren: 72·42.   R.

Dr. **Albu** geht in seinem werthvollen Aufsatze über die **Säuglingssterblichkeit Berlins** (2) von einem Citate aus Dr. Schwabes grösserem Werke: „Die Berliner Volkszählung vom 3. Dezember 1867" aus, welches nachstehende Daten enthält:

Es kamen auf eine Familienhaushaltung mit Kindern — von den letzteren bei Wohnungen mit keinem heizbaren Zimmer: 1·88 %
     „   „   „   1   „   „   2.34   „
     „   „   „   2   „   „   2.49   „
     „   „   „   3   „   „   2·54   „

bei Wohnungen mit 4 heizbaren Zimmern: 2.55 %

      »   »   »:   5 --7 »   »   2·76 »

      »   »   »   8   »   »   3·07 »

Dieses Resultat gewinnt durch den gleichzeitigen Nachweis der relativ grösseren Anzahl von Geburten in den niederen Schichten der Berliner Bevölkerung eine weit höhere Bedeutung. Nicht in Berlin allein, nein überall ist die Kindersterblichkeit in den wohlhabenden Kreisen eine bedeutend geringere. (Desshalb wird es auch leicht erklärlich, warum in jüdischen Familien die Kindersterblichkeit Berlins eine relativ geringe sei, Ref.) Was nun die Kindersterblichkeit Berlins anbelangt, stützt sich A. ganz auf die vom Ref. bereits im Jahrb. f. Phys. u. Path. d. erst. Kindesalters pag. 214 gebrachte Statistik des Geh. M. Rathes Müller in der „Deutschen Klinik vom Jahre 1867". Die Sterblichkeit des ersten Lebensjahres betrug in einem Decennium 39·19 % der Verstorbenen und bei den unehelichen gar 53·64 %. Albu hält dieses Procent für zu hoch, ohne zu sagen warum. In Wahrheit weiss man nicht, wie dasselbe berechnet wurde, und nach der Berechnung, welche Ref. in dem vorangehenden Aufsatze nach den Daten der preuss. statist. Tabellen brachte, erscheint dieses Sterbeprocent auch wirklich zu hoch, wahrscheinlich weil Müller auf die neue Einrichtung der Tabellen keine Rücksicht nahm. Die weiteren Angaben sind von A. selbst. In den Jahren 1866 und 1867 starben incl. der Todtgeborenen von den sämmtlichen Geborenen in Berlin 33·5 und 39·0 % (Prag 1867 34·5 %, von den Lebendgeborenen 31·48 %). In einzelnen Parochien Berlins jedoch erhob sich die Sterblichkeit des 1. Lebensjahres noch weit höher, in einer (zum heil. Kreuz K.) sogar auf 69·4 der Verstorbenen. Diese Parochie ist vor dem Hallischen Thore, so wie die 11 anderen ihr in der Höhe der Sterblichkeit nachkommenden im Präcincte der Stadt, jedoch in Gegenden liegen, welche noch immerhin luftige, wenn gleich oft schmutzige (wohl zeitweilig auch sehr staubige? Ref.) Strassen haben. Andere 17 Parochien dagegen, welche weit niedrigere Sterbeprocente in derselben Lebensstufe ausweisen (6 bis 24.3 % und 11 von 24·3 bis 36·2 %) nehmen hauptsächlich die mittlere Stadt ein; die der ersten Serie umfassen sogar die sogenannten Geheimrathsviertel, und es dürfte schon aus diesen interessanten Ergebnissen unzweifelhaft hervorgehen, dass der Pauperismus in den eine so entsetzlich höhere Sterblichkeit ausweisenden Parochien die Schuld derselben trage, und die kaum dem Leben gegebenen rasch dem Tode anheimfallen mache. Mit seinen Vorschlägen gegen diese hohe Sterblichkeit namentlich der Säuglinge schliesst sich A. in erster Reihe an jene Wasserfuhr's an, welche polizeiliche Aufsicht der zum Verkaufe gebrachten Milch und anderer zur Ernährung der Kinder benützter Surrogate, zweitens die Gründung von Krippen in den Arbeitervierteln, zur Ermöglichung des Gesäugtwerdens der Kinder durch ihre Mütter in den arbeitsfreien Stunden, drittens die sanitätspolizeiliche Controle der sogenannten Haltekinder, sowie auch Vereine zu diesem Zwecke umfassen. A. citirt hier Hrn. Rosenthal, der bei Gelegenheit der Auflösung des Barey'schen Aufsichtsvereins nach Erörterung der unbefriedigenden Resultate desselben gesagt haben soll: Es sei bekannt, dass Findelhäuser betreffs ihrer Mortalität so ungünstige Resultate geben, dass deren Errichtung nicht anzutragen sei. Es sind aber die Sterblichkeitsverhältnisse selbst der Findelkinder bei uns, wo doch, wie Ref. oft genug nachwies, exquisite Schwächlinge von Neugeborenen in ganz enormen Mengen vorkommen, jetzt besser als jene der unehelichen Kinder Berlins oder wenigstens Breslaus.

Bezüglich des misslungenen Versuches, den man in Berlin mit einem
kleinen Bezirksfindelhause machte, dürfte man denn doch die Fehler der ersten
Anlage und andere Verhältnisse in Anschlag zu bringen haben. Hat doch das
hiesige Findelinstitut auch seine entsetzlichen Sterblichkeitslisten geliefert und
liefert sie nicht mehr. Der eigene Vorschlag **A's** jedoch, in jedem Polizeireviere
Berlins eine Anzahl kleiner Pflege-Stationen für 3—5 Haltekinder auf Kosten
des Vereines zu errichten, scheint dem Ref. ganz unpraktisch zu sein, denn
eine entsprechende Beaufsichtung so kleiner Anstalten ist kaum möglich; und
ohne den Anschluss an eine Gebäranstalt dürfte auch die Versorgung von
einer der Kinderzahl entsprechenden Menge von Säugeammen und deren
Controlle ganz unübersteigliche Hindernisse darbieten. Es bleibt nichts anderes übrig, als für die naturgemässe Ernährung und Pflege verlassener Kinder
so lange unter geeigneter ärztlicher und anderer Aufsicht in eigenen Anstalten
zu sorgen, bis sie ein Alter erreicht haben, wo sie selbst unter den Verhältnissen der Pflege bei Haltefrauen weniger leicht verkümmern, als wenn sie denselben in den ersten Wochen des Lebens überantwortet werden. Die Haltefrauen selbst sind mit oder ohne Säuglings- (bei uns Findel-) Anstalt nicht zu
entbehren; die Art ihrer Wahl und Beaufsichtigung muss das Weitere thun. R.

Mit den vom Ref. in dem Beitrage zur Kindersterblichkeit des Jahres
1869 bezüglich Breslaus ausgesprochenen Ansichten stimmt auch **Finkenstein**
in seinen Betrachtungen über die **Sterblichkeit Breslaus** in eben diesem Jahre
(3) vollkommen überein. Ref. konnte leider den Aufsatz nicht für eine Ver-
gleichsführung benützen, wie er sie in seinen eigenen Arbeiten beabsichtiget,
weil gerade die in solcher Beziehung nöthigen Daten nicht beigebracht sind.
Wir erfahren nämlich nächst genauen meteorologischen Beobachtungen bezüglich der einzelnen Monate des betreffenden Jahres blos, dass es im Jahre 1869
in Breslau 279 Todtgeborene und 6446 Verstorbene (3327 männl. 3119
weibl.) gegeben habe, unter welchen letzteren sich 685 unehelich geborene
Individuen (339 männl. 346 weibl.) befanden. Eine Scheidung nach dem
Alter der Verstorbenen fand nicht statt. Die Kindersterblichkeit erschien im
Sommer bedeutend vermehrt, was **F.** damit erklärt, dass sich diätetische Ver-
stösse namentlich bei heisser Witterung am schwersten zu rächen pflegen. Die
Ursache der grossen Höhe der Sterblichkeit überhaupt, namentlich zu gewissen
Zeiten glaubt aber **F.** zumeist in socialen Uebeln suchen zu müssen. Die Ein-
richtung von Volksküchen, Bedachtnahme auf räumliche und sonst entsprechen-
dere Wohnungen der ärmeren Klasse — so wie Alles, was die Lebensverhält-
nisse weniger zuwiderlaufend den natürlichen Bedingungen eines gesunden
Körpers machen könnte, rechnet **F.** mit Recht zu den einzig denkbaren
Mitteln der an sich bedeutenden Sterblichkeit Breslaus engere Grenzen zu
ziehen; für ein weiteres verbesserungsfähiges Uebel erklärt aber auch er die
mangelhafte Verpflegung der unehelichen oder Kostkinder. Der erste Schritt
in dem Bemühen ein Uebel zu bessern oder zu beseitigen ist aber offenbar die
genaue Kenntniss der Ausdehnung desselben, und es wäre darum äusserst
dankenswerth, wenn der geehrte Herr Verf. künftighin gerade diesen in Breslau so wie anderswo wunden Fleck seiner speciellen Beachtung für werth
erachten wollte.   **R.**

II. Diätetik, Hygiene.

(4) Dr. John Simon: Memorandum on precautions to be taken against Scarlatina. Twelfth Report of the medic. Officer of the Privy Council 1869. Append. p. 69.

(5) Dr. Aug. Dyes O. Stabsarzt: Beitrag zur Diätetik. Journ. f. Kinderkrankh. Band LIV. p. 250.

Wenn **Scharlach (oder auch eine andere epidemische Krankheit) in irgend einem Bezirke herrscht** oder auszubrechen droht, so soll nach **Simon** (4) sowohl auf privatem Wege, wie durch öffentliche Fürsorge Alles aufgeboten werden, um Reinheit der Luft, Trockenheit des Bodens und strengste Entfernung allen Unrathes, namentlich in den Häusern und um dieselben zu erzielen, weiters Uebervölkerung, sowie den Genuss unreinen Wassers hintanzuhalten. **S.** macht mit vollem Rechte darauf aufmerksam, wie der Scharlachkranke sowohl als der Leichnam des an diesem Leiden Verstorbenen Infections-Centra für die Umgebung abgeben, und zwar erfolgt die Infection hauptsächlich durch die aus dem Halse und Munde der Leidenden kommenden Stoffe, sowie durch die von der Haut zur Zeit der sogen. Desquamation sich loslösenden Partikelchen. Während der Krankheit werden diese inficirenden Theilchen reichlichst in der den Kranken umgehenden Luft, in dessen Leib- und Bettgewand verbreitet, haften leicht an allen in demselben Zimmer befindlichen Gegenständen und bewahren ihre Infections-Kraft für unendlich lange Zeit. Diesem Umstand ist es zuzuschreiben, dass auch Reconvalescenten von Scharlach die Krankheit sehr häufig nach langer Zeit weiter verbreiten.

Zur Hintanhaltung der aus diesem Sachverhalte sich ergebenden wechselseitigen Schäden räth **S.** folgende Präventiv-Massregeln an: Jedes an Scharlach erkrankte Individuum soll allsogleich von den gesunden isolirt, oder wo dies im eigenen Hause unthunlich, in ein Spital transferirt werden. Das Krankenzimmer soll von allen unnöthigen Einrichtungsstücken, insbesondere solchen, an denen Staub und Schmutz hängen bleibt, befreit und gründlich ventilirbar sein. Zur Wartung des Patienten sollen bloss Individuen zugelassen werden, welche die Krankheit bereits überstanden haben. Zwischen dem Krankenzimmer und dem übrigen Theile des Hauses soll der Verkehr auf das unumgänglichste Minimum beschränkt werden. Kräftige Desinfections-Mittel sollen im Krankenzimmer stets vorhanden sein und bei jeder Gelegenheit verwendet werden, namentlich für die Hände des Wartepersonals. Sack- und Handtücher sollen, sobald von dem Patienten verunreinigt, sogleich mit kochendem Wasser oder einer desinficirenden Flüssigkeit übergossen, ebenso das Bettzeug und jene Gegenstände, mit denen man nicht in gleicher Weise sogleich verfahren kann, entfernt werden, um selbe anderweitig zu desinficiren. Nach der Ansicht vieler Praktiker wird die Verbreitung der von der Haut der Patienten sich ablösenden infectionsreichen Schüppchen durch reichliche fortwährende Befettung des gesammten Körpers wesentlich behindert. Nach vollendeter Reconvalescenz soll die vollständige Desinfection des Patienten durch Verabreichung von warmen Bädern, mit reichlicher Verwendung von Seife erfolgen, und zwar soll der Patient solche in 3—4 auf einander folgenden Tagen nehmen, bis keine Spur von Rauhigkeit der Haut vorhanden ist. Nach dieser Procedur und in reinen Kleidern erst kann das betreffende Individuum als unschädlich für die Gesellschaft angesehen werden. Diese Vorsichtsmassregel ist von besonderer

Wichtigkeit mit Rücksicht auf Schulkinder und ihre Ausserachtlassung ist bekanntlich sehr häufig die Hauptquelle der epidemischen Ausbreitung des Leidens. Zu bemerken ist noch, dass auch (sonst gesunde) Kinder aus Häusern, in denen solche Kranke liegen, das Leiden weiter verbreiten können.

Die Leichen der an Scharlach Verstorbenen sollen baldmöglichst beerdigt und nie in bewohnten Räumlichkeiten liegen gelassen, die Krankenzimmer, bevor selbe wieder zum Bewohnen verwendet werden, einer gründlichen Reinigung und Desinfection unterzogen werden. Als Desinfections-Mittel empfehlen sich insbesondere entweder das Chlor und seine Zusammensetzungen, oder die Carbolsäure. Von dem ersteren lässt sich am besten der Chlorkalk für geringere häusliche Zwecke, das Chlorgas zur Desinfection der Zimmer verwenden, während die Carbolsäure sich für kleinere häusliche Zwecke empfiehlt und zur Reinigung schädlicher Räume rauchende Schwefelsäure verwendet werden soll. Die Wahl der einen oder der anderen Classe dieser Desinfections-Mittel steht den Local-Obrigkeiten frei, welche jedoch verpflichtet sind, dieselben genauer zu bezeichnen. Für Kleidungsstücke, Betten, Vorhänge etc. empfiehlt sich am besten zur Desinfection die Anwendung sehr hoher Hitzegrade.

Von hohem Interesse (und in anderen Staaten höchst nachahmenswerth) ist die Zusammenstellung der bezüglichen Stellen aus „dem Sanitary Act 1866", in welchem Strafen für jene Personen festgestellt sind, durch welche contagiöse Krankheiten weiter verbreitet werden, wie z. B. für solche Personen, welche, an einer derartigen Krankheit leidend, ein öffentliches Fuhrwerk miethen, ohne dies früher dem Fuhrmann mitgetheilt zu haben, oder absichtlich, ohne die gehörigen Vorsichtsmassregeln auf der Strasse oder sonstigen öffentlichen Orten sich exponiren etc., ebenso wie der Fuhrmann, der nicht allsogleich sein Fuhrwerk desinficirt, nachdem er wissentlich eine mit einer contagiösen Krankheit behaftete Person gefahren, oder derjenige, der ohne vorgängige sorgfältige Desinfection Betten, Kleider, Lumpen und andere Dinge, die der Infection' ausgesetzt waren, verschenkt, verleiht, verkauft etc. — Dieselbe Acte gibt der Local-Obrigkeit die weitgehendste Ermächtigung bezüglich der Reinigung und Desinfection gefahrdrohender Häuser und Wohnungen und bezüglich der Uebertragung von Personen, die entweder keine entsprechende Verpflegung in ihrem Hause haben, oder deren Aufenthalt für ihre Umgebung gefährlich wird, in die permanenten oder temporären Hospitäler.

H.

Manche schädliche Gebräuche in der **volksüblichen Diätetik namentlich der Säuglinge** will **Dyes** (5) hervorheben. Es wäre jedoch sein Bestreben besser am Platze in einer Publication, welche Laien zu lesen pflegen, wie in der Gartenlaube etc. Aerzten gegenüber ist es dagegen doch gar zu primitiv darüber zu schreiben, dass der Rohrzucker dem Neugeborenen nicht zuträglich, und deshalb versüsster Kamillen- oder Fencheltee schädlich sei. Noch ärger ist es aber, wenn ein offenbar nicht erfahrener Theoretiker Aerzte über Dinge belehren will, über welche er selbst nur sehr unfertige Begriffe hat. Wenn man die Chymification der genossenen Speise des älteren Kindes mit der Verdauung der vom Säuglinge aufgenommenen Milch ganz nach demselben Massstabe beurtheilen und letztere auch nur auf den Magen beschränken will, — so befindet man sich auf einem theoretisirenden Standpunkte, der keineswegs auf den Füssen der Erfahrung oder der Wissenschaft steht. D. macht das Sprüchwort „Speikind — Gedeih- oder Deihkind" lächerlich! es liegt aber darin doch weit mehr gesunder Menschenverstand als in D.'s Zumuthung, die Kleinen während der acht Stunden der Nacht fasten zu lassen, damit der Magen doch einmal in 24 Stunden gänzlich leer würde und sich stärken könnte zu neuer Arbeit! (sic). So etwas zu vertragen, dazu gehört wirklich ein **guter Magen** nicht bloss von Seite des Kindes, sondern auch des Lesers. Die einfache Besichtigung des Magens eines Neugeborenen oder sehr jungen Kindes hätte doch den Verf. belehren können, dass derselbe nach seinen räumlichen Verhältnissen unmöglich selbst das bescheidenste bei einem einmaligen Anlegen des Säuglings von diesem zu sich genommene Quantum von Milch unterbringen könne. Sollte das Kind nur so viel dieser Nahrung auf einmal — (wenn auch in kurzen Pausen nach einander) zu sich nehmen als der Magen fasst, — müsste es nothwendig zu Grunde gehen. Das Kind trinkt übrigens nach Durst und nicht nach Hunger; das Jejunum scheint in der That die Magenfunctionen zu compensiren, — denn sonst könnte das Kind die relativ bedeutende Masse von Milch, die es sich einverleibt, überhaupt nicht bewältigen, sondern nur jenen Theil derselben, der eben im Magen zurückbleibt. Gegen die Berechtigung des instinktmässigen Verlangens des Kindes, eben ein grösseres Quantum zu sich zu nehmen und oft — ja um so öfter zu trinken, je jünger es ist und je schwächer seine Verdauungsorgane sind, ist nur schwer aufzutreten, besonders wenn die Erfahrung thatsächlich lehrt, dass Kinder an der Brust sehr milchreicher Weiber auch gewöhnlich sehr gut gedeihen, und doch Portionen von Milch einzunehmen pflegen, die sie um 40—60 Grammes nach genommener Brust schwerer machen als vor dem Anlegen. Da aber nun das Kind einmal nach Massstab seines Gefühles des Durstes und schwerlich nach jenem des in dieser Lebenszeit wohl höchst selten empfundenen Hungers trinkt, und deshalb auch mehr trinken kann, als sein Verdauungstractus zu überwältigen vermag: so ist es kein übles Auskunftsmittel der Natur, den Bevorzugten unter diesen Durstigen die Gabe zu verleihen, den belästigenden Ueberschuss ohne alle Beschwerde mit lächelnder Miene wieder fast unverändert von sich zu geben. Das geschieht aber nicht etwa in Folge des zu often Anlegens, sondern gerade bei solchen Kindern, welche kräftig genug sind, so ausdauernd die ihnen gebotene Speisekammer in einem Zuge zu leeren, dass sie mit diesem einemmale über ihren Hunger, wenn auch nicht über ihren Durst getrunken haben; und dann auch meist weit längere Pausen behaglichen Schlafes beobachten lassen als Kinder, welche ihren Nektar oft aber in geringen und unzureichenden Massen schlürfen, weil sie eben nicht lange und nicht kräftig genug saugen können. Soll das natürliche Begehren des Kindes gar keine Bedeutung haben? Liegt nicht eben die grösste Gefahr der künstlichen Auffütterung darin, dass man schablonenmässig entweder dem Bedürfnisse des Kindes zu wenig entspricht, oder des Guten zu viel thut, gerade weil es sich nicht genau bemessen lässt, wie viel dasselbe braucht? Der Rath D.'s, den Säuglingen von der Geburt an bei Nacht **niemals** Nahrung zu reichen, — es 8 Stunden ohne solche **schlafen** zu lassen, zeugt von einer so gänzlichen Unerfahrenheit, dass man — den Arzt ganz bei Seite gelassen — nur einem kinderlosen Wesen zutrauen kann, solche Paradoxen auszusprechen. So aber wäre das Schlafenlassen recht hübsch und angenehm für die Umgebung, wenn das Kind nur so lange schlafen wollte und könnte! Hätte D. von einer allmäligen Regelung der Zeit des Anlegens des Kindes gesprochen, würde er nur das gesagt haben, was unzählige Aerzte und Kinderärzte in specie lehrten und lehren; ihm genügte aber nur die vollständige Trockenlegung der Mund- und Rachenschleimhaut des armen Säuglings — gewiss nicht zum Vortheile des letzteren. Was nun die Fütterung der Buddelkinder (welchen Ausdruckes sich **D.** bedient) anbelangt, empfiehlt er mit grosser Emphase den Zusatz von Küchensalz zur Milch, um sie leichter verdaulich zu machen, — ein Vorgang, gegen welchen theoretisch nichts Wesentliches einzuwenden wäre, dessen Vortheile dagegen doch erst durch die Erfahrung sicher gestellt werden müssen. Weiter eifert er mit Recht gegen den Uebergenuss des Zuckers (namentlich in vorgerückterem Kindesalter), Naschwerk etc., obwohl er mit der Beschränkung des Zuckergenusses, welcher in der Oeconomie des Körpers doch auch keine kleine Rolle spielt, vielleicht gar zu weit geht. Alles Uebrige, namentlich was die Ventilation der Kinderstuben anbelangt, sind Dinge, welche man eben in jedem Büchlein für Mütter und solche, welche es werden wollen, in gleicher Weise und eben so gut oder noch besser besprochen findet.   **R.**

III. Vaccination.

(6) Dr. Seaton: Report on so called „animal Vaccination" as practised in France, Belgium and Holland. Twelfth Report etc.

(7) Dr. Warlomont: Vaccine animale Gaz. médic. 1870. Nr. 25 p. 335 (Académie).

(8) Prof. Poirier: Vaccine animale Gaz. médic. Nr. 25. 1870.

(9) Brochin: Vaccination et Retrovaccination. Gaz. des hospit. 53. 1870.

(10) Dr. Güntz: Ueber die Verbreitung der Syphilis in Folge der Schutzpockenimpfung. Jahresber. der Ges. für Natur- und Heilk. in Dresden Juni 1869 bis Mai 1870, pag. 46.

(11) Dr. Bertholie: Specif. Hautentzündungen in Folge von Schutzpockenimpfung. L'Union médic. 1870. Nr. 74.

(12) Dr. Förster: Bericht über die Impfungen im Dresdner Central-Impfinstitute. Jahresber. d. Gesellsch. f. N. u. Heilkunde 1869—70. pag. 52.

(13) Melsens: Sur la vitalité du virus vaccin. Cptes. rend. tom. 71. n. 73.

Die **Erfahrungen** über die sog. „**animale Vaccination**" in **Frankreich, Belgien und Holland**, von Dr. **Seaton** (6) veröffentlicht, sammelte S. auf Reisen, welche er im Herbste 1869 im Auftrage des Sanitäts-Departements des k. engl. Geheimrathes unternahm, um die in Paris, Brüssel, Rotterdam und Amsterdam schwunghafte animale Vaccination genau zu studiren und deren Erfolge mit den Resultaten der gewöhnlichen Art der Impfung, wie sie in England geübt wird, zu vergleichen. Bevor S. auf seine eigenen Untersuchungen und Forschungen übergeht, gibt er nach Dr. Ballaid einen historischen Ueberblick über diese in neuester Zeit lebhaft genug besprochene Impfmethode, den wir hier im Auszuge folgen lassen wollen. Der Erste, der diese Art der Impfung versuchte und übte, scheint Negri in Neapel gewesen zu sein, der damit vor etwa 25 Jahren begann. Dieser pflanzte in den ersten Jahren seiner Wirksamkeit durch fortwährende Ueberimpfung auf Kälber und Färsen eine Lymphe fort, welche ursprünglich eine gewöhnliche humanisirte war; später liess er diese auf und bediente sich der Lymphe der echten natürlichen Kuhpocke, die er sich dreimal zu verschaffen gewusst. Im J. 1864 brachte Lanoix, ein junger französischer Arzt, ein von Negri geimpftes Kalb mit nach Paris und setzte von diesem die Abimpfung und Fortpflanzung der Lymphe fort. In Gemeinschaft mit Chambon gründete Lanoix in Paris ein Privat-Institut, um diese Lymphe von Thier auf Thier fortzupflanzen und Paris mit solcher Lymphe wirksam zu versorgen. Auf Depaul's Anregung, welcher sich für dieses Verfahren lebhaft interessirte, stellte 1866 die französische Regierung 6000 Frcs. zur Verfügung der Academie de Médicine zu dem Zwecke, um ausreichende Versuche anzustellen und dieselben durch eine Commission überwachen und prüfen zu lassen. Während der von Depaul erstattete Bericht der neuen Methode sehr günstig lautete, gingen die Urtheile der Commissions-Mitglieder darüber weit auseinander und die Academie konnte die Anwendung dieses Verfahrens nicht besonders empfehlen. — Was die bei diesen Versuchen verwendete Lymphe selbst anlangt, so war es Anfangs die von Lanoix und Chambon fortgepflanzte, aus Neapel eingeführte; nach 4 Transmissionen dieser Lymphe wurde Anfangs 1866 eine neue Quelle natürlicher Kuhpocken in Beaugency (Loiret) entdeckt, und mit Auflassung der früheren diese letztere allein fortgepflanzt. — Nachdem jedoch im Herbste desselben Jahres (1866) noch ein anderer Fall natürlicher Kuhpocken in St. Mandé bei Paris entdeckt worden, wurde auch diese Lymphe weiter fortgepflanzt, und da sich Schwierigkeiten ergaben beide letzteren Lymph-Gattungen getrennt von einander zu erhalten und fortzupflanzen, wurden beide verschmolzen, so dass die von da ab fortgepflanzte Lymphe als eine Mischung der ursprünglich in Beaugency und in St. Mandé erhaltenen sich herausstellte.

Von Paris aus verbreitete sich die animale Vaccination rasch weiter. So wurde dieselbe schon im Februar 1865 durch Dr. Warlomont in Brüssel eingeführt; seine erste Lymphe stammte von Lanoix aus der Neapolitanischen Quelle, später erhielt er aus Paris Lymphe von der Beaugency-Fortpflanzung und im Juli 1868 bot sich eine dritte Quelle (wahrscheinlich ein Fall natürlicher Kuhpocken) in Esneux (Prov. Lüttich) dar. Im September 1868 wurde über Auftrag des Ministers des Innern von der königl. belgischen Academie eine Commission, bestehend aus den Herren Bellefroid, Thiernesse und Marinus, mit dem Studium dieses Vorgehens betraut, welche sich über dasselbe günstig aussprach. Seit Juli 1868 besteht in Brüssel ein „Institut vaccinal de l'état" unter Leitung von Dr. Warlomont, welches die animale Vaccination aufrecht zu erhalten und unentgeltlich Lymphe abzugeben hat, und zwar je nach dem Wunsche der Impfärzte entweder die ursprünglich von den Thieren selbst oder von Kindern, die mit solcher geimpft worden sind, abgenommene.

In Russland wurde diese Methode durch Dr. Prosogoff eingeführt, nach Berlin im Juni 1865 durch Dr. Pissin verpflanzt; im April 1868 errichtete die „Genostchap tot bevordering van de Koepok-inenting te Rotterdam" (Gesellschaft für die Verbreitung der Kuhpocken-Impfung in Rotterdam) eine eigene Station für die Propagation der animalen Vaccination, ebenso entstand im J. 1869 eine solche in Amsterdam, welche beide in vollster Thätigkeit sind.

Die von Dr. **Seaton** selbst an Ort und Stelle fortgesetzten Untersuchungen gingen nach mehrfachen Richtungen.

1. Mit Rücksicht auf die Transmissibilität der reinen un-
verfälschten Kuhpocke von Thier auf Thier gehen nach S. die Erfahrungen der verschiedenen Aerzte wesentlich auseinander. So behauptet
Lanoix, seit der Importirung seines inoculirten Kalbes im J. 1864 niemals
ein vollständiges Fehlschlagen der Pockenübertragung auf ein Thier wahrgenommen zu haben, wenn auch die Pocken bald besser, bald weniger gut ausgebildet waren. Obige Behauptung wird durch die von der Académie de
Médecine niedergesetzte Commission bestätigt, wobei freilich ausdrücklich bemerkt werden muss, dass unter den Augen dieser Commission die Impfung
von Lanoix und Chambon selbst ausgeführt wurde. — Dr. Warlomont
dagegen, welcher jetzt stets vollständigen Erfolg hat, war im ersten Jahre
seiner Impfpraxis sehr unglücklich, indem die von ihm erzielten Pusteln
sowohl ihrer Beschaffenheit nach wie in ihrer Wirkung auf menschliche Individuen ungenügend waren und er sich in Folge dessen häufig veranlasst sah, sich
wegen frischen Impfstoffes nach Paris zu wenden. — Interessant sind die Erfahrungen, welche in dieser Beziehung in Rotterdam gemacht worden sind.
Die erste Abimpfung wurde von einem Thiere Warlomont's in Brüssel gemacht und gelang vortrefflich: sowohl die an diesem wie an allen folgenden
Thieren erzielten Pocken, wie auch an Kindern hervorgebrachten Resultate
waren vollkommen zufriedenstellend — bis endlich nach 2—3 Monaten die
Sachlage sich wesentlich änderte und sowohl die Eruption an dem Thiere wie
auch an den Kindern häufig sehr unvollkommen wurde. Mit dem alsbald
aus Brüssel herbeigeschafften erneuerten Impfstoffe machte man genau dieselben Erfahrungen, ebenso mit allen folgenden Vorräthen, so dass zwischen
April 1868 und Juni 1869 der Impfstoff zum Mindesten 5—6 Mal aus
Brüssel erneuert werden musste. Humanisirte Lymphe, welche nun auf Thiere
fortgepflanzt wurde, hatte ganz denselben Erfolg: bei den ersten Thieren
liess die Pocken-Eruption an Schönheit und Vollkommenheit nichts zu wün-
schen übrig, nach einigen Wochen jedoch stellte sich eine ganz gleiche Verschlechterung der Pusteln ein. Ein gleiches Resultat hatte man mit einer
Lymphe, welche durch Dr. van Vollenhoven aus Paris gebracht wurde
und welche nach Lanoix's Versicherung reine Beaugency-Lymphe war. Eine
Erklärung dieser Vorkommnisse in Rotterdam sucht Lanoix darin, dass entweder die Lymphe, mit welcher die Thiere inoculirt wurden, zu spät abgenommen worden oder aber dass die beobachtete Verschlechterung keine permanente gewesen wäre, d. h. dass die Lymphe bei fortgesetzter Weiterimpfung sich wieder erholt und man damit nach einiger Zeit wieder dieselben
Resultate erzielt hätte wie mit der frischen Lymphe. Eine zu späte Abnahme
fand nun nach den von S. gemachten Erfahrungen nicht statt; ob die zweite
Erklärung eine stichhaltige sei, ist um so schwieriger zu eruiren, als Dr.
Bezeth, der Leiter der Rotterdamer Anstalt, gewissenhaft genug war, die
nach seiner Ueberzeugung qualitativ wesentlich verschlechterte Lymphe zur
Weiterimpfung nicht mehr zu verwenden. Da sich das erwähnte Vorkomm-
niss auch aus besonderen Eigenthümlichkeiten der zur Impfung verwendeten
Thiere nicht erklären lässt, so bleibt bis nun die Aetiologie dieser erneuer-
ten und periodisch wiederkehrenden Misserfolge dunkel.

2. Mit Rücksicht auf Charakter und Verlauf der durch
animale Lymphe bei menschlichen Individuen hervorgerufenen
Pocken berichtet S., dass die in den verschiedensten Entwicklungs- sowie
Rückbildungs-Phasen stehenden Pocken, welche er zu Gesichte bekam,

sämmtlich gut entwickelt und charakteristisch ausgeprägt waren, denselben Charakter, Verlauf und ganz solche Varietäten zeigten, wie sie täglich bei der Verwendung humanisirter Lymphe überall zu sehen sind. Es ergibt sich keinerlei bemerkenswerther Unterschied in der Grösse der Bläschen, der Intensität der localen Erscheinungen oder der Verlaufsdauer (obgleich sonst die Eruption bei der animalen Vaccination und ebenso der Verlauf als wesentlich verlangsamt dargestellt wird); doch ist, um die feineren Unterschiede besser wahrnehmen zu können, nach S. eine fortgesetzte Beobachtung zahlreicher Fälle beider Kategorien unumgänglich nöthig. — Die Pocken-Narben nach der animalen Vaccination waren, wenn auch etwas kleiner als S. sie gewöhnlich nach der Impfung mit humanisirter Lymphe beobachtet hatte und vollkommen charakteristisch, doch in keiner Weise stärker ausgeprägt als nach gelungener Impfung mit humanisirter Lymphe — im Ganzen sonach die erzielten Resultate durchaus nicht der Art, dass man im Vorhinein bestimmen könnte, mit welcher Sorte von Lymphe die Impfung vorgenommen worden.

3. Mit Rücksicht auf den mit animaler Lymphe bei menschlichen Individuen erzielten Erfolg. Die erfolgreiche Ueberpflanzung primärer Kuhlymphe auf das menschliche Individuum ist mit bedeutenden Schwierigkeiten verbunden. So hat Ceeley gefunden, dass die Hälfte seiner Versuche mit solcher Lymphe, die von nach jeder Richtung hin vollkommenen Pusteln stammten, einen vollständigen Misserfolg aufwies, während dieselben Individuen unmittelbar darauf mit gewöhnlicher Lymphe erfolgreich geimpft wurden. Die Transmission der natürlichen Kuhpocken durch Kälber verringert die erwähnte Schwierigkeit und erhöht wesentlich deren Haftbarkeit, so dass der Erfolg der animalen Vaccination ein wesentlich besserer ist, als jener beim Gebrauche primärer Kuhpocke, doch weit geringer als der Erfolg der gewöhnlichen Impfung von Arm zu Arm. Den besten Anhaltspunkt für die Haftbarkeit der animalen Lymphe erhält man aus der Vergleichung der Ausweise bezüglich der in Paris und Rotterdam damit erzielten Resultate und jener Erfolge, welche die gleichzeitig vorgenommene Impfung von Arm zu Arm aufweist. Ein Ausweis, welchen S. dem Mr. Husson, Directeur de l'Assistence publique des Hopitaux etc. de Paris verdankt und welcher sämmtliche in den Pariser Hospitälern vom 1. October 1867 bis 30. October 1869 geimpften Kinder umfasst, lehrt Folgendes:

	Im Ganzen	Erfolgreich	Erfolglos	Ohne Revision	Procentverhältniss der inspicirten erfolglosen Fälle
1. Vom Thiere auf Kinder	7000	4768	1317	915	21
2. Von Arm zu Arm	3119	2578	213	328	7

Bezüglich der eben verzeichneten Impfresultate glaubt S. noch besonders hervorheben zu müssen, dass die Verhältnisse, unter denen beiderlei Impfmethoden geübt wurden, insoferne der animalen Vaccination günstige waren, als die Impfungen von den Färsen fast durchgehends von den geübten Händen Lanoix' oder Chambon's, die Impfung von Arm zu Arm zumeist von den sogen. Internes ausgeführt wurden; dass letztere in der Impfung nicht besonders geübt waren, zeigt schon die an und für sich bedeutende Anzahl von Misserfolgen, die im vorstehenden Ausweise verzeichnet sind. Der Ausweis der Rotterdamer Gesellschaft über die von ihr im J. 1869 ausgeführten Impfungen ergibt (nach Abstrahirung der wenigen ohne Revision verbliebenen Fälle) folgende Zahlen:

	Im Ganzen	Erfolgreich	Erfolglos	Procentverhält- niss der erfolg- losen Fälle
1. Vom Thiere auf das Kind	542	475	67	12·3
2. Von Arm zu Arm	610	606	4	0·65

Hier verdient bemerkt zu werden, dass bei der Abimpfung vom Thiere auf Kinder in Rotterdam sämmtliche von Lanoix, Warlomont etc. gegebenen Vorschriften, namentlich in Bezug auf die Zeit der Abnahme des Impfstoffes auf das Gewissenhafteste eingehalten wurden, so dass die verhältnissmässig noch immer grosse Zahl von Misserfolgen durchaus keiner bewussten Nachlässigkeit nach irgend einer Richtung zugeschrieben werden kann. Weit minder günstig waren die Resultate der gleichfalls in Rotterdam im J. 1868 vom Kalbe ausgeführten Vaccinationen, indem von 113 Impfungen 28 = 25% erfolglos blieben. Während der 8 Monate (20. April bis 31. December 1869), seitdem die animale Vaccination in Amsterdam betrieben wird, waren von 120 Vaccinationen 57 erfolglos; bei 51 dieser Kinder wurde die Impfung wiederholt und zwar bei 45 mit Erfolg, bei 5 erfolglos, 1 Kind entzog sich der Revision. Doch war die Anzahl der erzielten Pusteln eine sehr geringe (bei vielen Kindern nur 1 oder 2). Von den im J. 1869 mit humanisirter Lymphe geimpften 1291 Kindern betrug die Anzahl der Misserfolge etwas weniger als 1%.

Berücksichtigt man in den erfolgreichen Fällen von animaler Vaccination die Anzahl der erzielten Pusteln, so erreichte diese nicht über 75% der gemachten Einstiche. Vergleicht man damit die erzielten Erfolge in der gewöhnlichen Impfung von Arm zu Arm, wie sie S. in seinem Handbuche der Vaccination etc. als Ergebniss seiner Bereisung der verschiedenen Impfdistricte Englands angibt: wonach an jeder einzelnen Insertionsstelle Pusteln in mehr denn 90% sämmtlicher Fälle auftraten, das Procentverhältniss, in welchem von sämmtlichen Impfstichen blos 1 Pustel resultirte, kaum 1% betrug und Misserfolge etwa 1 Mal in je 200 Fällen zu verzeichnen waren, so spricht das obige Verhalten der Haftbarkeit der animalen Lymphe nicht zu Gunsten derselben.

Noch klarer tritt dieses Verhältniss zu Tage, wenn man einen Blick wirft auf die von Dr. van Vollenhoven dem Dr. **Seaton** zur Verfügung gestellte

Vergleichende Tabelle der im J. 1869 in Rotterdam erzielten Resultate mit animaler und humanisirter Lymphe.

1. Fälle von animaler Vaccination.

Erfolge	Vom Thiere auf den Arm	Mit Lymphe präserv. in Röhrchen	Mit Lymphe präs. in Gläsern	Zusammen
8 Bläschen und mehr	58	7	—	65
7 »	51	11	—	62
6 »	69	6	1	76
5 »	68	7	—	75
4 »	69	7	—	76
3 »	48	9	—	57
2 »	51	17	1	69
1 »	61	9	—	70
Zusammen erfolgreich	475	73	2	550
Erfolglos	67	20	—	87
Zusammen	542	93	2	637

2. Fälle von Vaccination mit humanisirter Lymphe.

Erfolge	Von Thieren auf den Arm	Mit Lymphe präs. in Röhrchen	Mit Lymphe präs. in Gläsern	Zusammen
8 Bläschen und mehr	211	4	1	216
7 »	92	5	1	98
6 »	160	13	2	175
5 »	71	9	1	81
4 »	34	9	1	44
3 »	22	10	—	32
2 »	10	2	—	12
1 »	6	1	1	8
Zusammen erfolgreich	606	53	7	666
Erfolglos	4	—	1	5
Zusammen	610	53	8	671

Die in diesen beiden Tabellen berücksichtigten Fälle von Vaccination wurden an 1230 Individuen vorgenommen und zwar derart, dass die erfolglosen Fälle ein zweites und selbst ein drittes Mal geimpft wurden, so dass endlich bei sämmtlichen Kindern ein Erfolg erzielt wurde. Die 2. Impfung wurde in jenen Fällen, in denen zur 1. Impfung bereits animale Lymphe verwendet worden, ebenfalls mit solcher vorgenommen; in Fällen, in welchen die animale Lymphe auch nach 2maliger Verwendung keinen Erfolg hatte, griff man endlich bei der 3. Operation zur gewöhnlichen humanisirten Lymphe und siehe da — kein einziger dieser Fälle blieb ohne Erfolg.

Wollte man aus diesen Erfahrungen Schlussfolgerungen ziehen, so würde sich daraus Folgendes ergeben: 1. dass der bis jetzt erzielte Erfolg der animalen Vaccination verglichen mit dem Erfolge der gewöhnlichen Impfung von Arm zu Arm ein verhältnissmässig geringer ist und dass schon dieser Umstand allein — selbst wenn andere Gründe für deren allgemeine Einführung kräftiger sprechen würden, als dies wirklich der Fall ist — als minder empfehlend zu gelten hätte. 2. dass viel Uebung und Erfahrung nöthig ist, um nur jenen Erfolg zu erzielen, welcher von den genannten Impfärzten erreicht worden ist. Wenn geübte und höchst gewissenhafte Impfärzte nach zweijähriger Erfahrung finden, dass sie bei der Impfung vom Thier auf den Menschen in $1/8$ sämmtlicher Fälle eine zweite Impfung vornehmen müssen und dass endlich nahezu $1/4$ sämmtlicher Kinder so unvollkommen durch die Impfung geschützt sind, wie dies durch 1 oder 2 Pusteln der Fall ist, so unterliegt es wohl keinem Zweifel, dass durch die Adoptirung dieser Methode der allgemeine Schutz gegen Blattern eher verringert als verstärkt wird, sowohl was das einzelne Individuum als was die Gesammtheit betrifft.

Wenn von den Anhängern der animalen Vaccination zu Gunsten derselben noch vorgebracht wird, dass selbe bei Bedarf von grossen Quantitäten von Impfstoff, wie z. B. bei Blattern-Epidemien Erkleckliches leistet, so kommen hier einerseits die obenerwähnten mässigen Erfolge in Betracht, andererseits wäre aber zu bedenken, ob nicht auf andere Weise, im Staats- oder Privatwege, Vorsorge für genügenden Vorrath von verlässlichem Impfstoff getroffen werden könnte?

4. Was die Aufbewahrungsdauer der animalen Lymphe und den Erfolg mit aufbewahrter animaler Lymphe im Ver-

gleiche mit der in gleicher Weise aufbewahrten humanisirten
Lymphe anlangt, so varijren die Erfahrungen, die man in Paris gemacht,
wesentlich von denen in Brüssel und Rotterdam gewonnenen. Hier wie dort
wird die Lymphe fast ausschliesslich in Röhrchen aufbewahrt. Lanoix
behauptet, dass sich die animale Lymphe vortrefflich flüssig in den Röhrchen
erhalte, dass, wenn zufällig sich doch ein Coagulum bilde, doch noch immer
genug flüssige Lymphe darin bleibe, die sich eben so lange erhalte und gleich
gute Erfolge bei Kindern erziele, wie die humanisirte Lymphe. Gleichwohl
empfiehlt er sehr angelegentlich, die Lymphe innerhalb 24 Stunden nach ihrer
Abnahme zu verwenden und sich nicht des minder verlässlichen Impfstiches
sondern der Scarification zu bedienen. — Dr. Warlomont hingegen findet
in dem sich häufig innerhalb der Röhrchen bildenden Coagulum ein so
wesentliches Hinderniss der Verwendbarkeit der Lymphe, dass er zur Verhinderung der Coagulation eine kleine Quantität Glycerin mit einzuführen für
nöthig findet; weiters geht seine Erfahrung dahin, dass die Lymphe längstens
24 Stunden nach ihrer Abnahme verwendet werden müsse und dass nach Ablauf dieser Zeit ein Misserfolg beinahe mit Sicherheit zu erwarten sei. Aehnliche Erfahrungen liegen aus Rotterdam vor, die insoferne noch prägnanter
sind, als von dort aus animale wie humanisirte Lymphe in Röhrchen nach
den überseeischen Colonien verschickt wurde und die hierüber geführten
Protokolle ergaben, dass von 44 mit der humanisirten Lymphe geimpften
Kindern 16 erfolgreich, 47 mit animaler Lymphe geimpfte Kinder aber
sämmtlich erfolglos geimpft wurden. Hier muss freilich berücksichtigt werden, dass die so aufbewahrte Lymphe nicht blos Monate lang in den Röhrchen
blieb, sondern auch den Variationen der Temperatur etc. stark ausgesetzt
war. — Ob eine andere Aufbewahrungsweise als die in Röhrchen einen
besseren Erfolg der animalen Vaccination in Aussicht stelle, ist noch zweifelhaft, da nur geringe Erfahrungen in dieser Beziehung vorliegen. Selbe wurden
1868 in Rotterdam und unabhängig davon von Dr. Ballard in London mit
(auf Elfenbeinspitzen) eingetrockneter Lymphe unternommen und lieferten anscheinend bessere Resultate. Doch ist, wie schon oben erwähnt, die Summe
dieser Erfahrungen eine viel zu geringe, um daraus irgend welche giltigen
Schlüsse ableiten zu können.   H.

Dr. Warlomont, Director der Staatsimpfanstalt zu Brüssel erklärt die
verschiedenen und zum Theil ungünstigen Erfolge der Impfung mit echter
Kuhpocke (7) aus dem Umstande, dass es dabei auf die Methode wesentlich ankomme, indem nach seinen Erfahrungen die animale Lymphe nur
unter gewissen günstigen Verhältnissen ihre Wirksamkeit in verlässlicher
Weise zu entfalten im Stande sei. So habe ihm bei Abnahme der Lymphe
aus der Pustel das gewöhnliche Verfahren mittelst Einstich günstige Resultate geliefert, wogegen er bei derselben Procedur mit Lymphe, die in
Röhrchen gesammelt worden, viel schlechtere Erfolge aufzuweisen hatte.
W. sucht den Grund dieser Erscheinung in der bald eintretenden Scheidung
der Lymphe in einen festen coagulirenden und einen flüssigen Antheil, so dass
nur der erstere das Contagium enthalte, während das Serum unwirksam sei.
Man müsse somit sämmtliche Bestandtheile der Lymphe dem Organismus ein-
verleiben und daher ein zweckmässigeres Verfahren einschlagen; die von W.
empfohlene Methode besteht in Folgendem: Er nimmt einen Elfenbeinspatel
von 80 Millim. Länge und 5 Millim. Breite, an einem Ende dicker am
anderen stumpf zugespitzt und bestreicht ihn mit einer dünnen Schichte von

Gummilösung, damit die Lymphe nicht in die Poren eindringe; dieses Stäbchen wird sodann bis zur Tiefe von 12 Millim. in die Lymphe getaucht und entweder an einer Flamme oder an der Sonne rasch getrocknet, oder auch durch 24 Stunden der langsamen Vertrocknung überlassen, worauf die Procedur wiederholt und zu noch besserer Conservirung zuletzt das Stäbchen in eine Solution von Ichthyokolla getaucht wird. Will man nun die Impfung vornehmen, so darf man dies nicht mit der Lanzette thun, sondern man macht in die Epidermis einige leichte Scarificationen und streicht mit dem befeuchteten Elfenbeinspatel darüber, wo dann mehr Chancen vorhanden sind, dass sämmtliche Bestandtheile der Lymphe in die Wunde kommen. Beim Abimpfen aus der Pustel selbst kann man sich dagegen unbeschadet der Wirkung der gewöhnlichen Impflanzette bedienen. G.

Prof. **Poirier** (8) kann die von **Warlomont** gerühmten Vorzüge der Impfung mit animaler Lymphe, welche auf Elfenbeinspateln gesammelt und getrocknet wurde, nicht bestätigen. Abgesehen von den grösseren Schwierigkeiten, welche diese Methode darbietet, indem man mit Einstichen eher zu Stande komme als mit mehrfachen Scarificationen, wären auch die Resultate dieses Verfahrens gar nicht sehr günstig, und es sei ihm wiederholt vorgekommen, dass Personen, bei welchen die animale Impfung nach **Warlomont** erfolglos geblieben, kurze Zeit darauf mit humanisirter Lymphe mittelst der Lanzette geimpft die schönsten Pusteln darboten. G.

Brochin (9) machte Versuche zur Entscheidung der Frage, ob **Kuhlymphe**, wie de **Béyier**, **Leriche**, **Diligenee**, **Fournier**, **Champouillon**, **Gallard** u. A. behaupten — weniger wirksam sei, als **humanisirte Lymphe**. Zu diesem Zwecke wurden auf jeden Arm von 48 Kindern gleichviel Impfungen mit beiden Stoffen gesetzt und während 144 Stiche mit Kuhlymphe nur 27 Pusteln hervorbrachten, hatte dieselbe Zahl der von Arm zu Arm gemachten Impfungen 102 Pusteln zur Folge. W.

Dr. **Güntz** hob in einem Vortrag „**über die Verbreitung der Syphilis in Folge der Schutzpockenimpfung**" (10) hervor, dass die Gefahr der Syphilisansteckung durch längere Zeit aufbewahrte Lymphe, welche man bisher ebenso, wie die Impfung von Arm zu Arm als Verbreitungsursache der Syphilis angeschuldigt hatte, geradezu für sehr gering angesehen werden könne, indem sich nach Prof. **Boeck's** Versuchen herausgestellt hat, dass das Syphilisgift an der Luft schon nach einigen Stunden, dagegen in Flüssigkeiten verschlossen aufbewahrt nach 8 Tagen seine Ansteckungskraft verliert. Räthlich ist es ferner, bei den Revaccinationen nie Lymphe von erwachsenen Stammimpflingen zu nehmen, und Lymphe von Erwachsenen nie zu Impfungen der Kinder zu verwenden. Im Anschluss an diesen Vortrag erzählte Dr. **Förster** einen Fall, wo unmittelbar nach vorgenommener Impfung eine bis dahin latente, oder offenbar hereditäre Syphilis mit überaus heftigen und hartnäckigen Symptomen zu Tage getreten sei. W.

Auch **Bertholie** bespricht die **specifischen Hautentzündungen in Folge der Vaccination** (11). Bei einer Anzahl von Revaccinationen erschienen am 2.—3. Tage locale Reizungserscheinungen, Schwellung im Zellgewebe, ähnlich wie bei der Bildung von Furunkeln, endlich ein Zwischending von Bläschen und Pusteln von unregelmässiger Form, ohne Delle und ohne typische Entwicklung. Diese Efflorescenzen geben eine geringe Menge von feuchtem Inhalt, trocknen rasch ab, haben oft einen beträchtlichen Entzündungshof, sind

von Empfindlichkeit der Achseldrüsen, selbst von Fieber begleitet, und hinter-
lassen nach dem Abfallen der schwarzen Krusten, welches nach einigen Tagen
erfolgt, keine Narben. B. hält diese Impfpusteln (Vaccinoide oder Vacci-
nelle) für specifische und nach Gendrin sollen sie überimpfbare Lymphe
produciren. In anderen Fällen kommt es bei Revaccinationen blos zu furunkel-
artigen Bildungen und es kann die Frage entstehen, ob man es nicht mit blos
traumatischen Effecten zu thun habe. Aber das Auftreten am 2. oder 3. Tage
nach der Impfung, also nach dem Ablaufe einer Incubation schliesst die Möglichkeit des noch bestehenden Einflusses der ersten vorausgegangenen Vaccination nicht vollständig aus.   W.

Dr. **Förster** (12) gibt einen Bericht über die **Impfungen im Dresdner
Central-Impfinstitut.** In den Jahren 1866 bis 1868 hatte er bei 4520
Impfungen den Erfolg registrirt. Bei 98 Kindern trat keine oder mangelhafte Haftung auch bei wiederholter Impfung ein, weil früher nachweislich
schon Impfung oder Blattern überstanden waren. Bei 11 Kindern, also bei
1 unter 400, haftete auch eine wiederholte Impfung von Arm zu Arm nicht,
obgleich weder Blattern noch Impfung nachweislich überstanden worden waren.
Endlich bei einigen wenigen Fällen (bis 4 unter 4247 Kindern, d. i. 1 auf
1060) haftete erst die zweite Impfung von Arm zu Arm. Unter 273 mit
Capillarröhrchen verschiedenen Alters geimpften Kindern fanden sich 12 Fehl-
impfungen, also 1 auf 23. Bei Impfungen von Arm zu Arm entwickelten sich
auf je 8 Impfschnitte durchschnittlich 7·5 Pocken, bei Impfung mit Capillarröhrchen durchschnittlich 6 Pocken.   W.

Melsens (13) will sich durch Versuche überzeugt haben, dass die **Vita-
lität der Pockenlymphe** durch Einwirkung einer Kälte von ca. 80⁰ C. nicht
gestört wird (?).   W.

Anatomie und Physiologie.

(14) Dr. J. Gregory, Assist. d. Gebäranst. in München: Ueber die Ge-
    wichtsverhältnisse der Neugeborenen. Inaug. Dissert.
(15) Dr. Paul Schmidt, (früher Assistenzarzt in Hamburg): Einige Be-
    merkungen über das Wachsen der Kinder und über die Mittel zur
    Beförderung und zur Zurückhaltung desselben. Journ. f. Kdrkkhten.
    1870. B. 54. p. 32.
(16) J. Cazalis: Note sur les fibres musculaires du diaphragme chez le
    foetus. Arch. de physiol. III. p. 64 Centralbl. f. med. Wiss. 1870.
    p. 622.
(17) Richard Volkmann: Notiz betreffend das interstitielle Knochenwachs-
    thum. C. Bl. f. med. Wiss. 1870 Nr. 9. p. 129.
(18) Prof. F. A. Kehrer: Ueber die Einschmelzung der Milchzahnwurzeln
    bei der zweiten Dentition. C. Bl. f. med. Wiss. 1870. p. 705.
(19) Doc. Dr. Wrany: Zur abnormen Weite der Foramina parietalia. Vier-
    teljahrschr. f. pract. Heilk. Bd. 108. pag. 152.
(20) Andral: Note sur la température des nouveau-nés. Gaz. méd. 1870.
    N. 24. pag. 322.
(21) Lépine: Sur la température des nouveau nés; note présentée à la
    Société de Biologie. Gaz. méd. 1870 N. 28. p. 368.
(22) Dr. V. Czerny: Plexiformes Myosarcom der Orbita. Arch. f. Klin.
    Chir. Bd. II. pag. 234.

Die **Gewichtsabnahme der Neugeborenen in den ersten Tagen** nach der Geburt wurde neuerdings von **Gregory** (14) zum Gegenstande bemühter, wenn gleich nur auf eine mässige Anzahl von Kindern beschränkter Untersuchungen gemacht. Seine Resultate bei 45 ausgetragenen Kindern gewinnen dadurch ein erhöhtes Interesse, weil sich darunter auch 12 künstlich ernährte befinden. Die Wägungen wurden unmittelbar, dann in 6 und 12 Stunden nach der Geburt und später alle 12 Stunden (?) vorgenommen. Der Beginn der Abnahme fällt nach **G.** schon in die allerersten Stunden des extrauterinalen Lebens (wie leicht begreiflich, da der Abgang von Meconium, Harn und käsiger Schmiere, so wie die Verdunstung — das Gewicht vermindern, ohne dass deshalb der Körper an sich leichter werden müsste Ref.). Im Laufe des ersten Tages hat unter den von den eigenen Müttern genährten Kindern keines zugenommen (auch sehr begreiflich, da die Kinder von der eigenen Mutter noch ungenügende Nahrung erhalten haben dürften Ref.). **G.** findet, dass die Grösse der Abnahme noch mehr verschieden ist, als die Dauer derselben; manche Kinder, welche anfangs gleich eine sehr starke Abnahme aufweisen, nehmen später weniger ab als solche, die bei den ersten Wägungen weniger an Gewicht verloren. Ref. kann **G's** Ansichten nur beistimmen, dass diese erhöhte Abnahme ohne Zweifel mit der Entleerung des Darm- und Blaseninhaltes zusammenfalle. Nach Durchschnittsberechnungen nahmen in den ersten 12 Stunden alle 33 (ausgetragene und von der eigenen Mutter genährte) Kinder ab, auf 1 Kind fällt im Mittel ein Verlust von 81 Grammes; von der 12. bis 24. Stunde wurde ebenfalls durchaus, im Mittel 58 Gr. Gewichtsverlust constatirt (für den 1. Tag 139 Gr. $= \frac{1}{24}$ des Durchschnittes des unmittelbar nach der Geburt erhobenen Körpergewichtes). Von der 24. bis 36. Stunde haben zwei Kinder (zusammen um 65 Gr.) zu-, 31 durchschnittlich um 52 Gr. abgenommen. Von der 36. bis 48. Stunde nahmen nur noch 21 Kinder um 32·6 Gr. per Kopf ab, und 12 Kinder à um 24·5 Gr. zu, — was für diese 12 Stunden eine durchschnittliche Abnahme von 12 Gr. und für den zweiten Tag von 64 Gr. ergibt. Von der 48. — 60. Stunde übertrifft die Summe der Zunahme die der Abnahme, 21 nahmen zu, 12 ab und der 3. Tag ergibt schon eine Zunahme von 33 Gr., der 4. von 50, der 5. von 50, der 6. von 36, der 7. in Folge der Erkrankung einzelner Kinder von 22 Gr., der letzte Halbtag (168. bis 180. Stunde) bei 14 noch gewogenen Kindern von 17 Gr. für ein Kind.

Bei den ausgetragenen aber künstlich ernährten Kindern begann die Zunahme erst in der zweiten Hälfte des vierten Tages und wurde häufig von erneuten Abnahmen unterbrochen; die Grösse der Abnahme dagegen war nicht viel verschieden, was **G.** damit erklärt, dass das Kind in den ersten zwei Tagen überhaupt noch wenig Nahrung zu sich nehme, die Nahrung somit um diese Zeit keinen oder nur sehr geringen Einfluss auf das Gewicht desselben ausüben könne, — wobei nach der Ansicht des Ref. gewiss zu berücksichtigen wäre, dass doch sehr viele, ja die meisten Kinder, denen die Gelegenheit geboten wird eine milchreiche Brust erfassen zu können sich schon am zweiten manchmal sogar noch im Verlaufe des ersten Tages sehr wacker dazu halten. Wiewohl nun **G.** am 4. und 5. Tage bei manchen dieser Kinder einen Anfang von Gewichtszunahme beobachtete, so folgte doch bald wieder Abnahme, und unter 8 Kindern war keines, welches am Tage der Entlassung nicht noch mehr am Gewichte verloren hätte, als an dem Tage an welchem die Zunahme begann. Bei unreifen an der Brust ernährten Kindern (7 Beobachtungen) begann die Zunahme auch am 3. Tage, dieselbe ist nicht so regelmässig wie bei den kräftigeren anderseits aber ausgiebiger, — und diese Erfahrung hat auch Ref. in der überwiegenden Mehrzahl seiner Beobachtungen gemacht. Von 8 unreifen (so wie die früher besprochenen reifen) mit verdünnter Kuhmilch genährten Kindern, war nicht nur in einem Falle gar niemals Zunahme eingetreten, sondern zeigte sich dieselbe überhaupt später und war die Grösse der Abnahme im Ganzen bedeutender, so dass diese Kinder durchschnittlich bis zum 5. Tage 10 % ihres ursprünglichen Gewichtes, manche natürlich noch weit mehr verloren. Die Schlusssätze des Verf. sind in dem Voranstehenden bereits gegeben bis auf den einen, dass der Stoffwechsel bei Knaben als ein regerer angenommen wird, als bei den Mädchen, was G. daraus folgert, dass die Zunahme bei den Knaben verhältnissmässig früher beginne und dass mehr Procent Knaben in der gleichen Zeit ihr ursprüngliches Gewicht überschreiten, als Mädchen.

Dieser gewissenhaften Mittheilung des Inhaltes der fleissigen Arbeit G's sei es dem Ref., welcher die Frage der Gewichtsab- und Zunahme der Neugeborenen bekanntlich ebenfalls, wenn auch unter etwas verschiedenen äusseren Verhältnissen ventilirte — vergönnt, noch einige Worte in Bezug auf seine eigenen (des Ref.) früher veröffentlichen bezüglichen Arbeiten und Ansichten hinzuzufügen. G. hat dem Ref. die Ehre angethan in dieser Dissertation auch seinen Namen und zwar in folgendem Passus zu nennen: „Wenn Ritter v. Rittershain (Jahr. Ber. d Findelanst. für 1866 p. 21) bei einer Anzahl von Findelkindern, an denen erst mehrere Tage nach der Geburt die erste Wägung vorgenommen, keine Abnahme hat beobachten können, so war er deshalb nicht berechtigt, die unzweifelhafte Thatsache einer Abnahme in den ersten Tagen der Geburt zu negiren. Er hat darüber keine Beobachtungen gemacht." — Das heisst doch einen Menschen kurz und bündig abfertigen! — Wenn man sich aber erlaubt in solcher Weise aufzutreten, sollte man doch die Aeusserung des Betreffenden, auf welche man sich beruft, genau gelesen haben. In dem angeführten Jahresberichte steht jedoch zufällig nichts mehr und nichts weniger als wörtlich Folgendes: „Schon im vorigen Jahresberichte äusserte ich meine Ansicht über die Zweifelhaftigkeit einer durchschnittlichen Abnahme des Körpergewichtes der Kinder innerhalb der ersten Lebenswoche. Heuer bin ich in der Lage die Meinung jener, welche eine derartige Abnahme als die Regel bildend, eine Art physiologischer Nothwendigkeit darstellend betrachten, gründlichst zu widerlegen" — und die beigebrachten Wägungstabellen erwiesen auch die obige Behauptung. Von einer Zu- oder Abnahme der Kinder in den ersten Stunden oder Tagen nach der Geburt war damals noch gar keine Rede! Die späteren Arbeiten des Ref. über diesen Gegenstand *) beliebte aber der Verf. gänzlich zu ignoriren, sonst hätte er sich gewiss die weitere Bemerkung erspart, welche einfach unwahr ist, dass die ersten Wägungen nur an Findelkindern vorgenommen werden konnten, welche mehrere Tage alt waren; und hätte gesehen, dass dem Ref. zwar die Gelegenheit fehlt unmittelbar nach der Geburt Wägungen der Kinder vorzunehmen, dass ihm aber wenige Stunden nach der Geburt transferirte Kinder in nicht geringerer Anzahl zu Gebote standen, als dem Hrn.Verf. selbst, dass ihm folglich die Berechtigung hier mit zu sprechen nicht in solcher, — beinahe

---

*) Jahrb. f. Physiol. u. Pathol. des ersten Kindesalters. Jahresbericht pro 1867 pag. 17 etc.

unziemlicher Weise abgesprochen werden könne, als sich zu thun G. erlaubte. Dass des Ref. Wägungen, wenn auch nur einmal täglich vorgenommen, genau und richtig waren, zeigt übrigens die auffallende Uebereinstimmung seiner von 100 Knab. und 100 Mädch. erhaltenen Endergebnisse (vide dieses Jahrbuch Band II. pag. 193) mit jenen des Verf. — obwohl vom Ref. reife und unreife oder besser gesagt kräftige und schwache Kinder ohne Scheidung in die Rechnung einbezogen wurden. Bezüglich dieses und alles Uebrigen muss Ref. auf seinen Jahresbericht für 1867 (Jahrb. f. Phys. u. Path. des ersten Kindesalters) und den eben citirten Rückblick verweisen. Nicht die absoluten Ergebnisse sind es, worin der Ref. vom Verf. differirt sondern deren Deutung. Es ist in der That merkwürdig, dass die Erklärung, welche Ref. für die häufig ganz ununterbrochene Gewichtszunahme vom 1. Tage anzufangen bezüglich der Findelanstalt gab, weder von Prof. Kehrer noch von G. berücksichtiget wurde, obwohl der erstere bei Säugethieren dasselbe beobachtete und auf denselben Grund der Erscheinung kam wie Ref. — So wie es nach Kehrer bei den Thieren die bessere Ernährung der Mutter in der Tragzeit und nach der Geburt war, — welche die Gewichtsverminderung schwinden machte: so ist es in der Findelanstalt der Umstand, dass kein bald nach der Geburt eingebrachtes Kind von der eigenen Mutter, sondern sofort von einer wohlgenährten Amme Nahrung erhält. Dass man daraus die Lehre ziehen könne, dass man die Mütter nach der Entbindung besser nähren sollte, — also eigentlich das Hauptresultat der Beobachtungen — hat der Ref. so nachdrücklich betont wie Prof. Kehrer und zwar schon im Jahresberichte pro 1867 pag. 25 und es ist eigenthümlich, dass gerade das keine Beachtung fand! Bevor man sich jedoch erlaubt einen erfahrenen Mann und dessen Ansichten in einer Inauguraldissertation mit so vernichtender Wegwerfung zu behandeln, wie es der Verf. mit dem Ref. that, sollte man doch früher die bezüglichen Arbeiten dieses Mannes kennen und dann richtig citiren! That's the humour of it!! R.

Es sind wohl die **Anomalien des Wachsthums** der Kinder, welche in **Schmidt's** (15) Abhandlung erörtert werden sollen, doch findet man darin mehr den Weg, den der Verf. zur eigenen Belehrung darüber eingeschlagen haben mag, angedeutet, als Früchte irgend welcher selbstständiger Forschung. Ansichten und Hypothesen selbst solcher Schriftsteller werden citirt, welche wie Hufeland, Stahl und A. trotz des hohen Rufes ihrer Namen doch bezüglich des Wachsthums des Menschen für gar keine Autoritäten gelten können. Sodann müssen Burdach, Mende, Quetelet, Litharzik (beharrlich so geschrieben!) u. A. herhalten, um das normale Wachsthum zu schildern, wobei sich **Sch.** mit der völlig kritiklosen Zusammenstellung einzelner Angaben zufrieden stellt. Nach dieser Einleitung wendet er sich zu den Abnormitäten des Wachsthums und stellt sich die Frage: Welche Einflüsse halten das Wachsthum zurück, und welche treiben es zu sehr. Bezüglich der ersteren hält **Sch.** dafür, dass wenn die Eltern noch nicht zur vollen Reife des Körpers oder eben erst über die Pubertätsperiode gelangt sind, die Kinder schwächlich und klein seien, ebenso, wenn die Eltern zu alt, der Abnahme der Zeugungskraft nahe gekommen waren. — Auf solche allgemeine Sätze, so plausibel sie vom theoretischen Standpunkte klingen mögen, ist aber bekanntlich nicht viel zu geben; die tägliche Erfahrung lehrt, dass die Ausnahme von solchen Regeln fast ebenso häufig wie die mit ihr übereinstimmenden Fälle seien, ja dass manche solche Regel in so allgemeiner Fassung gar nicht haltbar sei.

So wie der Ref. nach den in seinem Bereiche gewonnenen Erfahrungen findet
es auch **Sch.** für sehr wahrscheinlich, dass bezüglich der Körperkraft und selbst
bezüglich vererblicher Krankheiten der Vater die Hauptrolle spiele, — er
behauptet aber auch, dass ein an Gicht leidender Mann, ebenso wie derjenige,
der von Syphilis durchzogen gewesen ist, scrofulöse Kinder erzeuge, selbst
wenn die Dyscrasie völlig erloschen zu sein scheint. Da wäre es denn doch
nach der Ansicht des Ref. sehr interessant die eigenen Erfahrungen, auf
welche **Sch.** diesen seinen Ausspruch basirt, kennen zu lernen. Scrophulose
aber wirkt nach **Sch.** ebenso zurückhaltend auf das Wachsthum der Kinder,
wie Rachitis. Dennoch citirt **Sch.** in dem Folgenden, wo er die Einflüsse
bespricht, welche das Wachsthum zu sehr treiben, oder die Zunahme an Länge,
Breite oder Dicke zu stark und zu frühzeitig hervortreten lassen, wiederum
L u g o l 's einer solchen Behauptung geradezu widersprechende Angabe. dass
Scrophulosis eben so gut das Wachsthum der Knochen und Muskeln zurück-
halte, als es dieselben ungewöhnlich in die Länge treiben könne. Auch die in
neuester Zeit vielfach genaueren Untersuchungen unterworfene Pseudohyper-
trophie der Muskeln wird hier berührt, obgleich schwer zu begreifen ist, wie
dieselbe als eine Abweichung des Wachsthums aufgefasst werden könnte.
Die zweite Frage: Welche Krankheiten hat das Wachsthum im Gefolge,
oder zu welchen Uebelständen gibt das Wachsthum Anlass, lässt **Sch.** von
G o m b a u l t beantworten, und gibt einfach eine Uebersetzung des Artikels
dieses letzteren: „C r o i s s a n c e" im X. Theile des Diction. de Médicine et de
Chirurgie pratiques. Paris 1869. Diese Uebersetzung ist eigentlich das einzig
Dankenswerthe in diesem Aufsatze, und könnte derselbe füglich ohne die
besprochene Einleitung bestehen. G o m b a u l t zieht den Einfluss des Wachsthums auf die Thätigkeit der einzelnen Systeme des Körpers in Betracht.
Bezüglich des Circulationsapparates hebt er die grosse Raschheit hervor, mit
welcher sich derselbe beim Kinde entwickle, daher auch Congestionen der
.Cutis, Schleimhäute und innerer Organe sich bei ihm überaus leicht entwickeln
und zwar nicht durch Stase in den Venen (worauf es übrigens schliesslich doch
herauskommen muss Ref.), sondern durch die Lebhaftigkeit des arteriellen
Blutzuflusses. Die ungenügende Raumentwicklung des Thorax bringe ernste
Störungen mit sich, das in seinen Bewegungen gehinderte Herz schlage gewalt-
sam gegen die Brustwand und es entstehen Palpitationen und Tendenz zur
Hypertrophie; — lebhaftere Körperbewegung erzeuge Dyspnoe. Sowohl ver-
zögertes, als zu hastiges Wachsthum des Thorax in die Länge, (doch wohl
auch die Formveränderungen in Folge der Rachitis? Ref.) verkümmern den
Innenraum der Brust. G o m b a u l t ist nicht ungeneigt mit B o u c h u t die
Möglichkeit eines eigentlichen Wachsthumsfiebers anzunehmen; aber es will
ihm nicht recht gelingen diese Annahme zu begründen, denn selbst das Citat
von B a r r i e r lässt ihn nur eine erhöhte Disposition zu acuten, zymotischen
Erkrankungen und zu exsudativen Prozessen aller Art während der Wachsthumsperiode constatiren. Bezüglich des Verdauungsprocesses ist der französische Autor offenbar in bedeutender Verlegenheit, wie er das Wachsthum mit
krankhaften Störungen der Digestion connectiren soll; sogar der Ikterus neonatorum soll der neu begonnenen (?) Function des Magens und Darmkanales
seine Häufigkeit zu danken haben; — dass aber in der Regel die Verdauungs-
fähigkeit des wachsenden gesunden Individuums jene des Erwachsenen über-
flügle, davon macht er gar keine Erwähnung. Anerkennung verdient, dass er
die sogenannten Zahnungskrankheiten nicht auf Rechnung des Wachsthums

schreiben will. Bezüglich der Athemwerkzeuge meint er, dass es in Anbetracht der rascheren Thätigkeit der Lunge allerdings denkbar sei, dass beim raschen Wachsen manche Krankheiten wie Lobularpneumonie mehr begünstigt werden, als wenn das Wachsen langsam und träge vor sich geht. Im Allgemeinen aber könne angenommen werden, dass während der Zeit des Wachsthums eine viel grössere Disposition zu Krankheiten der Athmungsorgane bestehe, als nach vollendetem Wachsthume. Gombault bejaht ferner die Frage, ob das Wachsthum mit der Häufigkeit der Diarrhöen im Kindesalter etwas zu thun habe? und bezieht sich dabei auf Barrier, welcher die lebhafte Capillarcirculation in den der Verdauung und Assimilation dienenden Organen bei Kindern besonders dem Wachsthume zuschreibt. Reignier will sogar gefunden haben, dass die Häufigkeit der Katarrhe überhaupt im Verhältnisse zur Schnelligkeit des Wachsthums stehe. Die gleichfalls erhöhte Lebhaftigkeit der Circulation in den Gefässen der Centralorgane des Nervensystemes sei ferner die Ursache nicht nur der relativ grösseren Wirkungen von Opiaten, Wein etc., sondern auch der verhältnissmässig leichteren Participirung des Gehirnes bei acuten Erkrankungen, der Begünstigung der Entwicklung von Meningitis, Hydrocephalus acutus etc.

Die rascher wachsenden werden angeblich, wenn vom Scharlach befallen, heftigere Gehirnaffection zeigen als die träger wachsenden (?), ebenso werden die Häufigkeit des Veitstanzes, der Paraplegien in eine analoge Parallele gebracht. Die Cutis werde durch das Wachsthum weit mehr als nach überwundener Wachsthumsperiode zu Ausschlägen und Auswüchsen disponirt. Endlich kömmt aber (Gombault oder Sch.? Ref.) zu dem Schlusse, dass es keine eigentlichen Wachsthumskrankheiten gebe, und dass vielmehr jene abnormen Einflüsse, welche das Wachsthum zu rasch treiben, oder es zu sehr zurückhalten, auch in verschiedenen Krankheitsformen zum Ausdrucke gelangen können.

R.

Cazalis (16) findet im musculösen Theil des Zwerchfells in den letzten Schwangerschaftsmonaten und unmittelbar nach der Geburt eine stärkere Vascularisation und bedeutend weiter vorgeschrittene Entwicklung der einzelnen histologischen Elemente, als an den übrigen Muskeln des Körpers. Es erklärt sich dies Factum einfach daraus, dass bei der fast völlig abdominalen Respiration des Neugebornen das Diaphragma in der That der einzige Muskel ist, der sofort nach der Geburt in fortwährende und regelmässige Action tritt.

W.

Bezüglich des interstitiellen Knochenwachsthums hat sich R. Volkmann (17) immer mehr von der Thatsache überzeugt, dass das Längenwachsthum der grossen Röhrenknochen zu einem so vorwiegenden Theile durch interstitielle Wachsthumsvorgänge erfolgt, dass dagegen die Einschaltungen an den Epiphysenfugen wenig in Betracht kommen können. Für diese Ansicht führt er folgende Beweise an: 1. Die paraarticulären Fracturen jüngerer Kinder. Bei Brüchen, die in grosser Nähe des Gelenks, jedoch noch innerhalb der Diaphyse erfolgen, und deren Heilung unter irgend einer Dislocation vor sich geht, welche den Sitz der früheren Fractur nach der Consolidation noch eine Reihe von Jahren mit Sicherheit ermitteln lässt, bewahrt trotz der Längenzunahme des betreffenden Knochens die Fracturstelle ihre alten topografischen Beziehungen zum Gelenk. Nach der Einschaltungstheorie müsste sie sich immer mehr nach der Mitte der Diaphyse zu verschieben. 2. An Exostosen, die sich an den Gelenkenden der Diaphysen bei jugendlichen Individuen

entwickeln, lässt sich in der Mehrzahl der Fälle, während das Knochenwachs-
thum fortschreitet, eine Lageveränderung ebenfalls nicht nachweisen. 3. Endlich lassen sich interstitielle Wachsthumsvorgänge an den Knochen jugend-
licher Individuen und selbst an pathologischen Knochenneubildungen unschwer
durch die histologische Untersuchung nachweisen. Die zwischen den haversischen Lamellensystemen liegenden Ausfüllungsmassen von Knochensubstanz
werden allmälig resorbirt, die haversischen Systeme rücken näher aneinander,
und zwar lässt sich dabei selbst eine allmähliche Vergrösserung der scheiben-
förmigen Querschnitte dieser Systeme, sowie ein Auseinanderrücken der Knochenkörperchen nachweisen. Ebenso entstehen die haversischen Lamellensysteme keineswegs ausschliesslich als concentrische Eingüsse in bereits präexi-
stirende Lücken (Markräume), die etwa genau so gross wären, wie eben die
späteren Querschnitte dieser Lamellensysteme; sondern sie bilden sich vielfach
auch von bereits eng in Knochensubstanz eingeschlossenen Gefässen aus, indem
sich die verknöchernden Osteoblasten, die das Gefäss umgeben, mit Gewalt
Platz machen und die nicht lamellöse Nachbarsubstanz verdrängen.   W.

Prof. **Kehrer** in Giessen (18) hatte in einem früheren Aufsatz (Centralbl.
1867. Nr. 47) über den **Zahnwechsel** gezeigt, dass die Einschmelzung der
Milchzahnwurzeln mit der Entstehung einer Erosionsfurche beginnt, die
zunächst sich über eine längere Strecke der Wurzel ausbreitet, dann den Zahn-
kanal aufnimmt, und zuletzt auf die gegenüberliegende Wand übergeht, wobei
diese zu einer zungenförmigen Lamelle verdünnt und dann von der Spitze nach
der Krone hin zerstört wird. Diese Einschmelzung wird vermittelt durch eine
Wucherung der Wurzelscheide, deren Oberfläche mittelst halbkugeliger, mit
Gefässschlingen versehener Wärzchen oder Zotten in die Erosionsgruben ein-
greift. In der gegenwärtigen Arbeit widerlegt nun **K.** die bisherige Annahme,
dass die Wurzelabsorption centripetal, von der Oberfläche gegen den Zahnka-
nal fortschreite, dass also in der Ausdehnung der Erosionsfurche zuerst das
Cäment und in zweiter Linie die Dentine resorbirt werde. Seine Untersuchungen überzeugten ihn, dass bei Beginn der Einschmelzung die centrale Cäment-
und gewöhnlich' auch die peripheren Dentineschichten früher zerstört werden
als die periphere Cämentschicht.   W.

An seine früheren bezüglichen Mittheilungen über Fälle **abnorm weiter
foramina parietalia** (Prag. Vierteljahrsch. Bd. 90) anschliessend. veröffentlicht
Dr. **Wrany** (19) neuerdings eine Beobachtung dieser Art, welche besonders
deshalb wichtig ist, weil sie den ersten Fall repräsentirt, welcher an dem Schä-
deldache eines Kindes gesehen oder wenigstens beschrieben wurde. Das in
Rede stehende Mädchen war 3 Jahre alt und starb an Hydrocephalus und Tuberculose. Das Schädeldach war mässig schief, dünnwandig und compact, die
Vergrösserung der Calva fiel namentlich in den hinteren, queren Durchmesser
(vorderer querer 11, hinterer 13·6, gerader 15·2 Ctmr.) Die foramina parietalia stellen abnorm grosse, querovale, 17 Mm. von einander entfernte Löcher
mit glatten, stellenweise leicht eingeschnittenen Rändern dar, das rechte misst
im sagittalen Durchmesser 13, im transversalen 20 Mm., das linke 5 und
10 Mm. Beide waren mit einer fibrösen, von Gefässlücken durchbrochenen
Membran verschlossen, welche an der Innenfläche in die Dura, an der Aussenfläche in das Pericranium übergeht. Die Pfeilnaht wendet sich in der Höhe
des rechten Parietalloches gegen die Peripherie desselben, mündet in dieselbe
ein und geht einige Mm. tiefer wieder von derselben ab. Demgemäss hilft ein

winkliger, an seiner Spitze etwas gerundeter Fortsatz des linken Scheitelbeines die Peripherie dieser Oeffnung bilden. Vom medialen Umfange des linken Parietalloches zieht sich in der Richtung des transversalen Durchmessers ein 2·5 Mm. langer Spalt nach einwärts. Die Sulci arteriosi der inneren Glastafel sind in Uebereinstimmung mit der geringen Dicke des Schädeldaches nur seicht. Vier der grösseren Aeste dieser Furchen und einige kleinere ziehen gegen das rechte par. foramen, während am linken nur drei arterielle Furchen gegen die Peripherie desselben ausmünden. Der Sinus longitudinalis ist kaum angedeutet. Die Dimensionen dieser Oeffnungen gehören unter die grössten bisher beobachteten. Die Hemmung der Ossification kann nur mit der Gefässvertheilung in Zusammenhang gebracht werden, und ein von Simon beschriebener Fall, wo jederseits bloss der Durchtritt einer sehr grossen Vene nachgewiesen wurde, dürfte zeigen, dass auch das Vorhandensein grosser Venen einen ähnlichen Einfluss auf die Ausbildung solcher Löcher ausübe, wie jenes von Arterien. Da W. endlich bei einer Reihe von hydrocephalischen Schädeln aus verschiedenen Altersstufen die foram. pariet. kaum angedeutet oder normal gross fand, so findet er auch die Annahme unhaltbar, dass diese Hemmungsbildung überhaupt mit dem hydrocephalischen Processe in ursächlichen Zusammenhang gebracht werden könnte.   R.

Andral's Temperaturmessungen bei Neugeborenen (20) ergaben, dass die Temperatur unmittelbar nach der Geburt bedeutend erhöht sei; sie gleiche der Fiebertemperatur der Erwachsenen (allerdings eine sehr ungenaue Bezeichnung. Ref.) Er nahm diese Messungen bei 15 Kindern u. z. von der Geburt bis zur 22. Lebensstunde vor; eine halbe Stunde nach der Geburt sank die Temperatur mehr oder weniger oft unter die Norm, von der 2. Stunde an glich sie der Normaltemperatur der Erwachsenen. Die Messungen wurden in der Achselhöhle angestellt. Während A. die Temperatursteigerung nur unmittelbar nach der Geburt der vom Uterus mitgetheilten Wärme zuschreibt, ist er geneigt die darauf folgende Abkühlung auf Kosten der anfangs noch mangelhaften Respiration zu setzen, wogegen Andere den Einfluss der umgebenden Medien und anderer Momente als: Verdunstung der die Haut befeuchtenden Amnionflüssigkeit etc. als Ursache ansehen.   G.

Lépine's (21) Untersuchungen über denselben Gegenstand betrafen eine weit grössere Anzahl, nämlich über 100 Kinder im Spital Saint-Antoine und wurden die Temperaturmessungen bis zum 8. Lebenstage fortgesetzt; die Messungen wurden wenigstens zweimal im Tage, u. z. im Rectum vorgenommen. Unmittelbar nach der Geburt war die Temperatur stets um 0·2 Grad höher als die der mütterlichen Scheide oder des Mastdarms der Mutter, welche in der Regel 37, 5⁰ betrug, diese Erscheinung sei indessen nicht so aufzufassen als ob der Fötus eine grössere Wärmemenge entwickle als ein Erwachsener, indem letzterer durch die umgebenden Medien, die meist kälter sind, eine constante Abkühlung erleide, welcher der Fötus im Uterus eben nicht ausgesetzt ist. Bald nach der Geburt sinkt die Körperwärme sehr rasch und um so mehr, je kälter die umgebenden Medien sind; dabei waltet jedoch nach L. ein bedeutender Unterschied ob, je nachdem die Kinder kräftig oder schwächlich sind; bei ersteren sank die Temperatur nur wenig unter die Norm, selten unter 36⁰ C., während sie bei schwachen Kindern oft nur 33⁰ betrug. Dieses Sinken der Körperwärme hält jedoch nur wenige Stunden an und binnen 24 Stunden ist meist die Normaltemperatur wieder hergestellt. Um das Verhältniss der

Körpergewichtszunahme zur Temperatur festzustellen, theilt **L.** die beobachteten Säuglinge nach Ausschluss aller Kranken in zwei Kategorien, nämlich in solche, deren Körpergewicht vom 5. zum 8. Lebenstage zunahm und solche, die keine Gewichtszunahme, oder gar eine geringe Abnahme zeigten. Bei ersteren war die mittlere Temperatur 36·83⁰, bei den Kindern der 2. Gruppe 36·62⁰. L. macht hierbei die Bemerkung, dass sämmtliche Versuchskinder in der genannten Anstalt sich im Ganzen unter ungünstigen Verhältnissen befinden und er meint, dass die etwas niedrige Ziffer der mittleren Temperatur davon herrühren dürfte.   G.

Dr. **Czerny** (22) beschreibt ein **plexiformes Myxosarcom der Orbita,** welches sich bei einem gut entwickelten 3jährigen Mädchen seit beiläufig 5 Monaten entwickelt hatte. Der linke Bulbus prominirte um ungefähr 3‴ mehr als der rechte, das obere Augenlid war stark geschwollen und ectropisirt; unter dem äusseren Theile des Augenbrauenbogens war eine etwa wallnussgrosse, weich elastische Geschwulst zu tasten. Der Mangel jeder Drüsenaffection und das gute Aussehen des Kindes liessen trotz des raschen Wachsthums der Geschwulst eine gründliche Heilung durch Exstirpation hoffen und Prof. Billroth entfernte daher den Tumor durch den Bindehautsack, nachdem die Lidcommissuren aufgeschlitzt waren. Bald nach der Operation trat jedoch Iridochorioiditis ein, welche nach Durchbruch der Cornea zur Phtisis bulbi führte. Da nach 2½ Monaten das obere Lid abermals umgestülpt, die Umgebung geschwollen gefunden wurde und weich-elastisch anzufühlen war, so wurde die Ausräumung der ganzen Orbita sammt dem grössten Theile des Periosts mit Erhaltung der Lider vorgenommen. Die Untersuchung des exstirpirten Orbitalinhaltes zeigte, dass in der früheren Operationsnarbe sich eine haselnussgrosse und zwei erbsengrosse Geschwülste gebildet hatten. Während sich die Augenhöhle mit Granulationen füllte, begann etwa 3 Wochen nach der letzten Operation von der Innenseite des oberen Augenlides von Neuem eine Geschwulst zu wachsen, weshalb nun das ganze obere Augenlid entfernt wurde. Während die zuerst exstirpirte Geschwulst, und die grössere der ersten Recidive sich bei mikroskopischer Untersuchung als exquisites Myxosarcom zu erkennen gab, näherten sich die kleineren, sowie die durch die dritte Operation entfernte Geschwulst mehr dem Typus der Lymphome. Das Kind war nach der letzten Operation scheinbar geheilt entlassen worden, wurde aber nach 5 Wochen wieder auf die Klinik gebracht, weil von der Innenfläche der Orbita eine Geschwulst wucherte, die bereits Wallnussgrösse erreicht hatte. Es wurde die abermalige Ausräumung der Orbita beschlossen, aber während der Operation zeigte es sich, dass die Geschwulst ohne Begrenzung aus der Tiefe der Orbita hervorwucherte. Da nun auch die heftige Blutung die rasche Beendigung der Operation gebot, so schritt man zur Anwendung einer Chlorzinkpaste. Obwohl nun die Aetzung sehr intensiv war, so wucherte die Neubildung doch bald unter dem Aetzschorf von Neuem und füllt nun nahezu die Orbita aus. Auch ist Amaurose des andern Auges eingetreten, was eine Affection des centralen Theiles des N. opticus wahrscheinlich macht.   W.

Allgemeine Pathologie, Allgemein-Erkrankungen.

(23) Lewis Smith: Tuberculose im Kindesalter. Med. Record Nr. 104. 1870. M. ch. Rundschau IV. Bd. 3. Heft 1870.

(24) Dr. Neubert: Fall von Hydrophobie. Arch. f. Heilk. Bd. XI. pag. 197.

(25) Dr. Wegscheider: Ascites und Hydrothorax ohne locale Ursache bei einem jungen Mädchen. Beitr. zur Gbtshilfe und Gynäkol. Bd. 2. 1870. Sitz.-Ber. p. 38.

Bis zum 3. Lebensjahre ist **die Tuberculose des Kehlkopfs bei Kindern** nach **Smith** (23) äusserst selten, die Tuberculose der Lungen fehlt häufiger als bei Erwachsenen, und ist dann meist disseminirt, sowie sie kaum je die Oberlappen einnimmt, welche Localisation später (zwischen dem 3. und 15. Jahre) so vorwiegend ist. Die Bronchitis, welche die Entwicklung der Lungentuberkeln einleitet, soll nach **S.** meist der Seite, auf welcher dieselbe am meisten vorgeschritten ist, entsprechen und er hält die Häufigkeit der Einseitigkeit der Bronchitis in solchen Fällen für characteristisch. Pneumonien, welche gewöhnlich einen grossen Umfang erreichen, sind zu einem Drittheile hypostatische Cavernen, und umschriebene Pleuritiden sind so häufig wie bei Erwachsenen; viel häufiger noch vesiculäres Emphysem namentlich der Oberlappen. Interstitielles Emph., das durch Platzen subpleuraler Blasen zu Pneumothorax führen kann, ist weit seltener. Bezeichnend ist ferner das Vorwiegen der Bronchialdrüsentuberculose. Die nicht selten zu beobachtende Vermehrung der Cerebro-Spinalflüssigkeit bei der Tuberculose der Kinder (wie auch bei der Rachitis Ref.) ist bedingt entweder durch den Schwund des Gehirnes (ex vacuo) oder passive Congestion und Transsudation wegen der verminderten Energie des Kreislaufes oder Druck auf die Gefässe des Thorax (?).   R.

Dr. **Neubert** in Chemnitz (24) theilt einen Fall von **Hydrophobie** bei einem 6jährigen Knaben mit, welcher 50 Tage zuvor von einem Hunde gebissen worden war. Die Wunde war 3 Wochen lang in Eiterung erhalten worden. Am Tage seiner Aufnahme in das Krankenhaus wollte Patient früh nicht aufstehen und verweigerte das Frühstück. Der Anblick von Wasser, der Versuch ihn zu waschen etc. bringt Anfälle hervor, welche bis 6 Stunden vor dem Tode anhielten und darin bestanden, dass der Kranke mit dem Ausdruck des intensivsten Schreckens im Gesichte, verzerrten Mienen, weit geöffneten Augen in der entgegengesetzten Richtung vor dem wirklich oder scheinbar vorhandenen gefürchteten Gegenstand (Sehen von Wasser, weissem Geschirr, das Blitzen des Thermometers, Vorstellungen, später Hallucinationen) zurückfuhr, dabei eine tiefe laute Inspiration machte, die sich in den späteren Stadien bis zu einem durchdringenden Schrei steigerte; die Arme und Beine wurden rasch zurückgezogen, die Beine streckten sich rasch 1 bis 2mal gerade aus und bewegten sich in Zitterkrämpfen. Darauf sank Patient in die frühere Lage zurück, nur die Beine zitterten noch und die Bauchmuskeln bewegten sich in wellenförmigen Contractionen. In einer Minute war Alles vorüber. Dieselbe Wirkung hatte eine rasche unvorhergesehene Berührung, ein Luftzug, z. B. das rasche Zudecken mit der Bettdecke. Aus dem Bette gehoben, zieht Patient die Beine an und klammert sich mit den Händen fest; auf die Füsse gestellt, steht er einige Augenblicke zitternd mit gebeugten Knieen und sinkt dann zusammen, verlangt lebhaft ins Bett. In der letzten Zeit erfolgte ein Anfall

nur auf stärkere äussere Reize, sonst lag Patient apathisch da, fuhr zuweilen
zusammen. Stets waren einige Muskeln in spielender Bewegung, bisweilen
machte der Rumpf eine Drehung. Speichel- und Nasensecretion wurden später
profus, so dass die Secrete reichlich das Gesicht herabflossen; das Auswerfen
von Speichel erfolgte nur einmal. Beissversuche machte der Patient nicht.
Erbrechen kam kurz vor dem Tode 3mal. In den ersten 48 Stunden war
heftiger Stuhl- und Harndrang vorhanden, der Harn war sparsam und blass.
Trinken verweigerte er, beim Versuche zu essen trat ein Anfall ein. Bewusstsein anfangs rein, später traten Delirien sanfter Art, durch Hallucinationen unterbrochen, hinzu. Schlaf trat keine Minute ein, die Augen waren
nie geschlossen, was eitrige Conjunctivitis und in den letzten 24 Stunden auch
Keratomalacie zur Folge hatte. Die Klage des Patienten bezog sich vorwiegend
auf Müdigkeit, Druck im Halse, zeitweisen Schmerz bei Druck vorzüglich im
linken Arm (auf welcher Seite der Knabe in die Hand gebissen worden war),
später auch Schmerz im ganzen Körper. Der Puls stets frequent, in den letzten Stunden fadenförmig, Temperatur zwischen 38·0 bis 38·5. Respiration
langsam, unregelmässig, bald flach, bald seufzerartig. Der Tod erfolgte ganz
allmählig, ohne nennenswerthe Erscheinungen. Section: Dunkles dünnflüs-
siges Blut. Starke Hyperämie des Gehirnes, Rückenmarkes und der Nieren.
— Chloroforminhalationen misslangen; Morphiuminjectionen beseitigten auf
Stunden die Hyperästhesie.   W.

Wegscheider berichtet über einen **Ascites und Hydrothorax** (26), der
sich bei einem 13jährigen, früher nie erheblich kranken Mädchen aus gesunder
Familie ohne locale Ursache entwickelte. Die Menses waren nach zweimaligem
Erscheinen ausgeblieben. Von da ab begann sich allmälig Ascites zu entwickeln, obwohl der Urin frei von Eiweis und das Befinden sonst sehr gut war.
Diuretica nützten nichts; auch trat leichtes Fieber ein. Es wurde nun jeden
zweiten Tag eine kräftige Diaphorese eingeleitet und unter dieser Behandlung
war das Exsudat nach 4 Monaten gänzlich verschwunden. Einige Zeit darauf
entwickelte sich ebenso unmerklich ein Exsudat im rechten Pleurasack,
welches langsam bis oben hinaufstieg und dann unter derselben Behandlung wieder abnahm.   W.

Zymosen, Epidemien.

(27) F. Böning: Beobachtungen über Scharlach. Deutsche Klin. 1870 N. 30.
(28) Dr. G. Deininger: Zur Casuistik der Harnstoffausscheidung auf die
    äussere Haut. Arch. f. klin. Med. VII. p. 587.
(29) Dr. Karg: Hauptbericht über die vom 12. April bis Ende Mai 1869
    unter den Zöglingen des k. k. Waisenhauses bestandene Masernepidemie.
    Wochenbl. d. k. k. Gesellschaft d. Aerzte in Wien 1870 N. 35—37.
(30) Bericht der k. k. Krankenanstalt: Rudolf-Stiftung in Wien vom Jahre
    1869. p. 106. Fall v. Morbillen.
(31) Simon: Das Prodromal-Exanthem der Pocken. Arch. f. Dermat. und
    Syph. 1870 III. p. 346.
(32) Vacher: L'Epidémie regnante (Variole) Gaz. méd. 1870 N. 16. p. 205.
(33) Dr. Lothar Meyer: Bericht aus dem städt. Pockenlazareth. Deutsche
    Kl. 1870. N. 6, 7, 9 u. 11.

Böning (26) theilt seine in Einbeck im Sommer und Herbst 1869 gemachten Beobachtungen über **Scharlach** mit. Auffallend war ein eigenthümliches haufenweises Auftreten der Erkrankungen zwischen einzelnen Tagen (8—10) an denen gar keine neuen Krankheitsfälle vorkamen. Da sich keine gemeinschaftliche contagiöse Infectionsquelle nachweisen liess, so glaubt B., dass der Scharlach nicht immer durch ein Contagium sondern öfter auch autochthon entstehe. Oefter coincidirte die Zunahme der Krankheitsfälle mit einem vermehrten Ozongehalte der Luft. Durch Culturversuche erhielt B. nur die gewöhnlichen Leptothrixreihen, wie sie auch bei nicht scarlatinösen Desquammationsproducten beobachtet werden. Das Stadium der Desquammation ist für die Ansteckung das günstigste, da hier die Reife des Pilzes am weitesten gediehen und die Ausstreuung der Sporen am leichtesten zu erwarten ist. Die Aufnahme des Scharlachgiftes (Micrococcus tilletiae) geschieht wahrscheinlich durch die Respirationsorgane, da es auf diesem Wege am leichtesten in die Blutbahn gelangen kann. — Am meisten erkrankten Kinder unter 9 Jahren und bei Kindern zwischen 7 und 9 Jahren war die Mortalität am geringsten. Am grössten war die Sterblichkeit in den späteren Perioden der Krankheit in Folge von Morb. Brightii und Diphtheritis. 9—10 % der Erkrankten ging zu Grunde. — Ein Prodromalstadium hat B. nie beobachtet. Gleichzeitig mit dem Initialfroste entwickelte sich auch schon das Exanthem am Halse in der Form kleiner rother Pünktchen. Die übrigen Erscheinungen (Frontalschmerz, Erbrechen, Präcordialangst, Gliederschmerzen etc.) sind nur Folge der plötzlich rapid ansteigenden Temperatur (öfters bis 42·5⁰, einmal 43·3⁰ C.), welche rasche Fervescenz für Scarlatina pathognostisch ist. Diese enorme Temperaturhöhe fällt nach 6—8 Stunden um 2⁰ und bei gutartigem Verlauf erhält das Fieber schon am 2. Tage einen markirt remittirenden Character; nur bei bösartigen Complicationen (Diphtheritis, Entzündungen der Brustorgane, croupöser Nephritis) fehlen die morgendlichen Remissionen. Abendliche Exacerbationen kommen selbst bei ganz normalem Verlauf noch in der 3. und 4. Woche vor. Einmaliges plötzliches Ansteigen der Temperatur lässt den Schluss auf eintretende Complication nicht zu; nur wenn nach diesem Ansteigen keine Defervescenz eintritt, ist man zu jenem Schlusse berechtigt. Unter den Complicationen geben die Nierenaffectionen, wenn sie ohne Temperaturerhöhung auftreten, eine gute Prognose. Die Innervations-Anomalien sind theils Folge der excessiven Temperaturerhöhung, theils der Infection des Blutes durch das Scharlachgift. Ein bei sehr intensiver Erkrankung öfter beobachtetes Phänomen ist eine mehrere Stunden lang anhaltende Dyspnoe, eine Folge des durch die Infection bewirkten Reizungszustandes der Medulla oblongata. Der Katarrh der Harnkanälchen ist ein constantes Symptom des Scharlachs. Der Grund für den günstigen Ausgang der Nierenaffection liegt einestheils darin, dass oft nur eine Niere erkrankt ist, anderentheils darin, dass die Tubuli contorti intact und mithin secretionsfähig bleiben; der in ihnen abgeschiedene Harn vermag durch seine Vis a tergo die Tubuli recti von den diese obturirenden Cylindern zu befreien. B. empfielt bei parenchymatöser Nephritis die Salpetersäure. **W.**

Einen in mehrfacher Beziehung interessanten **Scarlatina-Fall** (27) theilt Dr. **Deininger** in Dinkelsbühl mit. Ein 5½jähriger Knabe wurde gegen Ende der 2. Woche eines Scharlachs von mittlerer Intensität auf's Neue von Fieber befallen, es trat wiederholtes Erbrechen und vollständige renale Anurie ein. Nachdem sich in den nächsten Tagen bei beständig

andauernder Anurie auch leichtes Oedem der Knöchel, Schlummersucht und
später convulsivisches Zittern des Körpers eingestellt hatte, collabirte der Kranke
am 7. Tage dieses Zustandes sichtlich, dabei war der Körper mit kaltem kleb-
rigen Schweisse bedeckt, ein urinöser Geruch der Exspirationsluft und Haut-
ausdünstung bemerkbar und es entwickelten sich auf Stirn- und Schläfenge-
gend, weniger auf der Brust weissliche Harnstoffefflorescenzen. Am nächsten
Tage wurde der Puls wieder kräftiger, die Haut wärmer, die convulsivischen
Zuckungen liessen nach, der Kranke schien etwas zum Bewusstsein zu kommen,
und in der Nacht ging nach 8tägiger Anurie wieder etwas Harn ab. Am folgenden Tage war der Kranke schon vollständig beim Bewusstsein, die Harn-
ausscheidung wurde reichlicher und die Besserung ging nun rasch vorwärts.
Was die Behandlung anbelangt, so kamen täglich 2 bis 3 warme Bäder mit
darauffolgender Einwicklung zur Anwendung.   W.

Aus Dr **Karg's** ungemein breit gehaltenem **Hauptberichte über die
Masernepidemie unter den Zöglingen des k. k. Waisenhauses** (28)
erfahren wir zunächst, dass diese Epidemie (!) im Ganzen 7 Wochen gedauert
und 25 Erkrankungsfälle von 328 Versorgten (7·62 %) umfasst habe (!!). In
der Epidemie vom Jahre 1866 belief sich die Ziffer der Erkrankten auf 29 von
345 oder 8·2 %. Während diese zwei Epidemien eine blos zweijährige Pause
zwischen sich hatten, waren die früher beobachteten in den Jahren 1855 und
1862, also von 7- und 4jährigen Pausen gefolgt. — Die Sterblichkeit betrug
1866 = 6·89 % — im J. 1869 = 4·0 % (1. Fall). Darauf basirt der Verf.
den allerdings ungeheuer gewagten Schluss, dass die Sterblichkeit um so geringer werde, je schneller sich die Epidemien folgen. Ueberhaupt zieht **K.** auf
Grundlage dieser verhältnissmässig kleinen Zahl von Beobachtungsfällen Betrachtungen über die wichtigsten Fragen bezüglich der Verbreitung, der Art
und der Träger des Contagiums in den Bereich seines Berichtes, und gibt
sogar kleine pathologische Abhandlungen über jene Erkrankungen, von welchen
die Masern begleitet sein können. Im Jahre 1866 war es der Keuchhusten,
welcher die häufigste Complication bildete, im Jahre 1869 der Kehlkopf-
croup!!, und doch starb ein einziges der erkrankten Kinder, und dieses an
lobulärer Pneumonie! Obwohl nun Verf. eine Definition und Beschreibung
der croupösen Entzündung und des croupösen Exsudates gibt, so bestätigen
die hierauf als bei den Zöglingen beobachtet angeführten Erscheinungen doch
keineswegs eine solche Diagnose. Die so erkrankten Zöglinge klagten besonders über Schmerzen im Kehlkopfe und in der Luftröhre, der Husten war heftig, rauh, trocken, pfeifend, bellend, schmerzhaft, mit Rasselgeräuschen verbunden, die Stimme ebenfalls rauh, heiser, das Athemholen beschwerlich —
das ist Alles! Von einer Exsudation oder von Symptomen, die eine solche
vermuthen liessen ist nirgends die Rede; — dabei soll der Croup oft schon
3 Tage vor dem Ausbruche des Exanthemes bestanden haben, und mit dem
Eintreten des letzteren geschwunden sein! Nach diesem wird man es begreiflich finden, wenn dieser Croup kein Kind getödtet hat, und wenn der
Ref. bezüglich der übrigen pathologischen Ausführungen des Verf. auf das
Original selbst verweist, falls es Jemanden gelüsten sollte darin ausführ-
lichere Belehrung zu suchen. Unter den erkrankten Kindern waren die
9jährigen am stärksten vertreten (8); nur 12 der Erkrankten waren früher
ganz gesund; ein Knabe erkrankte, der schon im Jahre 1866 im Waisen-
hause war und damals nicht von den Masern ergriffen wurde. Dies erweist
dem Verf., dass „wenn auch der jugendliche Organismus für den Masern-

process besonders disponirt erscheine, dies doch nicht zu jeder Zeit, bei jeder Epidemie der Fall sei«. — Thränen, Blut, Absonderungen der Respirationsorgane, Haut- und Lungenausdünstung bezeichnet K. als die Träger des Contagiums. Indem aber während dieser letzten Epidemie ungeachtet der Absperrung doch einzelne Kinder zufällig in den Krankensaal geriethen und trotzdem nicht erkrankten, schliesst K., dass ein längeres Verweilen bei Masernkranken erforderlich sein dürfte, um den Ansteckungsstoff fruchtbringend aufzunehmen. Uebrigens hält K. die Möglichkeit der Erkrankung an Masern ohne vorausgegangene Ansteckung für nicht zu bestreiten.   R.

Auf der Abtheilung des Primarius Dr. Löbel entwickelte sich die exquisiteste Form von **morbillösem Exanthem** (29) bei einem 15jährigen Kellnerjungen, bei dem eine Woche hindurch in streng typischen Paroxysmen eine Intermittens quotidiana vorhergegangen, unter continuirlichem Fieber ohne alle katarrhalischen Erscheinungen und verschwand eben so rasch nach zweitägigem Bestande.   W.

Simon in Hamburg (30) erklärt das als prodromale Roseola beschriebene **Prodromal-Exanthem der Pocken** für den ersten Beginn der Pockenefflorescenz selbst, die sich dann in 12 bis 24 Stunden weiter in Knötchen umwandelt. Dagegen ist er der Ansicht, dass ein für die Pocken ganz characteristisches Prodromal-Exanthem vorkomme in Form dunkel scharlachfarbiger, flächenhaft auftretender Hautfärbung mit oder ohne Hämorrhagie auf dem Handrücken, Fussrücken, der Streckseite des Knie- und Ellbogengelenkes. Zuweilen treten noch an anderen Stellen ausser dieser regelmässigen Localisation ganz umschriebene Prodromal-Exantheme auf. Die von den Autoren angegebene Immunität dieser Stellen gegen wirkliche Pocken gilt nach Simon nur für die Mehrzahl der Fälle. Die Dauer des Prodromal-Exanthems schwankt zwischen 1—9 Tagen; gewöhnlich geht es 1, seltener 2—7 Tage dem Ausbruche der Variola-Knötchen voraus und überdauert diesen Ausbruch um wenige Stunden bis 4 Tage (am häufigsten 1—2 Tage). In den meisten Fällen tritt es am 2. oder 3. Tage des Krankseins ohne besondere Symptome auf, seltener folgt es unmittelbar auf den initialen Frost oder geht sogar diesem, wie allen übrigen Krankheitserscheinungen voraus. Mitunter muss dem Ausbruche dieses Exanthems eine kritische Bedeutung zugeschrieben werden, wenn mit seinem Auftreten die Temperatur abfällt und die subjectiven Beschwerden nachlassen; mit der Eruption der Variola-Knötchen kann die Temperatur alsdann wieder steigen oder unter die Norm herabgehen.   W.

Dr. **Vacher** schreibt über die **Blatternepidemie** (31), von welcher Paris 1870 heimgesucht ward. In der Zeit vom 2. Jänner bis 2. April 1870 sind in Paris nicht weniger als 915 Personen an Blattern gestorben; die sehr bedeutenden Temperaturschwankungen im Februar hatte keinen modificirenden Einfluss auf den Gang der Epidemie. Gerade wie in der Choleraepidemie von 1865 waren es namentlich die mehr excentrisch gelegenen Stadttheile und insbesondere die nördlichen Bezirke, wo die Krankheit am heftigsten wüthete. Von 458 dem Verfasser notificirten Todesfällen entfielen 224 also nahezu die Hälfte auf das 10., 11., 17., 18. und 20. Arrondissement; von diesen Stadttheilen sind die meisten durchaus nicht an und für sich ungesund aber sie haben die dichteste und zugleich ärmste Bevölkerung. Was die nächste Umgebung von Paris betrifft, so hatten wiederum nicht die nördlich von der Stadt gelegenen Gemeinden, sondern vielmehr die südlichen zu leiden, was aus dem

Umstande erklärlich wird, dass sie vorwiegend von Wäscherinnen bewohnt werden, die sich mit der Reinigung der Wäsche der Einwohner von Paris beschäftigen und so der Ansteckung sehr ausgesetzt sind. Bezüglich des Geschlechtes überwiegt die Sterblichkeitsziffer bei den Männern, indem beispielsweise von 458 Sterbefällen 260 auf Männer 198 auf Weiber entfallen; Dr. **V.** erklärt sich dies dadurch, dass überhaupt mehr Männer an Blattern erkranken, indem die Weiber schon aus Eitelkeit theils die Gelegenheit zur Ansteckung ängstlicher vermeiden, theils sich der Revaccination eher unterziehen; zieht man den Vergleich zwischen beiden Geschlechtern mit blosser Berücksichtigung des höheren Lebensalters, so schwindet auch diese Differenz. Bei Berücksichtigung des Lebensalters stellt sich die Sterblichkeitsziffer sehr ungünstig für die erste Lebensperiode bis zu einem Jahre. Von 257 Todesfällen, bei denen das Alter angegeben war, kamen 43 bei Kindern unter 1 Jahre vor, also bei $1/6$ der Gestorbenen, was nach **V.** enorm ist, da die Zahl der Kinder unter 1 Jahr nur etwa 20000 also $1/100$ der Bevölkerung von Paris betrage. Verfasser schreibt dies dem Umstande zu, dass es seit Jahren Brauch sei, die Kinder nicht vor dem 3. Monate und viele noch später zu impfen, indem man fälschlicher Weise ein frühzeitigeres Impfen für schädlich halte. **V.** beruft sich auf ähnliche Ergebnisse bei der Epidemie in Berlin 1869, wo nach Dr. Müller 142 Kinder im Alter unter 1 Jahr von Blattern befallen wurden, von denen 116 nicht geimpft und nur 26 geimpft waren. Der Verfasser führt weiterhin aus, wie es eine irrige Ansicht sei, wenn man während der Dauer einer Blatternepidemie Geimpfte sofort für gesichert hält; er führt Beispiele an, wo solche Geimpfte dennoch erkrankten. Aus Anlass des eben heftig entbrannten Streites zwischen den Anhängern der humanisirten und der animalen Lymphe bringt **V.** verschiedene statistische Daten bei, aus welchen ersichtlich wird, dass die Sterblichkeit der an Blattern Erkrankten im Laufe der zwei Jahrhunderte um das zehnfache abgenommen habe, was doch nur auf Rechnung der bis jetzt ausschliesslich gebrauchten humanisirten Lymphe komme, während über die Wirksamkeit der animalen Kuhpocke noch keine solchen Erfahrungen vorliegen.   G.

In seinem interessanten Berichte über **die Blattern- und Varicellenerkrankungen** vom 11. November 1868 bis 11. November 1869 (32) findet Dr. **Meyer** zunächst die Lehre von der Specificität der Varicellenerkrankung durch zwei angeführte eigene Beobachtungen unterstützt, welche einen Knaben, der nach abgetrockneten Varicellen erst im Lazarethe an Variola erkrankte und starb, dann ein Mädchen, welches nachdem die Varicellen verlaufen waren, mit Erfolg vaccinirt wurde, betrafen. **M.** beobachtete bloss bei Kindern und niemals bei Erwachsenen Varicellen, — und konnte bloss in der Hälfte der Fälle Temperaturssteigerung constatiren. Im Ganzen kamen 258 hieher gehörige Erkrankungsfälle vor, wovon 43 Kinder (darunter 16 mit Varicellen) 217 Frauen und 298 Männer (53·40 % der ganzen Anzahl) waren. Variola vera war mit 196 Fällen oder 35·12 % vertreten, von welchen 23 oder 4·12 % hämorrhagische waren; die Zahl der Varioloiskranken betrug 346 oder 62·00 % und jene der Varicellenfälle 16 oder 2·86 %. Bei den Kindern fiel mehr als die Hälfte der Fälle von Variola auf das 1. und 2. Jahr, von da ab nimmt der Procentsatz bis zum 15 Jahre gradatim ab. Fast $3/4$ der Gesammtzahl war geimpft oder auch schon revaccinirt (ungeimpfte 28 oder 5·01 %, ungewiss 52 oder 9·31 %, revaccinirte 36 oder 6·63 %, geimpfte 442 oder 79·21 %). Unter den Ungeimpften kam keine Variolis vor, bei den Geimpften die letztere fast doppelt so häufig als Variola: $^3/_4$ der Ungeimpften waren Kinder; von den 9 geimpften Kindern trugen 7 noch frische Vaccinepusteln an sich, indem sie auswärts theils im Stadium prodromorum (2 die einzigen Variolafälle), theils im Stadium incubationis (5 Vorioloisfälle) geimpft worden waren. Die übrigen zwei Fälle von Variolois betrafen 13- und 15jährige Kinder. Die Sterbeprocente stimmen ziemlich genau mit jenen aller neueren Pockenberichte überein; im Ganzen 44 Todesfälle oder 7·88 %, sämmtlicher 22·40 % der Variolakranken. Von 23 mit hämorrhagischer Variola erkrankten starben 19 oder 86·6 %. Bezüglich des Alters ergab sich, dass die Sterblichkeit bei den Kindern etwa $3^1/_2$ so gross als bei den Männern und mehr als fünfmal so gross wie bei den Frauen war; mit Rücksicht auf die vorangegangene Vaccination zeigte es sich aber, dass die Sterblichkeit der Ungeimpften 12mal so gross als jene der Revaccinirten und nahezu 6mal so gross als jene der Vaccinirten war. Die Zahl derjenigen, welche die Pocken schon einmal überstanden haben und alle deutliche Narben von der früheren Erkrankung im Gesichte trugen, belief sich auf 5, von denen zwei mit einer mittelschweren Variola, drei mit Variolois behandelt wurden. Diese Erfahrungen sind somit nicht geeignet, die Ansicht jener zu unterstützen, welche die Prognose bei einer, bei demselben Individuum zum zweitenmale auftretenden Variola für sehr ungünstig halten. 24 Frauen waren schwanger, 4 davon abortirten im 5.—7. Monat und gehören sämmtlich zu den 9 Variola-Fällen (37·5 % unter diesen Schwangeren). Die übrigen 15 Fälle (62·49 %) betrafen Fälle von Variolois, so dass sich hieraus allerdings eine geringere Disposition der Schwangeren für Variola ergäbe. Der Eintritt der Menses im Eruptionsstadium war bei den Variolakranken viel häufiger als bei den leichter Erkrankten. Im Monat Mai fanden die meisten Aufnahmen mit 90, im October die wenigsten mit 29 statt. Die Incubationszeit des Exanthems betrug meist 13, zuweilen 12 Tage, das Prodromalstadium 1 bis 6 Tage, — bei Variolafällen im Durchschnitte 3·14, bei Variolois 2·90 Tage. Ephemere in den ersten Tagen der Eruption sichtbare Exantheme wurden 10mal, und zwar morbillöse und purpuraähnliche je 4mal, scarlatinöse 2mal beobachtet. Die Höhe der Eigenwärme correspondirte nicht immer mit der Heftigkeit der Erkrankung, und es wurden einerseits relativ niedrige Fiebertemperaturen in sehr schweren, lethal endenden Fällen und zwar ganz besonders häufig bei hämorrhagischen beobachtet und andererseits kam bei einem remittirenden Fiebertypus mit einem Tagesdurchschnitt von 40° ein relativ gutes Allgemeinbefinden vor. Was die postmortale Temperatursssteigerung anbelangt: — so fand sich unter den 44 Todesfällen 15 mal constantes Sinken, 10mal Gleichbleiben und 19mal eine mehr weniger bedeutende absolute Steigerung vor. Bei Kindern trat der Tod stets frühzeitig in den ersten Tagen der Eruption ein und zwar immer unter Suffocationserscheinungen, ausgehend von Entzündungsprocessen in den Respirationsorganen. Nur bei Variola endlich wurde vorübergehend Eiweis im Harne und zwar 13mal gefunden. In den schweren und in den lethal endenden Fällen waren die Chloride verringert oder fehlten in den ersten Tagen gänzlich, doch erwies sich der Chloridegehalt während des Suffocationsstadiums in einer äusserst grossen Anzahl von Fällen sehr reichlich.   R.

Syphilis.

(33) Prof. Schüppel: Ueber Peripylephlebitis syphilitica bei Neugebornen. Arch. f. Heilk. Bd. XI. p. 74.

Prof. Schüppel in Tübingen (33) bezeichnet als **Peripylephlebitis syphilitica** eine Affection der Leber, welche er unter etwa 30 Fällen von congenitaler Syphilis 3 mal zu beobachten Gelegenheit hatte. Die Leber ist bei dieser Erkrankung mehr weniger vergrössert, das Gewebe icterisch und von festen Strängen durchzogen, welche meist schon von der Oberfläche aus durchzufühlen sind, die Stelle der Pfortaderverzweigungen einnehmen und am Durchschnitt die durch Verdickung der Wände stark verengten Lumina der Blutgefässe und Gallengänge erkennen lassen. Diese Affection erstreckt sich entweder auf das ganze Gebiet der Pfortader oder beschränkt sich auf die Zweige eines Astes. Am Querschnitt erscheinen die fibrösen Stränge zunächst um die Gefässlumina graugelb gefärbt, trocken, opak, fast käsig; mitunter geht dieses käsige Centrum ganz allmälig in eine grauweisse, etwas transparente Zone über, welche sich ohne scharfe Grenze in das Lebergewebe verliert. Die Gallenblase enthält wasserklaren Schleim, die Nabelvene ist normal. Die mikroskopische Untersuchung zeigt das Lebergewebe im Zustande der diffusen syphilomatösen Infiltration. Die festen Stränge bestehen aus fibrösem Gewebe, welches in den graugelben centralen Partien einen feinkörnigen, z. Th. fettigen Detritus neben massenhaften, lymphoiden, grösstentheils atrophischen Zellen eingelagert enthält, und in der blassen, grauen Randzone mit ähnlichen, aber noch nicht atrophischen Zellen total infiltrirt erscheint. Der weitere Befund zeigte in den verschiedenen Fällen syphilitische Exantheme der Haut, interstitielle Encephalitis, syphilomatöse Infiltration der Lunge, Milztumoren, Hyperämie der Darmschleimhaut bis zur Blutung, seröses Transsudat im Peritonealsack, Icterus etc. — Offenbar liegt hier ein entzündlicher Process vor, welcher zu einer enormen Wucherung und Zelleninfiltration des die Blutgefässe und Gallengänge begleitenden Bindegewebes (Capsula Glissonii) geführt hat. Die dadurch erzeugten Stränge stimmen sowohl in ihrem makroskopischen Verhalten als in ihrer mikroskopischen Structur vollständig mit den grossknotigen Syphilomen, den Gummata der Leber überein. Denn auch diese liegen ganz gewöhnlich um grössere Pfortaderäste herum, verlaufen sogar strangförmig mit ihnen und lassen eine vom Centrum gegen die Peripherie fortschreitende Verkäsung wahrnehmen. Für die specifische, syphilitische Natur dieser Peripylephlebitis spricht aber (abgesehen von dem in zwei Fällen constatirten Krankheitszustande der Mütter und dem Ensemble der Sectionen) auch der Umstand, dass sich in den beschriebenen Fällen keine der Ursachen auffinden lassen, welche erfahrungsgemäss zu Entzündung der Pfortader führen. Die gewöhnliche adhäsive und purulente Pylephlebitis beruht auf Thrombosen und geht speciell bei Neugebornen regelmässig von der Nabelvene aus; in den beobachteten Fällen fand sich jedoch nirgends ein Blutgerinnsel und die Nabelvene verhielt sich normal. — Was Verlauf und Symptome dieser Erkrankung betrifft, so lässt sich bei der geringen Zahl der beobachteten Fälle darüber nicht viel sagen. Alle 3 Kinder wurden um einige Wochen (4—6) früher geboren, das eine starb nach 8 Stunden, das zweite erkrankte am 2. Tage und starb 3 Tage darauf, das dritte erkrankte am 5. Tage nach der Geburt und die Krankheit dauerte $3^1/_2$ Tage; diese begann in den zwei letzteren Fällen mit Icterus. Mit dem Verschluss des Lebergallenganges war weiter im Zusammenhang die mehr weniger vollständige Entfärbung der Faeces und der in Folge abnormer Zersetzung des Darminhaltes sich einstellende Meteorismus. Der fast vollständige Verschluss der Pfortader bedingte im 3. Fall eine Stauung des Blutes in den Wurzeln dieses Gefässes, die sich durch Anschwellung der Milz, durch Blutungen in die Höhle des Darmes und durch blutige Stühle zu erkennen gab. W.

Nervensystem.

(34) J. A. Charcot & Joffroy: Cas de paralysie infantile spinale avec lésions des cornes antérieures de la moëlle épinière. Arch. de Physiol. 1870 p. 134. Centralbl. f. med. Wiss. 1870 p. 540.

(35) Duchenne & Joffroy: De l'atrophie aigue et chronique des cellules nerveuses de la moëlle et du bulbe rachidien à propos d'une observation de paralysie glosso-labio-laryngée. Arch. de Physiol. 1870 p. 499. Centralbl. f. m. Wiss. 1870 p. 603.

(36) Dr. J. Eisenschitz: Tuberkel des Rückenmarks. Jahrb. d. Kinderheilk. N. F. Bd. III. p. 224.

(37) Lépine: Sur la prolification des éléments conjonctifs des canaux peri-vasculaires des centres nerveux. Arch. de Physiol. II. p. 438.

Charcot und **Joffroy** (34) geben Krankengeschichte und anatomische Untersuchung eines Falles von **essentieller Kinderlähmung.** Die betreffende, im 40. Lebensjahre an Lungentuberculose verstorbene Patientin war in ihrem 7. Jahre plötzlich von Aphasie befallen worden. Am andern Tage kehrte zwar die Sprache wieder, jedoch war die Kranke an allen vier Extremitäten gelähmt. Nach einem Jahre stellte sich nach und nach die Gebrauchsfähigkeit der oberen Extremitäten wieder her, die unteren dagegen blieben paralytisch und Stuhl und Harn gingen unwillkürlich ab. Vom 9. Lebensjahr entwickelten sich Atrophie, Deformität und Retraction der Extremitäten bis zu Subluxationen in den Gelenken. — Da aus dem späten Auftreten der Affection (im 7. Lebensjahre) Zweifel entstehen könnten, ob hier wirklich eine sogen. essentielle Kinderlähmung vorliege, so berufen sich Ch. u. J. auf andere ähnliche Beobachtungen von Heine, Duchenne und Laborde. — Bei der Section fand man eine im oberen Theile der Halsanschwellung des Rückenmarks beginnende Abnahme in der Dicke des linken Vorderhorns, die in der Dorsalgegend und im Lendentheile ihre höchsten Grade erreichte. Nur theilweise und nirgends so stark waren auch die Hinterhörner betheiligt. Im Vorderhorne waren ganze Gruppen von Ganglienzellen, zuweilen alle eines Abschnittes, verschwunden und theils durch eine durchscheinende feinkörnige, hie und da von Fibrillen durchsetzte Substanz, theils durch ein dichtes Fibrillennetz ersetzt. In den Hinterhörnern, besonders in der Substantia Rolandi, waren diese Veränderungen nur in ihren Anfängen bemerkbar; besonders war es bemerkenswerth, dass die Zellengruppe der Clarke'schen Säulen fast überall verschont geblieben war. Die hintere Commissur war fast überall hochgradig sclerosirt. Die vorderen Wurzeln erschienen sämmtlich ausgesprochen atrophisch und grau, die hinteren normal, rein weiss. Die am meisten atrophischen Wurzeln entsprechen den am stärksten veränderten Vorderhörnern. Die Hinterstränge zeigten nichts Besonderes; dagegen waren die Vorder-Seitenstränge atrophisch, besonders im Niveau der Hals- und Lendenanschwellung, und namentlich auf der Seite der ausgesprochensten Veränderung der Vorderhörner (links, wo auch die Bewegungs- und Ernährungsstörung am ausgesprochensten war); ausserdem erschienen sie auch von zahlreichen verdickten Bindegewebszügen, besonders in der Nachbarschaft der atrophischen Vorderhörner durchzogen. Die Nervenröhren der weissen Substanz zeigten keine Veränderung. — Ch. u. J. halten die Ganglienzellen — im Gegensatz zu dem Bindegewebe — für die primär erkrankten Elemente und diese Erkrankung für die Ursache der motorischen und trophischen Störungen, und widersprechen der umgekehrten Auffassung, als könnte die lange Functionsunfähigkeit der Glieder die Atrophie der Ganglienzellen zur Folge haben, indem dann nur eine einfache Atrophie vorliegen müsste und die beschriebenen Veränderungen der grauen Substanz nicht vorkommen würden. Wenn man aber auch die Atrophie der Vorder-Seitenstränge oder selbst der grauen Substanz theilweise auf die Functionsunfähigkeit zurückführen wollte, so kann man die Zerstörung einer grossen Zahl von Nervenzellen und die fibrilläre Umwandlung der Neuroglia offenbar nicht so deuten.   W.

Duchenne und Joffroy (35) halten es für erwiesen, dass die spinale Kinderlähmung mit einigen anderen klinisch verschiedenen Krankheitsprocessen (der progressiven Muskelatrophie und Paralysie labio-glosso-laryngée) durch eine gemeinsame und fundamentale anatomische Veränderung verwandt ist, welche in einer Veränderung der Nervenzellen des Rückenmarks (resp. der Medulla oblongata) besteht, die zur Atrophie führt und eine Tendenz zum völligen Untergange der genannten Elemente hat. In der spinalen oder essentiellen Kinderlähmung tritt die Atrophie der Zellen acut auf, während sie in den anderen genannten Krankheitsformen einen chronischen und progressiven Verlauf nimmt. Während ferner für die acute Form der Krankheit vorzugsweise das kindliche Alter prädisponirt erscheint und hereditäre Uebertragung hier nicht vorkömmt, herrschen für die chronische und progressive Atrophie der Zellen die entgegengesetzten Verhältnisse. Gewisse Formen der letzteren kommen indess in seltenen Fällen auch im Kindesalter vor, wo sie im Allgemeinen nur auf Grund von Erblichkeit auftreten. Sie unterscheiden sich dadurch, je nachdem die Veränderung gleichzeitig das ganze System der Nervenzellen des Rückenmarks und der Medulla oblongata ergreift, oder sich in einer oder der anderen dieser Regionen localisirt. Es ist zu unterscheiden:

1. Die Nervenzellen im Rückenmark sind primär ergriffen; es bestehen Störungen in den Muskeln der Extremitäten und des Rumpfes, die, nicht schnell zum Tode führend, der Läsion gestatten, sich zu generalisiren und sich auf die Kerne des Hypoglossus, Facialis, Accessorius und Vagus auszubreiten; es treten dann Störungen in der Respiration und Circulation auf und die Kranken erliegen bald. Zu dieser Form gehören alle Fälle von progressiver Muskelatrophie.

2. Die Veränderung der Zellen entwickelt sich zuerst in der Medulla oblongata im Niveau des 4. Ventrikels, in den Ursprungskernen des Hypoglossus und Facialis, weiterhin in denen des Accessorius und Vagus. Die Erscheinungen der Paralysie labio-glosso-laryngée sind die Folge. Zuweilen wird sich die Veränderung der Zellen, bevor die letztgenannten Kerne ergrif-

fen werden, in einer oder der anderen Region des Rückenmarks entwickeln und man wird dann, ausser den Erscheinungen der genannten Krankheit, mehr oder weniger ausgebreitete Muskelstörungen an Gliedern und Rumpf finden. 3. Als eine dritte Form sind diejenigen Fälle anzusehen, in welchen die Veränderung sich sozusagen von vornherein generalisirt zeigt. Man kann hieher den von Charcot publicirten Fall rechnen und vielleicht gehört eine Reihe anderer, nicht genau genug untersuchter dazu. W.

Dr. J. **Eisenschitz** (38) beobachtete einen **Tuberkel im Rückenmark** eines 3½ jährigen Knaben, dessen Mutter angab, ihr Kind, früher vollständig gesund, leide seit 3 Tagen an Schlaflosigkeit, Appetitlosigkeit und heftigem Kopfschmerze; seit 24 Stunden sei es an den Beinen gelähmt und könne den Urin nicht halten. Während die Untersuchung der übrigen Organe nichts abnormes ergab, waren die unteren Extremitäten in hohem Grade paretisch, Reflexe leicht auszulösen, ohne dass man die Reflexaction als erhöht hätte bezeichnen können. Nach 2 Monaten gab der Knabe folgenden Status: Körper mager, blass; ausgedehnter Decubitus, Harnträufeln. Leise Berührungen fühlt der Kranke, doch scheint er den Ort, wo er berührt wurde, nicht sicher angeben zu können; gegen schmerzhafte Proceduren (Stechen, Kneipen etc.) ist er auffallend unempfindlich. Diese Analgesie reicht an der vorderen und hinteren Seite des Stammes beinahe gleich weit; an der Grenze, unterhalb des 8. Brustwirbels war das Berührungsgefühl normal oder doch nahezu normal, das Schmerzgefühl aber auffallend vermindert, über demselben dagegen machte der Knabe auch bei blosser Berührung Aeusserungen heftigen Schmerzes. Vollständige Schlaflosigkeit, Abstinenz. Puls sehr frequent. Zuweilen convulsivisch-seitliche Bewegungen des Kopfes. Nach 6 Tagen stirbt der Kranke in einem kurz dauernden Anfalle leichter allgemeiner Krämpfe. Section: Mässiger interner Hydrocephalus, Tuberculose der Pia und des Cerebellums. Tyrosis der Bronchialdrüsen. Chronische miliare Tuberculose der Lungen, Milz, Leber und Nieren, tuberculöse Geschwüre des Dünndarms. Im unteren Ende des Brustmarkes ein erbsengrosser käsiger Knoten, der die Stelle der anscheinend in ihm aufgegangenen grauen Substanz einnahm und von den gallertartig aufgequollen aussehenden Rückenmarkssträngen umgeben war; die Sonderung der Stränge von einander war für das freie Auge unmöglich geworden. W.

Lépine (37) fand bei einer Anzahl 3—6jähriger Kinder, welche nach mehrtägigen Cerebralerscheinungen, namentlich nach Krämpfen gestorben waren, gruppenweise **Anhäufungen kleiner Zellen** mit unverhältnissmässig grossem Kern an den Lymphscheiden der Hirngefässe, besonders im Corpus striatum. Diese Elemente unterscheiden sich durch ihre geringere Grösse von jenen diffusen Infiltrationen, welche bei tuberculöser Meningitis an den Lymphscheiden der Hirngefässe beobachtet werden, und L. lässt sie aus einer Wucherung der normaler Weise der Membran der Lymphscheiden anliegenden Zellen hervorgehen. Aehnliche Veränderungen fand er auch im Lumbaltheile des Rückenmarks bei einem Kinde mit Contractur der unteren Extremitäten, welche nach einigen Tagen tödtlich endete. Dagegen fehlten dieselben in Fällen, welche sehr kurz nach dem Eintreten der Convulsionen einen tödtlichen Ausgang nahmen. W.

Sinnesorgane.

(38) E. Cyon: Sur les indices de refraction des milieux liquides de l'oeil. Arch. de Physiol. II. p. 556.

E. Cyon (38) untersuchte die **Brechungsindices für die Augen** neugeborner Kinder und fand für die Fraunhofer'sche Linie E = 1·34020; für F einmal = 1·34625, ein andermal = 1·34644. Er ist der Ansicht, dass das hohe Brechungsvermögen der Augenflüssigkeiten bei Neugebornen die Ursache der Myopie ist, welche Kinder unter 8 Jahren zeigen. W.

Mund- und Rachenhöhle.

(39) K. v. Mosengeil: Einige besondere Hasenscharten. Arch. für klin. Chir. XII. p. 63.
(40) Trélat: Erbliche Missbildung des Gaumens. Gaz. hebd. 1869. Nr. 45.
(41) Dr. Adolf Werthheimber: Die Schlund-Diphtherie. München 1870.
(42) Dr. Classen: Ueber das Wesen der Diphtherie. Centralbl. f. med. Wiss. 1870. p. 516.
(43) Dr. Nasiloff: Ueber die Diphtheritis. Virch. Arch. Bd. L. p. 550.

K. v. **Mosengeil** in Bonn beobachtete einige besondere **Hasenscharten** (39). Bei einem 4 Monate alten Mädchen war eine doppelseitige Lippenspalte (2½ Ctm. weit), complicirt mit Gaumenspalte und angebornem Defect des Os intermaxillare, sowie des Philtrum. Der Vomer war, wenn auch etwas schwach entwickelt, vorhanden. Rechts ging der Lippendefect schon von der Nasolabialfalte dieser Seite aus, so dass hier von gar keinem eigentlichen Nasenloche die Rede sein konnte. Die Operation wurde durch Wundmachung der Ränder und Loslösen der Lippenwandungen von den darunter befindlichen Oberkiefern, so weit es nöthig war, um die bei Vereinigung der Lippentheile stattfindende Spannung zu heben, bewirkt. Rechterseits musste dabei auch ein Loslösen des Nasenflügels von seiner Unterlage stattfinden. Die Heilung erfolgte schnell und gut. — In einem 13jährigen Knaben, der sich wegen Enchondroma digiti auf der Bronner Klinik vorstellte, wurde ein vor 8 Jahren in seinem 6. Jahre wegen Hasenscharte operirtes Kind erkannt. Der Knabe kam damals mit doppelter Lippenspalte, Gaumenspalte und derartig prominirendem Zwischenkiefer, dass an ein Hineindrücken desselben, selbst nach keilförmiger Excision eines Theiles des Septums und Zusammennähen der Lippenspalte über ihm, nicht mehr zu denken war. Die Oberkiefer hatten sich, wegen der totalen Prominenz des Os intermaxillare hinter denselben zu sehr genähert, um das Einzwängen noch zu ermöglichen. Es wurde daher der Zwischenkiefer hinweggenommen und das kleine Philtrum zur Bildung des häutigen Septum narium benutzt. Der gegenwärtige Zustand des Knaben ist folgender; Nase und Unterkiefer prominiren, die Oberlippe tritt zurück und zeigt feine, von der früheren Operation herrührende Narbenstreifen. Die Sprache ist näselnd und undeutlich. Die Oberkieferhälften stossen zusammen; der Bogen, den ihre Alveolarfortsätze bilden, macht den Eindruck einer bilateral compressen Hyperbel und es tritt die obere Zahnreihe, in welcher die Schneidezähne fehlen, deutlich hinter die untere zurück. Der Gaumen ist hochgradig defect und das Pflugscharbein ist nicht sichtbar. **W.**

Trélat (40) berichtet über einen Fall von **erblicher Missbildung des Gaumens.** Eine Frau, die ihrem ersten Mann einen wohlgebildeten Knaben geboren hatte, gebar ihrem zweiten Manne zuerst ein Mädchen mit Spaltung des weichen Gaumens und später ein zweites Mädchen mit Uvula fissa, einem spaltartigen, 1 Ctm. langen Loch in der Mittellinie des Gaumensegels und einer zweiten Oeffnung im knöchernen Gaumen, welche jedoch bei der Geburt nicht vorhanden gewesen, und erst am 4. Tage bemerkt worden sein soll. Der Vater zeigt zwar keine Spur einer Gaumenspalte, dagegen ist sein Palatum durum nur 4 Ctm. lang und am hinteren Rande concav, weshalb er b, m, v, ou, un nur schwer aussprechen kann und beim Sprechen wegen des mangel-. haften Verschlusses durch das Velum palatinum die Nasenlöcher zu verengern pflegt. Nach Perrin bemerkt man häufig auch Sprachstörungen bei sehr gewölbtem Gaumen. **W.**

Wertheimber's werthvoller Arbeit über die **Schlund-Diphtherie** (41) entnimmt Referent in Kürze Folgendes: Durch die Untersuchungen von Virchow, Wagner und Buhl haben die bisherigen Anschauungen über diese Krankheit erhebliche Veränderungen erfahren und wenn Bretonneau lehrt, die diphtherische Plaque sei nichts als das zur Membran erstarrte, auf und in das Schleimhautgewebe abgesetzte Exsudat, so wird nach den Ergebnissen jener neueren Forschungen die sogenannte Pseudomembran nicht als eigentliche geronnene Masse, sondern als blutleere, abgestorbene Gewebsschichten angesehen, die später nekrotisch abgestossen werden. Der histologische Vorgang besteht in Hyperämie mit Transsudation von Serum, faserstoffiger Umwandlung der Epithelzellen und massenhafter Kern- und Zellenneubildung im Schleimhautgewebe, wodurch die Capillargefässe comprimirt und die Ernährung einzelner Schleimhautpartien sistirt wird, die dann der Nekrose anheimfallen. Der diphteritische, oder wie Verf. sich ausdrückt, „diphterische" Process beginnt meist am Isthmus faucium, von wo er auf die Tonsillen, Gaumensegel u. s. w. greift und sich theils nach abwärts auf den Kehlkopf, theils nach oben in die Nasenhöhle ausbreiten kann. Der Oesophagus wird seltener befallen, vielleicht weil er weniger der atmosphärischen Luft ausgesetzt ist. Die Diphtherie lässt zwei Typen unterscheiden, die jedoch nicht wesentlich verschieden sind, eine einfache und eine septische oder typhoide Form. Zu der einfachen Rachendiphtherie gehören zunächst jene umschriebenen, abortiven Formen, die sehr milde verlaufend in wenigen Tagen gewöhnlich mit Genesung enden und daher von Vielen geläugnet werden; sie finden sich namentlich bei Personen, die mit diphtheritisch schwer erkrankten Individuen in länger dauernde Berührung kamen und Verfasser hat sie bei Kindern sowohl als bei Erwachsenen beobachtet. Doch kann auch diese abortive Form von Paralysen begleitet sein, oder, wenn auch selten, durch Uebergreifen auf den Kehlkopf Gefahr bringen.

Abgesehen von diesen milde verlaufenden umschriebenen Formen ist die Diphtherie meist auf mehrere Stellen der Rachenschleimhaut verbreitet und dann constant gefolgt von Anschwellungen der Lymphdrüsen am Halse und in der Unterkiefergegend, auf welches Symptom **W.** grosses Gewicht legt. Bei der einfachen Form der Diphtherie besteht diese Drüsenschwellung bloss in einer irritativen Hyperplasie analog den sympathischen Bubonen; bei der schweren septischen Form hingegen handelt es sich um wahre Lymphadenitis analog den virulenten Bubonen. Die bei Diphteritis nicht selten auftretende Albuminurie muss um so mehr auf eine gleichzeitige Nierenaffection bezogen werden, als in manchen Epidemien auch Blut und Faserstoffcylinder im Harn gefunden wurde, während zugleich Hydropsien und unterdrückte Harnsecretion sich einstellten. Sie ist jedoch keineswegs constant, und bietet keinen wesentlichen Anhaltspunkt für die Prognose.

Was den Verlauf der einfachen Rachen-Diphtherie betrifft, so kann sie entweder in Heilung übergehen, was unter Abstossung der Schorfe, Rückbildung der geschwellten Lymphdrüsen u. s. w. in 2 bis 3 Wochen zu geschehen pflegt, oder der Process schreitet auf den Kehlkopf weiter, oder endlich die einfache Form geht in die septische über. Nach Trendelenburg sollen Schleimhäute, die mit Pflasterepithel versehen sind, mehr zur diphteritischen, jene mit flimmerndem Cylinderepithel mehr zur croupösen Entzündung disponirt sein. Im Kehlkopfe, wo beide Arten von Epithelien an einander grenzen, pflegen Uebergangsformen von Croup zu Diphtheritis vorzukommen. Je jünger die Patienten, desto geneigter sind sie zu Kehlkopfaffectionen, die dann um so gefährlicher werden. Wenn die Diphtheritis auf den Kehlkopf übergreift, so pflegt dies meist schon am 3. bis 4. Tage, oft aber auch erst nach 8 Tagen zu geschehen; die Entscheidung, ob jenes Uebergreifen auf den Larynx wirklich stattgefunden habe, ist oft sehr schwer und namentlich die Differentialdiagnose von collateralen Oedemen in der Submucosa des Larynxeinganges kaum möglich; bei tiefgreifender Nekrose der Gewebe und beträchtlicher Drüsenschwellung stellt sich das collaterale Oedem am häufigsten ein.

Die septische Form, welche, wie schon erwähnt, von der einfachen dem Wesen nach nicht verschieden ist, bietet dennoch mehrere ihr eigenthümliche Momente. Abgesehen von dem viel tieferen Darniederliegen des Gesammtorganismus, der hohen Rumpftemperatur bei Kälte und Blässe der Extremitäten, dem apathischen Gesichtsausdruck mit eigenthümlich wachsartiger oder livider Blässe der Wangen erscheint dem Verf. als besonders charakteristisch für diese schwerere Erkrankungsform der gänzliche Verlust des Appetits als eines der ersten Anzeichen der secundären Blutvergiftung, so dass auch sonst beliebte Nahrungsstoffe, flüssige wie feste, zurückgewiesen werden; hieher gehört auch das häufig sich einstellende Erbrechen, welches ebenfalls als Intoxikationserscheinung aufzufassen ist. Zuweilen wurden im Verlaufe der Diphtherie Erytheme, besonders der Halspartie, in anderen Fällen Petechien beobachtet, jedoch nur bei sehr schweren Fällen. Die pseudomembranösen Gewebsschichten im Rachen unterliegen verschiedenen Metamorphosen, unter denen die Verjauchung und faulige Schmelzung von besonders ominöser Bedeutung ist; grauliche oder gelbliche corrodirende Jauche sickert dann aus dem pulpösen Gewebsdetritus zum Munde heraus, excoriirt die Lippen und Mundwinkel und der Kranke verbreitet einen penetranten aashaften Geruch. Während in der Regel die Ausbreitung der plaques eine mehr membranartige in die Fläche gehende ist, kommen doch auch Fälle vor, wo sie in bedeutende Tiefe dringt und selbst die ganze Dicke der Schleimhaut durchsetzt; die nach Abstossung der Schorfe resultirenden Geschwüre sind in der Regel seicht und überziehen sich mit Granulationen; in Fällen der letzterwähnten Art jedoch bleiben tiefe, buchtige Geschwüre zurück, die nur sehr langsam zur Heilung tendiren. Bei der malignen Rachendiphtherie kommt es nicht selten zu

Blutungen der erkrankten Schleimhautpartien, die besonders bei Abstossung der Schorfe profus werden und durch Erschöpfung den Zustand des Kranken verschlimmern können. Die oft enorme Schwellung der Halsdrüsen, welche zuweilen abscediren, verleiht dem Kranken ein eigenthümlich gedunsenes Ansehen besonders bei gleichzeitiger Betheiligung des periglandulären Zellgewebes. Bei rapid verlaufenden Fällen der fulminanten Rachendiphtherie kann der Tod binnen 48 Stunden, oder doch in den ersten 3—4 Tagen erfolgen, während es in der Regel 2—3 Wochen dauert, ehe der Kranke den Folgen der Blutvergiftung, der Erschöpfung der Kräfte und der Inanition erliegt. Zuweilen wird durch ein gewisses Missverhältniss zwischen dem Zustande der Localaffection und den constitutionellen Symptomen die richtige Beurtheilung der Sachlage erschwert; so kann es geschehen, dass bei Rückgang der Angina und der Drüsenschwellung die Blässe der Haut und Erschöpfung fortbesteht, die genossene Nahrung fort erbrochen wird und bei stets schwächer werdendem Puls, dessen Frequenz auf 40—50 Schläge in der Minute sinkt, endlich jene Reptilienkälte eintritt, wie wir sie im stadium algidum der Cholera beobachten, wo dann oft plötzlich der Tod erfolgt.

Selbst in vorgerückter Reconvalescenz, bei Kindern, die bereits das Bett verliessen, kommen zuweilen Anfälle von tödtlicher Synkope vor „inmitten der anscheinenden Genesung oder während des Bestandes der diphtheritischen Lähmung wird der Kranke plötzlich von tiefer Blässe befallen, sinkt um und stirbt„. Wenn Trousseau die Nasendiphtherie als eine fast absolut tödtliche Erkrankung bezeichnet, so haben zahlreiche Fälle dargethan, dass die Sterblichkeit bei Nasendiphtherie denn doch nicht so enorm sei und namentlich nicht in dem Masse, wie bei Affection des Kehlkopfes; sie kann entweder zu einer Rachendiphtherie hinzutreten oder der Process beginnt gleich im vorhinein als selbstständige Nasendiphtheritis. Ein unheilvolles Symptom, welches Nasendiphtherie zuweilen begleitet, ist profuse Epistaxis, die an und für sich den Tod herbeiführen kann. Bei primärer diphtheritischer Rhinitis kann die Diagnose anfangs Schwierigkeiten bereiten, da die Pseudomembranen häufiger auf der Schleimhaut der Choanen und den oberen Partien der Nasenhöhle sitzen als am Naseneingange; es bleibt also nichts übrig als genaue Untersuchung der ausgeschneuzten Massen.

Bei Anschwellung der Schleimhaut des Thränennasenganges kommt es auch zu Thränen der Augen; zuweilen schreitet der Process vom Rachen auf die Tuba und Paukenhöhle, wo dann heftige Schmerzen im Ohre auftreten; auch Durchbruch des Trommelfells mit eitriger Otorrhoe will man beobachtet haben.

Bei der sogenannten allgemeinen Diphtherie kommt es nicht nur zu Localisationen auf den bezeichneten Schleimhautpartien, sondern auch an anderen Körperstellen, so auf excoriirten Hautstellen, an Uebergangsstellen der Haut in die Schleimhaut: Mundwinkeln, Schamlippen, Vorhaut etc. Verwechslungen der Diphtheritis mit anderen Erkrankungen, falsche Diagnosen von Diphtheritis kommen daher oft genug vor. Mit der leichteren Form von Angina diphtheritica kann namentlich das Folliculargeschwür der Mandeln verwechselt werden, welches durch Berstung und Zusammenfliessen einzelner Follicularabscesse entsteht, sodann die sogenannte herpetische Angina, welche zumeist von Herpes labialis oder nasalis begleitet ist und eben dadurch schon ihren wahren Character verräth. Da in den schweren Formen von Diphtheritis die Allgemeinerscheinungen sehr in den Vordergrund zu treten pflegen, während über das Localleiden oft gar nicht geklagt wird, so können auch da diagnostische Irrthümer Platz greifen und namentlich die Differentialdiagnose von Scarlatina bei Diphtheritis mit Halserythem oder von Typhus mit Larynxaffection hier und da zweifelhaft bleiben. Doch tritt bei Scarlatina die Halsaffection von Anfang an intensiver auf, die hohe Temperatur und Pulsfrequenz, Erregung des Kranken, Delirien und Kopfschmerz sind für Scharlach charakteristisch.

Was die Larynxaffectionen im Verlaufe von Typhus betrifft, so gehören sie erst den späteren Stadien derselben an und schliessen sich meist an einen protrahirteren Verlauf desselben. Bezüglich der Pathogenese und Aetiologie differiren die Ansichten der verschiedenen Beobachter, da man über das Wesen der Erkrankung keineswegs im Klaren ist; während die Einen die Allgemeinerkrankung als das Primäre betrachten, behaupten Andere, die Diphtherie sei zunächst nur eine Localerkrankung, die erst zur allgemeinen Infection des Blutes führe. Der Verfasser ist der Ansicht, dass die Diphtherie mit grosser Wahrscheinlichkeit in die Classe der acuten Infectionskrankheiten einzureihen sei; dafür sprächen: „das epidemische Auftreten der Krankheit, die besondere Empfänglichkeit des Kindesalters für dieselbe, das grelle Missverhältniss, in welchem nicht selten sogleich im Beginn der Erkrankung die Allgemeinerscheinungen zu der geringfügigen örtlichen Veränderung stehen, vornehmlich aber die Vielfältigkeit der Localisationen.‘

W. bekämpft entschieden die neuerer Zeit aufgetauchten Pilztheorien, insoferne die Pilze als das Agens bezeichnet werden, welches die Blutvergiftung herbeiführe. Denn die durch Pilze erzeugten Krankheiten, wie der Soor, Favus, Sycosis, Herpes tonsurans etc. entwickeln sich fort und fort, ihr Verlauf ist an keine Zeitdauer gebunden, sie tragen die Bedingungen ihres Erlöschens nicht in sich, während die Diphtheritis und acute Infectionskrankheiten überhaupt einen mehr minder typischen Verlauf haben und an eine bestimmte Zeitdauer gebunden sind.

Die Diphtherie kommt sowohl sporadisch als epidemisch vor, sie kann spontan durch ein Miasma oder durch Contagien entstehen. Alle Climate haben Diphtheritisepidemien aufzuweisen, doch scheint die gemässigte Zone mehr heimgesucht zu sein.

Was Ortsverhältnisse betrifft, so sollen feuchte sumpfige Niederungen, wo faulige Effluvien sich entwickeln, ein prädisponirendes Moment abgeben. In jeder Jahreszeit können Epidemien von Diphtherie herrschen, doch sind sie ausgebreiteter während der rauhen Wintermonate. Was die Contagiosität betrifft, so sind dem Verf. theils eigene, theils fremde Beobachtungen bekannt, die das Factum der directen Uebertragbarkeit nachweisen und ist nach ihm das Contagium an gasförmige und feste Träger gebunden, die Exhalationen des Kranken und die ihn umgebende Luft einerseits, die Krankheitsproducte anderseits. Deshalb sind die Umgebung des Kranken sowie die behandelnden Aerzte oft ausgesetzt. Die Incubationszeit des Contagiums wird meist auf 2—3 Tage angegeben, doch soll sie auch bis zu 8 ja 14 Tagen ausgedehnt werden können.

Das Kindesalter bis zum 10. Lebensjahre ist am empfänglichsten, das Geschlecht macht keinen Unterschied, ebensowenig die Lebensweise, doch richtet die Krankheit in den überfüllten Wohnungen des Proletariats grössere Verheerungen an. Das einmalige Ueberstehen der Diphtherie gewährt keine so sichere Immunität wie Blattern, Scharlach etc., doch harrt diese Frage noch ihrer endgiltigen Lösung.

Die Therapie wird sowohl die locale Erkrankung als auch die constitutionellen Störungen ins Auge fassen müssen und daher eine theils locale theils gegen das Allgemeinleiden gerichtete sein. W. spricht sich entschieden gegen die so vielfach geübte Aetzung der erkrankten Theile aus, indem das entzündliche Oedem sich steigere, die Entzündung noch intensiver und ausgebreiteter werde, während auch die Schwellung der Lymphdrüsen, sowie die Reproduction der Pseudomembranen zunehme. Er empfiehlt im Beginne der Erkrankung Eispillen, bei Kindern Eiswasser, zeitweilig auch etwas Fruchteis. Die Application von Eiscompressen um den Hals soll dagegen nicht gut vertragen werden. Aus der Reihe der örtlichen Mittel, die man anzuwenden pflegt, um theils auflösend auf das Krankheitsproduct, theils adstringirend oder in anderer Weise umstimmend auf den Vitalitätsmodus der erkrankten Theile einzuwirken, empfiehlt der Verfasser Gurgelungen oder Einspritzungen von verdünnter Aqua calcis, Bepinselungen mit Spiritus vini. Zur Auflösung der zähen Schleimmassen eignet sich besonders das chlorsaure Kali oder Natron zu Gurgelwässern, am besten in Verbindung mit schleimigen Substanzen. Um den Producten der Gewebszerstörung ihre toxische Wirkung auf das Blut zu benehmen, also wie Verfasser meint, der septischen Infection vorzubeugen, welche nach seiner Ansicht auch secundär durch Resorption dieser Producte entstehen kann, wird ausser fleissiger Reinigung des Schlundes durch Abspülen und Ausspritzen eine Reihe von sogenannten Antisepticis in Gebrauch gezogen. Nach W. hat sich darunter am besten die Carbolsäure bewährt, welche auch anderweitig wärmstens empfohlen wurde. Rothe in Altenburg benützt folgende Lösung: Acid. carbol., Spirit. vini a̅a̅ dr. unam; Aq. destill. drchm. V. Damit werden die kranken Theile alle 2—3 Stunden bestrichen. Die von Barboza in Lissabon empfohlenen Einblasungen von Sulfur. sublimatum haben sich nicht bewährt und sind mit verschiedenen Unzukömmlichkeiten verbunden. Endlich redet W. auch der Application von feuchtwarmen Umschlägen auf den Hals das Wort, indem sie schmerzlindernd auf die Halsdrüsen wirken und in späteren Perioden die Ablösung der Schorfe begünstigen sollen; ebenso mochte er bei diphtheritischer Larynxaffection von der durch Repphuhn und Bartels befürworteten Einreibung grauer Quecksilbersalbe in die Halsgegend nicht ganz Umgang nehmen. Ausser einem zweckmässigen diätetischen Regimen wird auch der innere Gebrauch von Kali chloricum als antiseptisches Mittel; ferner bei beginnender Adynamie Chinin u. z. in kleineren Gaben, sodann Spirituosa empfohlen: Ungarweine, 2—3 bei älteren Kindern 6 Unzen im Tag, Rum, Thee, Caffee etc. Bei Blutungen, Neigung zu Ohnmachten: Tinctura Bestuscheffii.

In einem Anhange behandelt W. die Lähmungserscheinungen, welche die Diphtheritis so oft im Gefolge hat, wobei er die Reihenfolge dieser Lähmungen hervorhebt, von denen zuerst Lähmung des Schlundes und weichen Gaumens, sodann Lähmungen der Augenmuskeln und endlich der Extremitäten aufzutreten pflegen; andere Muskelgebiete werden seltener befallen.

Die Lähmung des Schlundes und weichen Gaumens charakterisirt sich durch Schlingbeschwerden, gestörte Articulation, näselnde Stimme und Erschwerung der Expectoration; die Sehstörungen treten theils als Asthenopie, Accommodationsparese, Schielen, Doppelsehen in die Erscheinung.

Die Dauer der Lähmungen, die meistens 2—3 Wochen nach Ablauf der Diphtheritis auftreten, beträgt 6—8 Wochen, seltener 2, 3—8 Monate. Was ihre Genese betrifft, so dürfte es sich nach Buhl's neuesten Untersuchungen

um wirkliche Texturveränderungen der Nerven handeln, da Buhl diphtheritische Infiltrate in den Nervenscheiden gefunden hat; dem Sitze nach scheinen
sie vorwiegend centraler, seltener peripherer Natur zu sein. Die diphtheritische Lähmung heilt meist von selbst; in hartnäckigeren Fällen empfiehlt
der Verfasser ausser der Elektricität die Nux vomica und subcutane Injectionen von Strychnin, ausserdem Tonica, den Gebrauch von Sool- und warmen
Seebädern.   G.

    Nach Dr. **Classen** in Rostock (42) bestehen **diphtheritische Membranen**
aus zwei sehr verschiedenen Schichten. Die oberflächlichste bot dem ersten
Anblick ein amorphes, undeutlich reticulirtes Aussehen, war in der Regel um
so mächtiger, je länger die ganze Membran bestanden hatte, und liess sich
durch Kalilauge in eine Anhäufung von sehr eigenthümlich veränderten Epithelialzellen auflösen. Diese Veränderung besteht darin, dass der Inhalt der
Zellen sich körnig trübt; zunächst der Kern, wenn die ganzen Zellen enorm
aufschwellen, der äusserste Rand der Zellenmembran aber noch hornartig
glänzend und scharf begrenzt bleibt, bis sie endlich platzt und ihren Inhalt
verschüttet. Die hier und da in der dunklen Masse sichtbaren glänzenden
Ränder der Zellen veranlassen den netzförmigen Anschein. Die Veränderung
der Zellen entspricht offenbar dem, was Wagner die faserstoffige Metamorphose der Epithelzellen genannt hat, obwohl dabei von Faserstoff keine Rede
sein kann. Der Inhalt jeder so veränderten Zelle besteht aus unzähligen,
äusserst kleinen, stark lichtbrechenden, discreten Körperchen, welche erst nach
wochenlanger Einwirkung der Kalilauge blässer werden. Durch Pepsintinctur
erleiden sie keine Veränderung, obwohl durch sie alle übrigen Bestandtheile
der Membran theils durchsichtig werden, theils ganz verschwinden und auch
gegen stundenlange Einwirkung von Aether bleiben sie ganz indifferent, so
dass man berechtigt ist, ihre Ableitung aus Proteinstoffen oder Fett auszuschliessen. — Die tiefergelegene meist viel mächtigere Schicht der Pseudomembran besteht wesentlich aus unregelmässig geformten zarten Epithelialzellen, zwischen denen sich massenhafte Lagen von Eiter-Zellen und kleinen
Kernen, theils durch eine streifig geronnene Grundsubstanz (Faserstoff) zusam-
mengehalten, theils zwischen den Epithelialzellen zerstreut finden. Ausserdem
kommen fasrige Gebilde vor, wahrscheinlich aus dem necrotischen submucösen
Gewebe stammend, häufig auch Blutextravasate, besonders in späteren Stadien
der Krankheit. Die von Letzerich abgebildeten Thallusfäden (s. Sammelber.
tom. II., p. 248) fand C. selten und zerstreut, weshalb er sie nur für zufällige
Nebenproducte ansieht. — Das Charakteristische bildet somit jene Veränderung der Epithelialzellen in der obersten Schicht, die in solcher Form nur bei
der Diphtheritis vorkommen dürfte. Die dunklen, stark lichtbrechenden
Körnchen in den Zellen könnten identisch sein mit den von Hüter und
Tommasi beschriebenen Monaden im diphtheritischen Blute. Dann würde
die Krankheit damit beginnen, dass in den Epithelien zunächst eine enorme
Vermehrung dieser kleinsten Organismen statt fände, welche die locale fettige
Entzündung der Schleimhaut zur Folge hat. Gleichzeitig gelangen sie aber
vermöge ihrer Kleinheit und Beweglichkeit ins Blut und bewirken dessen
Entmischung.   W.

    Dr. **Nassiloff** aus Petersburg (43) überzeugte sich durch seine Unter-
suchungen über **Diphtheritis**, 1. dass die Pilze in den diphtheritischen Mem-
branen, wenn letztere nicht irgend wie verändert sind, constant vorkommen;

2. dass an den Rändern der verminderten Stellen die Pilze in den Epithelien bereits da erscheinen, wo noch keine Membran gebildet ist; 3. dass die Pilze tief in die Gewebe eindringen, den Saftkanälen und den Lymphgefässen folgend, ohne dass Veränderungen der Gewebe vorausgegangen waren, welche die Structur der letzteren aufgehoben hätten. Er kommt daher zu dem Schlusse, dass die Pilzentwicklung das Primäre darstellt, worauf es dann weiter wahrscheinlich wird, dass in ihr die Ursache der Necrose, der Ausgang der diphtheritischen Veränderungen überhaupt gegeben ist. Wie sehr diese Pilzbildungen, wenn sie einmal in die Gewebe eingedrungen sind, geeignet sind, energisch auf die letzteren einzuwirken, zeigt ein von N. mitgetheilter Fall, wo bei einem an Diphtheritis verstorbenen Kinde das Pflugschaarbein ganz nackt und an der Oberfläche wie zerfressen erschien und die mikroskopische Untersuchung die erweiterten und ausgebuchteten Haversischen Kanäle mit Pilzmassen erfüllt vorfand. Endlich beweisen N.'s positive Impfexperimente, dass diese Pilze, eingebracht in die lebenden Substanzen, sich in ihnen entwickeln und weiter verbreiten können, indem sie gleichzeitig die allerheftigsten Reactionen erzeugen. **W.**

Circulations- und Athmungsorgane.

(44) D. Böhm: Fall von angeborener Stenose des Conus arterios. pulmon. ohne vorhergegangenen Entzündungsprocess. Berl. klin. Wochenschr. 1870. Nr. 35.

(45) Dr. Fr. Steudener: Angeborene Stenose des Ostium arteriosum pulmonale mit Mangel der Ventrikelscheidewand nebst Situs transversus. Deutsche Klin. 1870. p. 7.

(46) Prof. O. W'yss: Ein Fall von Stenosis art. pulmonalis. Corresp. Bl. f. Schweizer Aerzte 1871. Nr. 2.

(47) A. Steffen: Zur acuten Lungentuberculose. Jahrb. f. Kinderkrankh. N. F. III. p. 323.

(48) L. M. Pollitzer: Asthma bronchiale. Bronchienkrampf im Kindesalter. Jahrb. f. Kinderheilk. III. p. 377.

(49) Bericht der k. k. Krankenanstalt Rudolf-Stiftung v. J. 1869 p. 97. Prim. Löbl: Empyem bei einem Knaben.

(50) Trendelenburg: Beiträge zu den Operationen an den Luftwegen. Arch. f. klin. Chir. Bd. XII. p. 112. Berl. klin. Wochensch. 1870 Nr. 19.

Böhm (44) theilt einen Fall von **angeborner Stenose des Conus arteriosus pulmonalis** mit. Der betreffende Knabe war bis zur zweiten Hälfte des ersten Lebensjahres anscheinend gesund, erkrankte dann mit Cyanose und asphyctischen Anfällen und starb im Alter von ⅘ Jahren. Klinisch war Verbreiterung der Herzdämpfung nach rechts, systolisch und diastolisch hör- und fühlbares Schwirren über dem Herzen und Unregelmässigkeit des Pulses beobachtet und ein congenitaler Fehler im Bereiche des rechten Ventrikels diagnosticirt worden. — Section: Kugelgestalt des Herzens in Folge von Hypertrophie und Dilatation des rechten Ventrikels. Die Art. pulmonalis verkümmert, nur 5 Ctm. im Umfang und mit nur 2 Klappen. Der Conus art.

pulm. durch eine dicke Muskelleiste vom Ventrikel abgetrennt, mit welchem er nur durch eine rabenkieldicke Oeffnung communicirt. Im oberen Theil des Septum ventriculorum eine bleistiftdicke Communicationsöffnung; dasselbe ist flach statt convex nach rechts, so dass die Aorta verlängert gedacht, darauf zu reiten scheint. Der Ductus Botalli strangförmig. — **B.** bespricht dann ausführlich die Entwicklung dieser Anomalie, deren Ausgangspunkt er in der mangelhaften Bildung der Lungenarterie findet. **W.**

Dr. **Steudener** republicirt einen bereits für die Inaugural-Dissertation Dr. Ackermann's *) benützten Fall von **angeborener Stenose des Ostium arteriosum pulmonale** nebst Situs transversus und Mangel der Kammerscheidewand (45). Der betreffende, ein Monat alte Knabe war tief asphyktisch geboren, aber doch zu regelmässiger Respiration und lautem Schreien gebracht worden. Die Hautfarbe war und blieb fortan dunkelbläulich, — beim Schreien vermehrte sich die Cyanose, doch hatte das Kind regelmässig die Brust genommen, die Stühle waren regelmässig, während die Diurese nach der Aussage der Mutter sparsam war, -- und gedieh ganz entsprechend. Bei der Aufnahme an der Poliklinik in Halle fand man einen kräftigen und wohlgenährten Knaben mit allgemeiner Cyanose und tief blauschwarzer Färbung der Fingernägel. Die Respiration war ruhig (20—30 Athemzüge in der Minute). Die Herzdämpfung schien vergrössert und reichte über den rechten Brustbeinrand, während sie sich nach links in eine abnorme Dämpfung fortsetzte, welche, den unteren Thoraxrand überragend, sich über die Linea axillaris erstreckte. Die Herzaction 116—120, die Herztöne undeutlich — doch wie es schien, rein (?). Es wurden Kali nitr. und Acet. squill. angewendet, die Cyanose schien sich mit dem Eintritte einer reichlicheren Diurese zu vermindern, doch schon am 6. Tage der Behandlung wurde das Kind somnolent, intensiver cyanotisch, nahm die Brust nicht mehr, während die Diurese sehr vermindert wurde. Am nächsten Tage wurde auch das Athmen mühsam, es trat tiefer Sopor und endlich der Tod des Patienten ein.

Bei der Leichenschau war noch der vortreffliche Ernährungszustand des Kindes zu constatiren, die Haut war überall blauroth, das Unterhautzellgewebe violett, die Muskeln dunkelbraunroth. Die Schädelhöhle durfte nicht eröffnet werden. Nach Eröffnung der Brust- und Bauchhöhle zeigte sich zu-

---

*) Dr. Steudener rechtfertigt die Republication dieser Beobachtung damit, dass Inaugural-Dissertationen in der Regel nicht viel bekannt werden. Er hat ganz Recht und es wäre nur hinzuzufügen, dass dies auch nicht möglich sei, wenn die Herren Neo-Doctoren nicht selbst Sorge dafür tragen, dass ihre betreffenden Dissertationen, die nicht in den Buchhandel kommen, an die Redactionen jener Fachjournale gelangen, welche den Inhalt solcher mitunter sehr achtungswerthen Leistungen besprechen können. Es liegt übrigens nicht weniger in dem eigenen Interesse der Inauguraten als in jenem ihrer betreffenden Lehrer, dass auf die Existenz solcher Arbeiten aufmerksam gemacht werde, und ein Journal, welches wie unser Jahrbuch es sich zur Aufgabe macht, möglichst viele (denn wer könnte auf absolute Vollständigkeit Anspruch machen) Erscheinungen zu würdigen, würde gewiss Mittheilungen dieser Art freudig begrüssen, weil man nur auf diesem Wege zu einer immer höheren Stufe der Vollständigkeit gelangen kann. So wie selbstverständlich an die Herausgeber kleinerer Brochüren richten wir daher namentlich an die jungen Collegen, welche in unser Fach einschlägige Beobachtungen und Gegenstände zu ihren Inaugural-Dissertationen benützen, die Bitte, uns ihre Erstlingsarbeiten rechtzeitig zukommen zu lassen. Die Redaction.

nächst ein vollständiger Situs transversus; die Lungen boten mit Ausnahme einiger kleiner atelektatischen Stellen keine pathologischen Veränderungen. Das Herz von normaler Grösse liegt mit der Spitze nach rechts, die Scheidung der Ventrikel ist äusserlich nicht angedeutet, während die Vorhöfe ganz deutlich abgegrenzt erscheinen; der rechte ist bedeutend grösser, das Foramen ovale ist weit offen und nur durch eine dünne, halbmondförmige Klappe im linken Vorhofe halb verdeckt. Statt zweier Ventrikel findet sich nur eine Herzhöhle vor, in der das fehlende Septum durch einen flachen 1—2 Mm. hohen Längenwulst an der vorderen Ventrikelwand angedeutet ist. Die Aorta entspringt an normaler Stelle, die Semilunarklappen sind wohl ausgebildet, der Bogen derselben, etwas erweitert, schlägt sich statt nach links nach rechts hinüber, gibt den Truncus anonymus links, die A. subclavia und Carotis dextra rechts ab. Die Arteriae bronchial. zeigen eine etwas stärkere Entwicklung. Der Conus der A. pulmonalis entspringt dicht neben der Aorta und verengert sich im Ostium arteriosum bis auf 2 Mm. Durchmesser, woselbst das Endocardium getrübt und verdickt ist. Eine etwas grössere, regelmässig gestaltete und zwei rudimentäre kleine halbmondförmige Klappen. Hinter dieser Verengerung erweitert sich die Art. pulmonal. allmälig, erreicht jedoch erst nach Abgabe des Duct. Botalli, der vollkommen durchgängig ist und eine Länge von 17, einen Durchmesser von 8·5—9 Mm. besitzt, ihre normale Weite. Die Musculatur zeigt überall den gleichen Dickendurchmesser, die Tricuspidalklappe erscheint geschrumpft und getrübt mit festen, knotigen Verdickungen an den Rändern. In den übrigen Organen machte sich blos eine allgemein verbreitete Hyperämie bemerkbar. Als Ursache der Verengerung kann in diesem Falle nur eine fötale Endocarditis mit nachfolgender Schrumpfung der betroffenen Theile angenommen werden, welche noch vor der Entwicklung der Kammerscheidewand aufgetreten sein muss. Das Fehlen derselben lässt sich nämlich nur damit erklären, dass die Blutmasse, welche sich sonst aus dem noch einfachen Ventrikel durch die beiden Ostia arteriosa entleerte, in Folge der Verengerung des Ostiums der Lungenschlagader gezwungen wurde, vorzugsweise durch das Ostium arteriosum aortae auszutreten. Die hiedurch veranlasste starke Strömung des Blutes aus dem rechten gegen den linken Theil des Herzens dürfte nach der Ansicht des Verf. die Bildung des Septums verhindert haben.

Während des Lebens dieses Kindes konnte ferner das Blut überwiegend nur aus der erweiterten Aorta durch den D. Botalli in die Lungenarterie gelangt sein. Auf diesem Wege und durch die wie erwähnt erweiterten AA. bronchiales wurde den Lungen eine hinreichende Menge Blutes zugeführt. Bezüglich der letzteren hebt S. die Communication derselben mit dem Capillarnetze der Lungenalveolen hervor, indem gelungene Injectionen der Art. pulmonalis auch gewöhnlich die Endäste der AA. bronchiales füllen; ein Verhalten, welches bisher in Fällen angeborener Stenose der Lungenschlagader noch wenig Berücksichtigung fand. Den gleichzeitig vorhandenen Situs transversus erklärt S. für eine zufällige Complication, welche in keiner Beziehung zu der beschriebenen Missbildung des Herzens stehe. Interessant ist in diesem Falle gewiss die entsprechende Fortentwicklung und das Gedeihen des Kindes nach der Geburt. R.

Prof. **Wyss** in Zürich (46) beobachtete einen Fall von **Stenosis art. pulmonalis.** Der 3½jährige Patient war das einzige Kind gesunder Eltern, nur soll die Mutter während der ersten Hälfte der Schwangerschaft immer

unwohl gewesen sein. Von Geburt an war der Junge cyanotisch, die Extremitäten kalt. Bei geringen körperlichen Anstrengungen stellte sich Athemnoth
ein und nahm die Cyanose zu. Auch litt er häufig an Husten, hat aber angeblich nie an einer „Krankheit" gelitten. Am 24. Juli 1869 kam er wegen Fieber und kurzem Athem in Behandlung. Die Untersuchung ergab: Cyanose,
Mangel der Daumen sammt Metacarpalknochen an den Händen, die letzteren
sowie die Füsse kalt. Herzstoss an normaler Stelle schwach fühlbar. Herzdämpfung von der 3. Rippe zur 6.; nach links bis ein Querfinger breit einwärts von der Papillarlinie; nach rechts reicht die absolute Herzdämpfung bis
zur Mitte des Sternum, die relative bis zum rechten Sternalrand. Die Palpation der Herzgegend ergibt links vom Sternum zwischen 2. und 3. Rippe ein
schwaches langgezogenes systolisches Schwirren. Beim Auscultiren hört man
an der Herzspitze und der Aorta reine Töne; ausserdem ein schwaches fortge-
leitetes systolisches Blasen, das nach der Basis des Herzens hin an Intensität
zunimmt und am lautesten über der Arteria pulmonalis zu hören ist. Der
zweite Pulmonalton rein. Leber- und Milzdämpfung nicht vergrössert. Die
Diagnose wurde auf Stenosis art. pulm. congenita gestellt. Am 27. Juli
Dyspnoe und Fieber, ohne dass sich für diese Erscheinungen eine bestimmte
Ursache hätte auffinden lassen; aber schon am folgenden Tage war Patient
wieder munter, wie sonst. Aehnliche Anfälle kehrten öfter wieder, schwanden
aber immer rasch. Im October erkrankte der Kleine an Pertussis und am
25. d. M. Abends, als die Mutter den vorher noch ganz munteren Jungen ent-
kleidete, wollte dieser nicht mehr stehen, und als er ins Bett gelegt worden
war, bekam er plötzlich Rasseln auf der Brust, wurde dunkelblau im Gesicht
und hörte auf zu athmen. — Sectionsbefund: Stenose der aus dem rechten
Ventrikel entspringenden Pulmonalarterie vom Conus arteriosus aus; bloss
zwei verdickte und narbig verbundene Pulmonalklappen; Ursprung der Aorta
aus beiden Ventrikeln über einem Defect im oberen Theile der Ventrikelscheidewand; Foramen ovale geschlossen, Ductus Botalli fehlend. Excentrische
Hypertrophie des Herzens, namentlich der rechten Hälfte. Aneurysma der
Mitralklappe. Lungenödem. — Nach der Kussmaul'schen Eintheilung ist unser
Fall als „einfache Stenose der Lungenarterie mit offener Kammerscheidewand"
zu bezeichnen und unterscheidet sich von den ähnlichen Fällen dadurch, dass
die engste Stelle hier etwas über dem verengten Ostium liegt und durch die
ungemein stark, förmlich aneurysmatisch erweiterte, von hinten und rechts
her herandrängende Aorta bedingt wird.   W.

    Von 27 Beobachtungen **Steffen's** über **acute Lungentuberculose** (47),
gehören 14, von 52 Fällen der **chronischen Form** nur 22 den drei ersten
Lebensjahren an. Was speciell die erstere betrifft, so kommen auf den Abschnitt
vom 3.—6. Jahr 5, vom 6.—9. Jahr 4, vom 9.—12. Jahr 3 und vom 12. bis
14. Jahr 1 Fall. In der grösseren Mehrzahl der Fälle war Hyperplasie und
Verkäsung der Bronchialdrüsen, seltener der Mesenterialdrüsen, der primäre
Process. Acute Lungentuberculose wird sehr selten beobachtet, ohne dass der
gleiche Process in einem oder mehreren anderen Organen vorhanden wäre.
Hauptsächlich ist die Milz (16mal) und Pia mater (13mal) zugleich ergriffen.
Beide Organe können aber auch bei intacten Lungen von Tuberculose befallen
werden; ist dies bei der Pia der Fall, so pflegt dieselbe das einzige von Tuberculose befallene Organ zu sein. — Der Process der acuten Tuberculose kann
nur an der Pia, der Chorioidea und den Lungen diagnosticirt werden: Die
tuberculöse Meningitis ist leicht zu diagnosticiren, wenn die 3 Stadien deutlich

ausgeprägt sind und nach einander zur Beobachtung kommen; im letzten Stadium allein ist die Unterscheidung schwierig. Das Fehlen von Chorioidaltuberculose spricht nicht gegen tuberculöse Meningitis; dagegen ist der Nachweis von Lungentuberculose, von Hyperplasie der Hals- Tracheal- und Mesenterialdrüsen nicht im Stande die tuberculöse Grundlage der Meningitis zu begründen. — Behufs der Diagnose der Chorioidealtuberculose ist die Anwendung des Atropins anzurathen, da die Tuberkeln zuweilen recht excentrisch liegen und die grosse Unruhe der Kinder der Untersuchung recht hinderlich ist. Sie entwickelt sich oft erst im letzten Stadium verbreiteter acuter Tuberculose. — Acute Lungentuberculose entgeht der physicalischen Untersuchung vollkommen. Die Diagnose wird dagegen gestützt durch die auffällige und stetige Abmagerung des Kindes, die excessive und wechselnde Beschleunigung der Pulsfrequenz und der Respiration bei verhältnismässig gering gesteigerter Temperatur und durch den Ausschluss anderer Krankheitsprocesse. Nicht selten und namentlich je jünger die Kinder sind, entwickelt sich im Verlaufe acuter Lungentuberculose in Folge des hochgradigen Lufthungers mehr oder minder ausgebreitetes Emphysem. Selten steigert es sich zur interlobulären und noch seltener zur subpleuralen Form und St. theilt einen, bei acuter Lungentuberculose bisher noch nicht beobachteten Fall mit, wo bei einem 3jährigen Mädchen in Folge der Perforation subpleuraler Emphysemblasen, Pneumothorax und der Tod eingetreten war. **W.**

Dr. **Pollitzer** (48) theilt 5 bei Kindern beobachtete Fälle von **Asthma bronchiale** mit, welches er für eine idiopathische, essentielle Erkrankung der Bronchialmuskeln und der ihre Contraction regulirenden Nerven hält, die stets im Gefolge von Katarrh der Bronchien zu Tage tritt. Die für die Diagnose pathognomonischen Momente sind: a) Eine hochgradige, gleichmässig durch 8, 10 bis 20 Stunden fortdauernde Dyspnoe, welche sich durch rasches Zustandekommen, ohne Fieber, ohne erhöhte und sogar mit verminderter Temperatur charakterisirt. Ging ein Katarrh mit Fieber voran, so fällt die Ausbildung der Dyspnoe und ihre Zunahme in den Nachlass des Fiebers. b) Eigenthümlich hohe, feine, pfeifende, zischende Geräusche bei der Auscultation und zwar bei geringen oder ganz fehlenden Rasselgeräuschen; — oder endlich, wenn das Asthma mit Bronchitis der grossen oder feinen Bronchien eingeleitet war, das Verschwinden der Rasselgeräusche und das Ueberwiegen der pfeifenden Geräusche. c) Der meist laryngeale, aber höchst geringe Husten, oder, wo der Bronchienkrampf mit Katarrh begann, die Verringerung des Hustens bei Zunahme und dessen stärkeres Hervortreten bei Abnahme des Asthma. d) Die Abnahme der Dyspnoe und häufig das gänzliche Verschwinden derselben nach 8—10, oder doch nach 20—24 Stunden, unter Zunahme des Hustens und häufig des Rasselns. e) Bei weiterer Beobachtung die in bestimmten Zeiträumen, oder auch typisch wiederkehrenden und in einer gewissen Zeitdauer ablaufenden Anfälle der Dyspnoe. — Vom Croup unterscheidet sich das Asthma schon für das freie Ohr durch das hohe, pfeifende, manchmal mit feinem Rasseln verbundene Respirationsgeräusch (während das letztere beim Croup ein rauhes, grobes, keuchendes, tracheales ist). Bei der Auscultation hört man im Croup ein fortgesetztes laryngo-tracheales Geräusch, welches das Alveolargeräusch deckt, während beim Asthma an fast allen Punkten des Thorax das feine, hohe, pfeifende Athmen, bedingt durch die mühsam die feinen Bronchien durchströmende Luft gehört wird. Die Dyspnoe beim Asthma ist eine durch den ganzen Anfall sich mehr weniger gleichbleibende, während sie beim Croup in periodisch auftretenden Stickanfällen von mehrfach wechselnder Intensität besteht. Endlich ist für Asthma die äusserst früh, schon nach wenigen Stunden auftretende Kohlensäureintoxitation, die sich im Sopor äussert, und das meist afebrile Auftreten oder, wenn ein Fieber vorangeht, das baldige Verschwinden des letzteren bei der fortschreitenden Entwicklung des Asthma zu beachten. Für die Therapie empfiehlt **P.** das Chinin in grossen Dosen (6 Gran bei Kindern von 1—2 Jahren im Zeitraume von 4—6 Stunden), den Moschus (3 Gran alle 4—6 Stunden), den Liquor ammonii anis. (1 Scrupel auf 3 Unzen, jede Viertelstunde 1 Caffeelöffel), die Inhalation eines Infus. fol. belladonnae (gran 10 ad unc. IV) mittelst des Pulverisateurs, endlich aber vor Allem das Chlorbrom (wenn es erbrochen wird: gutt. 3 ad Aq. dest., Aq. valerian. āā unc. 2, auf 3 Clysmata, stündlich zu gebrauchen).

Auf der Abtheilung des Primarius Dr. **Löbel** im Wiener Rudolf-Spitale (49) lag ein 10jähriger Knabe mit einem seit 3 Wochen bestehenden linksseitigen **Empyem.** Zur Bestimmung der Qualität der Exsudationsflüssigkeit bediente man sich als eines sicheren und vollkommen unschädlichen diagnostischen Hilfsmittels der subcutanen Injectionsspritze. Wegen Dyspnoe und Suffocationsgefahr wurde die Paracentese gemacht und 4 Pfund rahmähnlichen Eiters entleert, worauf sich die ungemeine Höhe des Pulses und Schwere der Respiration sofort minderte und die Stauung der Halsvenen, sowie die Cyanose verschwand.   **W.**

Dr. **Trendelenburg** in Berlin (50) empfiehlt die **Tamponade der Trachea** bei blutigen Operationen im Larynx, der Mund- und Rachenhöhle zum Zwecke ihres Abschlusses gegen das eindringende Blut, um damit die Gefahr der plötzlichen Erstickung und anderseits die durch Aspiration kleinerer Blutmengen herbeigeführten Pneumonien zu vermeiden. Auch wird durch die Tamponade die Anwendung des Chloroforms bei den genannten Operationen erleichtert. Er glaubt daher mit Hilfe derselben die Uranoplastik bei kleinen Kindern, wo sie mit Bequemlichkeit nur in der Narcose ausgeführt werden kann, zu einer gefahrlosen Operation zu machen, was wegen der voraussichtlich besseren Resultate bei Kindern, in Bezug auf Herstellung einer normalen Sprache von Wichtigkeit sein dürfte. Auch bei der blutigen Exstirpation grösserer Polypen im Larynx vom Munde aus und der Exstirpation grosser Nasenrachenpolypen könnte die Tamponade der Trachea für die Kinder-Chirurgie von Bedeutung sein. Sie besteht in der Einführung eines röhrenförmigen, doppeltwändigen Kautschuk-Tampons über den verticalen Theil einer Tracheotomie-Kanüle, der durch einen kleinen Gummischlauch in der Trachea aufgeblasen werden kann, so dass er sich den Wandungen derselben vollkommen anschmiegt. **T.** hat weiter diese Vorrichtung zur Therapie der Rachen-Diphtheritis verwendet, indem er die Diphtheritis zunächst für einen örtlichen Process haltend — mit ihrer Hilfe den Infectionsstoff local zu zerstören sucht. Er tamponirte die Trachea, führte in den Oesophagus einen Schwamm ein, und, nachdem sich der Verschluss gegen eingegossenes Wasser dicht gezeigt hatte, goss er bei fortgesetzter Chloroform-Narcose eine 1% Lösung von sulphocarbolsaurem Zink in Mund- und Nasenhöhle und spülte mit einer gleichen Lösung mittelst eines Irrigators abwechselnd beide Höhlen so lange (durch 5 Minuten) aus, bis keine Membranfetzen mehr ausgeschwemmt wurden. **W.**

Hautdecken, peripher. Drüsen.

(51) G. Sous: Observation de sueur sanguinolent. Annal. d'Oculist. T. LXII. p. 143.

(52) Dr. O. Groos: Naevus von enormer Ausdehnung mit excessiver Pigmentablagerung und Haarbildung längs des Rückens. Berl. kl. Wochenschrift 1870 p. 396.

(53) Dr. Hervieux: Ueber eine Pemphigusepidemie bei Neugeborenen. Journ. f. Kinderkrankh. 1870 Bd. LIII.

(54) Nayler: Clinical observations on diseases of the skin. Ichthyosis. Brit. med. Journ. 1870. Nr. 494—495.

(55) H. Klemm: Ein Fall von Lepra faciei nostras. Archiv f. klin. Mediz. Bd. VIII. p. 307.

(56) Blaschko: Gutartige Drüsen und Zellgew.-Affection am Halse. Journ. f. Kinderkrankh. Bd. LIII. p. 302.

G. **Sous** (51) theilt eine Beobachtung von **blutigem Schweiss** in der Nähe des linken Augenwinkels bei einem 9jährigen Mädchen mit. Nachdem 1—2 Minuten vorher das Auge feucht geworden war und das Kind ein leichtes Kriebeln am inneren Augenwinkel verspürt hatte, sickerten rothe, sofort gerinnende Tröpfchen aus der Haut in der Gegend des Thränensackes im Umkreis von etwa 1 Quadrat-Centimeter. Diese Blutungen dauerten 3 bis 4 Minuten und wiederholten sich zuweilen mehrere Male des Tages. In den Pausen hatte die Haut ihr normales Aussehen, während die Carunkel blass war. Die Hautstelle wurde mit concentrirter Eisenchloridlösung bepinselt, worauf die Blutungen bald aufhörten. W.

Dr. **Groos** (52) beschreibt bei einem 14jährigen Mädchen einen colossalen, zum Theil angebornen, zum Theil erst im Laufe der Jahre angewachsenen **Naevus** mit excessiver Pigmentablagerung und Haarbildung längs des Rückens. Es sah aus, als sei ein Thierfell über den Rücken geworfen: vom 1. Rückenwirbel an bis tief zur Kreuzbeingegend hinab, an beiden Seitenwänden der Brust scharf absetzend, war die Haut intensiv dunkel gefärbt, die Haare 3—6 Ctm. lang, der Wirbelsäule zugekehrt, nur am unteren Theil der Neubildung unregelmässig angeordnet. Auch am übrigen Körper fanden sich zerstreute, ähnlich pigmentirte, kleine, mit langen weichen Haaren besetzte Flecke. W.

Die **Pemphigus-Epidemie** (53), über welche **Hervieux** berichtet, hatte in der Maternité vom Juni 1867 bis Jänner 1868 etwa 150 Neugeborene ergriffen. Das erste erkrankte Kind stammte von Eltern, die weder nach der Anamnese, noch nach der Untersuchung wegen Syphilis verdächtigt werden konnten; das Exanthem erschien einige Tage nach der Geburt. Unmittelbar darauf wurden mehrere andere, bis dahin gesunde Kinder von einem ähnlichen Ausschlage befallen und dieser breitete sich so aus, dass zu einer Zeit alle Kinder in den Krankensälen, Wöchnerinnenzimmern und in der Krippe damit behaftet waren. Als diese Epidemie bereits ihr Ende erreicht zu haben schien, erkrankte ein neu aufgenommenes Kind, dessen Mutter zahlreiche Auswüchse an den Genitalien, aber sonst keine Zeichen vorausgegangener Syphilis hatte; das Exanthem glich jedoch mehr Pusteln als Bullen. Nach

dieser Erkrankung folgte nun neuerdings eine grosse Zahl von Pemphigus-
fällen. Der Krankheits-Verlauf betrug durchschnittlich 2—3 Wochen. Alle
Kinder, mit Ausnahme eines einzigen, genasen. Bei diesem Gestorbenen bildeten sich an zahlreichen Stellen, wo Blasen gewesen waren, oberflächliche
Ulcerationen neben neuen Blasen-Nachschüben, worauf das Kind nach 24 Tagen marastisch zu Grunde ging. Impfungen mit dem Secret aus den kleinen
Blasen fielen negativ aus. **H.** hält es nicht für unmöglich, dass diese Pemphigus-Epidemie eigentlich eine Varicellen-Epidemie gewesen sei.   W.

Nayler (54) hebt in einer Abhandlung über **Ichthyosis** die in einzelnen Fällen unzweifelhaft erbliche Uebertragung dieses Leidens hervor. In gewissen Familien hat er alle Knaben von Ichthyosis ergriffen gesehen, in anderen alle Mädchen, in noch anderen Knaben und Mädchen in gleicher Weise.
Die congenitale Ichthyosis zeigt die verschiedensten Grade.   Im höchsten
Grade ist die Haut an Rumpf und Extremitäten durch transversal oder longitudinal gehende, parallele Schrunden in einzelne Felder abgetheilt und das
Aussehen des Foetus rechtfertigt den Namen eines „Harlequin-Foetus", welchen man zur Bezeichnung gewählt hat (?). In der Therapie spricht **N.** Bädern und der Anwendung des Glycerins das Wort.   W.

Klemm (55) theilt einen Fall von **Lepra faciei nostras** bei einem
15jährigen schwächlichen Mädchen mit, welches schon in ihrer frühesten
Kindheit an „Beulen litt, welche jauchigen Eiter entleerten". **K.** fand, als er
die Patientin in Behandlung bekam, an den verschiedensten Theilen des Gesichtes zahlreiche, linsengrosse, braunrothe, theilweise excoriirte Knoten, unter welchen das Unterhautzellgewebe indurirt erschien, während die zwischen
ihnen befindliche Haut theils gesund, theils ebenfalls excoriirt war. Ohne
wesentliche Störung des Allgemeinbefindens waren sie nach und nach aufgetreten, hauptsächlich im Gesicht, aber auch an Armen und Beinen. Durch
intercurrirende acute Krankheiten (Masern) wurden sie nicht influirt, eben so
wenig durch die Jahreszeiten; dagegen schienen extreme Temperaturen Verschlimmerung zu bringen. Nebenbei waren vorhanden chronische Entzündungen der Bindehaut und der Cornea, Vergrösserungen der Lymphdrüsen am
Halse und Nacken, Infiltration der rechten Lungenspitze. Nach einer robo-
rirenden Vorkur erhielt Patientin Jodkali (wöchentlich 5·5 Gr.), anfangs mit
günstigem Erfolge. Da jedoch später eine bedeutende Verschlimmerung eintrat, wurde dieses Mittel ausgesetzt und Sublimat (2mal täglich 0·006) gereicht, worauf sich der Zustand anfangs besserte, nach einigen Wochen wieder verschlimmerte, endlich wieder besserte und in vollständige Heilung
überging.   W.

Blaschko (56) behandelte an einer **Drüsen- und Zellgewebsaffection**
der Regio submaxillaris und sublingualis (Cynanche sublingualis) in einem
Pensionate 15 Mädchen.   Die Anschwellung verlief unter leichten Fiebererscheinungen durchaus gutartig und hatte entschieden contagiösen Charakter.
        W.

Unterleibsorgane.

(57) Prof. E. Neumann: Nebenpancreas und Darmdivertikel. Arch. d. Heilkunde Bd. XI. p. 200.

(58) Dr. O. Barth: Hochgradige Kothstauung in Folge einer durch zu langes Mesocolon zu Stande gekommenen Darmvorlagerung. Archiv der
Heilkunde Bd. XI. p. 119.

(59) K. v. Mosengeil: Fall von Invagination eines sehr langen Darmstückes bei einem Kinde. Arch. f. klin. Chir. XII. p. 75.

(60) Dr. Wilks: Ueber Intussusceptionen. Lancet 1870. Vol. I. Nr. 21.

(61) Dr. C. Pilz: Zur Invagination im kindlichen Alter. Jahrb. f. Kinderhlk.
N. F. III. p. 6.

(62) B. Wagner: Zwei geheilte Invaginationen. Jahrb. f. Kinderheilk. III.
p. 343.

(63) Th. C. Lucas: A case of Intussusception, cured by insufflation. Lancet
1870. II. 6.

(64) Dr. O. Groos: Invagination eines Theils des Ileums, des Coecums,
Colon ascend. und transvers. in das Colon descend. Berl. klin. Wochenschrift 1870. p. 395.

(65) Dr. Tillaux: Extraction einer Nadel aus dem Darme. Bullet. de Ther.
T. LXXIX. Juillet 1870.

Prof. Neumann (57) in Königsberg beobachtete bei einem 10monat-
lichen Kinde an der Spitze eines conisch zulaufenden, $1\frac{1}{4}''$ langen wahren
Darmdivertikels einen etwa erbsengrossen, länglichen, durch einen kurzen
Stiel mit dem letzteren verbundenen Drüsenkörper von ähnlichem Bau wie das
Pancreas (Nebenpancreas). Im Stiel fand sich der in die Spitze des Divertikels einmündende Ausführungsgang. N. spricht die Vermuthung aus, dass
hier die Bildung des Divertikels, unabhängig von dem Ductus omphaloenteri-
cus, durch den mechanischen Zug zu Stande gekommen ist, welchen die sich
ausstülpende Drüsenmasse auf die Darmwand ausübte und daher als eine
secundäre Folge der anomalen Drüsenbildung zu· betrachten ist. W.

Dr. Barth in Leipzig (58) beschreibt einen Fall von **hochgradiger
Coprostase in Folge einer durch zu langes Mesocolon zu Stande gekommenen Darmvorlagerung** bei einem $10\frac{1}{2}$jährigen Knaben. Schon von den
ersten Tagen seines Lebens bis gegen das Ende des ersten Jahres konnte nur
durch Klystire Stuhl herbeigeführt werden. Eine geregelte Diät brachte endlich einen normalen Zustand hervor, das Kind nahm ein kräftiges Aussehen an.
Im weiteren Verlaufe trat wieder Verstopfung ein, so dass ungefähr nur alle
2 Tage spärliche harte Massen abgingen. Gleichzeitig zeigte der Leib bedeutende Auftreibung und Schmerzhaftigkeit und es musste der massenhafte, harte,
den Mastdarm ausweitende Koth auf mechanischem Wege entfernt werden.
Auch hiernach waren längere Zeit fast normale Verhältnisse eingetreten, bis im
6. Jahre sich das frühere Leiden wieder einstellte. Das Befinden wurde wieder
ein leidliches und im Sommer 1869, als das Kind $10\frac{1}{2}$ Jahre alt war, zeigte
sich eine weitere Verschlimmerung. Als er Anfangs September in Behandlung
kam, fiel vor Allem an dem sehr abgemagerten Knaben der hochgradig aufgetriebene Leib auf, der ein gerades Gehen des Patienten hinderte; seit mehreren

Wochen war der Stuhl immer spärlicher geworden, endlich ganz ausgeblieben; der Kräftezustand hatte wesentlich abgenommen. Die unregelmässige Form des Leibes nahm beim Reiben desselben wesentlich zu und es wurden zwei grosse, cylindrische Geschwülste fühl- und sichtbar, deren eine grössere von der rechten Inguinalgegend nach dem linken Rippenrande verlief, während die kleinere den links unten liegenden Raum erfüllte. Zwischen beiden fand sich eine tiefe schräg verlaufende Furche. Die Percussion war über diesen Geschwülsten tympanitisch gedämpft, nach rechts voll tympanitisch. Es gelang in der ersten Zeit durch Verschieben der Geschwulst eine etwas andere Lage zu ertheilen, sie kehrte jedoch bald in die frühere zurück. Beim Eingehen in den Mastdarm zeigte sich dieser trocken, durch reichliches, oft abgehendes Gas erweitert; ab und zu fanden sich spärliche, trockene krümliche Massen daselbst. Mittelst eines Darmrohres, welches gegen 40 Ctmtr. hoch eingebracht werden konnte, wurden nun mehrere Wochen lang täglich 3 Spritzen lauwarmes Wasser eingebracht, welches aber meist kaum gefärbt ablief; gleichzeitig wurden täglich 5—10 Grmm. Rheum gegeben. Die Beschwerden nahmen zu. Am 1. October war der Unterleib hochgradig aufgetrieben, der Thorax in den unteren Theilen bedeutend erweitert, der Herzstoss im 2. Intercostalraum fühlbar. Die Geschwulst war nicht mehr beweglich und auf der rechten Seite fand sich neben der Hauptgeschwulst noch eine dritte dünnere vor, die ebenfalls tympanitisch gedämpften Ton gab. Seifenklystiere entleeren mehrere Kirschkerne und spärlichen Koth. Ol. crotonis und Calomel bleiben unwirksam. 11. October: Mehrmaliges Erbrechen nach Koth riechender flüssiger Massen. 12. October Abends: Klonische Krämpfe bei vollkommen aufgehobenem Bewusstsein. Vom 14. October an wurde täglich mehrere Male eine Viertelstunde lang anhaltend laues Wasser mittelst des Darmrohres eingeleitet, worauf durch Faeces stark gefärbte Flüssigkeit, sowie auch mehrere festere kleine Kothknollen abgingen und man schon am 15. October in einer Höhe von 20 Ctmtr. auf feste Massen mit dem Rohre gelangte. Dabei Befinden und Appetit gut. 20. October: Plötzliches Erbrechen, intensiver Leibschmerz, rascher Collapsus, Zunahme des Meteorismus und allgemein tympanitische Percussion am Unterleib. Tod am 21. October Früh. — Section: Das Mesocolon descendens bedeutend lang, in Folge dessen wendet sich das Colon descendens in der linken Inguinalgegend in grosser Biegung nach der Ileocoecalgegend, um von hier nach dem linken Hypochondrium zu verlaufen. Dieser Theil des Darms ist am meisten erweitert (Durchmesser 16 Ctmtr., Umfang 45 Ctmtr.) und zeigt auf der Höhe dieses Wulstes in Mitten einer ulcerirenden Stelle der Innenfläche eine hirsekorngrosse Perforationsöffnung. Vom linken Hypochondrium steigt das Colon allmählig dünner werdend in das normal gelagerte Rectum herab. Herausgenommen hatte der Dickdarm eine Länge von 140 Ctmtr. und enthielt 12 Pfund breiiger Kothmassen und reichliches Gas. Die Darmwandungen über 4 Milmtr. dick. — Das Colon descendens war somit 180° um seine Achse gedreht und gleichzeitig so gelagert, dass es auf das Ende der Flexura sigmoidea drücken musste; ein zweite Achsendrehung, aber in der entgegengesetzten Richtung erlitt die Mitte der Flexur. Das Geschwür in der Flexura sigmoidea hatte sich jedenfalls dadurch ausgebildet, dass der übermässig gefüllte und gespannte Darm längere Zeit dem Rippenrande angelagert und die Reibung daselbst vielleicht noch dadurch vermehrt war, dass ein bei der Section tiefer gelegener steinharter Kothpfropf früher diese Stelle innegehabt hatte.   **W.**

K. v. Mosengeil in Bonn (59) theilt einen Fall von **Invagination** mit
später erfolgtem **Prolapsus** bei einem 7 Monate alten Knaben mit. Derselbe
soll nach Aussage der Mutter vor 14 Tagen erkrankt sein, was sich durch zeit-
weiliges heftiges Schreien des bis dahin ruhigen Kindes und durch Bleich-
werden des früher sehr gesund aussehenden Knaben documentirte; besonders
soll er bei der Defaecation in der letzten Zeit geschreen haben. Vor 4 Tagen
war der letzte Stuhlgang erfolgt, verstopft war das Kind öfter schon früher.
In dieser Zeit machte das Kind oft vergebliche Anstrengungen sich zu entleeren, schrie dann dabei und presste bei allmäliger Eröffnung des Afters eine
rothbraune Geschwulst bis in das Niveau der Aftermündung. Die Percussion
des stark gespannten Abdomen zeigte, dass das Zwerchfell sehr hoch stehe.
Bei der inneren Exploration des Afters mittelst des Fingers fand sich ein von
der linken und hinteren Seite des Rectum's hervortretender Tumor von glatter
Schleimhaut überzogen und von nicht unbeträchtlicher Consistenz. Nach ver-
geblichen Anstrengungen der Bauchpresse erfolgte öfter Erbrechen. Wiederholte Versuche mit dem Katheter oder ähnlichen Instrumenten die Wegsamkeit
des Darmrohrs herzustellen, waren erfolglos; hierbei, sowie nach Wasserinjectionen wurde nur ein wenig Schleim und abgestossene Schleimhautfetzen entleert. Der Katheter liess sich 12 Ctm. weit an der Geschwulst vorbei einführen. Am Tage darauf, nachdem das Kind auf die Bonner Klinik aufgenommen worden war, trat der Tumor zum After hervor und blieb prolabirt. Der
neben ihm in den After eindringende Finger fühlte vom Tumor einen harten,
festen, an Durchmesser den Tumor fast erreichenden Strang nach oben gehen.
Zugleich fühlte man im grösseren Theile der Peripherie mit der äussersten
Fingerspitze das Darmrohr oben taschenförmig umgestülpt. Am anderen Tage
war noch mehr von der Geschwulst herausgetreten und man sah jetzt an
ihrem unteren Ende eine Oeffnung, in welche sich ein flexibler Katheter einführen liess, wonach das Ganze reponirt wurde. Mit einem Irrigator wurde
jetzt lauwarmes Wasser injicirt und eine reichliche Entleerung von Faecal-
massen erzielt, worauf der Unterleib weich wurde, das Kind sich wohler zu
befinden schien und die Brust besser nahm. Leider stellte sich die Invagination nach einigen Stunden wieder her, es war jedoch unmöglich, die vorige
Procedur nochmals zu wiederholen. Nach 3 Tagen gingen ziemlich viele nekrotische Gewebsfetzen mit schleimig-seröser Flüssigkeit ab und auch am
unteren Theil der Geschwulst sah man, wenn dieselbe beim Drängen des Kindes in das Niveau des sich dann weit öffnenden Afters vortrat, weissgelbe
nekrotisirende Schleimhaut. Der Unterleib war hart, die Farbe des Kindes
wurde immer bleicher, der Puls klein, schnell; Erbrechen erfolgte wiederholt.
Auf ein spontanes Abstossen des intussuscipirten Darmstückes zu warten,
schien gefährlich und man entschloss sich am anderen Tage zur Enteroto-
mie. Es wurde in der linken Lendengegend ein künstlicher After angelegt
und man fand im Lumen des eröffneten Darmes das invaginirte Darmstück,
neben dem der Katheter noch weit nach oben vordringen konnte. Es lag also
die Stelle, von der aus die Intussusception begonnen, sehr weit oben und hätte
daher dieselbe Operation, wo möglich, rechts wiederholt werden müssen.
Nach 2 Tagen collabirte das Kind, nachdem in der Nacht vorher aus der
Wunde eine reichliche Menge serös-blutiger, brauner Flüssigkeit mit viel
abgestorbenen Gewebsfetzen ausgeflossen war, und starb in der folgenden
Nacht. Die Section wurde nicht gestattet.   **W.**

Auch Dr. **Wilks** (60) berichtet über eine **Intussusception** bei einem 6monatlichen Kinde. Dieses schrie plötzlich auf, während es an einer Brodkruste saugte, wurde ohnmächtig und kalt. Nachdem es wieder erwacht, schrie es fortwährend und entleerte in der folgenden Nacht häufig Blutklumpen aus dem Mastdarm. **W.** fand das Kind stark collabirt, links und oben vom Nabel einen harten Tumor und bei der inneren Untersuchung 4″ vom After eine rundliche Hervorragung mit centraler Oeffnung. Durch Insufflation von Luft mittelst eines Blasebalges während der Chloroformnarkose gelang es, den Darm zu reponiren, worauf in einigen Tagen alle Krankheitserscheinungen schwanden. — **W.** hat auch Fälle beobachtet, die er für chronisch verlaufende Intussusceptionen hält; sie boten ausser der Geschwulst und mehr oder weniger heftigen, von hier ausgehenden Schmerzen keine weiteren Symptome. Abführmittel änderten an solchen Tumoren nichts; sie verloren sich von selbst, nachdem sie durch Wochen bestanden und zugleich mit der Intensität der Schmerzen zu- und abgenommen hatten. **W.** ist daher der Ansicht, dass unter günstigen Umständen Intussusceptionen wochenlang bestehen können, ohne dass Strangulation eintritt. **W.**

Wir kommen nun zu der Abhandlung des Dr. **Pilz** in Stettin (61) über **Invagination**, welche einen von Dr. Steffen, dann einen zweiten von Dr. Ecker beobachteten Fall zu Grunde legt, woran sich eine ganz ausgezeichnete kritische Revue der in der Literatur zerstreuten Fälle dieser Art, und einiger hierher gehörigen Abhandlungen knüpft. — Die erste Beobachtung betraf einen 3 Monate alten kräftigen und bisher gesunden Knaben, der hauptsächlich mit Muttermilch ernährt wurde und bei welchem plötzlich und ohne nachweisbare Ursache heftige Schmerzesäusserungen (?) des Morgens ein Stuhlgang, von gelblicher Farbe und normaler Consistenz, im Laufe des Tages aber Erbrechen oder vielmehr Hervorquellen der Milch nach jedesmaligem Anlegen des Kindes an die Brust erfolgte. Der Leib war anfänglich nicht aufgetrieben, die Eigenwärme nicht erhöht, am 2. Tage der Erkrankung geringe Blutspuren in den Windeln, am 3. zuerst eine mit Schleim gemischte, dann eine rein blutige Entleerung nach mehr als 24 ständiger Obstipation; beginnender Verfall, Wimmern, am 4. Tage wird das Erbrechen selten, doch der Unterleib aufgetrieben, empfindlich und am Abend tritt zum erstenmale Kotherbrechen und wieder eine rein blutige Ausleerung ein, der später eine mehr mit Schleim gemengte folgt. Am 5. Tage wurde Dr. Steffen gerufen, welcher starken Meteorismus constatirte, aber keinen tastbaren Tumor in dem schmerzhaften Unterleibe auffand, der Verfall war hochgradig, Puls 120, Extremitäten kühl. Eine Stunde später erfolgte der Tod. Die Leichenschau musste auf die Eröffnung des Unterleibes beschränkt werden; nach deren Vornahme die Dünndarmwindungen stark gebläht hervortraten und sich nach vorsichtiger Verschiebung derselben in der Bauchhöhle nichts als ein etwa 20 Grammes betragender Erguss einer nicht ganz klaren Flüssigkeit in der Fossa iliaca dextra vorfand. Magen und Dünndarm waren fast leer. Am Endtheile des Ileums vermisste man das Coecum und Colon ascendens, während das Dünndarmende wie abgeschnitten sich scheinbar in den Quertheil des Colons fortsetzte, welcher erstere schräg vor der Wirbelsäule aufwärts stieg und an der flexura coli sinistra in normaler Weise in das Colon descend. überging. Bei näherer Untersuchung sah man das wurstförmige Invaginationsstück an der Oberfläche stärker geröthet als die übrigen Darmtheile. Die Geschwulst fühlte sich teigig, weicher im Endtheile des Colons an und zeigte neben dem eingeschobenen Ileumende

ein kleines Stückchen des proc. vermiformis hervorragen. Nachdem die mittlere
und äussere Schicht von der Eingangspforte her durch einen Längenschnitt
gespalten war, erkannte man die innerste Schicht gebildet vom Ileum mit ihrem
Mesenterium, parallel gelagert den wurmförmigen Anhang; die mittlere Schicht
wurde von Coecum und einem Theil des Colon ascendens gebildet, während als
Scheide der (doppelten Ref.) Intussusception ein Theil des Colons transv. und
das Colon descendens verwendet erschienen. Reichliche Exsudatmassen fanden sich in allen Lagen vor.

In dem zweiten Falle, der einen 6jährigen Bauernsohn betraf, wurde die
Section nicht gestattet, doch war nebst anderen die Diagnose unzweifelhaft
machenden Erscheinungen mit einem Stuhlgange eine feste Masse entleert
worden, die sich als ein etwa $1/_3$ Elle langes Stück des Dünndarmes erwies.
Obwohl nach dieser Entleerung der Zustand des Patienten wesentlich gebessert
erschien, trat 14 Tage später eine plötzliche Verschlimmerung, grosse Schmerzhaftigkeit und Meteorismus, Stuhlverhaltung, Erbrechen, äusserst kleiner,
beschleunigter Puls und der Tod in Folge perforativer Peritonäitis ein.

Nach diesen hier gegebenen Beobachtungen und einer reichhaltigen,
162 tabellarisch geordnete Kinder betreffenden und noch einige andere im Auszuge mitgetheilte Fälle umfassenden Casuistik entwirft nun P. nachstehendes
Krankheitsbild des betreffenden Leidens für das frühe Kindesalter: Selbst bei
Kindern, welche bisher gesund gewesen, und an keinen Unterleibsstörungen
gelitten haben, tritt plötzlich Unruhe, Drang zur Stuhlentleerung ein, welche
entweder normale, oder mit Blut gemischte Stuhlgänge liefert, oder es gehen
gar keine Faeces sondern nur blutige Ausleerungen ab; die kolikartigen Schmerzen treten anfallsweise auf, bald beginnt ein häufiges und reichliches Erbrechen
jeglicher Nahrung, anfangs der im Magen enthaltenen Massen, später auch
gelblich oder grünlich gefärbter Massen, welche häufig sehr übel riechen,
während es seltener zu eigentlichem Kotherbrechen kommt. Mitunter eröffnet das Erbrechen den Reigen der Erscheinungen, und die Kolikanfälle und
blutigen, resp. blutig-schleimigen Entleerungen folgen erst später. Die Intensität dieser Erscheinungen steigert sich im weiteren Verlaufe, sinkt jedoch
gegen das Ende der Krankheit. Meist fehlt jedes Fieber, die Eigenwärme
ist normal, Durst und bedeutende Prostration der Kräfte, Verfall des Gesichtes, beschleunigter kleiner Puls pflegen sich bald einzustellen; nicht selten lässt der anfangs weiche, nicht schmerzhafte Leib eine wurstförmige,
meist unempfindliche Geschwulst in der linken Bauchseite oder Umgebung
des Nabels entdecken; später erst beginnt der Bauch aufgetrieben und
schmerzhaft zu werden; gegen das Ende ist öfter ein Tumor im Darmlumen
durch den After zu fühlen, ja es wird die Geschwulst vor dem After sichtbar. Erfolgt keine Naturheilung durch Elimination des Intussusceptum, so
erfolgt der Tod binnen wenigen Tagen. Die Invaginationen kommen am häufigsten bei Kindern und unter den letzteren im 1. Lebensjahre vor. Die Zahl
der Knaben ist unter den Erkrankten vorwiegend. Das männliche Geschlecht
bildet überhaupt die Mehrzahl der Ergriffenen, bei Kindern noch vorwiegender
als bei Erwachsenen. Von 162 Fällen 72 Kn., 39 M., 51 ohne Angabe des
Geschlechtes; unter 91 Kindern im ersten Lebensjahre 34 Kn., 34 M., 23
ohne Angabe.

P. bemerkt mit Recht, dass ein anatomischer Grund für diese Bevor-
zugung des männlichen Geschlechtes weder in Verschiedenheiten der Structur
des Darmes noch in der Anheftungsweise desselben zu finden sei. P. hatte nicht

erst nöthig mit Anziehung der Quetelet'schen (ziffermässig nicht ganz richtigen Ref.) Daten über die grössere Sterblichkeit der Knaben die Möglichkeit
zurückzuweisen, dass die grössere Anzahl solcher Erkrankungen nicht auf
der grösseren Menge der zur Welt kommenden Kinder männlichen Geschlechtes beruhen könne. Dieser Gegengrund gegen eine solche Annahme, wenn sie
nicht an sich unhaltbar wäre, würde nicht schlagend sein, da Todtgeburten,
Monstrositäten, Missbildungen, Kephalohämatome etc. gleichfalls in einer die
Procentverschiedenheit der Geburtszahlen der beiden Geschlechter weit über-
treffenden Mehrheit, und zwar zu einer Zeit Knaben betreffen, wo das Sterb-
lichkeitsmoment das ursprüngliche Zahlenverhältniss noch nicht veränderte.

Bezüglich der Aetiologie widerspricht P. gestützt auf die Ergebnisse
seiner Zusammenstellung auf das entschiedenste der Behauptung Vogel's,
dass der Invaginationsbildung meist langwierige Durchfälle vorangehen. Das
wichtigste Moment für die Invagination des Ileumendes und des Dickdarmes
dürfte P. zufolge in der laxen Befestigung desselben und überhaupt in anato-
misch-mechanischen Verhältnissen zu suchen sein. Nicht nur das Coecum,
sondern ebenfalls das Colon ascend. und descend. besitzen nach P.'s Erfahrung in Kinderleichen ein oft mehr als handbreites Mesocolon und sind besonders das Coecum und der aufsteigende Grimmdarm einer grossen Verschiebung
fähig. Namentlich sind hier die Verhältnisse des Dünn- zum Dickdarme zu
beachten. Das Ileum senkt sich unter einem spitzen Winkel in eine Seiten-
wand des Dickdarmes ein, und grenzt dadurch äusserlich durch einen unteren
blindsackartigen Theil Coecum oder caput coli von dem eigentlichen Colon
ab; die das Lumen begrenzende Schleimhaut setzt sich mit Bildung einer
unteren und einer oberen Duplicatur in die des Coecums und Colons fort;
die obere grössere, sichelförmige Falte an der Umschlagsstelle zum Colon bildet mit der unteren kleinen, halbkreisförmigen Duplicatur einen elliptischen
Spalt. An dieser Lippenbildung ist nur die Kreisfaserschicht des Dünndarms
betheiligt, während die Längsmusculatur abgehoben, an den beiden Falten-
stellen zu der Längenmuskelschichte des Dickdarms übergeht. Dieser Bau
mit der laxen Befestigung des Coecums machen die leichte Entstehung an dieser Stelle erklärlich, besonders wenn die Contraction der circulär verlaufenden Fasern, die Stärke und Integrität der Klappe vermindert sind, wo die
verstärkte Längsmusculatur diese Hindernisse leichter überwinden und gerade
die Klappe selbst invaginirt wird und den Anfang (resp. das weitest vorgerückte Ende) der Intussusception bildet.

Das Zustandekommen der Invagination ist selbst bei solchen prädispo-
nirenden Verhältnissen schon schwieriger zu erklären. P. erkennt in dem
von Eichstedt an Kaninchen beobachteten Vorgange die wohl häufigste
Form. Dieser sah ein Darmstück sich stark contrahiren, dann begann das
obere Ende stärkere peristaltische Bewegungen zu machen und darauf fing
der zunächst unter der contrahirten Stelle gelegene Theil sich antiperistaltisch
zu bewegen; da nun die ersteren Bewegungen stärker als die letzteren waren,
so wurde die verengte Stelle in den sich antiperistaltisch bewegenden Darm-
theil hineingetrieben. Dabei wird natürlich von solchen Ausnahmsfällen abgesehen, wo ein Tumor in der Darmwand durch seinen Zug den ersten Anstoss zur Einschiebung gibt. Die Annahme, dass mechanische Erschütterungen
des Körpers (Springen, Schwingen, Schaukeln der Kinder) oder Reize auf die
Schleim- oder Muskelhaut des Darmes, oder Krampf der Eingeweide (nach
Drasticis, Emeticis) die Gelegenheitsursachen zur Entstehung von Invagina-

tionen abgeben sollten, ist leichter in plausibler Weise auszusprechen, als nach objectiven Beobachtungen zu begründen. Wenn gleich die Einschiebung in der Regel eine absteigende ist, so wurden doch auch einige Male aufsteigende beobachtet. Für das sicherste diagnostische Merkmal — wo man es findet — sieht **P.** die Constatirung eines Tumors im Abdomen an, der gar nicht selten nachzuweisen ist und nur dort kaum tastbar ist, wo die Invaginationen den Dünndarm betreffen. Die Geschwulst wird durch die wurstförmige Invagination selbst gebildet. — Die Prognose ist nach den gesammelten Erfahrungen überhaupt eine traurige, der Ausgang war bei Einschiebungen durchaus lethal. Der Genesungsausgang durch Elimination ist weit seltener bei Kindern als bei Erwachsenen.

Für das empfehlenswertheste und rationellste therapeutische Verfahren werden vom Verf. die Injectionen von Luft oder Wasser, überhaupt Versuche, die Reposition auf mechanischem Wege zu erzielen, erklärt, wohin auch die Einführung einer mit Schwämmchen armirten (am besten Schlund-) Sonde gehört, welche erstere Methode (speciell Wasserinjectionen) unter 20 Versuchen 12 mal und die letztere unter 12 Fällen 5 mal zur Heilung führte. Von den öfters mit Glück in solchen Fällen vorgenommenen Laparotomien, von denen Vogel spricht, fand **P.** keine Spur in der Literatur der Invaginationen (Ref. auch nicht), obwohl sich den von Pilz angeführten unglücklich abgelaufenen Fällen noch einige andere, z. B. der von J. Ridge im Jahre 1854 veröffentlichte (Prag. Vierteljahrschr. Bd. 45) anreihen liessen.   R.

Daran schliessen sich zwei Beobachtungen **geheilter Invaginationen** beschrieben von Dr. **B. Wagner** (62), von welchen der leichtere einen 2jährigen, mässig kräftigen Knaben betraf, der früher nie an bedeutenden Durchfällen gelitten und vom Morgen des Tages, an welchem **W.** zu ihm gerufen wurde, viele dünne schleimige spärliche Stühle, denen erst seit einigen Stunden etwas Blut beigemischt war, entleerte, immer nach dem Nachtgeschirre verlangte und über Leibschmerzen klagte. Der Knabe war fieberlos, die Pulsfrequenz gesteigert, Durst bedeutend. Die linke untere Bauchgegend schmerzhaft, keine Geschwulst, der After geschlossen, beim Einführen des Zeigefingers, das dem Knaben sehr schmerzhaft war, fand **W.** 2 Zoll hoch die Invagination ähnlich einem Muttermunde. Mit einem guten Blasebalge gemachte Lufteinblasungen bewirkten, dass **W.** schon nach dem 6. Drucke ein kollerartiges Geräusch vernahm und am After sich dünnflüssiger Koth zeigte. Nach einigen weiteren Insufflationen erschien reichlicher dünner Stuhl, bei der Untersuchung war die Invagination verschwunden. Das Kind erholte sich rasch und blieb seitdem (1½ Jahre) wohl.

Der zweite Knabe war 4 Jahre alt, von scrofulösem Habitus, aber sonst gesund, klagte eines Tages (bis zu welchem er völlig wohl war) plötzlich über Leibweh, worauf eben so wie im ersten Falle häufige dünne schleimige Stühle folgten; Tenesmus bedeutend, in der Nacht grünliches Erbrechen, Ructus, Blutspuren in den Stuhlentleerungen; am nächsten Morgen verfallen, bleich, kühl, fieberlos, mässig hohe Pulsfrequenz. Links vom und unterhalb des Nabels war an dem aufgetriebenen Unterleibe eine kinderfaustgrosse Geschwulst tastbar, welche nach ihrer Lage dem absteigenden Colon entsprach und an welcher Stelle die Betastung schmerzhaft war. Der Stuhl war grau mit Blutstreifen versehen, per anum war nichts Abnormes zu fühlen. Klysmen und etwas Rhabarberdecoct hatten keinen Erfolg; das Kind verfiel, obgleich kein Erbrechen stattfand; und es wurden wieder Luftinjectionen in Anwendung gezogen. Nach 8maliger Entleerung des Blasebalges vernahmen sowohl die Mutter des Kindes als W. ein deutlich krachendes Geräusch, kurz nachher entleerte sich reichliche, schleimige Flüssigkeit, welcher breiiger Stuhl folgte — und der Tumor war verschwunden. Sofort fühlte sich auch das Kind besser, die Palpation war weniger schmerzhaft. Es wurden kalte Klysmen gegeben, die Entleerungen waren schleimig, nicht blutig, doch klagte das Kind anhaltend über Leibschmerz und war die Nacht über sehr unruhig. Am anderen Morgen glaubte W. die Geschwulst wieder zu tasten, wenn gleich kleiner. Wiederum vorgenommene Injectionen brachten kein ähnliches Geräusch hervor, doch nahm die Schmerzhaftigkeit ab, das Kind wurde ruhiger, der Gesichtsausdruck lebhafter und es verlangte nach Nahrung. Von jetzt an wurden nach fortgesetzten Klysmen, die mit etwas Essig versetzt waren, und bei mehr flüssiger Nahrung — rohen Eiern, Wein etc. — die Stühle breiig, wenig zahlreich; nach 10 Tagen war das Kind vollkommen genesen.   R.

Ebenso theilt Lucas (63) die Heilung einer Intussusception durch Lufteinblasen bei einem 4monatlichen Kinde mit, welches plötzlich unter Erbrechen, Stypsis, bald darauf folgendem Blutabgang aus dem Rectum und grossem Collapsus erkrankte. Die Luft wurde mittelst eines Blasebalgs in den Darm gebracht, worauf sich der Leib bald unter gurrendem Geräusch aufblähte. Innerlich bekam das Kind fünfstündlich 1 Tropfen Opium und stündlich 12 Tropfen Brandy, worauf es sich allmälig erholte und nach einigen Tagen auch normale Stühle eintraten.   W.

Endlich beschreibt auch Dr. O. Groos (64) einen Fall von Invagination, den er bei einem halbjährigen, mit habitueller Stypsis behafteten, sonst stets gesunden Knaben beobachtet hatte. Nach einem zähen, dicken Stuhl begann das Kind mit Händen und Füssen um sich zu schlagen und sich krampfhaft an die Mutter anzuklammern. Nach 1½ Stunden mehrmalige Entleerung von Blut aus dem After. Die am folgenden Morgen vorgenommene Untersuchung ergab einen länglich runden, etwas beweglichen Tumor zwischen Symphyse und Spina ant. sup. ossis ilei. Per anum entdeckte man in der Höhe des Promontorium eine weiche, zapfenförmige, etwas verschiebbare Anschwellung; zeitweiser Ausfluss von wässrigem Blut neben spärlichen dünn fäculenten Massen. Repositionsversuche mit dem Finger, später durch Injection von Wasser blieben erfolglos. Im Laufe des Tages viel schleimiges Erbrechen. 2. Krankheitstag: Derselbe Ausfluss aus dem After; das eingestülpte Darmstück steigt fast bis zur Oeffnung des Afters herab. Gesicht verfallen, kühl, blass; heftiger Durst. Repositionsversuche mit einer Schlundsonde haben keinen Erfolg. 3. Krankheitstag: Abdomen mehr aufgetrieben, Kotherbrechen, Tenesmus mit Entleerung einer bräunlichen, fötiden Flüssigkeit. Erhöhte Körpertemperatur, zunehmender Collapsus. Abdomen auf Druck schmerzhaft, der Tumor prolabirt per anum. 4. Krankheitstag: In der Nacht etwas Schlaf. Abgang fötider Massen unter Tenesmus, reichliches Kotherbrechen. Gesicht noch mehr verfallen, die Haut kühl, bei schnellem kleinen Puls. 5. Krankheitstag: Bedeutender Meteorismus, Geschwulst nicht mehr durchzufühlen. Allgemeiner Collapsus. Zuckungen treten auf. 6. Krankheitstag: In der Nacht allgemeine Krämpfe, gegen Morgen Tod unter den Erscheinungen des Lungenödems. — Section: Peritonitis, Einschiebung des untersten Ileum, Coecum, Colon ascendens und transversum in das Colon descendens;

viele, anscheinend alte Adhärenzen in dem Convolut invaginirter Darmschlingen, woraus hervorgeht, dass der Process der Invagination bereits lange vor Beginn der letzten, zum lethalen Ausgange führenden tumultuarischen Erscheinungen bestanden habe und zwar in der Weise, dass das Darmlumen einen, wenn auch geringen Grad von Durchgängigkeit behielt, und erst durch die zuletzt erfolgte Invagination des Dünndarmstückes der vollkommenen Verstopfung zugeführt wurde. **W.**

Ueber die Extraction einer Nadel aus dem Darme eines 15 Monate alten Kindes berichtet Dr. **Tillaux** (65): Den 20. Februar schluckte ein 15 Monate alter Knabe, welcher auf dem Schosse seiner Amme sass, eine Nadel, welche ihr vom Kopfe aus ihrer Mütze herausfiel. Die Nadel war 7 Centimeter lang, das Köpfchen hatte 12 Millim. im Durchmesser. Das Kind war nach diesem Vorfalle ganz munter, ass und trank, kurz es stellten sich während eines 4monatlichen Landaufenthaltes keine Symptome ein, bis zum 12. Juni, wo Schmerzen auf der rechten Seite des Abdomen auftraten und wo es den Eltern schien, als ob diese Seite etwas angeschwollen sei. Die Eltern kehrten in die Stadt zurück und der herbeigerufene Dr. **T.** constatirte folgenden Befund: An der rechten Seite des Abdomen etwas oberhalb der Fossa iliaca sass ein Tumor von der Grösse eines Hühnereies, welcher die ganze Dicke der Bauchwandung durchdrang. Derselbe war über das Niveau der Haut erhaben, die Haut war prall, gespannt, geröthet, eine ganz deutliche Fluctuation nachweisbar. Das Kind war herabgekommen und vermied ängstlich alle Bewegungen. T. vermuthete, dass die verschluckte Nadel sich nun einen Weg nach aussen bahne und wartete einige Tage, um die etwaigen Adhäsionen des Peritonäums in ihrer Bildung nicht zu stören. Dann machte T. einen Schnitt, weit genug, um den Zeigefinger durch die Wunde einführen zu können, und nachdem sich viel stinkender Eiter entleerte, fühlte T. mit der Spitze des Zeigefingers ganz deutlich die Nadelspitze in der Abscesshöhle, welche er mit einer Kornzange erfasste und so die Nadel bis zum Köpfchen hervorzog. Die weitere Extraction wollte durchaus nicht gelingen, weil, wie sich T. überzeugte, das Köpfchen noch im Darme steckte. Zwei Wege waren es nun, welche T. vor sich sah, um die Nadel zu entfernen. Entweder konnte er den Schnitt bis in den Darm verlängern, oder konnte er nach Trélat den Kopf abzwicken und ihn dem spontanen Abgange überlassen. Da jedoch im ersten Falle bei günstigsten Verlaufe ein anus praeternaturalis zurückgeblieben wäre, so wählte T. den zweiten Weg, zwickte $2/3$ der Nadel ab und in 3 Tagen zeigten die Eltern dem Verf. das mit dem Stuhle abgegangene Nadelstück. Das Kind war sehr bald wieder vollkommen hergestellt. T. knüpft daran eine Epikrise über den Gang der Nadel, doch ist dieser Gang zu klar, als dass man hier noch weiter es bemerken müsste. **J.**

Harn- und Sexualorgane.

(66) Prof. Steiner und Dr. Neureutter: Die Krankheiten der Harnorgane im Kindesalter. Vierteljahrschr. f. pr. Heilk. 106. p. 60.

(67) Prof. L. Thomas: Klin. Studien über die Nierenerkrankung bei Scharlach. Arch. d. Heilk. Bd. XI. p. 130 u. 449.

(68) Dr. A. Baginsky: Experimentelle Studien über die Nierenerkrankungen im Scharlach. Centralbl. f. m. W. 1870 p. 497.

(69) Dr. Ahlfeld: Blutung aus beiden Nebennieren bei einem neugeborenen Kinde. Arch. d. Heilk. XI. p. 491.

(70) Dr. Fiedler: Fettige Degeneration der rechten Nebenniere bei einem 4 Tage alten Kinde. Arch. d. Heilk. XI. p. 301.

(71) Ticier: Extraction einer Nadel aus der Harnröhre. Bullet. d. Therap. LXXIX.

(72) Dr. D. Hausmann: Die Parasiten der weiblichen Geschlechtsorgane. Berlin 1870.

(73) Dr. Wegscheider: Grosser Ovarialtumor bei einem 12jährigen Mädchen. Beitr. z. Gebtsh. u. Gynäkol. I. 1870. Sitz. Ber. p. 35.

Steiner und **Neureutter** in Prag (66) geben die Fortsetzung ihres Aufsatzes über die **Krankheiten der Harnorgane** im Kindesalter (siehe Sammelber. des II. Bd. p. 281). Die durch Nephritis albuminosa bedingten Erscheinungen im Nervensystem machen in der Regel den Anfang der urämischen Erkrankung, nicht selten stellen sich jedoch die gastro-intestinalen Erscheinungen zuerst ein, oder es entwickeln sich die nervösen und gastrischen Symptome gleichzeitig. Sämmtliche nervöse Symptome, welche den Morb. Brightii im Kindesalter begleiten, lassen sich in Zeichen der Hirnreizung und des Hirndruckes unterscheiden; die ersteren gehen bei acutem Verlaufe des Nierenleidens den Zeichen der Depression voran, während bei mehr subacutem und chronischem Verlaufe der Krankheit sich die Symptome der cerebralen Depression zuerst und allmälig entwickeln und schon längere Zeit andauern können, ehe die Zeichen der Hirnreizung hinzutreten, was in der Regel erst kurze Zeit vor dem Tode geschieht. Ferner macht sich unter den nervösen Symptomen namentlich bei älteren Kindern constant Kopfschmerz, fast stets in der Stirngegend, bemerkbar. Jüngere Kinder geben denselben durch einen schmerzhaften Gesichtsausdruck oder durch häufiges Greifen nach dem Kopfe zu erkennen. Seine Intensität steht in der Regel im umgekehrten Verhältniss zur Diurese. Neben dem Kopfschmerz äussert sich namentlich in auffälliger Weise das Gefühl der geistigen Abspannung und Hinfälligkeit. Diese Apathie wechselt namentlich in Fällen, wo die serösen Ergüsse ins Pericardium schon einen höheren Grad erreicht haben, mit einer quälenden Unruhe ab, so dass die Patienten sich hin und herwerfen, rasch aufsetzen, um gleich darauf vor Schwäche wieder umzusinken. Ein häufiges Symptom sind die Convulsionen; sie treten häufig gleich im Beginne der Nierenerkrankung auf, obwohl man bei gewissenhafter Harnuntersuchung wenigstens 3—4 Tage vor ihrem Ausbruche Zeichen der bestehenden Nierenerkrankung findet. Die Convulsionen sind entweder nur partielle, schnell vorübergehende oder allgemeine und mit kurzen Pausen oft wiederkehrende. Die Convulsionen im Beginne

einer Nephritis diffusa haben prognostisch nicht jene schlimme Bedeutung,
wie die convulsivischen Anfälle zu Ende des Morb. Brightii, indem letztere fast
stets die Vorboten des Todes sind. Je jünger das Kind, desto früher und
heftiger kommen die Convulsionen zur Entwicklung. Kommen bei mehr
schleichendem Verlaufe der Nephritis diffusa die Zeichen der Urämie nur allmälig zu Stande, so stellen sich die Convulsionen gewöhnlich erst auf der
Höhe der urämischen Blutvergiftung und kurz vor dem lethalen Ausgange ein.
Hand in Hand mit den Convulsionen und durch letztere vielfach unterbrochen,
stellt sich bei solchen Kranken ein mehr weniger tiefer Sopor und komatöser
Zustand ein, welcher auch nach dem Schweigen der Convulsionen oft noch
andauert, um entweder bei reichlicher werdender Diurese zu verschwinden,
oder, was leider häufiger geschieht, bis zum eintretenden Collapsus und Tode
in gleicher Stärke anzuhalten. Ein namentlich bei jüngeren Kindern ziemlich
oft zur Beobachtung kommendes Zeichen urämischer Hirnreizung bildet ferner
das Zähneknirschen während des Schlafes oder soporösen Zustandes. Delirien werden bei Kindern unter 4 Jahren nur selten, vom 5.—6. Lebensjahre
an dagegen ziemlich regelmässig beobachtet; in schlimmeren Fällen von acuter
Nephritis diffusa sahen sie die Vff. selbst als furibunde auftreten und dann
gewöhnlich mit heftigen allgemeinen Convulsionen abwechseln. Endlich kommen auch Störungen des Sehvermögens im Verlaufe des Morb. Brightii im
Kindesalter vor. So beobachteten St. und N. in einigen Fällen von scarlatinösem Morb. Brightii eine vollständige Blindheit, welche nach dem Aufhören
mehrstündiger Convulsionen auftrat und nach 2 — 3tägiger Dauer wieder
schwand oder bis zum Tode anhielt. Auch eine Beobachtung von Hemeralopie
findet sich unter den diesbezüglichen Aufzeichnungen der Vff. Anderweitige
Krankheitserscheinungen, welche neben den bis jetzt aufgeführten Symptomen
den Morb. Brightii in manchen Fällen compliciren, sind katarrhalische und
croupöse Affectionen der Schleimhäute des Nahrungscanals, Bronchialkatarrhe,
Pneumonie, pleuritische Exsudate, Lungentuberculose, Lungenödem. Dilatation
und Hypertrophie des linken Herzventrikels wurde nicht so sehr bei acutem, als
bei chronischem Morb. Brightii vorgefunden. Das einzige subjective Symptom,
welches von älteren Kindern angegeben wird, ist eine Empfindlichkeit oder
wirkliche Schmerzempfindung in der Nierengegend und nach dem Verlaufe der
Ureteren, besonders bei stärkerer Berührung dieser Partien. Als constante
Symptome wurden bereits früher auch die Anorexie und Polydipsie genannt.

Aetiologie. Der Morb. Brightii kann sich bei Kindern in jeder Lebensperiode entwickeln, wird jedoch am häufigsten in dem Alter vom 2.—8.
Lebensjahr beobachtet. Erfahrungsgemäss treten auch in diesem Zeitab-
schnitte die acuten Exantheme, die scrophulösen und tuberculösen Leiden,
sowie die Darmkrankheiten am häufigsten auf, und in der That sind ·es
gerade die erstgenannten Krankheitsprocesse (Scarlatina, Morbilli, Variola),
welche im Kindesalter das Zustandekommen der Nephritis diffusa in unzwei-
felhafter Weise begünstigen. Was zunächst die Scarlatina betrifft, so beto-
nen die Vff. den Satz, dass die Häufigkeit des Morb. Brightii in dieser Krankheit sich nach dem jeweiligen Charakter der Epidemie verschieden gestalte,
und dass es ein statistischer Irrthum wäre, aus den Ziffern einer einzigen
Epidemie das Häufigkeits-Verhältniss überhaupt formuliren zu wollen. Sie
sind ferner der Ansicht, dass die Nierenerkrankung beim Scharlach nichts
anderes sei, als eine dieser Infectionskrankheit eigenthümliche gleichzeitige
Localisirung in dem uropöetischen Systeme, welche ein essentielles Symptom

dieser Krankheit bildet, ganz in derselben Weise, wie das Exanthem und die
fast nie fehlende Angina; dass ferner die Nieren stets und gleich im Beginne
der Krankheit an dem Scharlach participiren, dass jedoch nach dem Charakter
der Epidemien, nach der Individualität und vielleicht auch nach Mitwirkung
äusserer schädlicher Einflüsse die Art und der Grad der Nierenerkrankung
verschieden sich äussern können. Der Morb. Brightii kommt hier dadurch zur
Entwicklung, dass in Folge des Katarrhes der Harnkanälchen eine reichliche
Epithelialabstossung, durch diese eine mechanische Verstopfung der feineren
und eine Kreislaufsstörung in den höher gelegenen Tubulis uriniferis mit
Stauung des Urins eingeleitet wird. Weit seltener als bei Scarlatina kommt
der Morb. Brightii bei Kindern im Verlaufe der Masern und Variola zur Entwicklung; unter 265 Fällen kamen auf Scharlach 36, auf Variola 17, auf
Morbilli 4. Mitunter kömmt zu einer chronischen Form von Morb. Brightii
durch den Hinzutritt eines acuten Exanthems ein acuter, welche Complication
beiträgt, das lethale Ende zu beschleunigen. Diese doppelte Form wurde bei
Scarlatina 10mal, bei Variola 5mal, bei Morbilli 8mal beobachtet. Nach den
acuten Exanthemen sind es ferner die Tuberculose und Scrofulose (105 mal),
welche den Morb. Brightii als entferntere Ursachen im Kindesalter häufig
begünstigen. Zumeist zeigen die Nieren bei diesen beiden Krankheiten die
Charaktere der fettigen Metamorphose, welche bisweilen auch an Leber, Milz,
Herz u. s. w. nachweisbar waren. In einigen hieher gehörigen Fällen konnte
auch die amyloide Entartung der Nierencapillaren als Mittelglied sicher gestellt
werden. In dritter Reihe stehen lang dauernde Eiterungen in Folge von chronischen Knochen- und Gelenksaffectionen nicht scrofulöser und tuberculöser
Natur (22mal), welche im Kindesalter gar nicht selten zur Beobachtung kommen. Auch hier findet sich als veranlassendes Moment des Morb. Brightii die
amyloide Degeneration der Capillaren. Ferner wirken im Kindesalter auch die
Krankheiten des Darmkanals mit dem Charakter der Chronicität (namentlich
der Follicularkatarrh und die Follicular-Verschwärung) als entferntere Ursachen
des Morb. Brightii. Als veranlassender Factor der Nierenerkrankung darf in
solchen Fällen wohl nur eine Nutritionsstörung durch Zufuhr eines ungenügen-
den und qualitativ unbrauchbaren Ernährungsmaterials angesehen werden.
Endlich lernten die Verfasser als entferntere Ursachen der Brightischen Niere
im Kindesalter noch die Cholera, Rachitis, chronische Bronchopneumonie und
Bronchiectasie, pleuritische Exsudate, chronische Hautkrankheiten und Typhus
kennen. — In Bezug auf Verlauf und Ausgang des Morb. Brightii ist zu
bemerken, dass sich derselbe bei Kindern im Allgemeinen schneller und
günstiger abwickle, als bei Erwachsenen; der Grund liegt eben in dem häufiger vorübergehenden Charakter der veranlassenden Ursachen. — Für die Prognose ist das rasche oder schleichende Auftreten der Krankheit, die muthmass-
liche Ausbreitung derselben, die Complicationen und vor allem das ätiologische
Moment von der höchsten Wichtigkeit. Morb. Brightii ohne Hydropsie oder
mit nur geringen ödematösen Anschwellungen verlauft eher günstig, als jener,
wo allgemeiner hochgradiger Hydrops vorhanden ist. Im Allgemeinen ist bei
Kindern die Prognose relativ günstiger als bei Erwachsenen, doch lasse man
sich dadurch nicht täuschen und stelle die Prognose auch bei Kindern immer
mit grosser Vorsicht und als eine zweifelhafte. — Therapie. Im acuten Stadium empfehlen die Vff. die Digitalis oder, wenn diese nicht vertragen wird,
das Nitrum in einer Oleosa; gegen die Schmerzhaftigkeit in der Nierengegend
einen Sinapismus oder Krenteig. Vom Tannin, welches gegen die Albuminurie

empfohlen wird, haben sie keine Erfolge gosehen. Sind in Folge lange andauernder Albuminurie Zeichen der Hydrämie eingetreten, so sind Roborantien,
namentlich Chinaextract, anzuwenden. Den Hydrops hat die wiederholte
Darreichung eines Infus. Sennae oft rasch zum Schwinden gebracht; eine
Contraindication bildet nur eine bereits vorhandene Dysenterie. Beim Auftreten urämischer Symptome sind Mineralsäuren, Chinin wenigstens zu versuchen; das oft sehr hartnäckige Erbrechen macht die Anwendung von
Eispillen, Fruchteis und Sodawasser erforderlich und auch vom Magist.
bismuthi ($^1/_2$ Gr. pro dosi) mit Laudanum sahen St. und N. einigemale
Linderung. Gegen allgemeine Convulsionen haben sich Einwickelungen in
nasskalte Linnen und öfteres Wechseln derselben oftmals bewährt.   W.

Prof. **Thomas** in Leipzig (67) machte die **Nierenerkrankung beim
Scharlach** 'zum Gegenstande eingehender Studien, namentlich um die Frage
zu entscheiden, ob die Affection der Nieren als essentielles Symptom des
Scharlachfiebers, wie F r e r i c h s, R o s e n s t e i n, R e i n h a r d t, E i s e n s c h i t z,
H e n o c h, S t e i n e r wollen, aufzufassen sei, oder ob sie nur eine blosse Complication dieser Krankheit darstelle. Seine Untersuchungen ergaben im Anfange der Krankheit, insbesondere während des Entwickelungs- und Blüthe-
stadiums, ein sehr verschiedenartiges Verhalten des Nierensecretes. Nur
ausnahmsweise erschien schon in dieser Periode Albuminurie und dann nur in
sehr geringer Menge und vorübergehend. In mehreren Fällen wurde sicher
constatirt, dass der eiweisslose Harn in den ersten Tagen der Krankheit die
unzweifelhaften Zeichen eines Harnkanälchen-Katarrhs (getrübte und degenerirte Epithelien in grösserer Menge, Blut, Cylinder) n i c h t enthielt. In verhältnissmässig vielen Fällen zeigte sich bald nach Beginn der Krankheit eine
schleimige Wolke im sonst klaren, eiweissfreien Harn, welche vermehrte Epithelien und früher oder später auch cylinderähnliche, langgestreckte Gebilde
enthielt. Gewöhnlich waren beide Arten von Formelementen nur in mässiger
Menge vorhanden. Selten enthielt der eiweissfreie Harn schon in dieser Periode einzelne wirkliche Cylinder, etwas häufiger einzelne Epithelialcylinder
und zwar weniger ausgebildete Formen dieser letzteren. Dagegen erschienen
bei Eiweissgehalt in dieser ersten Zeit des Scharlach mehr oder weniger reichliche, losgestossene Epithelien, Epithelial- und hyaline Cylinder, sowie cylinderähnliche Gebilde mit und ohne einige Beimischung der Elemente des
Blutes. Es war in solchen Fällen eine allmälige Zunahme der Nierensymptome
während des Bestehens des Exanthems bemerklich, nicht aber stellte sich
eine verhältnissmässig intensive Nierenerkrankung gleich am ersten Tage in
voller Intensität ein, wie dies z. B. mit dem Exanthem der Fall zu sein pflegt.
Demzufolge ist in Th.'s Beobachtungen der Harnkanälchen-Katarrh, übrigens
fast regelmässig nur in seinen gelindesten Formen, ein häufiger, nicht aber
ein stetiger, niemals fehlender Begleiter des Scharlachexanthems gewesen.
Nur ausnahmsweise boten sich Zeichen einer beträchtlicheren Störung der
Harnkanälchen schon in dieser ersten Periode der Krankheit. Am ersten
Tage war die Affection nur selten mit Sicherheit nachweisbar. Hieraus ergibt
sich, dass das Verhältniss des Harnkanälchen-Katarrhs zum Scharlach doch
ein wenig anders ist, als das´ des Katarrhs der Respirationsorgane zu den
Masern. Beide Krankheiten stimmen weder hinsichtlich der Regelmässigkeit
des Auftretens des Katarrhs, noch hinsichtlich der Gleichzeitigkeit seines
Erscheinens und des Erscheinens des Initialfiebers oder des Exanthems oder

des Eintritts der Erblassung desselben mit einander überein, jede hat ihre specifischen Eigenthümlichkeiten. Der Harnkanälchen - Katarrh im Anfange des Scharlachs ist aber sicherlich nicht vollkommen identisch mit ähnlichen mehr oder weniger häufigen, oder ganz regelmässig erscheinenden Erkrankungsformen bei anderen Infectionskrankheiten, z. B. Cholera, Abdominaltyphus, Fleckfieber, Recurrens. Dagegen ist unzweifelhaft der Befund hinsichtlich der Betheiligung der Harnkanälchen bei verschiedenen anderen acuten febrilen Kinderkrankheiten dem des Scharlachbeginnes im höchsten Grade ähnlich. **Th.** beobachtete bei acuter croupöser Pneumonie, Masern, Intestinalkatarrhen, Meningitis, kurz den mannigfaltigsten Störungen oft genug dieselben getrübten Epithelien und Epithelialcylinder, dieselben cylinderähnlichen Körper und selbst wirklichen Cylinder, wie bei Scharlach. Nur mag die Häufigkeit der Nierenaffection bei diesen Krankheiten geringer sein als im Beginn des Scharlachs. Uebrigens ist die Möglichkeit nicht ausgeschlossen, dass auch in den wenigen Scharlachfällen, welche von Anfang an entschiedenere Zeichen einer Störung in den Harnkanälchen (cylinderähnliche Gebilde) dargeboten haben, diese Zeichen schon seit längerer Zeit vorhanden und nicht erst mit Beginn des Scharlach erschienen waren, auch konnten dieselben bereits während des Incubationsstadiums entstanden sein.

Die Frage, ob die Nierenaffection wesentlich Folge des Fiebers oder Folge des specifischen Scharlachprocesses ist, beantwortet **Th.** dahin, dass der letztere neben dem Fieber auf die anatomische Beschaffenheit, sowie die Transsudationsverhältnisse von Einfluss ist, indem er Harnkanälchengerinsel auch in solchen Fällen von Scharlach fand, welche ohne oder fast ohne Fieber auftraten, und dieselben andererseits bei Fortdauer des Fiebers noch in späterer Zeit vermisste. — **Th.** hält die Entstehung der eigentlichen Cylinder mittelst Transsudation durch pathologisch veränderte Epithelien der Harnkanälchen für wahrscheinlicher und mindestens häufiger, als ihre Entstehung durch Degeneration. Was weiter die cylinderähnlichen Gebilde — von ihm Cylindroide genannt — betrifft, so fand er dieselben im ganz normalen Harn Gesunder niemals, dagegen können sie bei scheinbar vollkommen gesunden und sich ganz wohl fühlenden Personen vorkommen. Die im Harne scharlachkranker Kinder vorkommenden stimmen sämmtlich darin überein, dass sie äusserst durchsichtig, zuweilen mit feinsten Uratkörnchen besetzt, meist ungewöhnlich lang und öfters geknickt, gefaltet, auch wohl gespalten und gabelig getheilt sind. Neben ihnen finden sich Epithelialzellen, Epithelialcylinder, selten im Anfang der Krankheit bereits hyaline Cylinder. Ein Theil dieser Cylindroide ist verhältnissmässig breit, doch nicht breiter als breite Exemplare von Cylindern, ziemlich regelmässig parallel contourirt, dabei aber mit Längsstreifung versehen und öfters am Rande leicht zerfasert, etwa so, dass die Längsstreifen in Längsspalten übergegangen zu sein scheinen. Häufig findet man diese Gebilde in der Quere geknickt, auch wohl um ihre Achse gedreht. Sie sind bald dicker, bald dünner, machen im Allgemeinen aber auch bei dickerem Durchmesser niemals den Eindruck einer soliden Walze, sondern nur den eines Bandes. Andere Cylindroide sind etwas schmäler, etwa so breit, wie die gewöhnlichen hyalinen Cylinder, ohne Längsstreifung und ohne gerissene Randlinien, dagegen mit Querknickungen und Querbrüchen versehen — sie machen häufig den Eindruck collabirter Schläuche. Noch andere sind so breit wie schmale Cylinder, ohne Längsstreifung und gerissene Ränder, mit wenig deutlichen Knickungen und ohne das Aussehen collabirter zarter Schläuche, vielmehr von der Gestalt eines schmalen Bandes. Ihre Contouren sind vollkommen parallel; der Unterschied von wirklichen Cylindern liegt vorzüglich in ihrer grösseren Zartheit und weit beträchtlicheren Länge. Endlich gibt es noch äusserst feine faserartige Cylindroide, welche hier und da zu mehreren neben einander liegen und manchmal auch auseinanderweichen. Sie geben dann das Aussehen der vorigen dritten Art, wenn man sich dieselben durch Längsspaltung in einzelne Fibrillen zerlegt denkt. Zwischen diesen vier Hauptformen gibt es die mannigfaltigsten Uebergänge; auch kann ein und derselbe cylinderähnliche Körper an verschiedenen Stellen seiner beträchtlichen Länge eine verschiedene Structur besitzen.

Ausser diesen Formen gibt es nun aber bestimmt noch eine Art von Cylindroiden, die gewissermassen als Uebergangsform zum wirklichen Cylinder aufzufassen ist. Diese Gebilde sind gewöhnlich nicht so lang, wie zumal die schmäleren Formen der Cylindroide, immerhin jedoch viel länger als gewöhnliche hyaline Cylinder. Sie sind ganz regelmässig mit meist vollkommen parallelen Contouren versehen. Ihre Breite pflegt zwischen der der schmalen Cylindroide und der der hyalinen Cylinder die Mitte zu halten, sie erscheinen als entwickeltere Formen der ersteren. Gewöhnlich sind sie äusserst durchsichtig und erhalten höchstens durch ausserordentlich reichliche feinste und hier und da einige gröbere Körnchen einen ganz schwach graulichen Schein. Sie bilden häufig die Masse, aus der in derselben Flüssigkeit gleichzeitig vorhandene Cylinder entstanden sind, welche sich von den gewöhnlichen hyalinen in keinem wesentlichen Punkte unterscheiden. Die Umbildung des Cylindroids in den hyalinen Cylinder kommt dadurch zu Stande, dass das erstere sich korkzieherartig windet, die einzelnen Windungen sich aneinanderlegen und innig verschmelzen, bis die Substanz des nunmehrigen Cylinders gleichmässig erscheint. Aber nicht allein durch die Umbildung gewisser cylinderähnlicher Körper in Cylinder ist die Entstehung der betreffenden Gebilde innerhalb der Harnkanälchen sicher nachgewiesen, sondern auch noch ausserdem durch die Einfügung gewisser innerhalb der krankhaft afficirten Kanälchen befindlichen Elemente in die Substanz dieser Gerinnungen (Blutzellen, degenerirte Epithelien, Epitheldetritus, Eiterzellen). Mit dem Vorschreiten des krankhaften Processes in den Nieren nehmen die Cylindroide im Harn ab und werden durch Cylinder ersetzt, und umgekehrt ersetzt bei der regressiven Metamorphose das Cylindroid den Cylinder. Auf Grund solcher Beobachtungen ist es jedenfalls zweifellos, dass die Mehrzahl der Cylindroide und jedenfalls die mit parallelen Contouren versehenen ihren Ursprung in den Harnkanälchen finden. Nicht ganz so zweifellos ist dieser Ursprung für die breiten, bandartigen, längsgestreiften, zerfaserten Formen sichergestellt. Sie bilden sich gewöhnlich nicht in Cylinder um; auch sind sie keinesfalls als entwickelte, sondern höchstens als rudimentäre Formen der Harnkanälchenausgüsse zu betrachten.

Th. glaubt, die Cylindroide wesentlich aus Eiweiss und zwar dem Eiweiss der Cylinder bestehend ansehen zu müssen; Essigsäure löst sie auf. Andere sehr ähnlich geformte Elemente veränderten sich durch Essigsäure nicht und bestanden also jedenfalls aus Schleimsubstanz; nach Th's. Beobachtungen gehören diese Schleimcylinder zu den seltenen Vorkommnissen. — Während der Verf. im Vorangehenden darzulegen versucht hat, dass in sehr vielen Scharlachfällen, gleichviel aus welcher Ursache, früher oder später nach Beginn der Krankheit Zeichen einer leichten Erkrankung der Nieren im Harn erscheinen, behandelt er im Folgenden jene ungemein häufige Nierenaffection, durch welche, nach mehr oder weniger normalem Verlauf des exanthematischen Stadiums, das ganze Krankheitsbild vom Ende der zweiten oder der dritten Woche an wesentlich bestimmt wird. Letztere charakterisirt sich bei einiger Erheblichkeit durch eine constante und weit bedeutendere Albuminurie als je zuvor durch Ausscheidung von wahren und häufig sehr reichlichen Harncylindern, sowie öfters durch partielle oder allgemeine hydropische Schwellungen: Zeichen, welche mit Bestimmtheit die Anwesenheit einer parenchymatösen Nephritis darthun. In leichten Fällen fehlt aber bekanntlich der Hydrops ganz gewöhnlich, fehlt vielleicht auch die Albuminurie fast vollkommen während der ganzen Dauer der constantesten Zeichen der Nierenstörung, nämlich der Ausscheidung der Harncylinder und ähnlicher Formelemente. Fast die Hälfte der Scharlachfälle, welche die 4. Woche erreichen, zeigte bei des Verfassers Material nephritische Symptome. Der Harn gab folgendes Bild: Im Anfange der Krankheit gewöhnlich hell oder höchstens durch eine leichte Wolke getrübt und dabei ganz oder fast ganz eiweissfrei, beginnt er am Ende der 2. Woche oder bald nachher sich stärker zu trüben. Es erscheinen in ihm zunächst einzelne und allmälich immer reichlichere, bald schmälere, bald breitere, längere und kürzere hyaline Cylinder, meist mit verschiedenartigen zelligen Gebilden und Detritus durchsetzt. Oefters sind diese Cylinder deutlich aus cylindroiden, äusserst lang gestreckten Gebilden hervorgegangen und man kann den directen Uebergang dieser letzteren in die gewöhnlich viel breiteren, parallel contourirten Cylinder verfolgen, deren Ursprung häufig quere Bogenlinien und einzelne einseitige Lücken verrathen, auch wenn die schraubenzieherförmig gebogene Uebergangsstelle zum Cylindroid nicht mehr deutlich sichtbar sein sollte. Neben solchen Cylindern sieht man gewöhnlich auch noch mehr oder minder zahlreiche schmale oder breitere, fadenförmige oder bandartige, parallel oder nicht parallel contourirte, meistens aber sehr lange Cylindroide, und zwar hatten diese bald von Anfang der Krankheit an bestanden, bald waren sie erst wenige Tage vor Erscheinen der Cylinder in dem bis dahin klaren Harn aufgetreten. Ausser diesen langgestreckten Gebilden enthält der Harn in dieser Zeit auch alle jene Elemente frei in der Flüssigkeit, welche in der Grundsubstanz der Cylinder und Cylindroide eingeschlossen sind: rothe und weisse Blutzellen, Epithelzellen fast unversehrt oder gequollen und getrübt, mit deutlichem oder auch ohne sichtbarem Kern, sowie Zellendetritus aus den gröbsten bis zu den feinsten Körnchen bestehend. — Je nach der Intensität der Fälle nehmen diese Elemente verschieden lange Zeit hindurch rascher oder langsamer an Menge zu, und Hand in Hand mit diesen Krankheitssymptomen erscheint die Albuminurie. Irgend erhebliche und andauernde Albuminurie ist jedoch nicht zu erwarten, wenn sich nicht mindestens am Schlusse der 3. Krankheitswoche, in Fällen von gewöhnlichem Verlaufe, Eiweiss im Harn eingestellt hat. Das Mikroskop zeigt das Vorhandensein einer Störung in der Regel früher an, als die chemische Untersuchung, da Albumin anfänglich nicht in nachweisbarer Menge ausgeschieden wird. Da jedoch Fälle vorkommen, wo die initiale Nierenaffection unmerklich in die eigentliche parenchymatöse Nephritis der 3. Krankheitswoche übergeht, so betrachtet Th. das Auftreten der Albuminurie in der Regel als den Beginn der erheblicheren Symptome der parenchymatösen Nephritis. Da ferner Fälle vorkommen, wo ohne jede Spur von Albuminurie einzelne, hin und wieder auch sehr reichliche Mengen charakteristischer hyaliner und epithelialer Cylinder sich vorfinden, so genügt selbst die vorsichtigste Untersuchung auf

Eiweiss bei negativem Resultate allein nicht, um die Integrität der Nieren festzustellen und es ist vielmehr ausserdem eine genaue mikroskopische Untersuchung unbedingt nothwendig. Die Dauer der Albuminurie ist eine sehr verschiedene. In 13 genesenen Fällen betrug sie nur 4 mal unter 1 Monat, 3 mal 1 Monat, 4 mal $1^1/_2$—2 Monate, je 1 mal 3 und $4^1/_2$ Monate; niemals hat Th. bisher das Symptomenbild einer entschieden chronischen Brightschen Niere sich anschliessen sehen. Nachdem jede Spur von Eiweiss im Harn geschwunden war, konnte die Ausscheidung abnormer mikroskopischer Harnbestandtheile noch längere Zeit hindurch beobachtet werden.

Nicht selten finden sich Cylindroide, und zwar in beträchtlichen Mengen, mitunter wohl auch einmal ein Cylinder noch Monate lang nach Beendigung der Albuminurie oder wenigstens der constanten Albuminurie. Denn hin und wieder ist auch noch später neben ihnen eine minimale Albuminspur einmal oder ein paar Tage hinter einander nachweisbar, und zwar ereignet sich dies öfters nur ein einziges Mal, oder es wird auch nach monatlicher und längerer Pause ohne Befindenstörung von Neuem auf einen oder mehrere Tage eine·Spur von Eiweiss ausgeschieden. Die Cylindroide einer so späten Periode sind häufig sehr zart, fibrillär, längsgestreift, ja auch wohl zerfasert und im Allgemeinen sehr zellenarm: man könnte daher wohl manchmal zweifeln, ob man wirklich das Product eines nephritischen Processes vor sich habe. Aber nicht selten erscheint baldigst ein anderes Bild: Cylindroide mit rothen, mit weissen Blutzellen, mit epithelialem Detritus, dickere und breitere mit parallelen Randcontouren versehene lange Cylindroide und die neben ihnen vorhandene Albuminurie weisen unzweifelhaft auf das Vorhandensein einer Nephritis hin. Es ist in solchen Fällen nur das zweifelhaft, ob ein solches Verhalten einzig und allein Folge der Scharlachnephritis oder vielmehr Symptom einer schon vor der Scharlacherkrankung vorhanden gewesenen chronischen Nierenaffection ist, während deren ein acuter, durch den Scharlach in den Nieren veranlasster Process eine vorübergehende, mehr oder weniger intensive Steigerung der bezüglichen Krankheitserscheinungen veranlasste.

Th. resumirt das Resultat seiner Harnuntersuchungen bei Nephritis scarlatinosa folgendermassen: Auf eine in der 1. Woche bald fehlende, bald vom ersten Tage ab oder wie gewöhnlich erst später vorhandene Nierenaffection von in der Regel höchst geringer Intensität, oft nur bei sorgfältiger mikroskopischer Untersuchung erkennbar, folgt, gewöhnlich gegen den Schluss der 2. oder im Anfang der 3. Woche, mögen die bisherigen Harnverhältnisse sich gebessert haben, oder im Gleichen geblieben sein, eine weitere Trübung des Harns, zunächst ohne, später häufig mit Albuminausscheidung. Diese Nierenaffection ist indessen nicht in allen Fällen vorhanden, insbesondere fehlt sie bei sehr vielen der leichteren Kranken; anderemale ist sie so unbedeutend, dass sie bei wesentlich ungestörtem Befinden nur durch die continuirliche Ausscheidung abnormer Harnelemente mit oder ohne Albuminurie sich manifestirt. Ihre Dauer ist in den leichtesten Fällen eine kurze, doch nicht genau zu bestimmen, so weit es sich um die Anwesenheit oder Abwesenheit abnormer mikroskopischer Bestandtheile handelt, wegen häufig allzu geringer Menge der letzteren und der daraus sich ergebenden Schwierigkeit ihres Nachweises. In den schwereren Fällen von parenchymatöser Nephritis kann der Beginn der Symptome sich ganz wie bei leichten gestalten; doch ist die Zunahme der Albuminurie und der Harncylinder in der Regel eine ziemlich rapide. Die schliessliche Menge der Albuminurie ist in tödtlichen, wie

nicht tödtlichen schweren Fällen eine verschiedene; sie erhält sich in genesenden Fällen in der Regel durch mehrere Wochen bis über 1 Monat, mitunter
auch länger. In solchen Fällen überdauert die Ausscheidung hyaliner Harncylinder, im Anfang gewöhnlich mit Epithelialcylindern mehr oder weniger
stark gemischt, die constante Albuminurie wesentlich, doch kommt es nicht
selten nach Schluss derselben hin und wieder zum Wiedererscheinen einer
schwachen Spur von Eiweiss. Die Ausscheidung der unentwickelten Cylinder-
formen, wie man ihr in der 1. Woche begegnet, hört oftmals mit dem Erscheinen ausgebildeter Cylinder vollständig auf, mitunter finden sie sich aber
auch noch in grösserer oder geringerer Menge in ausgebildeten und schweren Fällen neben den Cylindern auf der Höhe der Krankheit; in den leichten
Fällen der Nephritis scarlatinosa mit fast gänzlichem Mangel der Albuminurie
überwiegt ihre Zahl häufig sogar die der Harncylinder. In der Reconvalescenz
genesender schwerer Fälle scheinen sie oft immer mehr und mehr die allmälig seltener werdenden Harncylinder gewissermassen zu ersetzen, vermuthlich
bei unvollkommener oder zunächst äusserst langsam fortschreitender Genesung; die Dauer ihrer Ausscheidung kann so eine ausserordentlich lange sein.
Vielleicht sind sie in manchen solcher Fälle — sicher nicht in allen — nur
der Ausdruck eines geringfügigen chronischen Nierenleidens, welches bereits
vor der Scharlachaffection bestanden hatte und durch dieselbe in ein acutes
Stadium übergeführt worden war. Nicht immer ist die Scharlachnephritis
vollkommen geheilt, wenn der Harn von abnormen Bestandtheilen frei geworden ist; selbst mehrere Jahre später können bei Eintritt einer acuten febrilen
Störung die Symptome der parenchymatösen Nephritis ähnlich dem Erscheinen einer primären „acuten Bright'schen Niere“ im Harne aufs Neue sich
zeigen, um nach Ablauf der intercurrenten febrilen Störung wieder vollkommen zurückzutreten.   W.

  Dr. A. Baginsky in Nordhausen (68) suchte auf experimentellem Wege
über den Zusammenhang zwischen Haut- und Nierenleiden im Scharlach
Aufschluss zu erlangen. Zu diesem Zwecke unterdrückte er bei Kaninchen
entweder die Function der Haut durch Ueberstreichen derselben mit undurch-
dringlichen Stoffen (Oel, Gummi, Firniss), oder er führte durch Auftragen
stark reizender Substanzen (Crotonöl, Terpentin) heftige Hautentzündungen
herbei, oder endlich, er verband beide Methoden, indem er der Gummilösung
oder dem Firniss die letzteren Stoffe beimengte. Bei 10 unter 13 Versuchs-
thieren trat frühzeitig Albuminurie ein. Bei den 6 innerhalb der ersten 2 Tage
zu Grunde gegangenen waren die Nieren einfach hyperämisch ohne weitere
Gewebsveränderung. Bei 4 vom 6. bis 9. Tage Gestorbenen zeigte der albumin-
reiche Harn wenig abgestossene Nierenepithelien und Lymphkörperchen; nur
in einem Fall erschienen dieselben reichlich und ausser ihnen glashelle, blasse
und sehr durchsichtige Cylinder. Bei der Section wurde parenchymatöse
Nephritis nachgewiesen und in einem Falle waren auch Wucherungen im interstitiellen Gewebe vorhanden. Ein Kaninchen lebte endlich 15, das andere 19
Tage und in beiden Fällen zeigte der Harn lymphoide Körperchen, abgestossene Nierenepithelien und Blutkörperchen. Auch hier fand sich parenchymatöse Nephritis. B. gelangt nun zu dem Schluss, dass ausgebreitete entzündliche Erkrankungen der Haut zu krankhaften Veränderungen der Nieren führen
und zwar zunächst zu activen Hyperämien, die bei längerer Dauer parenchymatöse und auch interstitielle Gewebsanomalien zu Stande bringen. Die Anwendung dieses Satzes auf den Scharlach ergibt, dass unzweifelhaft wenigstens

eine Reihe von scarlatinösen Nierenerkrankungen nicht sowohl primär durch ein scarlatinöses Gift, als vielmehr secundär in Folge der scarlatinösen Dermatitis entstehe. Es scheint, dass sich unter normalen Verhältnissen Haut und Nieren gegenseitig unterstützen. Ist nun die Haut entzündet, so fällt die gesammte Arbeitslast den Nieren zu. Die Folge dieser Ueberlastung ist zunächst Hyperämie und bei längerer Dauer des Zustandes entzündliche Veränderungen der Nieren. Eintritt, Verlauf und Folge der scarlatinösen Nephritis haben bisher nichts Specifisches erkennen lassen. Die von Thomas beschriebenen Cylindroide kommen auch sonst häufig bei katarrhalischen Erkrankungen der Harnwege vor. Ihre Abstammung aus den Nieren ist indess wegen ihrer sonderbaren Vielgestaltigkeit ebenso unwahrscheinlich wie ihre Verwandtschaft mit den Harncylindern durch ihre mikrochemischen Eigenschaften zweifelhaft ist. Setzt man nämlich ganz verdünnte Salzsäure zum Harn hinzu, so lösen sich dieselben nicht, sie verschwinden dagegen sehr rasch beim Zusatz von conc. Salpetersäure; eine Eigenschaft, durch welche dieselben sich mehr dem Mucin, als dem Albumin nähern. B. hat ferner niemals Uebergänge der Cylindroide in Harncylinder gesehen und ist demnach geneigt, sie einfach für sonderbar gestaltete Schleimmassen zu halten. W.

Ahlfeld in Leipzig (69) theilt einen Fall von **Blutung aus beiden Nebennieren** bei einem asphyctisch geborenen Mädchen mit, welches am anderen Tage nach der Geburt, nachdem einige Erstickungsanfälle vorausgegangen, gestorben war. Bei der Section des wohlgenährten, gut entwickelten Kindes war der rechte untere Lungenlappen stark infiltrirt, luftleer; Nieren und Nebennieren enorm hyperämisch und mit letzteren jederseits ein hühnereigrosses Exsudat im Zusammenhang. W.

Dr. **Fiedler** in Dresden (70) veröffentlicht einen Fall von **fettiger Entartung der rechten Nebenniere mit Hämorrhagie in die Marksubstanz** derselben, sowie Durchbruch des ergossenen Blutes in die Bauchhöhle bei einem 4 Tage alten, sonst kräftigen Kinde, welches am 4. Lebenstage im Verlauf weniger Minuten unter Auftreibung des Leibes und heftiger Athemnoth, ohne dass irgend welche traumatische Einwirkung etc. stattgefunden hätte, gestorben war. Die rechte Nebenniere war fast hühnereigross in Folge eines die Marksubstanz erfüllenden Extravasates, das jedoch der Färbung nach nicht mehr ganz frisch war. Die Zellen der Rindenschicht enthielten durchgängig Fettkörnchen und Fetttropfen und an vielen Stellen war das Fett frei und in grossen Tropfen zusammengeflossen. Weit geringer war die fettige Entartung in den Zellen der linken Nebenniere, die Wände der Capillaren und grösseren Gefässe in beiden Nebennieren dagegen normal. Die rechte Niere war ebenfalls in ein Extravasat eingebettet, welches sich zwischen Rücken- und Bauchmuskeln fortsetzte; auch unter der Pleura costalis dieser Seite fand sich ein ausgebreiteter diffuser Bluterguss, und frei in der Bauchhöhle fanden sich 4—5 Unzen dunkles, flüssiges Blut. Da die Gefässe der Bauchhöhle normal befunden wurden, so hält es F. für wahrscheinlich, dass die fettige Degeneration des Nebennierengewebes die Ursache der Blutung war. Auch bei einem zweiten, durch Fehlgeburt geborenen Kinde beobachtete F. neben fettiger Degeneration der Nebennieren punktförmige Hämorrhagien in das Gewebe derselben. W.

Die **Extraction einer Nadel aus der Harnröhre** beschreibt Dr. Ticier (71): Der Fall betraf einen 7jährigen Knaben, welcher sich auf den Rath

eines Kameraden den Tag zuvor eine Nadel in die Urethra eingeführt hatte.
Verf. fand die Schleimhaut des Urethraleinganges geschwellt, geröthet, sowie
auch überhaupt Eichel und Penis leicht geschwellt waren. Der Knabe klagte
über Schmerzen und konnte nicht uriniren, die ausgedehnte Blase reichte bis
fast zum Nabel. **T.** entdeckte die Nadel tief in der Harnröhre, und zwar wie
es schien mehr nach rechts. **T.** erinnerte sich der von B o i n e t (?) augegebenen Methode die Nadel auf die Weise zu entfernen, dass man die Harnröhre
mit der Nadel selbst von Innen nach Aussen durchsticht und dann die Nadel
so·lange dreht, bis sie mit dem Köpfchen gegen die Mündung kömmt. (**T.** be-
geht hier einen Fehler, der von einer geringen ausserfranzösischen Literatur-
kenntniss zeigt, denn sonst müsste er das ingeniöse Verfahren unbedingt
D i e f f e n b a c h vindiciren.) **T.** führte daher den rechten Zeigefinger in das
Rectum ein und suchte sich das Köpfchen der Nadel auf, drückte im Mittel-
fleisch die Nadel gegen die untere Wand der Harnröre und hob zugleich etwas
das Glied gegen die Symphysis opium pubis. Durch eine rasche Bewegung
des im Mastdarme befindlichen Fingers durchstach er die untere Wand der
Urethra, zog die Nadel bis zum Köpfchen hervor, drehte dann dasselbe gegen
die Mündung hin und bewerkstelligte die Extraction ganz leicht. Nach Anwendung kalter Umschläge heilte die leichte Verletzung ganz gut. Bei aller
Genialität des Verfahrens wäre es doch vielleicht räthlich gewesen, zuerst die
Extraction mit einer Curette articulée oder sonstigen geeigneten Instrumenten
zu versuchen, da die Verletzung der Harnröhre doch nicht ganz gleichgiltig ist.

J.

Hausmann's vorzüglicher Monographie über die **Parasiten der weiblichen Genitalorgane** (72) entnehmen wir noch folgende, das Kindesalter
betreffende Notizen. Sogenannte v e r i r r t e oder z u f ä l l i g e Parasiten (d. i.
solche, welche in den genannten Organen einer weiteren Entwicklung nicht
fähig sind) gelangen in die Genitalorgane der Kinder aus dem Darmkanal und
zwar a) durch Ueberwanderung, b) durch Unreinlichkeit. Eine selbstständige
Ueberwanderung ist nur vom Oxyuris vermicularis bekannt; **H.** erinnert jedoch
an H e n o c h's Bemerkung, dass man im Stuhlgange entdeckte Madenwürmer,
welche gleichzeitig neben Scheidenkatarrhen bestehen, nicht eher in eine
ursächliche Beziehung zu diesen bringen dürfe, bevor nicht ihr Nachweis in
der Scheide selbst gelungen ist. Uebrigens mögen die Madenwürmer wohl kaum
immer durch Ueberwanderung in die Genitalien gelangen, sondern auch zuweilen von den durch das Jucken im After Beunruhigten mechanisch in die Geschlechtsorgane verschleppt werden. Während L e u k a r t, K l e b s u. A. nur
von einer abendlichen Wanderung der Oxyuriden sprechen, hat **H.** um die
sonnige Mittagsstunde am Damme einer Person mehrere Madenwürmer sich
weiter bewegen sehen. Dass sie eine gewisse Zeit hindurch in den Geschlechtsorganen ihre Lebensfähigkeit behalten, beweist die von allen Beobachtern, so
neuerdings von P. M. G u e r s a n t angegebene intensive Reizung, welche durch
die Bewegung der Parasiten entsteht und sich durch Röthung, Schwellung der
Schleimhaut und heftiges bis zur Masturbation führendes Jucken kund gibt.
Viel grösser und mannigfaltiger als die Zahl der selbstständig überwandernden
ist die Zahl jener Parasiten, welche durch Unreinlichkeit in die Genitalien
gelangen, namentlich bei der Reinigung nach dem Stuhlgange in die Scheide
gepresst werden. Auf diesem Wege dürften die Eier der Entozoen (Ascariden,
Tänien, vielleicht auch der Oxyuriden, von pflanzlichen Parasiten die Leptothrix buccalis und freie Sporenhaufen zur Beobachtung kommen.

Von den autochtonen Parasiten der weiblichen Geschlechtsorgane wurden beobachtet: 1. Trichomonas vaginalis von **H.** bei fünf- und siebenjährigen Mädchen, welche mit einem Katarrh der Genitalschleimhaut behaftet waren. 2. Bacterium Termo. Dieser pflanzliche Parasit wurde schon bei wenige Stunden alt gewordenen Kindern zwischen den Epidermisschuppen und dem Plattenepithel der gesunden Geschlechtsorgane aufgefunden und kömmt in einzelnen Individuen bis zur Pubertät vor. 3. Vibrionen kurz nach der Geburt nur dann, wenn Katarrhe der Genitalien eintreten. 4. Leptothrix vaginalis wurde von **H.** auch bei einem wenige Tage alten Kinde beobachtet. 5. Oidium albicans Rob. soll Trousseau unter 80 Pensionsmädchen 13mal gefunden haben. A. Vogel fand ihn bei soorkranken Kindern an den weiblichen Genitalien und auch J. Frank, Eisenmann, Neumann erwähnen dieses Vorkommen. Da nun **H.** auch durch erfolgreiche Uebertragungsversuche des Mundhöhlenpilzes auf die Genitalschleimhaut die Indentität des ersteren mit dem Scheidenpilz nachgewiesen hat, so hat die directe Verschleppung durch Wärterinnen oder den Stuhlgang viel Wahrscheinliches, obwohl es **H.** selbst nicht gelungen ist, das Oidium bei Neugebornen aufzufinden. Die Erscheinungen, welche es auf der Genitalschleimhaut hervorruft, sind die eines subacuten Katarrhes.   W.

Wegscheider (73) beobachtete einen Fall von **grossem Ovarialtumor** bei einem 12jährigen Mädchen, welches von gesunden Eltern stammte, etwas zart und chlorotisch war und am 6. August mit Schmerzen im rechten Schenkel erkrankte, zu welchen sich nach 3 Tagen etwas Fieber und Diarrhöe gesellten. Nach 5 Tagen war das Mädchen anscheinend wieder gesund. Kurze Zeit darauf fand sich, ohne dass Patientin je über Schmerz geklagt hätte, ein grosses Exsudat in der Unterleibshöhle, und Mitte September war der Leib bereits stark ausgedehnt, der Nabel vorgetrieben. Dabei bekam sie eine Infiltration der rechten Lungenspitze, ein grosses pleuritisches Exsudat auf derselben Seite, dann eine linkseitige Pleuritis. Der Urin war frei von Eiweiss. Während die Kranke schnell abmagerte, schwollen die Beine und die linke grosse Schamlippe ödematös an. Allmälig besserte sich der Zustand, das Fieber liess nach, die Exsudate schwanden, statt dessen liess sich aber jetzt auf der linken Seite ein vom Becken bis über den Nabel aufsteigender Tumor umgrenzen, auf dessen Oberfläche peritonitisches Reiben zu fühlen war. Nun nahm aber die Abmagerung rasch zu und am 20. Oktober trat der Tod ein. — Bei der von Virchow gemachten Obduction ergab sich der Tumor als ein Colloid des linken Eierstockes. Derselbe wog über 2160 Grmm., war von ovaler Gestalt, im Längsdurchmesser 24 Ctm., in der Breite 20 Ctm., in der grössten Dicke 7·6 Ctm. messend. Durch einen kurzen, dünnen, der Lage nach dem etwas verdickten Lig. ovar. sin. entsprechenden Stielhing er mit dem, in Grösse und Proportionen kindlichen Uterus zusammen, der mit Ausnahme einer mässigen Verziehung und Schiefstellung keine erhebliche Abnormität zeigte. Die Geschwulst selbst war allseitig von einer derben, bindegewebigen Kapsel umschlossen, hatte eine schwach gelappte, hier und da grobhügelige Oberfläche, ihre Consistenz war sehr elastisch, an vielen Stellen deutlich fluctuirend. Beim Einschneiden quoll in reichlicher Menge eine fast vollkommen farblose, dicke, zähe, fadenziehende Flüssigkeit heraus, welche mit Essigsäure einen starken Niederschlag gab und zahlreiche in der Verfettung befindliche Zellen bis zu den grössten Körnchenkugeln enthielt. Nach Entfernung der Flüssigkeit zeigte der Tumor eine vielfächerige Beschaffenheit: in grosser Zahl rundliche, hanfkorn- bis pflaumengrosse Höhlen, die zum Theil mit einander communicirten, zum Theil durch breitere oder schmälere Züge eines grauröthlichen Gewebes von einander getrennt waren. Diese Hohlräume waren ausgekleidet mit einem einschichtigen Cylinderepithel; das Zwischengewebe bestand aus zellenreichem, derben Bindegewebe, das sich gegen die Wand der Cysten zu einer homogenen Lage verdichtete.   W.

Wirbelsäule, Bewegungsorgane.

(74) Dr. O. Barth. Ueber Epiphysenlösung und deren Heilung. Arch. d. Heilk. XI. 263.

(75) K. v. Mosengeil: Angeborene Defecte im Bereiche der unteren Extremitäten. Arch. f. kl. Chir. XII. p. 63.

(76) Dr. E. Blasius: Beiträge z. Lehre von d. Coxalgie. Arch. f. kl. Chir. XII. 238.

(77) Dr. H. Leisrink: Zur Statistik der Hüftgelenkresection bei Caries und Anchylose. Arch. f. klin. Chir. XII. 134.

(78) W. H. White: Luxation des 5. Halswirbels: The Boston Med. and Surg. Journ. March. 1870.

Dr O. Barth. in Leipzig (74) bespricht die **Epiphysenlösung und deren Heilung** auf Grund mehrerer auf der Thiersch'schen Klinik beobachteter Fälle (Ablösung der unteren Epiphyse des Femur). Den Anlass zur Erkrankung gab in 2 Fällen ein Trauma. Schmerzempfindung und baldiges Anschwellen der Umgebung der erkrankten Stelle lassen vermuthen, dass eine Periostitis in der Nähe der Synchondrose den Anfang der Krankheit bedingt; möglicherweise gesellt sich dazu auch bald eine Osteomyelitis. Eine primäre Erkrankung der Epiphyse ist nicht anzunehmen und auch eine Fortsetzung der Entzündung vom Kniegelenke aus kann ausgeschlossen werden. Die Periostitis hemmt durch Compression der Gefässe die Nahrungszufuhr zur Synchondrose und mit der fortschreitenden Entzündung geht auch die Lockerung, sowie die endliche Lösung der Diaphyse Hand in Hand. Von der Erhaltung des die Synchondrose überbrückenden ziemlich dicken Periostes hängt es ab, ob die Wiederanheilung der bereits getrennten Epiphyse erfolgen kann oder nicht. Die getrennte Epiphyse ist dem Zuge der Beugemuskeln unterworfen, die Diaphyse dagegen wird dem normal vorhandenen Uebergewichte der Auswärtsroller folgen. Da nun ferner das starke Lig. patella erhalten bleibt, wird mit dem Zuge der Beuger die Patella einen Druck auf die Epiphyse ausüben müssen. Alle diese Verhältnisse bedingen ein nach hinten und oben Gleiten der Epiphyse bis durch das winkelförmig nach oben klappende Periost dem Muskelzuge eine Gegenkraft gesetzt ist. Hat das erhaltene Periost eine hinreichend starke Knochenlage gebildet, so wird sich die Therapie auf Sequestrotomie beschränken. Ist aber das Periost ganz oder theilweise vereitert, so ist die Amputation unumgänglich nothwendig. Im Beginne der Erkrankung soll man durch frühzeitige Incisionen dem Eiter Ausfluss verschaffen und durch möglichst gestreckte Stellung ein Zurückgleiten der Epiphyse umgehen. In Bezug auf die Diagnose ist zu bemerken, dass bei weiter vorgeschrittenen

Fällen auf die Verkürzung der Extremität, die geänderte Lage der Condylen zum unteren Ende der Diaphyse, die Vorlagerung der Patella und das etwaige Hervorragen von necrotischen Knochen in der Kniegegend das Hauptgewicht zu legen sein wird.   **W.**

Der von **K. v. Mosengeil** in Bonn (75) beschriebene Fall von **angeborner Missbildung im Bereiche der untern Extremitäten** betrifft einen 7 Monate alten Knaben, dessen Mutter im 6. Schwangerschaftsmonate mit einem Fasse eine Treppe hinabgefallen war. Bei dem sonst normalen Kinde fand sich am linken Fusse Varusstellung und totale Hautverwachsung zwischen 2. und 3. Zehe. Am rechten Bein fehlte die Fibula gänzlich, in Folge dessen ist bedeutende Lateralflexion des Unterschenkels nach beiden Seiten möglich und liegt derselbe meist in starker Varusstellung. Die Tibia ist ferner an der Grenze vom mittleren und unteren Drittheil etwas scharf geknickt und über der Spitze der Einknickung eine kleine blindsackförmige Einstülpung der Haut sichtbar, die man für eine innen zugeheilte Fistel halten könnte. Endlich fehlen am rechten Fuss die 2 letzten Zehen, das Os cuboides und die betreffenden Tarsal- und Phalangealapparate, wesshalb sich derselbe nach vorne verschmälert, nach jeder Richtung hin sehr beweglich und die Ferse sehr niedrig ist. Talus und Calcaneus scheinen übrigens auch nicht in richtiger Vollkommenheit ausgebildet zu sein. — Es scheint somit, dass zu einem auf dem speciellen Entwickelungsgange beruhenden Defecte noch durch den Sturz der Mutter eine intrauterine Verletzung, complicirte Fractur oder Infraction der Tibia gekommen sei, welche intrauterin heilte. Am linken Fuss wurde die Tenotomie der Achillessehne gemacht und eine Klumpfussmaschine angelegt; für die rechte untere Extremität lässt sich später nur ein speciell zu construirendes Kunstbein empfehlen.   **W.**

Prof. **Blasius** in Halle (76), bespricht auf Grund speciell mitgetheilter eigener Beobachtungen den Ausgang der **Coxalgie** von den verschiedenen Bestandtheilen des Hüftgelenkes, die secundäre Luxation und die Wanderung der Pfanne, endlich die Ursachen, welche bei Coxalgie die Verkürzung der betreffenden Extremität erzeugen. — Den ersten Punkt betreffend betont **B.**, dass die Coxalgie sowohl von den knöchernen, wie von den weichen Theilen des Gelenkes ausgehen kann und unterscheidet demgemäss eine Kapsel- oder Synovial-Coxalgie, (welche von der Synovialmembran ausgeht und nicht, wie manche annehmen, vom fibrösen Gelenkapparate) eine Schenkel- (Knochen-) Coxalgie, (welche von einer Ostitis colli et capitis femoris ihren Ursprung nimmt) und eine Becken-Coxalgie, (welche von einer Ostitis des kleinen Beckens und des Acetabulum entspringt). Die letztere Form ist die seltenere; bei ihr ist das Acetabulum der am meisten ergriffene Theil, während der Schenkelkopf in den mitgetheilten Fällen nur oberflächlich cariös und zum Theil noch mit einer Knorpelschicht bedeckt erschien. Das Vorkommen von Abscessen und Fisteln im Umfange des Beckens, den Damm mitgerechnet, muss ebenfalls zu den Eigenthümlichkeiten im Verlaufe dieser Art der Coxalgie gerechnet werden, wogegen bei der Schenkelkopf-Coxalgie die Abscesse und Fisteln gewöhnlich am Oberschenkel sich zeigen. Die Becken-Coxalgie ist wegen der Zerstörung der Beckenknochen mit besonderen Gefahren verbunden, doch kann der Anfang des Uebels unscheinbar und schmerzlos sein, dann aber eine rasche Wendung zum ungünstigen Ausgang nehmen. Bei der Schenkel-Coxalgie betreffen die Veränderungen in überwiegender Weise den oberen

Theil des Schenkelknochens, doch erzeugt eine Ostitis capitis et colli femoris
nicht ohne Weiteres Coxalgie, sondern nur dann, wenn sie eiterig wird und
entweder Durchbruch in die Gelenkkapsel oder Lösung der Epiphyse des
Schenkelkopfes zur Folge hat. Die Necrose betrifft, wenn sie eintritt, nicht
immer die ganze Epiphyse, sondern es zeigt diese zuweilen seitlichen Defect.
Durch Zerstörung des Schenkelhalses kann ein Zustand entstehen, welcher
Aehnlichkeit mit einer Fractura colli femoris hat und auch am Lebenden ähnliche Symptome, wie diese, herbeiführt. Die Ostitis colli et capitis femoris,
welche zur Coxalgie führt, greift immer auf den Schenkelkörper in grösserer
oder geringerer Länge unter der Form der Osteomyelitis purulenta über und
man findet daher beim Durchsägen Vereiterung oder Verjauchung des Markes
auch mit Necrotisirung, äusserlich eine Osteophytenbildung, welche eine unter ·
Umständen von aussen fühlbare Verdickung des Schenkelknochens zur Folge
hat. Das knöcherne Acetabulum wird von der Scherikel-Coxalgie wenig ergriffen und die Perforation seines Bodens gehört vorzugsweise, wenn auch nicht
ausschliesslich der von der Synovialmembran sich entwickelnden Krankheit an.
Mit der Perforation des Pfannenbodens stehen die Abscesse im Becken in Beziehung und es ist begreiflich, dass sie besonders bei Synovial-Coxalgie vorkommen; bei der Schenkel-Coxalgie gehören sie zur Ausnahme. Während die
Luxation namentlich durch Ostitis capitis femoris begünstigt wird, trifft man
die Erweiterung und Pfannenwanderung (einseitige Erweiterung) vorzugsweise
bei der Synovial-Coxalgie. Häufiger finden sich bei der letzteren Form Subluxationen in Folge von Zerstöruugen des Pfannenrandes. Nach **B.** verhält sich
die Häufigkeit der Schenkel-Coxalgie zur synovialen, wie 1 : 3; die letztere
scheint viel öfter mit constitutionellen Krankheiten, namentlich Tuberculose
und Scrophulose zusammenzuhängen. Er gibt für die Unterscheidung beider
Formen folgende diagnostische Merkmale: Man wird auf Knochen-Coxalgie
erkennen können, wenn im Verlaufe des Uebels Veränderungen eintreten, wie
sie für eine Schenkelhalsfractur bezeichnend sind, wenn also die Extremität
wirklich verkürzt und auswärts gerollt, der grosse Trochanter dem Darmbein-
kamm näher als normal gestellt ist und das Glied durch eine Extension in die
normale Stellung und Länge gebracht werden kamm, nach aufgehobenem Zuge
aber in die fehlerhafte Lage zurücktritt. Ist der Schenkelkörper vom Troch.
major abwärts deutlich aufgetrieben, so weist dies auf Knochen-Coxalgie hin,
wobei jedoch zu bedenken ist, dass eine Periostitis am Trochanter und unter
demselben die Anfangserscheinungen der Coxalgie (scheinbare Verlängerung)
herbeiführen kann, ohne dass das Gelenk an mehr als einer secundären und
mit der Periostitis vorübergehenden Reizung leidet. Hat eine Knochenneubildung bei Synovial-Coxalgie statt, so erscheint der Knochen nicht rund herum
aufgetrieben. Ist Luxation des Schenkels vorhanden, so unterstützt das
die Diagnose auf Schenkel-Coxalgie, wogegen eine sicher erkannte und von
Luxation bestimmt unterschiedene Pfannenwanderung eine Synovial-Coxalgie
characterisirt. Ferner verlauft die Schenkel-Coxalgie gewöhnlich mit einer
gewissen Acuität, sobald der Krankheitsprocess auf das Gelenk selbst übergegangen ist, während, so lange jener sich noch innerhalb des Knochens hält,
der Verlauf sehr versteckt sein kann, andere Male aber auch acut ist. Die
Synovial-Coxalgie dagegen verläuft auch, wenn sie mit einiger Lebhaftigkeit
beginnt, in der Regel langsam, kann jedoch auch einen ununterbrochen acuten
Decursus machen und rasch zum Tode führen, was jedoch sehr selten ist. Bei
der Schenkel-Coxalgie kommt es frühzeitiger zur Abscessbildung, manchmal

schon sehr zeitig; die Abscesse bilden sich gewöhnlich am oberen Theile des Schenkels, an den verschiedenen Seiten desselben und ohne vorgängige Anschwellung der Hinterbacke. Hat sich eine Fistel 2—3 Zoll unter und etwas vor dem grossen Trochanter geöffnet, so ist dies nach Erichsen ein sicheres Zeichen der Schenkel-Coxalgie. Bei Synovial-Coxalgie tritt Abscedirung meistens später auf und beginnt mit Anschwellung der Hinterbacke,· doch kann auch bei Schenkel-Coxalgie die Hinterbacke durch einen Abscess aufschwellen. Die Schenkel-Coxalgie kommt besonders bei älteren Kindern und jungen Leuten vor, fast wie die Osteomyelitis purulenta; sie entsteht weniger durch innere Ursachen, als durch äussere, wie Stoss, Erkältung. **B.** widerlegt die französischen Chirurgen, welche den Tuberkeln bei der Entstehung der Knochen-Coxalgie eine besondere Wichtigkeit beilegen.

Caries der Pfanne ist immer mit Erweiterung derselben verbunden und diese Erweiterung ist manchmal eine ziemlich gleichmässige, nach allen Richtungen hin; öfter findet sie vorzugsweise nach einer bestimmten Richtung hin statt, das ist die Pfannenwanderung, bei der nach jener Richtung auch der Schenkel mit fortrückt und welche durch den Druck des Schenkelkopfes auf den betreffenden Theil des Umfanges der Pfanne erzeugt wird. Am häufigsten hat die Wanderung nach oben und hinten statt. Zwischen ihr und der Luxation gibt es natürlich Uebergänge, Zustände, welche man ebenso gut zu der einen, wie zu der anderen Form rechnen kann, und zwar um somehr, da bei der Synovial-Coxalgie — und nur bei dieser dürften jene Uebergänge vorkommen — Pfannenwanderung und Luxation ihrer Entstehung nach nahe verwandt sind. Der Druck des Schenkelkopfes, welcher die vorzugsweise Zerstörung eines Theiles des Pfannenumfangs und damit die Wanderung der Pfanne zur Folge hat, führt auch zur Ueberschreitung des zerstörten Pfannenrandes durch den Schenkelkopf, wenn nicht hinter jenem inzwischen eine, den Kopf zurückhaltende Knochenneubildung entstanden ist. Es kann aber der Kopf auch auf dem Pfannnenrande stehen bleiben und sich hier eine Vertiefung bilden, eine Art neuer Pfanne, und dann ist die in Rede stehende Uebergangsform vorhanden, welche auch als Subluxation bezeichnet werden kann. Es gibt aber noch eine andere Art von coxalgischer Subluxation, wobei nemlich der Schenkelkopf auch auf den Pfannenrand tritt, sich aber hier nicht eine neue Pfanne bildet, vielmehr eine dem Rande entsprechende Furche im Schenkelkopfe, so dass dieser auf dem Pfannenrande reitet. Die vollständige Luxation erfolgt auf doppelte Weise, erstens durch Zerstörung des Schenkelkopfes resp. Halses, zweitens durch Zerstörung des Pfannenrandes, jene besonders bei Schenkel-, diese bei Synovial-Coxalgie, jedoch so, dass sie einander nicht allein nicht ausschliessen, sondern in ihrer, die Luxation vermittelnden Wirkung unterstützen. Am häufigsten erfolgt die Ausweichung des Schenkelkopfes mit oder ausser der Pfanne nach hinten und oben und dies hat seinen Grund in den, bei Coxalgie gewöhnlich vorhandenen Muskelcontracturen, der des Iliopsoas und der an der hinteren Seite des Gelenkes gelegenen tiefen Muskeln. Bei der Synovial-Coxalgie ist Osteophytenbildung im Umfange der leidenden Pfannen-Fläche eine constante Erscheinung, welche mitunter den Austritt des Gelenkkopfes verhindert. Aber auch diese neugebildete Knochenmasse kann durch den Druck des letzteren wieder zum Schwinden gebracht werden, während sich weiterhin ein neuer Knochenwall bildet. Auf diese Weise wird die Pfanne bisweilen sehr beträchtlich nach einer Seite hin erweitert und hinausgerückt. Ist es zu einer wirklichen Luxation iliaca gekommen, so differirt diese erstens in soferne, als der Kopf, je nachdem das Glied vor der Ausrenkung mehr oder minder flectirt war, manchmal mehr nach hinten gewichen ist, andere Male mehr aufwärts. Zweitens entfernt sich der Schenkelkopf in sehr verschiedenem Grade von der Pfanne; er liegt manchmal dicht über und hinter dieser, anderemale entfernt von ihr. Nächst der Ausweichung des Schenkels nach hinten und oben, ist die gerade nach aufwärts, an die Spina anterior inferior ilei die häufigste, also die Luxatio supracotyloidea und die entsprechende Pfannenwanderung, und **B.** führt einige Fälle davon an. Die Hauptkennzeichen derselben sind Verkürzung der Extremität, Rotation derselben nach aussen, Auswärtsschiebung des ganzen Oberschenkels (d. i. Entfernung von der Mittellinie) und eine durch den Schenkelkopf verursachte Geschwulst. Ob in Folge von Coxalgie eine Luxatio obturatoria vorkomme, ist nicht erwiesen, doch kann man ihre Möglichkeit nicht läugnen. Eine hierhergehörige Subluxation wird von **B.** beschrieben.

Als Ursachen der Verkürzung der Extremität bei Coxalgie erkennt **B.**: 1. Die Beckenverschiebung, welche eine scheinbare Verkürzung der Extremität erzeugt; sie kommt bei adducirter Stellung des Gliedes vor, indem dabei das Becken auf der leidenden Seite sich höher stellt, als auf der gesunden. Bei der Dislocatio iliaca ist diese scheinbare Verkürzung immer, bei der Dislocatio supracotyloidea mitunter mit einer wirklichen verbunden. Auch bei Dislocatio ischiadica kommt scheinbare Verkürzung vor. 2. Die Beckenschiefheit, bei welcher in Folge von Deformität der Knochen das Darmbein der leidenden Seite höher steht, als das der gesunden, wodurch eine scheinbare Verkürzung bedingt wird. **B.** unterscheidet ein rein coxalgisches Becken von anderen Schiefheiten, welche als indirecte Folgen der Coxalgie (Gebrauch oder Nichtgebrauch des krankgewesenen Gliedes etc.) entstanden sind. Bei jenem kommt die Spina ant. sup. ilei auf der coxalgischen Seite dadurch höher zu stehen, weil sich der Kreuzbeinflügel dieser Seite verschmälert und zwar am stärksten an seinem oberen Rande, wovon eine schiefe Stellung des betreffenden Darmbeins die Folge ist; auch kann dazu eine verminderte Höhe der Lendenwirbel und ihrer Zwischenknorpel auf der leidenden Seite kommen, indem die Skoliose, welche in Folge der Beckenverschiebung auftritt, sich organisch fixirt. 3. Die wirkliche Verkürzung hat ihren Grund am häufigsten in Pfannenwanderung nach aufwärts; ferner 4. in Luxation des Schenkelkopfes, mag dieselbe eine iliaca oder supracotyloidea sein. 5. Selten ist sie in cariöser Zerstörung des Schenkelhalses begründet; einem Zustand, welcher gewisse Aehnlichkeiten mit Fractura colli femoris bietet. Die Verkürzung kann sehr bedeutend sein. 6. Bei Zerstörung des Schenkelkopfes, event. des Schenkelhalses tritt der Knochen tiefer in die Pfanne. Die dadurch bedingte Verkürzung wird jedoch schwerlich einen Zoll überschreiten. 7. Ausgedehnte Zerstörung des Pfannenbodens hat für die Verkürzung dieselbe Wirkung, wie die Zerstörung des Schenkelkopfes und wird jedenfalls sehr selten sein. 8. Die Atrophie des coxalgischen Gliedes endlich, welche wohl als Folge einer, in der Jugend vorhanden gewesenen Coxalgie sehr ansehnlich sein kann, dürfte bei florirender Coxalgie wohl nie einen solchen Grad erreichen, um zu den Ursachen der Verkürzung gerechnet zu werden.   **W.**

Dr. **H. Leisrink** in Hamburg (77) stellt in seinem Aufsatz zuerst eine **Statistik der Hüftgelenk-Resection bei Caries** zusammen, auf welche wir aus dem Grunde hier aufmerksam machen, weil von 162 Operirten 104 dem Kindesalter angehören. — In den nun folgenden Beiträgen zur pathologischen Anatomie der Coxitis bemerkt er, dass unter dem Namen „Caries" bei den Krankheiten des Hüftgelenkes eine Menge Processe zusammengefasst sind, welche von einander in ihrem klinischen Verlaufe, ihrer Prognose sowohl, als auch in ihrem histologischen Verhalten sehr verschieden sind. Er unterscheidet 2 Formen: Die reine Caries, welche durch moleculären Zerfall und Verfettung der Knochenelemente den Knochen zerstört (Caries simplex und Caries fungosa (Rindfleisch) zusammengenommen) und welche in ihrer schönsten Entwicklung bei Scrophulose, resp. Phtisis zum Vorschein kommt, und zweitens die necrotischen Processe, welche nach und mit Periostitis verlaufen. Ein unterscheidendes Merkmal zwischen diesen beiden Knochenerkrankungen ist dies, dass bei der ersteren eine Zerstörung des Knochens stattfindet, ohne dass durch Neubildung eine Ausgleichung angebahnt wird (oder wenn das geschieht, die neuentstandenen Osteophyten wiederum zerfallen), während bei der zweiten Gruppe, in gleichem Schritte mit der Abstossung necrotischer Theile eine mehr oder weniger üppige Neuentfaltung von Knochengewebe entsteht. Bei der ersten Gruppe haben wir es ausserdem mit primären Osteopathieen zu thun, in der zweiten ist die Knochenerkrankung regelmässig das zweite. Wenn man nach dem Ursprunge der Coxitis fragt, so kann man zwei Arten unterscheiden, je nachdem das Gelenk und seine zusammensetzenden Theile das primär Erkrankte sind, oder die umliegenden Gewebe, mit anderen Worten, ob wir es im Anfange mit einer Arthritis oder einer Periarthritis zu thun haben. Es ist bekannt, dass eine eitrige Entzündung der umliegenden Schleimbeutel (namentlich desjenigen unter dem Ileopsoas) Coxitis erzeugen kann, dass ferner periostitische Processe am Becken dasselbe bewirken können. Alle diese Fälle geben, wenn es zur Resection kommt, keine gute Prognose. Unter den eigentlichen Coxitiden ist in erster Reihe die nicht so seltene Synovitis, Arthromeningitis acuta zu nennen, wenn sie in Pyarthrosis übergeht und auch diese Processe bieten, wenn man spät operirt, eine entschieden schlechte Prognose und nur bei Frühoperationen, so lange die Capsel durch die Eiterung noch nicht durchbrochen wurde, ist Aussicht auf ein günstiges Resultat. Die ganze Schwere der schlechten Prognose tritt uns jedoch entgegen, wenn wir es mit einem primär osteopathischen Processe zu thun haben. Namentlich die Processe, welche den Knochen in eine weiche schneidbare Masse verwandeln, sind Ausfluss eines Allgemeinleidens scrophulöser, resp. phtisischer Natur, wobei gewöhnlich von einer Regeneration von Knochengewebe (als Lade oder Osteophyt) gar keine Rede ist. L. begründet im Weiteren den Standpunkt, den er gegenüber der Hüftgelenkresection einnimmt und den er in folgenden Sätzen kennzeichnet: 1. Die Hüftgelenkresection ist eine lebensfähige Operation und eine direct lebensrettende, vorausgesetzt, dass man frühzeitig genug resecirt. 2. Man muss reseciren, sowie sich Abscesse bilden, resp. sowie sich Caries des Hüftgelenkes diagnosticiren lässt. 3. Caries der Pfanne und des Beckens ist keine Contraindication der Operation; man suche, so weit es möglich, den kranken Knochen zu entfernen. Interessante Krankengeschichten illustriren das in diesem Abschnitt Gesagte. — Den Schluss der Abhandlung bildet eine Statistik der Resectionen im Hüftgelenk wegen Anchylose; unter den hier verzeichneten 15 Fällen betreffen jedoch nur 2 das Kindesalter. **W.**

White (78) berichtet über die erfolgreiche Einrichtung einer beiderseitigen **Luxation des 5. Halswirbels** bei einem Knaben. Dieser erhielt von einem Spielgenossen einen Schlag in den Nacken, worauf er bewusstlos niedersank. **W.** fand den Kopf überstreckt, permanent fixirt mit aufwärts gerichtetem Gesicht. Die untere Nackengegend zeigte einen tiefen Eindruck, der Kehlkopf war nach vorn und aufwärts verdrängt, der Hals gegen Druck sehr empfindlich, das Schlingen etwas erschwert, das Athmen mühsam. Lähmung war keine vorhanden. **W.** erfasste, während ein Assistent sitzend den Knaben hielt, den Kopf am Kinn und Hinterhaupt und zog mit ganzer Kraft zuerst direct nach rückwärts, dann nach aufwärts und zuletzt nach vorn, wobei der Wirbel mit hörbarem Geräusch in seine normale Stellung schlüpfte.   **W.**

Arzneiwirkungen, Therapie.

(79) Dr. Breidenbach: Ueber die Anwendung des Chininum hydrochloratum bei Tussis convulsiva. Ctralbl. f. med. W. 1870 p. 831.
(80) Dr. Ferraud: Behandlung des Keuchhustens mit Chloralhydrat. Bull. de Ther. T. 78.
(81) Dr. Bottari: Behandlung des Keuchhustens mit Benzin. Bull. de Ther. 1870. Janvier.
(82) Stierlin: Ueber die Behandlung der katarrhalischen Pneumonie der Säuglinge mit Ammonium carbonicum. Berl. kl. Wochenschr. 1870 Nr. 26.
(83) Dr. L. Fleischmann: Therapeutisches aus dem Franz-Jos. Kindersp. in Wien. Jhrb. f. Kderheilk. III. p. 327.
(84) Dr. Küchenmeister: Neue mit frischen diphtheritischen Häuten angestellte Lösungsversuche. Jahresber. d. Gesellsch. f. Nat. u. Heilk. in Dresden. Juni 1869 bis Mai 1870. p. 29. und Berl. Wochenschr. 1869 Nr. 50.
(85) Dr. Vaslin: Bericht über Behandlung der Diphtheritis nach Bergerons Versuchen. Gaz. des hopit. 1870 April.
(86) J. P. Bramwell: Blutentleerungen als Heilmittel beim acuten Hydrops nach Scharlach. The Britt. med. Journ. 1870. p. 30.
(87) Dr. C. Pilz: Mittheilungen über Behandlung des Scharlachfiebers und des nachfolg. Hydrops mit Bädern. Jhrb. f. Kderheilk. III. 253.
(88) Dr. Spender: Behandlung einiger ungewöhnlicher Complicationen des Scharlachs. Britt. med. Journ. 16. Juli 1870.
(89) Dr. Perroud: Ueber die günstigen Wirkungen der Aetherdouche auf die Wirbelsäule bei Chorea. Gaz. hebdom. 1870. Nr. 2.
(90) Dr. J. Corrigan: On the Treatment of Incontinency of Urine by Collodion. Dublin Quart. Journ. Vol. 97. p. 113.

Dr. **Breidenbach** in Aeulerhof (79) sah von der Anwendung des **Chininum hydrochloratum bei Tussis convulsiva** (nach dem Vorgange von Binz; Sammelber. des 1. Bdes., p. 150) überraschende Erfolge. Er wendete dasselbe nur in reinen Fällen (Complicationen kamen eben nicht zur Beobachtung) und in relativ grossen Dosen an. Nach Alter (3 Wochen bis 8 Jahr) und Heftigkeit der Erkrankung schwankte die wirksame Dosis von 0·1 — 1·0 pro die. Intoxicationserscheinungen kamen keine vor. Die Wirkung ist eine wirklich prompte zu nennen; in dem heftigsten Falle war 48 Stunden nach Gebrauch des Mittels sowohl die Stärke wie Häufigkeit der Anfälle in der Abnahme begriffen, wie dies auch die beginnende Resorption einer totalen Blutunterlaufung bei der Conjunctiva bulbi, die bis dahin stetig zugenommen hatte, objectiv erkennen liess. Zur Verhütung der Wiederkehr hat B. nach Sistirung der Anfälle mit Erfolg noch kleinere Dosen eine Zeit lang nachgebrauchen lassen.

W.

Ueber **Behandlung des Keuchhustens mit Chloralhydrat** berichtet Dr. **Ferraud** (80): Er wandte dasselbe in einem Falle an, wo in kurzen Zwischenräumen 3 Kinder einer Familie erkrankten, von denen das erste 4, das zweite 3, das letzte 10 Jahre alt war. Sie erkrankten alle mit ausgesprochenen Paroxysmen. Zwei andere Kinder derselben Familie, von denen eines von den übrigen separirt war, blieben verschont. Nach erfolgloser Anwendung von Ipecacuanha und Tolubalsam, und nachdem eine Chloroformmixtur (2 Gr. : 150 Gr.) ebenfalls keine Wirkung zeigte, entschloss sich F. zur Anwendung des Chloralhydrates dessen Gebrauch ihm bei der, auf einer Necrose beruhenden Erkrankung von vornherein günstige Wirkungen erwarten liess. Er dosirte dasselbe, indem er 2 Grmm. auf 150 Grmm. Syrup gab, so dass auf einen Esslöffel 25 Centigrmm. Chloral kamen. Davon gab er zwei Löffel nach dem Essen, einen vor dem Nachtmahl und einen vor dem Schlafengehen. Ueber den Erfolg in den ersten drei Tagen kann sich Verfasser keinen Schluss erlauben, da die Dosirung und die Zeit des Eingebens nicht genau eingehalten wurden, als aber F. strenge auf die Befolgung der Anordnungen drang, merkte er sogleich eine auffallende Besserung, insoferne als die Nächte ruhiger verliefen, und die Anfälle in der Nacht, deren stets 4—5 waren, vollkommen schwanden. Am Morgen trat noch durch einige Tage eine Anfall auf, verschwand aber nach und nach ebenfalls. Im Verlaufe von 25 Tagen, nach 10tägiger Anwendung des Chlorals war das 10jährige Kind vollkommen geheilt, das 4jährige, welches die heftigsten Anfälle gehabt und am meisten auch in seiner Ernährung gelitten hatte, brauchte 42 Tage (darunter eine 14tägige Chloralmedication), das dritte Kind eine 10tägige Chloralmedication zur vollkommenen Besserung. An diesen Fall anknüpfend, dessen Resultate auch in allerneuester Zeit von dem englischen Arzte Dr. Ritgen bestätigt werden, nimmt F. Veranlassung sich über die Wirkungsweise des Chloral auszusprechen und berührt da, gestützt auf die obgenannten Versuche, auch den Satz, dass das Chloroform nicht als wirkendes Agens bei der Anwendung des Chlorals anzusehen ist. Indess kann man sich unserer Ansicht nach aus diesem Falle noch keinen Schluss erlauben, der die Ansicht bewährter Chemiker vom Fach entkräften möchte, da die Anwendung des sich leicht zersetzenden Chloroforms in einer Mixtur, auf deren Erfolglosigkeit F. seine Ansichten baut, nicht darnach angethan ist, als wissenschaftlicher Beweis gegen exact chemische und streng wissenschaftliche Forschungen zu dienen. J.

Ueber **Behandlung des Keuchhustens mit Benzin** stellt Dr. **Bottari** (82) folgende Sätze auf: 1 Das Gas, welches sich in den Reinigungssälen des Leuchtgases entwickelt, erweist sich als ein gutes Mittel beim Keuchhusten, wenn derselbe ohne Complicationen verläuft. 2. Wahrscheinlich rührt dieser Effect von Benzin her, welches sich während der Destillation der Steinkohle entwickelt. 3. Das Benzin selbst kann man in der Dosis von 10—20 Tropfen in einem Gummischleim oder Syrup anwenden, oder auch in Dampfform einathmen lassen. 4. In der ersten Periode des Keuchhustens angewendet hat es keinen Erfolg. J.

Bei einem 6jährigen Knaben mit Hydrops post Scarlatinam mit urämischen Erscheinungen wurde Spiritus Mindereri, Vinum stibiatum, warme Bäder dann Kali aceticum ganz erfolglos gereicht. Bei zunehmendem Hydrops wurden 6 Blutegel in der Lendengegend angesetzt. Die anfangs durch feuchtwarme Umschläge unterstützte Blutung war schwer zu stillen, hatte aber vollständige Wirkung. Die Harnmenge stieg am Tag darauf von 2 auf 20 Unzen im Tag; und nach einigen Tagen war das Kind hergestellt. Von vielen andern ähnlichen Fällen führt **B.** noch folgenden interessanteren an: Ein zarter 8jähriger Knabe mit einem Kropf hatte schon während einer heftigen Scarlatina bedeutende und erschreckende Suffocationserscheinungen dargeboten, erholte sich aber davon. 15 Tage nach Ablauf dieser Krankheit traten unter bedeutenden Fiebererscheinungen Anasarca mit spärlichem und albumenreichen Harn auf. Purganzen, Bäder und diaphoretisches Verfahren hatte nur vorübergehende Wirkung.

Wegen stürmischer urämischer Erscheinungen wurden 4 Blutegel in den Lenden gesetzt, die Nachblutung begünstigt, und der Kranke erholte sich rasch. Allein nach 8 Tagen, als der Hydrops fast ganz geschwunden, der Harn reichlich von Albumen frei war, trat unter Convulsionen Recidive auf, welche jedoch rasch nach warmen Bädern, Ammonium aceticum, Vinum stibiatum wich, da man bei dem schwächlichen Kinde von einer zweiten Blutentziehung abgestanden war. Diesmal war die Genesung vollständig und dauernd. Wahrscheinlich waren die Convulsionen, bei der Recidive nicht urämischer Natur sondern nur die Begleiter der Entzündung eines so wichtigen Organes, wie die Nieren es sind.

B. hält die Blutentziehung bei Pneumonien unbedingt für schädlich; und will auch den Widerspruch nicht aufklären, der darin liegt, dass bei der Entzündung eines inneren Organes die Blutentleerung schädlich ist, die beim andern wahrhaft heilbringend wirkt; und meint, dass Hypothese und Theorie der Praxis folgen müssen und nicht umgekehrt — worin wir ihm vollkommen beistimmen.   K.

Dr. **Pilz** (87) theilt wieder seine Erfahrungen über die **Behandlung des Scharlachs und des nachfolgenden Hydrops mit Bädern** mit. Zur Herabsetzung der Temperatur im Scharlachfieber spricht er der Kaltwasserbehandlung, die er in 12 schweren Fällen erprobte, das Wort. Die hydriatische Methode, welche hierzu benützt wurde, bestand in der Verabreichung kühler Vollbäder von 25° C., in welchen die Kinder, sobald die Körpertemperatur einen bestimmten Grad erreicht hatte, 8—10 Minuten belassen wurden, wenn nicht trotz des Bewegens und Frottirens der Kleinen ein starkes Frieren das Bad abkürzen hiess; hierauf kamen sie gut abgetrocknet ins Bett, und wurden, wenn die Temperatur der Achselhöhle wieder auf 30°—39·5° C. gestiegen war, aufs Neue gebadet, so dass manche Patienten zeitweise stündlich dieser Procedur unterworfen wurden. Andere Methoden der Hydrotherapeuten: Douchen, kalte Umschläge, selbst Begiessungen wurden wegen ihrer geringen Wirksamkeit nicht benützt. Den Nutzen der Badebehandlung setzt **P.** nicht allein in die Heilung aller frischen und einiger nicht etwa leichten Fälle von Scarlatina, sondern auch in die schnelle Reconvalescenz der genesenden Kinder. Ausserdem hebt er noch hervor, dass nicht nur die vielen gefürchteten Nachtheile des Zurücktretens des Exanthems, die unvollkommene Abschuppung etc. nie auftreten, sondern ins Besondere der oft Besorgniss erregende Hydrops nach Scharlach bei allen mit Bädern behandelten Fällen nie eintrat. — Gegen den letzteren empfiehlt **P.** die von **Liebermeister** zuerst angegebenen, allmälich höher temperirten heissen Bäder mit nachfolgendem Schwitzen. In der Regel wurden die der Körpertemperatur gleich temperirten Anfangsbäder von 36° auf 40° C. erhöht, an jedem Tage einmal ein Bad gereicht, dessen Dauer $\frac{1}{2}$ Stunde betrug; das jedesmal nachfolgende, in guter Einwickelung und Bedeckung erzielte Nachschwitzen währte 2 Stunden. Gewöhnlich war die begonnene Verminderung der Transsudate eine continuirliche von immer geringerer Grösse, so dass die ersten Gewichtsabnahmen die höchsten Werthe besassen. Ist die Abnahme der Transsudate einmal in Gang gebracht, so pflegen sie bisweilen ohne weitere Eingriffe zu schwinden. Gut wird es sein, die Diaphorese, wenn das Schwitzbad den ersten Erfolg aufzuweisen hat, nicht zu stark anzutreiben und darum die Dauer des Nachschwitzens abzukürzen, während des Schwitzens fleissig Getränk zu reichen und besonders täglich die Ausscheidung durch eine Wägung zu controlliren. Zur Vorsicht fordern auf: Lungen- und Herzkrankheiten, welche eine bedeutende Dyspnoe eintreten lassen, und der plötzlich starke Gewichts-Verlust nach einem Schwitzbade, zumal wenn der Hydrops dieser Behandlung längere Zeit Widerstand leistete. **W.**

In einem Aufsatze über die **Behandlung einiger ungewöhnlicher Complicationen des Scharlachs** erklärt Dr. **Spender** (88) zunächst die pyämische Gelenkenzündung, welche vielfach unterschätzt wird, für eine oft vorübergehende Entzündung der Synovialhäute, welche jedoch nicht selten eitrig, langwierig ist und dann zur Zerstörung der Knorpelenden führt, so dass im günstigsten Falle eine Deformität zurückbleibt. Das Handgelenk scheint vorzüglich disponirt zu sein; ihm zunächst Knie und Hüfte. **S.** führt einen letalen Fall von Entzündung der Hand und des rechten Hüftgelenkes bei einem scrophulosen Kinde und einen in 4 Tagen geheilten Fall von Entzündung des Handgelenkes bei einer jungen wohlgenährten Kaufmannstochter. Vor dem Eintritt dieser Entzündungen bei Scarlatina gingen keine Nervenerscheinungen voraus, wohl aber stieg die Körpertemperatur dabei um $1\frac{1}{2}$°. **S.** hebt die Wichtigkeit des Thermometers in solchen Fällen hervor, dessen Benützung in der Praxis durch die von **Goodhardt** sichergestellte Beobachtung erleichtert wird, dass die Temperatur in der Achselhöhle gemessen schon nach 3 Minuten für praktische Zwecke hinlänglich genau sich am Thermometer kundgibt (? ?).

Als Therapie empfiehlt **S.** die Application feuchter Wärme und Chinin. Bähungen mit medicamentöser Flüssigkeit, Bedecken mit Baumwolle und darunter Wachstaffet, so weit, um allen Luftzutritt abzuhalten. Dies wird Früh und Abends wiederholt. Daneben Chinin in Lösung alle 3 Stunden 1 Gran, bei Tag und Nacht. Darauf sinkt die Körpertemperatur und die localen Symptome werden rückgängig. Diese Therapie begründet **S.** mit ihrer Wirksamkeit beim acuten Gelenksrheumatismus, mit der antiseptischen und antifebrilen Kraft des Chinin, wie sie von **Binz** und **Cohnheim** nachgewiesen wurde. Es ist das immerhin ein etwas kühner Schluss, besonders, wenn man bedenkt, dass er sich in der Praxis nur in einem Fall bewährt hat.

Die Delirien bei Scharlach unterscheidet **S.** wie sie bei Erwachsenen oder bei Kindern vorkommen. Bei Ersteren kommen sie als Zeichen hochgradigen Fiebers im Beginne der Krankheit vor und werden mit Purganzen, subcutanen Morphiuminjectionen und Darreichung von Chloralhydrat in Lösung bekämpft. Wichtiger ist das Delirium bei Kindern, wo es oft mit Störung der Nierenfunction zusammenhängt und rasch in Coma übergeht.

f *

Bei einem 10jährigen Mädchen, das einen milden Scharlach durchgemacht hatte, zeigte sich am 23. Tage der Krankheit etwas Blut im Urin, das Befinden war bis zum 28. Tage vollkommen gut; am 29. Morgens war das Kind plötzlich bewusstlos, von Convulsionen befallen, athmete stertorös, die Extremitäten kalt. Auf den glatt geschorenen Kopf wurde ein Cantharidenpflaster aufgelegt, bei beginnender Wiederkehr des Bewusstseins Scammonium gereicht, bis ausgiebige Stuhlentleerungen erfolgten. Abends ein heisses Bad verordnet, und das Kind genas vollständig, unter der Vorschrift reichlich kaltes Wasser zu trinken, welches S. als vorzügliches Diureticum empfiehlt.

Nackenabscesse bilden sich nicht selten aus den von Trousseau als Scarlatina-Bubonen bezeichneten Drüsenschwellungen des Halses, und sollen frühzeitig geöffnet, dann mit feuchtwarmen Umschlägen der ganze Hals bedeckt werden. Der Patient bleibt in halbliegender Stellung, und bekommt vorzüglich flüssige Nahrung. Diese Erscheinung im Kindesalter häufig, kommt selten während und nach den Pubertätsjahren vor.   K.

Die Aetherdouche auf die Wirbelsäule bei Chorea, über welche im Vorjahre Lubelski in der Gazette hebdomadaire berichtete, wandte Dr. **Perroud** (89) in 2 Fällen an. In einem Fall, wo die Chorea in Folge eines Schreckens entstanden sein soll und mit starken Erscheinungen einherging, genügten 11 Douchen mit dem Richardson'schen Apparate, wobei 100 Grmm. Schwefeläther verbraucht wurden. Der zweite Fall betraf einen jungen Mann, wo eine heftige Chorea durch zwei Monate jeder Behandlung trotzte, und wo nach 8 Douchen sich eine vollkommene Besserung dieses Leidens einstellte. Die Art und Weise der Einwirkung, ob nämlich der Aether durch die Wärmeentziehung oder mit eingeathmet als Anästheticum dient, lässt der Verf. unentschieden.   J.

Corrigan (90) räth gegen **nächtliches Bettpissen** das nach vorn gezogene Präputium oder, wenn keine Phimose vorhanden ist, die Urethralmündung durch aufgestrichenes Collodium zu verkleben. Der Verschluss ist ein sicherer und man findet gegen Morgen höchstens das Präputium etwas durch den Harn ausgedehnt. Will der Patient harnen, so wird die Collodiumhaut mit dem Fingernagel entfernt. Aus dem Umstande, dass die auf diese Weise behandelten Kranken keinen Drang zum Harnlassen empfinden, schliesst C., dass diese Incontinentia nocturna nicht auf krampfhafter Contraction des Detrusor, sondern auf Erschlaffung der Urethra oder des Sphincter vesicae beruhe. Er lagert desshalb die Kinder derart auf eine schiefe Ebene, dass die Füsse am höchsten, das Becken am tiefsten zu liegen kommt, um dadurch den Schwerpunkt des in der Blase angesammelten Harns nach dem Fundus hin zu verlegen. Vom Aufwecken der Kinder während der Nacht, um sie zum Harnen zu veranlassen, will C. niemals eine Besserung, sondern eher eine Verschlimmerung des Zustandes gesehen haben.   W.

C Ueberreuter'sche Buchdruckerei (M. Salzer).

Bericht

über die

Leistungen auf dem Gebiete der Pädiatrik

bearbeitet von

Dr. Friedr. **Ganghofner** (G.), Dr. Victor **Janovsky** (J.), Dr. Josef **Kornfeld** (K.), Docent Dr. Alfred **Pribram** (P.), Prof. Dr. **Ritter** (R.), Docent Dr. Adalb. **Wrany** (W.).

Statistik und Hygiene.

I. Mortalität.

(1) Ueber die Mortalität der Neugeborenen und die Mittel und Wege ihr zu steuern. (Gaz. médic. 1870. XIII.)

Ueber Sterblichkeit der Neugeborenen und jüngeren Kinder und über die Mittel und Wege ihr zu steuern (1) entspann sich in der französischen Akademie eine lange Debatte, an welcher sich Bergeron, Delpech, Gubler, Vigla, Chaffaurd u. A. betheiligten. Die Akademie nahm endlich eine Resolution an, welche in 2 Theile zerfällt; der erste Theil handelt von den Ursachen der so grossen Mortalität der Neugeborenen, der andere von den Mitteln und Wegen ihr zu steuern. Die Akademie erkannte folgende Causalmomente der Mortalität. 1. Das Elend, die kümmerlichen Verhältnisse und die Ausschweifungen der Eltern bewirken eine angeborene Schwäche der Kinder und verhindern ebenso oft eine normale, angemessene Ernährung, Pflege und Wartung der neugeborenen Kinder. 2. Die grosse Anzahl der unehelichen Geburten. 3. Die Vernachlässigung des Stillens des eigenen Kindes von Seite der Mutter. Hierauf glaubt die Akademie als auf eine Unsitte, die sich auch zahlreich in gebildete Kreise eindrängt, besonders aufmerksam machen zu müssen. 4. Die grobe Unkenntniss und mangelnde Anleitung zu einer zweckmässigen Hygiene und Diät des jüngeren Kindes und eine Vernachlässigung der gewöhnlichsten Regeln der Erziehung in einem etwas spätern Alter. 5. Der Abusus einer, die Muttermilch ersetzenden künstlichen Milchernährung, welche schon an und für sich, in ihrer Qualität schlechter als die Muttermilch, auch in ihrer manuellen Darreichung vielfache Gefahren in sich birgt. 6. Das frühzeitige Füttern der Kinder. 7. Das Fehlen von hygienischen Massregeln bei dem oft nothwendigen Transport des Kindes, wo dasselbe den Einflüssen der

g

Witterung, raschem Temperatur- und Klimawechsel, sammt allen daraus erwachsenden Schädlichkeiten (Verkühlung etc.) ausgesetzt ist. 8. Der Mangel
ärztlicher Hilfe bei allfälligen Erkrankungen. 9. Eine mangelhafte ärztliche
Aufsicht über Ammen und Säuglinge. 10. Das durch die in Frankreich bestehende Pflicht der Constatirung der Geburt auf der Mairie gebotene Ueber-
tragen des Kindes aus dem Geburtshause in die Mairie. 11. Indifferentismus
und mangelhafte Beaufsichtigung der in fremde Pflege gegebenen Kinder von
Seite der Eltern. 12. Eine zu späte Impfung. 13. Eine bisher noch mangelhafte Ausbreitung der Ammeninstitute und der dadurch bedingte Mangel der
Frauenmilch in manchen Gegenden. 14. Der Kindesmord unter allen Gestalten.

Ueber Mittel und Wege, um diesen Uebeln zu steuern, beschloss die Akademie Folgendes: 1. Gegen Elend und Ausschweifungen lässt sich nur von
einer anzuhoffenden Normirung der socialen Verhältnisse etwas erwarten.
2. Milderung und Besserung der socialen und legalen Bedingungen, welche
eine grosse Anzahl von unehelichen Geburten begünstigen. (Dieser Satz
klingt etwas unverständlich; indess glaubt Ref. mit vielen Andern, dass eine
Regelung der Prostitution hier sehr viel leisten könnte.) 3. Das Stillen der
Mütter womöglich zu befördern, in den Müttern durch Belehrung den Sinn für
das Stillen zu wecken und sie darin auch materiell unterstützen. 4. Ueberhaupt die Hygiene der Erziehung zu fördern. 5. Die in Kost gegebenen Säuglinge legal besser als jetzt zu beaufsichtigen und dahin zu wirken, damit auch
die Eltern solcher Kinder dieselben mehr beaufsichtigen. 6. Von der oben
erwähnten Art und Weise der Geburts-Constatirung sollte Umgang genommen
werden. 8. Die in Kost geschickten Säuglinge sollten besser vertheilt werden, damit nicht eine Anhäufung derselben sammt allen daraus erwachsenden
Schäden entstehe. 9. Gründung von Gesellschaften, die sich sowohl der Unterbringung der Kinder als auch der Aufsicht über dieselben annehmen.
10. Die Einführung von Ammenprämien. 11. Achtsamkeit beim Transporte
von Kostkindern. 12. Die Führung einer genauen statistischen Controle und
Verwerthung derselben. 13. In der Akademie soll eine eigene Section für
Kinder-Hygiene gebildet werden, welcher alles diesbezügliche einzusenden ist
und die sich unmittelbar mit der Regierung in Rapport setzt.   J.

II. Diätetik. Hygiene.

(2) Die Pflege der Neugeborenen und kleinen Kinder, dargestellt zum Gebrauche für junge Mütter von Dr. Josef Piringer. Graz 1871.

(3) Ueber Hygiene der Krippen. Gaz. médic. 1870. Nr. XVII.

(4) Children rescued from Pauperism or the Boarding-out System in Scotland
by William Anderson. Edinb. 1871.

Die Literatur über **Pflege des Neugeborenen und des Säuglings** ist
abermals vergrössert worden durch das Werkchen Piringer's (2), eines Ve-
teranen unter den Fachgenossen. Ein Hauptvorzug der anspruchslosen Schrift
liegt darin, dass sie nicht abgeschrieben ist, oder Schreibtisch-Phantasien
enthält wie die meisten populären Anweisungen dieser Art. Der Mann hat

von Jugend auf das Gebahren seiner eigenen vernünftigen Mutter nicht nur selbst empfunden, sondern als angehender Jünger Aeskulaps mit Vorliebe studirt, hat seinem eigenen Weibe den Eifer naturgemäss mit ihren Kindern vorzugehen einzuflössen verstanden; mit Erfolg ist durchgeführt worden, was er für zweckmässig erkannte bei denjenigen, bei welchen ihm die Folgen einer fehlerhaften Pflege zu ertragen am allerschmerzlichsten gefallen wäre, bei seinen eigenen Kindern. Es ist zu bedauern, dass es P. nicht früher beigefallen ist, diese Diätetik der Schwangeren, des Neugeborenen und jungen Kindes zu schreiben, als bis er durch Erkrankung in die physische Unmöglichkeit versetzt wurde, seinem Berufe nachzugehen. Leider ist es einmal so bei den Aerzten, dass derjenige, der die Gelegenheit dazu hat Erfahrungen zu sammeln, für literarische Thätigkeit nur jene Zeit benützen kann, welche Andere zu einer, wie sie glauben, nach den Mühen des Tages unentbehrlichen Erholung verschiedener Art verwenden zu müssen glauben. Ein weiteres Hinderniss ist, dass die in der Praxis Vielbeschäftigten die Fortschritte der Naturforschung auf ihrem Felde häufig vernachlässigen, und in ihrer Unkenntniss der eigentlichen Basis, auf welcher sie die ihnen in reichem Masse gebotene Beobachtung erst richtig auffassen und verwerthen könnten, — sich mit crasser Empirie begnügen, und die zu ihrer eigenen Richtschnur unentbehrliche und ihnen abgehende wissenschaftliche Erkenntniss der Gründe und der Bedeutung des Gesehenen und Erlebten als verachtungswerthe Theorie bei Seite stellen. Darauf beruhen auch die, übrigens sparsamer als in irgend welcher dem Ref. bekannten populären Anleitung für junge Mütter gesäten Gebrechen des Buches, die Ref. nur deshalb berührt, weil sie grösstentheils in der Form des Gesagten liegend, und in Betracht des Zweckes der Schrift nebensächlich, doch bei sehr empfindlichen und in der höheren Handwerkssprache die unentbehrliche Bedingung wissenschaftlicher Berechtigung suchenden, wenn gleich auf dem betreffenden Gebiete unerfahrenen Aerzten leicht zur Unterschätzung und wegwerfenden Beurtheilung dieser Arbeit im Vergleiche zu anderen volltöniger und mit grösserer Auswahl oberflächlicher wissenschaftlicher Floskeln ausgestatteter Schriften führen könnten.

Deshalb, weil Verf. so spät dazu kam sein Buch niederzuschreiben, finden wir in vielen Partien des letzteren eine Breitspurigkeit, eine Garrulitas senilis, welche die Wirksamkeit des Ganzen in der That schmälert. Die Entstehungsgeschichte der Schrift wird mit einer Umständlichkeit erzählt, als ob es sich um irgend eine geheime Offenbarung oder zum mindesten um die Entdeckung eines uralten hochwichtigen Manuscriptes handelte. Ref. will durchaus nicht behaupten, dass diese Familiengeschichte nicht manche Leserin ebenfalls interessiren könnte, trotzdem wäre es im Interesse des Autors sowie seines Werkchens gerathen gewesen, die Einleitung gänzlich wegzulassen, — das Vorwort hätte vollkommen genügt. Das Buch selbst ist in 3 Abschnitte eingetheilt, von welchen der erste die Pflege des in Aussicht stehenden Kindes — der zweite die Pflege des Neugeborenen, der dritte die Pflege (resp. die Erziehung) des kleinen Kindes behandelt.

In der ersten Abtheilung, welche das Verhalten der Schwangeren umfasst, dürfte nur das Eine ernst zu rügen sein, dass sich der Verf. bemüht seinen Leserinnen darzuthun, dass das Verschauen in der Schwangerschaft durchaus keine Fabel sei (p. 13). Im Uebrigen sind jedoch die von ihm gegebenen Rathschläge durchaus so einsichtsvoll und praktisch, jeder einigermassen wichtige Umstand so klar und einfach auseinandergesetzt, dass sich eine jede

junge Frau schon um dieses Kapitels willen das Buch anschaffen sollte. Die
Vorbereitung zum Wochenbett findet darin ebenfalls ihre Erledigung. Hier
gehen die Vorschriften nach des Ref. Ansicht freilich auch viel zu viel ins
Detail, und **P.** zählt das Wäschzeug des zu erwartenden Sprösslings und die
Bade- und sonstigen Geräthschaften fast auf mehr als 3 Seiten systematisch
in Schemen nach dem Wohlstandsgrade der Partei auf. Eine Nachtlampe
mit Vorkehrungen zur Erwärmung von Wasser oder Thee in der Nacht, wie
sie ein Spenglermeister in Graz verfertigt, wird gleichfalls nach allen Dimensionen beschrieben. Solche überflüssige Kleinigkeiten ziehen wohl die Aufmerksamkeit mancher Leserin besonders an, sie entziehen sie aber zugleich
dem wichtigeren Theile des Buches. Eine Andere wird das letztere von sich
legen und sich über die Belehrung, welche ihr das Buch bieten könnte, erhaben dünken, weil sie viele Dinge darin ängstlichst beschrieben und anempfohlen
findet, welche sie zufällig schon kennt. Uebrigens sind die zahlreichen Pro-
vinzialismen bei den Benennungen der einzelnen Geräthschaften schon für
einen nichtsteierischen Landmann, um so mehr für ein ausserösterreichisches
Publikum nicht immer leicht verständlich. Obwohl der Verf. die Grenze der
Zulässigkeit zu handeln, ohne ärztlichen Rath einzuholen, überall genau bezeichnet, trägt er doch dem Bedürfnisse derjenigen Rechnung, welche die
ärztliche Hilfe nicht sofort zur Hand haben, und thut nach des Ref. Ansichten
ganz wohl daran, dass er für die Zubereitung und Applicirung eines Klystiers,
oder von Getränken, zur Stuhlförderung oder zu anderen Zwecken durchaus
ganz genaue und praktische Vorschriften gibt.

Bezüglich der Vorbereitung zum Säugegeschäft empfiehlt **P.** bei Warzen,
welche wenig über das Niveau hervorragen, „Warzenringe", welche sich jede
Mutter selbst machen kann aus einem Erdapfel, einem Kohlrabikopf oder aus
einer weissen oder gelben Rübe. Sie schneidet sich daraus Scheiben, welche
2—3 Finger breit und 2 Finger dick sind, macht in der Mitte mittelst eines
metallenen Fingerhutes eine Oeffnung, schneidet nach unten die Ränder etwas
gerundet zu, und legt diesen Ring derart auf die Brust, dass die Warze vom
Ringe bestens umgeben ist. Die zu zarte und verwundbare oder im Gegentheile zu derbe (rifferige **P.**) Warze hat die Schwangere in den letzten drei
Monaten Früh und Abends anfänglich mit Kochsalzlösung, dann mit einem
Absude von Gärberlohe oder Eichenrinden, endlich mit gutem Branntwein
oder Spiritus oder Rum in der Art, dass sie Daumen und 2 Finger damit be-
netzt, die Warze aus der Brust herauszieht und zwischen den Fingern laufen
lässt, einzureiben.

Bezüglich der Wahl der Hebamme gibt **P.** in seiner schlichten Weise
gewiss den besten Rath, den man einer jungen Frau in solchen Umständen
ertheilen kann, indem er sagt: Wahrlich brav und brauchbar ist nur jene
Hebamme, welche die Zufriedenheit achtbarer, von ihr entbundener Frauen
und braver Aerzte geniesst und welcher man nicht nachrühmt, dass sie bei
Krankheiten der Wöchnerinnen und Kinder Hilfe zu leisten verstehe! — Unter
den Verhaltungsregeln der Wöchnerin findet man von **P.** auch eine — wie
Ref. glaubt — ganz übermässig beschränkte Diät anempfohlen, das übrige
Detail müssen wir hier natürlich übergehen. Was nun die Pflege des Neugeborenen (2. Abschnitt) anbelangt, verpönt **P.** als Mittel gegen das Frattwer-
den alles Schmieren mit den, dem Ranzigwerden unterworfenen Fetten und
Oelen, sowie das Einstauben mit Heidenmehl (wie es in Steiermark hie und da
üblich ist); besser als das Bärlappsamenmehl glaubt er zu diesem Zwecke

gepulverten Speckstein, der durch Schweiss und Harn keine Ummischung erfährt, am meisten jedoch das Aufpinseln von Glycerin anempfehlen zu können, womit man zugleich den Nachtheil einer mechanischen Reizung vermeidet.

Es ist nach dem Mitgetheilten selbstverständlich, dass das Einwickeln des Kindes ganz umständlich aber gut beschrieben wird; nur dass die Verwahrung des Nabelschnurrestes in ein einfaches Leinwandläppchen ohne Unterlegen von Charpie, wenn die Fäulniss des adhärirenden Stückes beginnt, nach des Ref. Erfahrung nicht genügend ist. Einer ganz eigenen Vorstellung von den Sinnesorganen des Neugeborenen, man könnte fast sagen einem einfachen Aberglauben muss aber die sehr ernste Warnung des Verfassers entstammen, zu dem Neugeborenen ja nicht zu plauschen, besonders wenn er zur Nachtzeit geboren würde. Auch für eine spätere Kinderzeit gibt P. die Regel: Das Sprechen mit dem Kinde ist nur am Tage und Abende erlaubt, und zwar in der Zeit zwischen dem Erwachtsein und dem Trinkengeben. In dieser Zeit spreche die Mutter aber auch ganz gewiss und allmälig auch recht viel mit demselben, jedoch nicht über Lappalien und Lächerlichkeiten, sondern über das, was das Kind angeht und was es schon allenfalls begreifen könnte! Man sieht P. fängt mit seiner Kindererziehung zeitig an, aber wenn er auch in Einigem vielleicht zu weit geht, und über das Bedürfniss des Kindes in dieser Beziehung bezüglich der ersten Lebensperiode nicht ganz klar ist, — die Principien, welche er den jungen Müttern ans Herz zu legen sich bemüht, sind doch wahr und richtig. Und deshalb nehme auch kein Arzt Anstoss dieses Buch den jungen Frauen seiner Clientèle besser anzuempfehlen, als irgend eines der vielen, wenigstens dem Ref. bekannten diätetischen Hilfsbüchlein dieser Art. Schöner geschrieben sind viele, vielleicht alle, — besser und praktischer jedoch kaum eines. R.

Ueber Hygiene der Krippen entspann sich eine weitläufige Debatte in der französischen Akademie, welche in der von der Akademie angenommenen Berichterstattung Delpech's vom 19. April 1870 (3) ihren endlichen Abschluss fand. Die Akademie nahm folgende Resolution an: 1. Die aufzunehmenden Kinder müssen älter als 2 Monate und von allen ansteckenden Krankheiten frei sein. 2. Auch ein sonst krankes Kind darf während der Dauer der Krankheit nicht aufgenommen werden. 3. Da die Krippen dazu bestimmt sind, das Stillen von Seite der Mutter zu erleichtern, so dürfen Kinder, die vor dem 9. Monate abgestillt sind, nur gegen einen motivirten Antrag des Inspectionsarztes aufgenommen werden. Die Mütter müssen angehalten werden, die Kinder wenigstens 2—3 Mal täglich zu stillen. 4. Der Inspectionsarzt ist verpflichtet, täglich einmal die Krippe zu besuchen; ihm allein liegt es ob, die Nahrung der Kinder während der Abstillungsperiode zu bestimmen. 5. Die Krippen müssen bezüglich Luft und Bodenbeschaffenheit in den günstigsten Verhältnissen situirt sein, auch die Ventilation und Heizung ist nach den erfahrungsgemäss erprobtesten Normen zu regeln. Es erscheint namentlich eine Anhäufung der Kinder wie in der Anstalt überhaupt so auch insbesonders in den Schlafsälen durchaus nicht wünschenswerth. 6. Da die Krippen meist für die Kinder der Arbeiter bestimmt sind, so wäre es angezeigt, sie möglichst nahe an die Mittelpunkte der Arbeit zu situiren. (Dieser letzte Punkt wirft, wenn er auch manches Gute in sich schliesst, den vorangehenden Punkt über den Haufen, da eine Situirung der Krippen nahe den Arbeitscentren gewiss nicht zu der Salubrität derselben beitragen dürfte. Ref.)

Das schottische System der Unterbringung hilfsbedürftiger Kinder bei Pflegeparteien, welches Anderson (4) geschildert und als dessen begeisterter Lobredner er auftritt, ist im Principe ganz derselbe Vorgang der an den österreichischen Findelinstituten von dem Zeitpunkte ihrer Begründung an gepflogen, und bei uns auch von Vereinen, so wie z. B. vom Vereine zum Wohle hilfsbedürftiger Kinder in Prag etc. seit Langem in ganz analoger Weise geübt wird. Vergleicht man aber den Erfolg und die Erziehungsresultate bei den in Schottland schon seit mehr als dreissig Jahren in dieser Weise untergebrachten Kindern, mit den bei uns auf diesem Wege erzielten, so drängt sich unwillkührlich der alte Spruch auf: „Si duo faciunt idem non est idem!" — Der Zweck und der Grundgedanke — nämlich die Kinder, welche man vor dem leiblichen und geistigen Verkümmern, dem sie in Folge der Nothlage oder Verderbtheit, oder beides zusammen ihrer eigenen Mütter oder Eltern, in Folge von Verwaisung etc. ausgesetzt sind, bewahren will, in achtbare Familien unterzubringen, als deren Glieder sie geachtet und zu würdigen Mitgliedern der menschlichen Gesellschaft auferzogen werden sollen, sind dieselben bei uns wie in Schottland. Der Begriff der achtbaren Familie wird jedoch bei uns nicht so strenge aufgefasst wie dort; und beschränkt sich grösstentheils darauf, dass die Betreffenden wohlverhalten, d. h. bisher noch nicht wegen Vergehen oder Verbrechen gerichtlich abgestraft worden sind; die Achtbarkeit befindet sich häufig mehr auf dem Papiere, als in der Wirklichkeit. Man hat eben bei uns viele Pflegeparteien nöthig, die Zahlung ist verhältnissmässig klein, für bessere Familien in Anbetracht der mit der Einsicht und Gewissenhaftigkeit der Pfleger steigenden Grösse des von ihnen zu bringenden Opfers keine wünschenswerthe Zubusse zu dem laufenden Einkommen. Das Contingent unserer Pflegeparteien wird daher überwiegend nur aus den ärmeren Volksklassen ergänzt, und wenn man das bedenkt, so muss man sich noch darüber verwundern, dass von diesen armen Leuten in der Mehrzahl der Fälle mehr, viel mehr für diese ihre Pfleglinge geleistet wird, als man für solche Entlohnung eigentlich zu erwarten berechtiget wäre. Der redliche Wille mangelt in der That nur äusserst selten, und es finden sich sogar innige Zuneigung zu dem fremden Kinde und Anhänglichkeit des letzteren an seine Pflegeeltern so häufig vor, dass der Menschenfreund im Ganzen und Grossen mit dem Erfolge in dieser Richtung wohl zufrieden sein kann.

Weit misslicher steht es jedoch bei uns mit der häuslichen und mit der Schulbildung; und da kann man blos darauf hinweisen, dass man das, was man selbst nicht besitzt, auch nicht geben könne. Ref. las irgendwo die Bemerkung, dass man wohl sagen könne, die preussischen Schullehrer hätten eigentlich die grossen Siege in dem gloreichen Feldzuge von 1870 erkämpfen helfen, durch die Intelligenz, welche in allen Chargen des deutschen Heeres verbreitet war, durch den Geist, welcher eben in Folge der Intelligenz der Einzelnen die Reihen beseelte, die besonnene Thätigkeit, die freiwillige Subordination u. s. w. der Massen möglich machte und förderte. Die Schule macht aber auch die Familie, und wo die Schule gut ist, dort ist auch die Familie in geordneteren Verhältnissen als anderswo. Lehrt doch die Erfahrung, dass ein über der bisher unter unseren Lehrern gewöhnlichen Bildungsstufe stehender eifriger Lehrer sehr bald nicht nur in der Schule oft ungeahnte erfreuliche Umwandlungen erzielt, sondern dass auch die Eltern seiner Schüler, oder diese selbst, wenn sie zur Begründung des eigenen Herdes heranwachsen, in ihrem häuslichen Leben, in der Ordnungsmässigkeit, in dem Fleisse womit sie ihre Geschäfte betreiben, in ihrer Humanität und Strebsamkeit die wohlthätigen Früchte des in der Schule gestreuten Samens erkennen lassen.

Inwieferne das Gesagte auf den Gegenstand unserer Berichterstattung seine Anwendung finde, dürfte eben aus **A.**'s Schilderungen am besten hervorgehen. Worauf **A.** zunächst sein Augenmerk richtet, das sind die Kinder, welche entweder ganz verlassen sind, oder Eltern angehören, die in Folge ihrer eigenen Verderbtheit, des eigenen Beispieles die Kinder eher zum Schlechten als zu etwas Guten anleiten oder sie absolut vernachlässigen. Dass grosse Städte die reichlichste Auswahl solcher Fälle liefern, ist leicht begreiflich, und ebenso, dass der Staat in solchen Fällen häufig bei solchen Kindern Elternstelle zu vertreten habe. Mit Recht sagt **A.**, dass wenn man die Art und Weise bedenkt, in welcher die Kinder so häufig erzogen werden, man sich nicht darüber zu verwundern habe, dass es so viele Verbrecher gebe, sondern vielmehr darüber, dass die Zahl der Letzteren nicht noch weit grösser sei, als sie wirklich ist. Als einen sehr zweckmässigen Vorgang die Folgen solcher Lebenslagen der Kinder dem menschenfreundlichen Publikum, und jenen, welche in glücklicheren Verhältnissen lebend, keine Ahnung von der Verkümmerung besitzen, in welche solche arme Wesen täglich tiefer versinken, vor die Augen zu führen, betrachtet **A.** die seit einem Jahre im Nachtasylum zu Edinburgh eingeführten öffentlichen Kindermahlzeiten. Als ein Beispiel von vielen wird folgendes angeführt. Drei einer Familie angehörige Kinder, welche zu diesen Ausspeisungen kamen, zogen durch ihr ausgesprochenes Elend die allgemeine Aufmerksamkeit auf sich. Sie waren schmutzig, verrissen und ausgehungert. Ihre Gefrässigkeit war ausserordentlich, sie assen nicht, sondern sie verschlangen. Der Verein zur Aufbesserung der Lage der Armen machte Nachforschungen und fand, dass die Eltern höchst verworfene Leute waren; man bemühte sich sie zu einiger Sorgfalt für ihre Kinder zu bewegen, die betreffenden Mitglieder des Vereines ernteten jedoch nur Hohn und Insulte. Ref. findet hier nicht die Möglichkeit ausgeschlossen, dass das Misslingen dieser Mission auch durch die ungeschickte Art ihrer Ausführung bedingt gewesen sein könnte. Salbungsvolle Ermahnungen, Vorwürfe und fromme Reden aus dem Munde des Wohlhabenden und Wohlgenährten, welche statt der dringlich nöthigen materiellen Hilfe geboten werden, sind ganz wohl geeignet die Verbitterung des Verzweifelnden zu steigern, und ihn gegen jede noch so wohl gemeinte Massregelung von solcher Seite absolut widerspänstig zu machen. Indess fand **A.**, dass es in der That in Edinburgh Leute gebe, welche durch kein Zureden zu vermögen sind, ihre Kinder freiwillig an dem unentgeltlich ertheilten Unterrichte theilnehmen zu lassen, und dass man Hunderte von schulfähigen Kindern daselbst finden könne, welche keinen Schulunterricht geniessen. In den meisten Fällen war die Trunksucht der Eltern der Grund dieser Versunkenheit ihres Familienlebens oder der Vernachlässigung namentlich des Unterrichtes der Kinder; in anderen wirklich Armuth, Arbeitslosigkeit etc. Es handelt sich nun **A.** darum, den wohlthätigen Vereinen der Hauptstadt jenen Weg anzuempfehlen, so viel als möglich solcher verwahrlosten Kinder vom physischen und moralischen Untergange zu retten, welchen die Pfarr-Armenväter von Edinburgh seit 30 Jahren mit bestem Erfolge eingeschlagen haben, nämlich die Unterbringung der Kinder bei Pflegeparteien am Lande. Die Ergebnisse dieser Procedur waren nach **A.** äusserst günstig; von 320 Pfleglingen waren 114 Waisen, 57 von ihren Eltern verlassen, 149 ihren Eltern abgenommen. Die Pfleger gehören unter die bessere Arbeiterklasse und die Dauer dieser Pflege erstreckt sich

von der Geburt bis zum 13. Lebensjahre. Zunächst fand sich eine sehr geringe
Sterblichkeit unter diesen Kindern gegenüber jenen in Edinburgh, woselbst
nach A. von 1000 gegen 35, dagegen von den auswärts verpflegten Kindern
dieses Alters (1—13 Jahren) blos 3 starben. Der Vergleich ist wohl an sich
ungerecht, denn A. erwägt nicht, dass man den Pflegeparteien einmal keine schon
erkrankten, und anderseits meist schon ältere Kinder vom schulfähigen Alter
gibt, deren Sterblichkeit fast unter allen Verhältnissen eine höchst geringe ist.

A. bemerkt hier, dass alle Pfleger sich äusserten, dass das Zurechtbrin-
gen s. v. v. verwilderter Kinder weit eher und leichter möglich sei, wenn
dieselben unter oder mit höchstens 6 Jahren in ihre Hände kommen. Aeltere
Kinder hätten meist schon zu viel von den Schlechtigkeiten ihrer früheren
Umgebung angezogen. Die Kinder werden je nach dem in die (hochkirch-
liche) Pfarrschule, in die Freikirchenschule oder in die katholische Schule
geschickt, indem die Kinder je nach der Confession der Eltern auch bei
Pflegeeltern desselben Bekenntnisses untergebracht werden sollen. Geeignete
katholische Pflegeeltern aufzufinden, bot jedoch bis jetzt die grössten Schwierigkeiten, und es kamen bisher noch beträchtlich viele Kinder katholischer
Eltern zu protestantischen Pflegern. — Bei der Auswahl der Pflegeeltern ist
die Armendirection besonders scrupulös — und darin liegt wohl ein Hauptpunkt der segensreichen Wirkung des Systems, welches, wie die Erfahrung
lehrt, sich nie und niemals was die Erziehung anbelangt bewähren kann, wenn
dieser Punkt leichthin genommen oder vernachlässigt wird. Es werden in
Schottland vor Allem der Charakter und die Grösse der Familie der Betreffenden berücksichtigt (tout comme chez nous aber doch in der Ausführung
etwas verschieden), dann die Anzahl der Wohnzimmer, die Zahl der Betten,
die Art des Bettzeuges, die Entfernung von der Schule, der Umstand, ob im
Orte Sonntagsschulen bestehen, wer dieselben leitet, kurz Alles, was die ge-
sundheitsgemässe und sonst entsprechende Unterbringung der Pfleglinge angeht, genau erhoben.

Ein kinderloses Ehepaar kann je nachdem drei solcher älterer Kinder
zur Verköstigung erhalten. Solche Parteien, welche keine stabile Einnahms-
quelle aufweisen können, werden abgewiesen; Wittwen dagegen nicht ausgeschlossen. Man verlangt zwar Zeugnisse von den Pflegeparteien, aber ein
Inspector der Direction überzeugt sich persönlich von der Salubrität und Reinlichkeit der Localitäten. A. fand sich angenehm durch die ausgezeichnete
Reinlichkeit und Behäbigkeit der Wohnungen, die Nettigkeit der Pflegemütter
berührt, trotzdem seine Besuche durchaus unerwartet waren. (Auf ein solches
Vergnügen werden wohl unsere Findelaufseher noch für einige Zeit ver-
zichten müssen! Ref.) Ebenso erfreute ihn das Aussehen der Kinder in jeder
Beziehung, welches auffallend gegen jenes der Edinburgher abstach. Sie sahen
heiter und zufrieden aus und schienen nicht nur sehr wohl gepflegt, sondern
auch wohl behandelt zu werden. Die Leute werden ihnen nahezu so zuge-
than, als ob die Kinder ihr eigen wären (eine Beobachtung, welche wir
auch unter unseren misslicheren Verhältnissen häufig genug zu machen die
Freude haben. Ref.) Die Kinder selbst erblicken in ihren Pflegeeltern ihre
natürlichen Beschützer und bewahren ihnen durchs Leben eine Achtung und
Zuneigung, welche von jener unter eigenen Eltern und Kindern nicht oft übertroffen wird.

Von verpflegten Kindern, welche später in verschiedenen Gewerben,
der Landwirthschaft, die Mädchen in Hausdienste untergebracht wurden, ist

während dieser 30 Jahre kaum ein einziges missrathen. Ein Haupthinderniss des Erfolges sind nicht selten die eigenen Eltern selbst, welche es oft nicht wohl vertragen zu können scheinen, dass ihre Kinder besser werden, oder es besser haben sollen, als sie selbst. Das Gefühl, dass sie später dann ihrer kaum mit Liebe, sondern eher mit Scheu gedenken dürften, ist wohl ein ausreichender psychologischer Grund für diese Erscheinung. Deshalb bedauert auch die Direction nicht die Befugniss zu besitzen, das Verlangen mancher solcher Eltern, ihnen die Kinder wieder auszufolgen, abweislich bescheiden zu dürfen.

A. schildert nun nach den einzelnen, von ihm gesehenen Fällen die Lebensweise der Pfleglinge, die von den Pflegeeltern über einzelne derselben gemachten Aeusserungen, auf welchen Abschnitt des Buches Ref. verweisen muss, da er nur Einzelnheiten davon berühren kann. Die Kinder sind alle entsprechend, anständig, aber gleichmässig gekleidet. Das letztere findet wohl auch A. in Anbetracht des Zweckes den Makel des Pauperismus an diesen Kindern so wenig als möglich hervortreten zu lassen, etwas anstössig. Doch dürfte es, wie Ref. meint, unendlich besser sein, sie in eine Art anständige Uniform zu kleiden, als es trotzdem sie — aus dem oder jenem Fonde versorgt genannt werden — demjenigen, der die Vögel des Himmels kleidet und dem irdischen Pfleger, der für Beköstigung, Erziehung etc. 1 fl. 75 kr. des Monats erhält, zu überlassen, ob sie überhaupt bekleidet sein sollen oder nicht. Nach der photographischen Abbildung einiger ausgezeichneter Schüler unter diesen Pfleglingen ist indess an dieser Kleidung ausser dem Gleichmässigen nichts Auffallendes. Und in der Schule nun, da zählen diese Pfleglinge in der Regel unter die besten, aber vornehmlich die Knaben, während die Mädchen sich in dieser Beziehung bei weitem nicht so sehr hervorthun. Als Beispiele der Früchte der genossenen Erziehung werden unter andern auch zwei Brüder nebst zwei andern Knaben vorgeführt, die bei einem Schuhmacher untergebracht waren. Sie hatten in der Wohnung des letzteren ein eigenes kleines Gemach, um ihre Schulaufgaben ungestört arbeiten zu können. Der Aelteste zeigte sich wohlbewandert im Euklid; in seinen Mussestunden beschäftigte er sich mit Hume's Geschichte von England. Diese 4 Pfleglinge hatten 21 Schulprämien aufzuweisen. Als die Pflegemutter die gute Aufführung ihres ältesten Pfleglings belobte und zugleich Erwähnung that, dass das Ende seiner Verpflegszeit nahe und ihre Trennung bevorstehe, konnte sich der Junge der Thränen nicht enthalten, und man sah, dass diese ihm geschaffene Heimath eine glückliche gewesen sein müsse. Der jüngste dieser Knaben in dem Alter von 7 Jahren stehend, schien wieder besonders begabt zu sein, er war der Liebling aller; die Pflegemutter konnte zwar niemals erfahren, wann er seine Aufgaben lernte, aber genug an dem, er kannte sie immer! — Viele der ehemaligen Pfleglinge fand A. auch nachdem sie erwachsen waren, und sich ihr Brod selbstständig erwarben, als Miether und Kostgänger bei ihren früheren Pflegeeltern.

Was nun die Confession der Pflegeparteien anbelangt, so war es nicht immer möglich für diesen Zweck geeignete römisch-katholische Familien zu finden; viele der in protestantischen Familien untergebrachten Kinder kath. Eltern traten später auch wirklich zum evangelischen Bekenntnisse über, und wehrten sich mitunter auf das nachdrücklichste gegen die Zumuthung, der Religion ihrer Erzeuger zu folgen. Man trachtete daher solche Kinder regelmässiger bei Katholiken unterzubringen. Namentlich bemühten sich die barmherzigen Schwestern, die Aussicht solche Kinder in Pflege zu erhalten, als Sporn für katholische Familien benützend, die letzteren zu einer erhöhten Reinlichkeit und Ordnung ihres Hauswesens zu vermögen, nachdem früher die kath. Kinder selbst auf Anrathen dieser Ordensschwestern meist in protestantischen Familien untergebracht werden mussten, und es jetzt zur Hälfte noch sind. Diese Bestrebungen hatten den wichtigen Erfolg, dass man gegenwärtig an einigen solchen Orten · in Beziehung auf Sauberkeit der Wohnung fast gar keinen Unterschied mehr findet zwischen den Wohnungen der Protestanten und der Katholiken, und A. fand, dass die Unterkunft nicht schlechter, sowie die Anhänglichkeit der Kinder an ihre Pflegeeltern in den katholischen Familien keine geringere war, als in den protestantischen. Auch über die Schule der Barmherzigen Schwestern in Canark, welche nebenbei gesagt, auch eine Crèche daselbst begründet haben, wo für das Kind pr. Tag 2 Penny bezahlt werden, spricht sich A. anerkennend aus. Mitunter halfen die Kinder ihren Pflegeeltern bei ihrer Arbeit und wurden von diesen dafür mit kleinen Beträgen entlohnt, welcher Sparpfennig zu der Anschaffung mancher Kleinigkeiten, z. B. eines Buches oder eines Regenschirmes etc. verwendet wurde. Die laufenden Kosten für einen Pflegling gestalten sich durchschnittlich jedoch bei weitem nicht nach einer Taxe oder für jeden gleich bemessen, sondern bei den Einzelnen sich nach den Umständen richtend im Mittel für das Jahr vom 14. Mai 1869 bis 1870 wie folgt:

Für Kost	. . . .	6 Pfd.	10 Sh.	—	P.
» Erziehung	. . . . . .	— »	10 »	9½ »	
» Kleidung	. . . . .	1 »	11 »	7 »	
» Reisekosten und Aufsicht	— »	9 »	6½ »		
» ärztliche Besuche	. . ·	— »	— »	6¼ »	

9 Pfd.   2 Sh.   5¼ P.

Auf die Kost kommen demnach etwa 2 Sh. 6 P. in der Woche; erreichen sie das Alter, wo die Verpflegung aufzuhören hat, so bekommen die Einzelnen von der Direction eine Ausstattung bestehend aus 2 Anzügen sammt Wäsche, 1 Bibel und 1 Koffer. Die Unterbringung der Knaben als Lehrlinge oder in den Dienst bei Landleuten (sowie der Mädchen in entsprechender Weise) besorgt gleichfalls die Direction, und es verbleiben die Kinder so lange bei den Pflegeeltern, bis man eine Stellung für sie gefunden.

Das wäre demnach eine Auslage von etwa 100 fl. jährlich pr. Kopf bei uns, und wie viel Gutes könnte bezüglich unserer heranwachsenden Findlinge sowie anderer verlassener Kinder, besonders bei dem allmälig sich bessernden Stande unserer Volksschulen geschehen, wollte man endlich dieser wichtigen Seite der Volkswirthschaft auch einige Aufmerksamkeit schenken, und sich an massgebender Stelle nicht damit begnügen und zufrieden stellen, etwas bloss dem Namen nach zu thun, statt die Aufgabe ihrem Geiste nach zu erfüllen. Es braucht bei uns nichts Neues eingeführt, sondern nur das Bestehende gewissenhaft dem Bedürfnisse, den Forderungen der Humanität und der Zeit gemäss ausgeführt zu werden, um ähnliche oder eben solche Erfolge zu erzielen.

Liest man aber Schilderungen wie diese obigen, — und sie sind werth in allen ihren Einzelnheiten gewürdigt zu werden, — so fällt das Gefühl wie Centnerlast auf die Brust, wie viel bei uns in dieser Beziehung nicht geschieht, was doch so leicht geschehen könnte, wie viele Arbeitskraft man verloren gehen lässt, wie wenig man bemüht ist, in den Fällen, welche einem eben in die Hand gelegt sind, das Kind zu behüten, dass es nicht zum rohen, unbrauchbaren oder der Gesellschaft schädlichen Menschen ausarte — und endlich wie vergeblich man solche Klagen bei uns führt, weil die Ohren, welche sie hören müssten, um Abhilfe zu schaffen, eben nicht willig sind zu hören! Möge des Verfassers Schriftchen wenigstens unter seinen Landsleuten die Wirkung haben, das segensreiche System in immer grösserem Maasse in Aufnahme zu bringen!   R.

III. Vaccination.

(5) Geh. Med. Rath Dr. E. H. Müller: Uebertragung der Syphilis durch Vaccination. Berl. med. Wochenschr. 1870 Nr. 8 u. 10 p. 99 u. 123.

(6) Docent Dr. Heinrich Köbner in Breslau: Die Uebertragung der Syphilis durch die Vaccination. Arch. f. Syph. u. Dermatol. III. Jahrgang. 1871. Nr. 2 pag. 133.

Mit vollem Rechte verurtheilt Dr. **Müller** (5) diejenigen, welche unbedacht von geschehener **Uebertragung syphilitischer Affectionen durch die Vaccination** sprechen, ehe sie sich auch nur davon überzeugt haben, ob die wahrgenommene Erkrankung des betreffenden Impflinges wirklich specifischer Art sei. Auf diese Art wurde im Jänner 1870 in Berlin Misstrauen gegen die Vaccination auf den ohnehin schon vorbereiteten, üppigen Boden gesät, nachdem von den 18 Kindern, welche der polizeiliche Impfarzt Dr. D. mit der Lymphe aus zwei von ihm selbst gefüllten Haarröhrchen geimpft, 9 Tage später bei einem Knaben circumscripte, flache Anschwellungen um den After herum vorkamen, welche beim ersten Anblicke das Ansehen flacher Condylome hatten, bei genauerer Besichtigung jedoch als Geschwüre mit ziemlich runden, abgeschnittenen Rändern, vertieftem, weisslich unebenem Grunde und geringem dünnen Sekrete sich zeigten. Von anderen sieben Kindern, an welchen ebenfalls verdächtige Erscheinungen beobachtet worden sein sollten, fand **M.** bei dem einen, das an Stickhusten litt, eine geschwürige Stelle an der Unterlippe, und eine Drüsenanschwellung unter dem Kinne, bei dem anderen eine erysipelatöse Röthung des Oberarmes, bei einem anderen Eczem in der Umgebung der Pocken, bei allen aber eine geringe Entwicklung und raschen Verlauf (?) der letzteren. In den nächsten Tagen waren die Aftergeschwüre geheilt, das Eczem verschwunden, und zeigten die Pocken ausser ihrer geringen Entwicklung an jenen Kindern, bei welchen die Impfung überhaupt haftete, nichts Abnormes. Im späteren Verlaufe beobachtete man bei einem Kinde, an dessen Arme sich bald nach der Impfung ein Abscess entwickelte, seit dessen Heilung einen scrofulösen Kopfausschlag. Bei einem Theile der Impflinge jedoch zeigten sich an verschiedenen Körperstellen vereinzelte kleine Pusteln, die sich später als Variolaefflorescenzen erwiesen, so dass die Infection mit Variola (oder Varioloiden wie **M.** angibt) bereits vor der Zeit der Impfung stattgefunden haben dürfte, — welche Annahme in diesem Falle auch durch den Umstand gestützt wird, dass die Impfung eben desshalb geschah, weil in dem Hause Pockenerkrankungen vorgekommen waren. Die beiden Exantheme verliefen

neben einander, doch wurde die Heftigkeit der Variola durch die Impfung
ebenso gemildert, als durch den Einfluss der bereits bestandenen Infection die
Entwicklung der Vaccinepusteln beeinträchtigt erschien. In allen diesen Fällen
also, so wie in zwei anderen, wo nach Angabe eines Tagblattes mittelst der
Impfung durch denselben Impfarzt am 20. Jänner ein ähnlicher Schaden für
die Impflinge erwachsen sein sollte, erwies sich die Verdächtigung als grund-
los. Ref. kann nicht umhin, auch die Aeusserung des Vrf. über die Umstände
anzuschliessen, welche ihm zu Folge einzig und allein berechtigen eine durch
die Vaccination ermittelte Uebertragung der Syphilis anzunehmen. „Wenn
dieselbe anerkannt werden soll, so muss, wie er meint, nothwendig an der Stelle
wo die Vaccination stattfand eine primär syphilitische Affection erscheinen;
fehlt diese, so ist die Ansteckung nicht durch die Vaccination veranlasst. Zeigt
sich an anderen Körpertheilen des Kindes eine primär syphilitische Affection,
so muss die Infection auf anderem Wege erfolgt sein." Aber auch in der Diagnose soll der Arzt vorsichtig sein; es gibt Affectionen, welche der Syphilis
ähnlich sehen und sich in ihrem Verlaufe doch nicht als syphilitisch erweisen.
Treten aber secundär syphilitische Erscheinungen bei einem geimpften Kinde
auf, dessen Impfstellen von primärer Affection frei sind, so ist durch den Reiz
der Impfung die bereits vorhandene latente Syphilis zur Erscheinung gelangt.
— Dass die Grenzen einer Uebertragung der Syphilis durch Vacciniren hier
nach einer vielleicht nicht ganz richtigen Anschauung über die Uebertragbarkeit des syphilitischen Virus in verschiedenen Formen der specifischen Erkrankung überhaupt gesteckt sein, dürften nebst anderen namentlich die genauen
Beobachtungen Koebner's, die wir in Folgendem bringen, hinlänglich beweisen, weshalb auch eine kritische Erörterung dieser Ansichten von Seite des
Ref. an diesem Orte überflüssig wäre.   R.

    Dr. Köbner vertheidigt in einem eigenen Aufsatze über Impfsyphilis
(6) die Richtigkeit seiner Behauptung, dass die Inoculation mit dem Blute
Syphilitischer auf Gesunde nur bei hinreichend grosser Blutmenge einerseits
und bei der Aufnahme derselben auf entsprechend grosser Resorptionsfläche
hafte, gegen die Bekämpfung dieser Ansicht von Seite Auspitz's (vide unser
Jahrbuch 1870 Bd. 1, pag. 183 des Sammelberichtes). Als Vehikel der
Uebertragung von Syphilis bei Vaccinationen erkannte K. bloss das Secret
einer auf der Basis der Pseudovaccinepustel sitzenden syphilitischen Localaffection, mag dieselbe nun eine durch die Vaccination selbst erst eingeimpfte
Ulceration oder beginnende Induration — entsprechend den Fällen, in welchen
von einem zweiten Stammimpfling abgeimpft wurde — oder bei dem ersten
Stammimpfling ein Infiltrat als Theilerscheinung einer bereits länger bestehenden constitutionellen Syphilis sein. Indem Auspitz (l. c.) die Gegengründe
K's. (in Rahmer's Dissertation) gegen die Viennois'sche Hypothese zu entkräften und die Unzulänglichkeit von K's. eben angeführter Ansicht zu beweisen versuchte, findet sich K. veranlasst den Gegenstand nochmals gründlich
zu beleuchten. Zu diesem Ende erörtert er zunächst die Frage: Was ist durch
die Experimentalimpfungen mit blassem Blute constitutionell Syphilitischer
auf Gesunde festgesetzt worden? Nach einer tabellarischen Uebersicht der
bekannten Versuche Waller's, Lindwurm's u. A. findet man unter 23 Blut-
inoculationen auf 21 Individuen 17 negative und 6 positive Resultate; unter
den letzteren keinen Fall, wo nur eine kleine Menge Blutes mittelst eines einfachen Lanzetstiches eingebracht worden wäre, wie dies bei der Vaccination
geschieht. Im Gegentheile wurde durch vielfache Scarification oder durch Be-

nützung vorhandener Schenkelgeschwüre oder Abtragung der Epidermis eine grosse Resorptionsfläche geschaffen, das Blut in grösserer Menge (d. h. blutgetränkte Charpie etc.) sorgfältig mittelst Verbände in längeren Contact mit den Impfwunden gebracht und erhalten. — **K.** erinnert, dass Diday's Versuche mit dem Blute tertiär Syphilitischer kein Resultat ergaben, und somit die Periode der Erkrankung Berücksichtigung verdiene. Nur in dem acuten, virulentesten Stadium (in welchem sich auch Alle befanden, von welchen in den angeführten Versuchsreihen das Blut zur Impfung gedient hatte), ist die Contagiosität des Blutes nachgewiesen. Trotzdem auch diese Bedingung hier erfüllt war, blieb die Syphilisimpfung dennoch in vielen Fällen erfolglos, während Viennois die Blutcontagiosität ganz allgemein hinstellt. — Ferner müsse auch die Menge des Virus in Betracht kommen, die in dem eingeimpften Blute enthalten ist, welche Nothwendigkeit einerseits aus der Zweifelhaftigkeit des Erfolges bei sehr verdünntem, syphilitischen Secrete selbst, — wenn es zum Versuche benützt wird, andererseits aus der tausendfach erprobten Schadlosigkeit gerade der sehr häufig Blutkörperchen enthaltenden Vaccine Syphilitischer hervorgeht.

In Rücksicht auf Viennois' Darstellung erwiedert K. mit Boeck's Impfungen mit Vaccine von secundär Syphilischen, welcher ersteren absichtlich Blut der letzteren beigemischt war. Die Vaccine haftete bei Allen mit alleiniger Ausnahme eines schon früher geimpft gewesenen, niemals erzeugte jedoch das mitverimpfte Blut Syphilis. Bei den wirklichen Fällen von Vaccinesyphilis ist es aber weder immer über allen Zweifel sicher gestellt, dass der übertragenen Flüssigkeit auch in der That Blut beigemengt war, noch nachweisbar, ob bei den unter gleichen Umständen, aber ohne die gleichen Folgennachtheile Geimpften kein Blut der Vaccine beigemengt war. K. stellt hierauf alle bisher bekannt gewordenen solchen Fälle zusammen, von welchen die mitgetheilten Daten zur Abstrahirung eines statistischen Ergebnisses geeignet erscheinen. Unter 324 unter Umständen Geimpften, unter denen Vaccinesyphilis auftrat, sind 222 syphilitisch erkrankt, 61 blieben bestimmt gesund, von 41 konnte der spätere Gesundheitszustand ärztlicherseits nicht erhoben werden. Von diesen Individuen waren 66 erwachsene Revaccinirte; doch ist auch unter diesen über den späteren Gesundheitszustand von nur 32 derselben etwas bekannt. Unter diesen 32 wurde bei 25 constitutionelle, von der Impfung herrührende Syphilis constatirt. Die Häufigkeit beläuft sich bei Erwachsenen auf 66 %, bei Kindern auf 76 % und ist somit eine weit gewaltigere als bei den Blutimpfungen. Von den, von notorisch durch die Vaccination syphilitisch gewordenen Kindern weiter geimpften 47 Kindern (Hübner, Rivalta) erkrankten nur 8, also etwa 4 mal weniger als von den Impflingen der ersten Reihe. Es müssen somit die Chancen für die Uebertragung der Syphilis für die vom zweiten Stammimpfling Abgeimpften weit geringer sein; und macht es schon dieser Umstand für sich nicht möglich mit Viennois für alle Fälle eine und dieselbe Uebertragungsweise anzunehmen.

Alle beobachteten Fälle lassen sich ferner scheiden in solche, wo sowohl Vaccine als Syphilis eingeimpft wurden, und in blosse Syphilisübertragungen. Bei 6 von Hübner's inficirten Kindern, welche revaccinirt wurden, entwickelten sich bei 4 vollständige Vaccinepusteln, bei zweien, von welchem bei jenem Kinde (Bloser), das für 60 weitere Impfungen als Stammimpfling diente, die Revaccinationspusteln mehr der Variolois ähnelten. Auspitz hält blosse Syphilisimpfung für unmöglich, Viennois aber schliesst, dass

derselbe Vaccinationsstich dem betreffenden Kinde Bloser's beide Virus inoculirt. — Doch entwickelten sich an den Impfstellen örtlich entweder gar keine
Vaccinepusteln (alleinige Syphilishaftung) oder die Vaccinebläschen füllten
sich normal, so dass sie am 8. oder 10. Tage zur Abimpfung ganz geeignet erschienen, und da erst oder selbst später nach Abfallen der Borke oder
vollendeter Narbenbildung traten syphilitische Ulcera oder Infiltrate zu Tage.
Meist entstanden an einer oder der anderen Impfstelle indurirte Schanker,
nicht an allen, und selbst ein und derselbe Impfling bot mitunter an einigen
Stellen normal verlaufende und bleibend vernarbte Schutzpocken, an anderen
die Umwandlung zu syphilitischen Geschwüren dar. Daraus schliesst nun K.,
dass in der reinen Vaccine der syphilitischen Stammimpflinge das syphilitische
Virus nicht enthalten sein könne, sondern dass das letztere direct von einem
anderen Stoffe getragen werden müsse.

In den best beobachteten Fällen war die Incubationszeit bis zum
Ausbruche allgemeiner Syphilis nicht unter 2 Monaten nach der Vaccination,
in einigen bis zur 16. Woche protrahirt. Bis zum Auftreten von Syphilisin-
filtraten an den Impfstellen dauerte es 15—20 Tage, oft wurden dieselben
erst nach Abfallen der Borke bemerkbar, weil sie durch die Vaccinepocken
maskirt waren. Wo es jedoch zur Entwicklung der letzteren nicht kam, sah
man die primäre syphilitische Affection schon ungefähr in der 2. Woche beginnen, — sowie bei reinen Syphilisinoculationen. Die Incubationsfrist ist
somit gegenüber anderweitig acquirirter oder inocuirter Syphilis nicht abge-
kürzt, noch überhaupt stets gleich, so dass es nicht angeht, mit Auspitz
eine durch die gleichzeitige Transmission und doch getrennte Wirkung beider
Contagien bewirkte Verkürzung der Incubationszeit als charakteristisch oder
constant anzunehmen. Es kann hier nur von einer gesteigerten, rascher verlaufenden örtlichen Entzündung an den Impfstellen die Rede sein.

K.'s eigene Ansichten über die möglichen Arten der syphilitischen Infection durch Vacciniren sind folgende: a) Indem einzelne Impfstellen zur
Entwicklung von Blasensyphiliden (wie auch Friedinger beobachtete) führen können, und man von diesen wie von regelmässigen Pocken abimpft;
b) wenn man zu einer vorgerückten Zeit abimpft, wo die Menge der Eiter-
körper im Inhalte der Pustel schon sehr gross ist. — Auzias Turenne
führt an, dass durch den eitrigen Inhalt einer am 11. Tage eröffneten Vac-
cinepustel eines syphilitischen Kindes ein gesundes inficirt wurde, während
8 Tage früher mit der noch klaren Lymphe von demselben Kinde 2 andere
gesunde Individuen ohne solchen Nachtheil geimpft worden waren. Nicht zu
übersehen ist auch die Möglichkeit, dass unter solchen Umständen nicht
sowohl eine Uebertragung, als vielmehr eine Erweckung der latenten Lues
des Geimpften durch die Verletzung stattfinden könne, sowie in solchen Fällen bereits bestehender Syphilis die Variolapusteln direct in breite Condylome
übergehen können, — welche Erscheinung freilich nur eine seltene Ausnahme
von dem meist durchaus regelmässigen Verlaufe der Blattern bei constitutionell Syphilitischen bildet. — c) Die Möglichkeit durch ein Gemenge von
Vaccine und Blut beide Contagien zu übertragen, scheint durch die Beobachtung Sebastian's, der sich gerade bezüglich der Setzung der speciell hieher
gehörigen Impfstelle erinnerte, durch das Zucken des Stammimpflinges zufällig Blut miteingeimpft zu haben, — allerdings vertreten zu sein; doch
entstand gerade hier ein indurirter Schanker, während die Impfpocken des
Stammimpflinges nach 22 Tagen vernarbt waren, derselbe aber um diese Zeit

bereits ein ausgebreitetes Syphilid darbot. — Dieser Fall lässt demnach keinen
Vergleich mit den experimentellen Impfungen mit dem Blute Syphilitischer
zu, wo man geradezu Sorge trug, aus exanthemfreien Hautstellen Blut zu
entziehen.

Was nun K. über die prophylaktischen Massregeln zur Vorbeugung der
Erzeugung von Impfsyphilis sagt, lässt beinahe vermuthen, dass K. selbst
niemals die Vaccination als Impfarzt betrieben habe. Sogar der schon einmal
in diesen Blättern (Jhrb. 1870 II. p. 183) besprochene Vorschlag Pick's nur
10jährige Revaccinirte als Stammimpflinge zu wählen, wird aufgewärmt und
von K. acceptirt. Da muss nun schon Jemand von diesen Herren so gut sein,
die praktische Durchführung dieses Vorschlages selbst zu versuchen und so
seine Durchführbarkeit zu erweisen; ein beschäftigter Impfarzt kann dies nicht
thun. Dass häreditäre (wohlgemerkt nicht acquirirte) Syphilis unter unehelichen
chen Kindern häufiger als unter ehelichen vorkomme — ist eine allgemein verbreitete Lehre. Die Erfahrungen des Ref. wenigstens an der früher von ihm
geleiteten Poliklinik und jetzt an der Findelanstalt — sind nicht dazu angethan,
diese Annahme als begründet zu erweisen, worüber derselbe schon öfter sich
auszusprechen Gelegenheit nahm. K's. Anrathen nur eheliche Kinder als
Stammimpflinge zu verwenden, ist somit auch nur eine hohle Rede. Der einzige
praktische Vorschlag ist der, das Kind, von dem man abimpfen will, genau und
am ganzen Körper zu untersuchen, nicht von zu jungen Kindern und nur am 7. oder
8. Tage abzuimpfen. Das wird auch gewiss jeder erfahrene Impfarzt unterschrei-
ben. — Die Altersgrenze des Stammimpflinges bis über das erste Jahr auszu-
stecken, ist aber wieder eine gewiss nicht von der Erfahrung getragene Regel;
— über das 4. oder 5. Monat etwa soll das Kind gekommen sein, aber unter
einem Jahr alte Stammimpflinge werden jederzeit verwendet werden müssen
und können. Sollte man dies nicht für zulässig halten, so erweise man doch
einen unzweifelhaften Fall, wo ein Kind 3 oder 5 oder 7 Monate nach der Geburt vollkommen gesund geblieben, regelmässig oder gar üppig zugenommen
hat, und später doch Spuren von häreditärer (wohlzubemerken nicht acquirirter) syphilitischer Erkrankung dargeboten hat. Dann will der Ref. in dieser
Beziehung die Segel streichen, natürlich wenn man die Syphilis nicht schon in
jedem Falle auf den ersten Anblick diagnosticiren und nicht jede Erscheinung
von Pyämie für Syphilis erklären will.

Die zwei eigenen Beobachtungen, welche K. seiner sehr dankenswerthen Arbeit theilweise zu Grunde legt, glaubte Ref. besser am Schlusse dieses
Auszuges bringen zu sollen, weil sie den möglichst präcise gegebenen Ideen-
gang des Vorangeschickten unterbrochen hätten. Der erste dieser Fälle betraf einen jungen Militärarzt, der sich revacciniren liess. Er war der erste
der vom Arme eines ihm unbekannten Soldaten an mehreren Stellen des Oberarmes geimpft wurde. (Spricht das vielleicht zu Gunsten des Usus Revaccinirte als Stammimpflinge zu verwenden? oder liegt in dem Verlaufe dieses
Falles nicht vielmehr deutlich die Warnung — welche K. in seinen Kautelen
nicht berührte — gewiss niemals und unter keinen Umständen von revaccinirten Erwachsenen weiter zu impfen?) Der Patient war, wie sein
Wort und die Untersuchung der Genitalien erweiset, niemals inficirt; — nach
der Revaccination entwickelten sich keine Vaccine — sondern Eiterpusteln,
die nach 8 Tagen eingetrocknet waren, bis auf eine, welche sich unmittelbar in ein indurirtes Geschwür verwandelte. Später fanden sich am linken
Oberarme nur die aus der Kindheit herrührenden Vaccinenarben, an der Inser-

tionsstelle des Deltoideus eine pergamentharte, an den Rändern steil abfallende, dunkelrothe erhabene Scheibe, sehr nahe daran eine linsengrosse Papel; mehrere Lymphdrüsen der linken Achselhöhle stark vergrössert, hart, schmerzlos, am Stamm mehr als im Gesichte und an den Extremitäten entwickelt ein papulöses Syphilid. Breites Condylom des weichen Gaumens. Genitalien intact. Letzterer Befund war gerade 3 Monate nach der Vornahme der Revaccination aufgenommen. Mit Recht bemerkt **K.**, dass der Zweifel hier zulässig erscheine, ob der Betreffende auch gleichzeitig mit Erfolg revaccinirt worden sei.

Der zweite Fall betrifft den 2 Jahre 1 Monat alten Knaben Guido R., den **K.** mit Syphilis cutanea pustulosa et ulcerosa universalis behaftet am 11. Juni 1870 zuerst sah und der am 1. December desselben Jahres starb. Capillitium, Stirn und Rücken waren von unzähligen, verschieden grossen Pusteln und Geschwüren, die Nasenöffnungen von vertrockneten Eiterkrusten bedeckt, der Mundwinkel seicht geschwürig. Das Jahr zuvor, am 24. Juni 1869 war das Kind geimpft worden, und hat der Impfarzt dem vorliegenden Atteste zufolge die 6 bei der Revision vorgefundenen Schutzpocken für echt erkannt. Die anderen von demselben Stammimpflinge geimpften 4 Kinder waren gesund geblieben, bei Guido hingegen standen nach der Aussage seiner Umgebung die Pocken 6 Wochen, flossen auf dem linken Arme in ein 4pfenniggrosses Geschwür zusammen, während sie auf dem rechten' auch eiterten, aber isolirt blieben. Nach Abheilung der Geschwüre erschienen 6 Beulen an verschiedenen Körpertheilen, die theils spontan aufgingen, theils durch den Impfarzt geöffnet wurden. Im Februar und März des nächsten Jahres traten Eiterausflüsse aus der Ohren- und den Nasenöffnungen, im April Pusteln an der Stirn und Kopf auf. Nebst den bereits mitgetheilten Erscheinungen fand **K.** übrigens auch die Lymphdrüsen der linken Achselhöhle indurirt und beträchtlich vergrössert, diejenigen der rechten kaum zu tasten. Nachdem die oberflächlichen Ulcerationen so ziemlich zurückgegangen waren, trat im September Husten, Lymphdrüsenschwellung am rechten Unterkieferwinkel und am Nacken, dann continuirliches Fieber, Bronchopneumonie und am 1. December 1870 der Tod des Kindes ein. Bei der Section fanden sich ausser Hydrocephalus externus und Hirnödem cystöse Erweiterung beider Plexus choriodei laterales und eine erbsengrosse Cyste im linken Corpus striatum, in welcher bei näherer Untersuchung ein ziemlich grosser, gut ausgebildeter Cysticercus nachgewiesen wurde. Die Lymphdrüsen des Halses härtlich geschwellt, am Durchschnitte weissgelb; eine oberhalb der rechten Clavicula schwappte und enthielt unter der verdickten Kapsel und unter einer dünnen Schichte erhaltener Rindensubstanz eine mit zähflüssigem, krümlichem, weisslichem Eiter gefüllte Höhle; die Schleimhaut der Bronchi geschwellt und geröthet, dieselben bis zur Bifurcation mit schaumig ödematöser Flüssigkeit gefüllt. Die Lungen voluminös, in allen Lappen härtlich infiltrirt, an vielen Stellen besonders an der hinteren Fläche und an der Basis adhärirend; ihr Gewebe durchaus von zahlreichen, theils isolirten und durchschnittlich stecknadelkopfgrossen, theils confluirten käsigen Entzündungsherden durchsetzt, welche in beiden oberen Lappen zu je 4 und 6 Höhlen voll krümlig eitrigen Inhaltes zerfallen waren. Die Pleura namentlich in den rückseitigen und Zwerchfellspartien, dann die äussere Fläche des Pericardiums, sowie auch das Epicardium besonders an der Herzspitze, ferner die Milz von Miliartuberkeln durchsetzt. Sämmtliche Mediastinal- und Bronchialdrüsen bildeten harte, weissgelbe käsige Packete. In dem rechten und linken Lappen der normal grossen und consistenten, blutarmen Leber kamen mehrere, etwa erbsengrosse Gallengangcysten vor, welche theils kupferspangrüne eingedickte Galle, theils feinen schwärzlich grünen Gallensand enthielten. In dem unteren Ende der rechten Niere und zwar in deren Corticalsubstanz fanden sich zwei kleine käsige Entzündungsherde vor. Die knorpeligen Rippenenden und die Epiphysenknorpel waren bezüglich der Ossificationsgrenze normal.

In diesen beiden Fällen wiederholte sich also das Factum, dass unter einer Anzahl von Personen, welche von derselben Impfquelle, mit derselben Lanzette vaccinirt wurden, nur eine (sowie in anderen Fällen unter analogen Verhältnissen nicht alle) inficirt wurde.   R.

IV. Findelanstalten.

(7) Otčety po imperatorskomu Moskowskomu vospitatelynomu domu za 1870 r. Moskwa 1871.

Bericht vom kaiserlichen Moskauer Findelhause für 1870.

Der **Bericht des Moskauer kais. Findelhauses** für das Jahr 1870 (7) beziffert die Gesammtaufnahme an Kindern auf 10661, wovon 6230 = 59 % in den ersten 5 — 6 Lebenstagen, die anderen älter. Der Berichterstatter bemerkt, indem er von den Gesundheitsverhältnissen der Aufgenommenen spricht, dass Ritter v. Rittershain's bemerkenswerthe und interessante Resultate der Messungen von Körperlänge, Kopf- und Brustumfang zu einer Nachahmung der letzteren aufforderten, diese aber darum nicht in ausgedehntem Masse stattfand, weil sie bei dem sehr verschiedenen Alter der in Moskau aufgenommenen Pfleglinge und deren sehr verschiedenem Gesundheitszustande keine so überzeugenden Schlüsse zu gestatten schien. Sämmtliche eingebrachten Kinder theilt er in 4 Gruppen: 1. sehr schwache, d. h. nicht ausgetragene und überhaupt schwach entwickelte Kinder mit einem mittleren Körpergewicht von 5·08 englisch. Pfund *) und einer mittleren Körperlänge von 16·18 engl. Zoll, im Ganzen 1189, oder je 1 auf 8·8 der Gesammtzahl, darunter 461 nicht ausgetragen. — 2. Schwache, meist neugeborene oder kranke Kinder von 6·56 Pfund (2978·24 Grm.) mittlerem Körpergewicht und 19·46 Zoll mittlerer Körperlänge. Ihre Anzahl war 1 : 3·87 der Gesammtzahl. — 3. Mittelstarke und mittelmässig genährte Kinder von 7·48 Pfund (3395·92 Grm.) und 20·1 Zoll Länge im Mittel; ihre Zahl 1 : 2·73. — 4. Starke Kinder von mittlerem Gewicht 9·19 Pfund (4172·26 Grm.) und mittl. Länge 21·83 Zoll. Das geringste beobachtete Körpergewicht betrug 2·75 (1248·50 Grm.), das grösste eines Neugeborenen 13·5 Pfund (6129 Grm. oder 10·9 österr. Pfund).

Die Sterblichkeit unter den Kindern war bei jenen am geringsten, welche in der ersten Woche des März zur Aufnahme gelangten — 16 %, am gröss-

---

*) 1 Pfund engl. Gewicht = 0·810 Pfund österr. Gew. = 0·454 Kilogrm. 1 Pfund österr. Gew. = 0.560·012 Kilogrm., folglich 5·08 engl. Pfund = 2273·63 Kilogrm. = 4·05 Pfund österr. Gew.

ten in der letzten Woche des Juli (55·5 %), wo das mittlere Deficit an Ammen am grössten war (um 404 weniger Ammen als Kinder). Aus der 6. Tabelle des Berichtes geht hervor, dass zur Zeit der grössten Ammennoth die Sterblichkeit nicht bei den schwächsten, sondern bei den stärkeren Kindern am grössten war. Es starben unter den im März eingetretenen Kindern (s. oben) der 2. Classe (schwache) 28·74 %, unter den im Juli Aufgenommenen derselben Classe 44·65 %, bei einer mittleren Mortalität von 29·03 % für diese Classe. Von den Kindern der 3. Classe dagegen (mittelstarke) starben im April 25·61 %, im Juli bis 66 % (im Jahresdurchschnitt 21·71 %) und von den stärksten Kindern (4. Classe) im April 27·95 %, im Juli 43·20 % (im Jahresdurchschnitt 17·3 %). Es stellt sich ferner (nach Tabelle 16) heraus, dass diese grosse Sterblichkeit zur Zeit der Ammennoth zum grössten Theil auf Rechnung acuter und chronischer entzündlicher Erkrankungen des Darmtractes kam (16·14 bis 21·67 % der Todesfälle während der Ammennoth, dagegen blos 10·27 % während der übrigen Monate). Diese Vermehrung der Sterblichkeit durch Darmerkrankungen betrifft, wie Tab. 10 lehrt, vorzugsweise die Kinder besseren Ernährungszustandes (4. Classe); von den letzteren starben allein 19·91 % an Gastroenteritis acuta und 5·24 % an Gastroenteritis chron. Von den Kindern 3. Classe (mittelstark) starben resp. 17 % und 8·14 %, von den schwachen (2. Cl.) 14·44 % und 6·73 %, von den schwächsten (1. Cl.) 7·95 % und 4·67 % an Gastroenter. acuta und chron. Die Gesammtsterblichkeit belief sich im Jahre 1870 auf 67·4 %, jene der Brustkinder auf 74·26 %.

Der Inspector des Serpuchovskischen Kreises nahm vergleichende Untersuchungen der Milch von eben aus dem Findelhause entlassenen Ammen, und von solchen vor, die schon mehrere Monate zu Hause (auf dem Lande) gewesen waren, und fand (mit Zugrundelegung der Methode von Leconte, Becquerel und Simon) die Milch bei den letzteren bedeutend „ärmer" (?).

Aus dem umfassenden Berichte über die Moskauer Gebäranstalten sei blos hervorgehoben, dass sich dieselben in 3 Abtheilungen gliedern: für uneheliche, für eheliche und für geheime Geburten, und dass sich nachstehende Verhältnisse in den 3 Abtheilungen herausstellten:

Unehelich Geschwängerte wurden im Jahre 1870 — 1975, davon die meisten im März bis Juli aufgenommen. Entbindungen fanden 1963 statt; die meisten in den genannten Monaten. Von diesen waren

526 Erstgebärende,
441 gebaren das 2. Kind,
301 »   »   3. »
255 »   »   4. »
143 »   »   5. »
109 »   »   6. »
 67 »   »   7. »
 50 »   »   8. »
 29 »   »   9. »
 16 »   » 10. »
 12 »   » 11. »
  9 »   » 12. »
  2 »   » 13. »
  1 »   » 14. »
  2 »   » 15. »

Es gebaren ferner 1927 Mütter je 1 Kind, 36 Mütter (1·8 %) je Zwillinge, darunter 1781 Scheitellagen, 10 Gesichts-, 1 Stirn-, 48 Steiss-, 15 Fuss-, 13 Querlagen, 59 endlich unbekannt (darunter 48 Strassen- und 11 Frühgeburten). Unter den 36 Zwillingsgeburten beobachtete man:

in 9 Fällen bei beiden Früchten die 1. Scheitellage

  » 2 » » » » » 2. »

  » 5 » » der 1. Frucht » 1. »

               » 2. » » 2. »

  » 2 » » » 1. » » 1. »

               » 2. » » 1. Steisslage

  » 2 » » » 1. » » 1. Scheitellage

               » 2. » » 2. Steisslage

  » 2 » » » 1. » » 1. Scheitellage

               » 2. » » 3. Scheitell. mit d. Arm.

  » 2 » » » 1. » » 1. Scheitellage

               » 2. » » Fusslage

  » 2 » » » 1. » » 1. Scheitellage

               » 2. » » Querlage

  » 1 » » » 1. » » 2. Scheitellage

               » 2. » » 1. »

  » 1 » » » 1. » » Stirnlage

               » 2. » » 1. Scheitellage

  » 1 » » » 1. » » 1. Steisslage

               » 2. » » 1. Scheitellage

  » 1 » » » 1. » » 1. Steisslage

               » 2. » » Fusslage

  » 2 » » » 2. » » 2. Steisslage

  » 1 » » » 1. » » Querlage

               » 2. » » Fusslage

Die übrigen 3 waren Strassengeburten. 15 Mal waren die Zwillinge verschiedenen Geschlechtes, 12 Mal waren beide Zwillinge Knaben, 9 Mal waren beide Zwillinge Mädchen.

Im Ganzen waren von 1999 Kindern 1021 männlich und 987 weiblich, 1872 lebend und 127 todtgeboren.

Von allen Kindern waren 93·6 % lebendgeboren

                   6·3 » todtgeboren

                88·5 » ausgetragen

                11·5 » unreif

                86·2 » ausgetragen und lebend

                2·3 » » » todt

                7·4 » unreif und lebend

                  4 » » » todt.

Von den Wöchnerinnen erkrankten an Puerperalfieber 25 % und starben daran 10·6 %. — Das Spital für Eheliche nahm 434 Schwangere und 70 Wöchnerinnen auf; von den ersteren gebaren 428. Das Verhältniss der Zwillingsgeburten betrug 1·4 %. Von den 433 Kindern waren 220 männlich, 212 weiblich. 92·1 % wurden lebend geboren, 7·85 % todt geboren. 88·3 % waren ausgetragen und lebend, 2·77 % ausgetragen und todt, 8·77 % waren nicht ausgetragen und lebend, 5·08 % waren nicht ausgetragen und todt.

Die Sterblichkeit .der Kinder betrug 5·84 %. Das Erkrankungsperzent der Wöchnerinnen betrug 51·2 — das Mortalitätsperzent im Allgemeinen 5·5 — das Erkrankungsperzent an Puerperalfieber 3·6 — das Mortalitätsperzent der Puerperalfieberkranken 7 %.

Auf der Zahlabtheilung fanden 36 Geburten statt. Ein Anhang behandelt die Resultate der Poliklinik für Frauenkrankheiten (in den 2 Monaten seit der Eröffnung 52 Fälle).

Von nicht geringem Interesse sind die tabellarischen Zusammenstellungen am Schlusse des Berichtes, aus welchen auszugsweise Nachstehendes mitgetheilt sein mag: Die Gesammtzahl der aufgenommenen Findlinge betrug (wie oben) 10661; jene der auf das flache Land vertheilten und restituirten 7728, die der Gestorbenen 2933. Das Verhältniss der Entlassenen (auf die Landbezirke Vertheilten) zu den Aufgenommenen betrug bei den Schwächsten 1 : 19·46 — bei den Schwachen 1 : 3·87 — bei den Mittelstarken 1 : 2.54 — bei den Stärksten 1 : 3·39.

Die hauptsächlichsten Todesursachen und das Perzentverhältniss derselben in Bezug auf die Gesammtzahl der Gestorbenen derselben Classe ·waren:

	Atelect. pulm.	Laryngit. et trach.	Bronchit. et pneumon.	Encephalit. et mening.	Gastroenteritis acuta	chron.
bei den Schwächsten	17·04	1·51	39·52	4·16	7·95	4·67
Schwachen	4·65	3·42	40·88	4·65	14·44	6·73
Mittelstarken	3·18	5·43	40·14	3·65	17	8·14
Stärksten	4· 4	4·19	38·15	4·19	19·91	5·24

	Peritonitis	Dissolut. sang. et septichaem.	Haemorrh. intracran.	Atroph. et debilit. cong.
bei den Schwächsten	1·38	8·52	3·03	7·07
Schwachen	1·95	12·36	1·95	8·06
Mittelstarken	2	10·08	2·12	1·98
Stärksten	2·93	12·15	2·09	2·51

Kinder	bis zum 5. Tage	im Alter von 5—14 Tag.	14—28 Tag.	nach dem 1. Monate
starben	2362	398	95	85
waren zugewachsen	7660	1716	714	571
Mortalitätsperzent	30·83	22·31	13·36	14·53

Sehr belehrend ist eine graphische Zusammenstellung der Kindersterblichkeit und der Ammennoth nach den einzelnen Wochen, welche das Parallelgehen beider auf das unwiderleglichste nachweist. Im Ganzen betrug die Zahl der Ammen 9198 (und wurden an dieselben 81·25 Rubel verausgabt). Davon entfielen auf die einzelnen Monate:

	Ammenzahl	Kinderzahl	Kindersterblichkeit
Jänner	679	827	23·7 %
Februar	866	862	19·6
März	858	1082	25·8
April	786	871	30·95
Mai	789	878	18·92
Juni	742	890	21·39
Juli	622	950	46·31
August	736	853	30·24

	Ammenzahl	Kinderzahl	Kindersterblichkeit
September	570	845	28·75
October	858	976	29·4
November	1092	873	24·05
December	600	759	29·11

Dieses Verhältniss forderte zu allerlei Anstrengungen behufs Vermehrung der Ammenzahl auf, als: Lohnzulagen, Kostverbesserung u. s. w., worüber der ökonomische Bericht Ausführliches mittheilt. Doch waren die damit erzielten Resultate nicht zufriedenstellend. — Ausserhalb des Anstaltshauses waren auf dem flachen Lande im Beginn des Jahres 32477 Findlinge (14283 männl. und 18194 weibl.) in Verpflegung gewesen, zu denen im Jahre 1870 noch 7495 Brustkinder aus der Anstalt und 494 aus anderen Kreisen gekommen waren, so dass sich die Gesammtzahl der Verpflegten auf 40466 (18155 m. und 22311 w.) belief. Davon starben 5934, traten aus 2449, verblieben 32083. — Die Sterblichkeitsziffer betrug bei den Findlingen (ausserhalb der Anstalt) 14·84 %; bei den im ersten Lebensjahre Stehenden 67·4 %. — Eine Prüfung der Mortalitätsverhältnisse ausserhalb der Anstalt nach den einzelnen Monaten ergibt, dass auch hier — wo die Ammennoth nicht massgebend sein konnte — die grösste Sterblichkeit in die Monate April bis August fiel.

Eine Uebersicht der zu den verschiedensten Berufszweigen abgegangenen Pfleglinge (1408), der die Schulen besuchenden (1980, davon 1595 m. und 385 w.), endlich der eine Ehe eingehenden weiblichen Pfleglinge (372) ergibt, namentlich mit Berücksichtigung der eigenthümlichen Landesverhältnisse (schwacher Schulbesuch, besonders von Seiten des weibl. Geschlechtes) die erfreulichsten Resultate. Die an die Pflegeeltern ausbezahlten Beträge schwankten zwischen 90 Kopeken (1 fl. 36 kr. ö. W. ein Fall) und 4 Rubel 20 Kop. (6 fl. 36 kr. ö. W.) monatlich. — Ungünstige Nachrichten über das sittliche Verhalten von Pfleglingen liefen nur in 31 Fällen ein, von denen 16 namentlich aufgeführte zumeist Diebstähle betrafen. — Mehrere der Pfleglinge erreichten angesehene Lebensstellungen als Techniker u. dgl.

Mangel an Raum verbietet aus den äusserst detaillirten ökonomischen Daten über die Anstalt Näheres mitzutheilen. Zu bedauern ist, dass der in jeder Hinsicht sehr werthvolle Anstaltsbericht bei der beschränkten Verbreitung der Sprache, in der er abgefasst ist, nicht die gebührende Leserzahl finden dürfte. P.

Anatomie und Physiologie.

(8) Anthropométrie ou Mesure des differentes facultés de l'homme par Ad. Quetelet. Bruxelles 1870.

(9) Prof. Jos. Hyrtl: Die Blutgefässe der menschlichen Nachgeburt in normalen und abnormen Verhältnissen. Mit 20 Tafeln. kl. Folio. Wien, Braumüller 1870.

(10) Prof. E. Neumann: Kernhaltige Blutzellen bei Leukämie und bei Neugeborenen. (Arch. d. Heilk. XII. p. 187.)

Quetelet's Anthropométrie (8) beschränkt sich wie schon der Titel besagt und wie es bei einem Manne wie Q. kaum anders sein kann, nicht etwa

auf blosse Messungsresultate. Er will vielmehr in diesem neuen Werke jene
Ideen über den Menschen weiter ausspinnen und begründen, welche er schon
in seiner Physique sociale theilweise zur Geltung zu bringen suchte. Es handelt sich darum die Gesetze, welche bezüglich des Wachsthumes des Menschen
als Individuum, als zu Völkern, Racen vereinte Gruppe und als Genus in den
verschiedenen Altersperioden zu erkennen sind, auch mit den Gesetzen der
Entwicklung der verschiedenen Fähigkeiten des Menschen in Einklang zu bringen und gewissermassen zu verschmelzen. Schon die Conception dieses Ge-
dankens ist eine wirklich grossartige und wenn Q. nichts weiter gethan hätte,
als die Möglichkeit zu erweisen, auf dem eingeschlagenen Wege der Generali-
sirung verhältnissmässig spärlicher, statistischer Daten über die Körperform,
über das Wachsthum, die Sterblichkeit und manche sociale Verhältnisse des
Menschen zu einer Ahnung der ewigen Gesetze zu gelangen, nach welcher die
körperlich-geistige Entwicklung des ganzen Menschengeschlechtes geregelt
wird: so würde dies hinreichen, Q. als einen der gewaltigsten jener gewaltigen
Geister hinzustellen, welche es gewagt haben aus der engen Grenze ihrer Spe-
cialforschung herauszutreten zur Anschauung des unabsehbaren Ganzen. Q.
ist wie eine prachtvolle Sonne am wissenschaftlichen Horizonte aufgegangen,
die ihre Strahlen gerade auf die dunkelsten und doch wichtigsten Gebiete
menschlichen Wissens warf, welche wie mit magischem Lichte Wahrheiten
ersichtlich machte, die nahe lagen und doch nicht gesehen wurden; welche
Bahnen erschloss, die noch nie vordem oder wenigstens nur vereinzelt und
ohne Rücksicht auf das ganze Gebiet betreten wurden! Der Glanz dieser
plötzlich auftauchenden Sonne war zu gross, als dass das Auge der Meisten
nicht geblendet hätte werden sollen von der Lichtfülle, welche sich über Dinge
und Verhältnisse ergoss, welche man bisher nur in einem chaotischen Dunkel
betrachtete, und desshalb das letztere auch für unentwirrbar hielt. Kein Wunder dann, dass die Freude den Gegenstand dunkler Ahnung glänzend beleuchtet zu sehen, unabänderliche Ordnung und bewunderungswürdige Gesetzmässigkeit dort zu gewahren, wo das Auge bisher nur in einem Meere von Finster-
niss herumschweifte — so überwältigend war, dass man sich nicht gleich
bewogen fühlte zu untersuchen, ob denn der Gegenstand auch wirklich immer
in dem rechten Lichte gesehen werde und richtig beleuchtet sei. Der Schöpfer
der Lehre vom Menschen auf statistischer Grundlage und seine Schöpfung
wurden mit scheuer Ehrfurcht betrachtet, und nicht nur die grossen Wahrheiten, die er entwickelte, nicht nur die Genialität des Vorganges, den er uns ein-
zuschlagen lehrte, um zu der Erkenntniss der Wahrheit zu gelangen, wurden
wie mit Recht freudig begrüsst und bewundert, sondern auch Alles ohne Unterschied, was Q. schrieb, ja selbst die wohlbekämpfbaren, statistischen Angaben Anderer, welche Q. benützte, kurz auch das Detail wurde auf seine Autorität hin gläubig hingenommen und citirt. Es war gut, dass Q. mit seiner
neuesten Arbeit der Anthropométrie selbst einen Schritt zur Detailausführung
seiner Gedanken that, und die Basis mancher derselben eingehender behandelte. In diesem Buche zeigt es sich deutlich, dass die Hauptsache, welche
wir Q. verdanken, die geniale Andeutung des Weges sei, der zu betreten ist,
dass er uns gewissermassen die Formulare in die Hand gegeben, nach welchen
zu arbeiten ist, — dass aber die Kraft des Einzelnen, mag sie an sich noch
so gross sein — niemals hinreichen könne, diese Formulare überall vollständig, oder auch nur überall richtig auszufüllen. Ref. muss sich selbstverständlich in dem Folgenden auf die auszugsweise Mittheilung und Bespre-

chung nur solcher Theile des Werkes beschränken, welche namentlich die
Wachsthumsperiode des Menschen betreffen. Gerade mit diesem Gebiete aber
scheint es **Q.** am leichtesten genommen und sich mit der relativ geringsten
directen Erfahrung als Basis für weitgehende Schlüsse begnügt zu haben. Trotzdem er aber diese seine Schwäche wohl erkannt haben muss, findet der Leser
zu seinem Erstaunen Zeising's schöne Arbeit über die Metamorphosen der
menschlichen Gestalt gerade nur genannt, — von Liharzik aber so wie in
der 2. Auflage der Physique sociale (1869) das im Jahre 1862 veröffentlichte
Hauptwerk desselben: „Das Gesetz des Wachsthumes und der Bau des menschlichen Körpers", völlig ignorirt und nur den dürftigen Vorgänger desselben,
das im Jahre 1858 erschienene Gesetz des menschlichen Wachsthumes etc.
angeführt, dessen Herausgabe zu unterlassen Liharzik besser gethan hätte.

Bei allen Untersuchungen dieser Art hält es **Q.** für nothwendig das Mittel
(moyenne) von der Durchschnittsziffer im Allgemeinen (mediane) zu unterscheiden, indem er unter den ersteren Ausdrucke die Mittelgrösse einer gegebenen
Zahl von Einheiten versteht, welche unter einander durch Gleichmässigkeit ihrer
Organisation etc. in Beziehung stehen, jede für sich einer Gesetzmässigkeit
unterliegen, welche auch für alle anderen gilt, wie z. B. menschliche, thierische
Individuen in Gruppen betrachtet; mit dem letzteren Namen dagegen den
Durchschnitt bezeichnet, der in Bezug auf gewisse Eigenschaften solcher Grössen gewonnen wird, welche unter einander in keinem solchen Nexus stehen,
wie z. B. Häuser, Meubeln etc. Was das Mittel im Sinne **Q's.** anbelangt, so
müssen sich Einflüsse, welche sich bei der ganzen Gruppe z. B. bei einer
Nation geltend machen, in der Beschaffenheit dieses Mittels offenbaren; und
lassen sich folglich nach dem letzteren sichere Regeln für das Ganze
abstrahiren.

So weit kann und muss man sich vollkommen einverstanden mit **Q.**
erklären; nicht so leicht dürfte dies jedoch bezüglich der folgenden Ansicht·
des Verf. werden, welche er noch dazu mit merkwürdiger Leichtigkeit als eine
Art Gesetz ausspricht, — nämlich, dass es zu der Eruirung solcher Mittel, z. B. der
Grösse, der Wachsthumszunahmen in gewissen Zeitabschnitten des Gewichtes etc.
der ganzen Individuen oder einzelner Körpertheile genüge, auch nur relativ kleine
Gruppen derselben gemessen oder geprüft zu haben. **Q,s.** Beweis für diese
Annahme ruht wahrlich auf sehr schwachen Gründen. Weil er gefunden hat,
dass bei der Messung von 30 Individuen, wenn er sie in 3 Gruppen jede zu
10 theilte, jede einzelne Gruppe dieselben Mittel ergab, wie die 30 Individuen
zusammen, hält er es schon für erwiesen, dass so gewonnene Mittel auch immer
als die richtigen Mittel der Gesammtzahl der Individuen eines Geschlechtes,
einer Altersclasse, einer Race etc. betrachtet werden können. Dieses Resultat
Q's. wagt Ref. ohneweiters für ein zufälliges zu erklären, da er doch aus eigener Erfahrung weiss, dass nicht einmal die Messungsmittel gleich alter Kinder
an der Findelanstalt durch die Zeit eines Jahres, wo ihre Anzahl jedenfalls
mehr als das 20fache sämmtlicher Messungen **Q.'s** in diesem Alter beträgt,
— mit den Mitteln eines anderen Jahres vollkommen gleich ausfallen, und dass
es wiederum Zeiten gibt, wo z. B. die Gewichte der eingebrachten neugeborenen Kinder wenig, andere wo sie bedeutende Differenzen ergeben. Das alte
auf Erfahrung begründete Gesetz, dass je reicher das statistische Material,
auch das Mittel um so sicherer und der Wahrheit näher kommend sei, lässt
sich wohl auch in Bezug auf die gesetzmässige Entwicklung und Bildung (Proportionen) des menschlichen Körpers nicht so einfach umstossen. Nun werden

aber fast sämmtliche Folgerungen **Q's.** in diesem Buche auf solche aus kleinen
Beobachtungsgruppen gewonnene Resultate basirt, und man wird es deshalb
begreiflich finden, dass trotz der bewundernswerthen Methode ihrer Verwerthung doch die ersten — direct gewonnene Zahlen gebenden Ansätze und
Annahmen mitunter nicht richtig sind. Wir haben vor uns wie wir arbeiten
sollen, die Ziffern selbst und manche darauf begründete Ansichten jedoch
scheinen dem Ref. bei weitem nicht so verlässlich zu sein. Bei der Messung von 50 Knaben und 50 Mädchen (also 100, später wird von 119 Neugeborenen gesprochen) fand **Q.** die Differenzen der Körperlängen blos wie
4 : 5, — nämlich 437 bis 532 Millim. bei den Knaben, und 438 bis 555
bei den Mädchen. Liharzik hat 36—56 Ctm. man muss aber wohl Bruch-
theile von Ctm. nicht vergessen, die hier eine grössere Bedeutung haben.
Schon diese Ergebnisse an sich sprechen für die Berechtigung der vom Ref.
ausgesprochenen Bedenken. **Q.** zieht trotzdem sofort den weiteren Schluss,
dass die Differenzen der Grösse bei den Neugeborenen auch relativ bedeutend
geringer seien, als bei den Erwachsenen. Dieser Ausspruch ist nun ganz
unrichtig, und man kann es nur bedauern, dass gerade derjenige, der vor allen
anderen Menschen Liharzik's Gesetz des Wachsthumes in seiner verbesser-
ten Form gelesen und gewürdigt haben sollte, — dies zu thun verschmähte.
— Man kann im Gegentheile sagen, dass alle Differenzen der Grösse bei Erwachsenen in entsprechend verkleinertem Massstabe schon bei den Neugeborenen anzutreffen sind.

Trefflich deutet **Q.** die Grundnormen der Entwicklung des menschlichen
Körpers an. Die Theile desselben (freilich werden nur die Formtheile berücksichtiget) entwickeln sich in dem Verhältnisse zu ihrer Bedeutung und zu ihrer
Nützlichkeit für das Individuum in der betreffenden Periode oder Stufe des Wachsthums. Die wichtigsten Partien findet man in der ersten Lebenszeit am meisten
entwickelt und in jedem Alter des Menschen haben die Verschiedenheiten des
Kopfes so wie der in der bestimmten Altersperiode vorwaltend wichtigen Theile
die engsten Grenzen. Der Kopf des Neugeborenen hat die Hälfte der Höhe,
welche er zu erreichen bestimmt ist; der Rumpf nur $1/_3$, der Arm ungefähr $1/_4$,
und die untere Gliedmasse (von der Bifurcation gemessen) gar nur $1/_5$ ihrer
Länge beim Erwachsenen. Hierbei muss bemerkt werden, dass **Q.** unter dem
Ausdrucke: „Höhe des Kopfes" die Distanz zwischen zwei Parallelflächen ver-
steht, von denen die eine den Vortex berührt, die andere unter dem Kinne liegt,
Endlich gibt es Organe, welche sich erst in jener Zeit, in welcher sich das
Wachsthum seiner Vollendung nähert, bedeutender entwickeln, wie die zu der
Fortpflanzung in Beziehung stehenden Geschlechtswerkzeuge, die weiblichen
Brustdrüsen etc. Indem aber die Entwicklung der einzelnen Theile dem Ver-
hältnisse ihrer Nützlichkeit zur Erhaltung und Fortpflanzung der Individuen
folgt, werden auch den einzelnen Altersstufen die ihnen entsprechenden cha-
rakteristischen Verschiedenheiten verliehen.

Nebenbei sei erwähnt, dass **Q.** von einer Abnahme des Kindes in den
ersten Tagen nach der Geburt wie von einer ausgemachten Wahrheit spricht,
ohne sich näher darüber auszudrücken, was eigentlich bei dem Kinde abnehmen soll. Er bemerkt nur einfach, dass die Kunst kein Interesse an dieser
Thatsache haben könne, — was allerdings sicher ist, weil die Abnahme selbst
dort, wo sie vorkömmt wohl das Gewicht, aber doch niemals die Längenmasse
des Körpers oder seiner Theile betreffen kann. Der obere Theil des Kopfes
nähert sich binnen dem ersten Monate des Lebens am meisten jenen Dimen-

sionen, welche ihm die Natur zu erreichen bestimmt hat. Die Formen des
unteren Theiles (Gesichtshälfte) dagegen geben den Veränderungen im weiteren
Verlaufe der Körperentwicklung einen weit grösseren Spielraum; und lässt sich
aus dem Gegebenen die sich eventuell ausbildende Gestaltung um diese Zeit
weit schwieriger entnehmen.

Nur im Alter der ersten Kindheit bietet der Fuss seine natürlichen Formen dar, die Torturen der Civilisation haben ihn noch nicht berührt.

Das Vorwiegen des Wachsthumes in diametraler Richtung ist nach Q.
bis zum 4.—5. Jahre vorwiegend, von da an nimmt es in dieser Richtung allmälig ab, das Wachsthum in die Höhe tritt in den Vordergrund, und vollendet
sich fast gleichförmig bis zu dem Alter der Geschlechtsreife.

Abgesehen davon, dass die eben angeführten Angaben schon in dieser
ihrer allgemeinen Fassung den wankenden Boden der wenigen Messungen, auf
welchem sie fussen, deutlich erkennen lassen, und mit Liharzik's Ergebnissen,
so wie mit den eigenen Erfahrungen wohl Jedermanns im Widerspruche stehen, der sich mit Messungen beschäftiget, gewinnen sie auch durch die p. 181
gegebene Tabelle, welche die Mittelmasse von (je 10?) im ersten Jahre stehenden, dann von 1—3, 4—5 etc. bis zu 40 Jahre alten Personen in Belgien enthält, eine kaum ausgiebigere Grundlage. Nach dieser Tabelle erscheinen die
verschiedenen Grade der Raschheit des Längenwachsthumes bis zum 1. Lebensjahre 100 Mm, von 1—3 Jahren 195, von 3—5 Jahren 128 Mm. Dies
dürfte genügen, zu erweisen, dass das von Liharzik nachgewiesene, allgemeine
Gesetz, dass die Raschheit des Höhenwachsthumes sich mit zunehmendem Alter
allmälig vermindere, durch diesen apodiktischen Ausspruch Q's. nicht zweifelhaft gemacht werde. Das Wachsthum des Weibes ist nach Q. geringer als
jenes des Mannes; was Liharzik's Annahmen widerspricht, dessen absolute
Gleichmässigkeit des Wachsthumes beim Weibe wie beim Manne jedoch dem
Ref. selbst mehr als Postulat denn als Massergebniss hingestellt zu sein
scheint. Die Vollendung des Wachsthumes liegt nach Q. beim Manne zwischen
dem 20. und 25. Jahre, und tritt bei dem Weibe, bei welchem auch die Entwicklung des Körpers in seinen Breitedimensionen, so wie jene der Körperfülle
eine frühzeitigere ist, um 2 Jahre früher ein. In Belgien verhält sich die Länge
bei der Geburt zu jener nach vollendetem Wachsthume beim männlichen Geschlechte wie 1 : 3·372; beim weiblichen wie 1 : 3·20.

An die Lehre vom Wachsthume schliesst sich jene von den Proportionen
des menschlichen Körpers an. So wie Carus sucht Q. die Masseinheit in dem
zu messenden Körper selbst, — nur wählt er statt des Moduls von Carus
(ein Dritttheil der Länge der Wirbelsäule) die Körperlänge des Individuums
selbst, was dem Ref. jedenfalls der einfachste und zur übersichtlichen Wieder-
gabe der relativen Massverhältnisse vortheilhafteste Vorgang zu sein scheint.
Auch hier dürfte die Brauchbarkeit der Resultate nicht wenig durch den Umstand in Frage gestellt werden, dass die Messungen nur allzuwenige Personen
betreffen. Bei gleichem Alter differirt die Körperhöhe des männlichen von
jener des weiblichen Individuums am wenigsten in den ersten Jahren des
Lebens, um das 4. Lebensjahr herum verhält sich die Höhe des K. zu jener
des M. wie 1 : 0·988, mit erreichtem Ende des Höhenwachsthumes ist das
Verhältniss wie 1 : 0·937 oder 16 : 15. Als Extreme der Länge bei Neugeborenen fand Q. 588 Mm. und 458 Mm. — Man weiss da nicht, ob Q. blos
auf reife Kinder reflectirte oder auf alle Neugeborene. Wahrscheinlich ist das
letztere, denn reife Kinder mit einer Körperlänge von 45 Centim. gehören

schon zu den Seltenheiten oder besser gesagt Abnormitäten; sollen aber hier
Neugeborene aller Art einbezogen sein, so ist die angegebene Differenz viel
zu gering gegenüber der Wirklichkeit. Noch weiter von der Wahrheit entfernt
sich Q., wie wir weiter sehen werden, in Folge der spärlichen Anzahl seiner
Beobachtungen in Bezug auf die Gewichtsextreme der Neugeborenen. Dass
die äusseren Verhältnisse auf das Längenwachsthum des Individuums einen bedeutenden Einfluss üben, zeigt die lehrreiche Tabelle auf p. 191, nach welcher
die meist scrofulösen und rachitischen Zöglinge der (pénitentiaire) Ackerbau-
schule in Ruysselede in Flandern im Alter von 9—19 bis 21 Jahren ein
Minus der Körperlänge von 7—10 Centim. gegen die Mittel derselben Altersclassen in der übrigen Bevölkerung ergeben.

Die Proportionslehre Q.'s fasst vorwaltend das Bedürfniss der bildenden
Künstler ins Auge, und so viel des Interessanten gerade dieser Theil des
Buches bietet, zwingt der Zweck dieser Besprechung sich hier nur auf das
hieher Gehörige zu beschränken. Eine die Spitzen beider Mittelfinger der
Hände der wagrecht ausgestreckten Arme erreichende Linie wird gemeiniglich
als völlig gleich der Körperhöhe desselben Menschen betrachtet. Sie entspricht
jedoch nach Q. der letzteren nur bis zum 13.—14. Jahre. Bei der Geburt ist sie etwas kürzer als die Körperlänge (1 Centim.), mit dem 3.—5.
Jahre wird sie vollkommen gleich, beim Erwachsenen um 1 Centim. länger;
beim Weibe weniger als beim Manne. Durch die mit der sich entwickelnden
Geschlechtsreife parallel gehenden grösseren Zunahme der Breite und des Umfanges des Thorax, welche bei dem männlichen Geschlechte ansehnlicher ist,
wird namentlich bei diesem jene Distanz um 1·045 beim Manne und 1·015
beim Weibe grösser als die Körperlänge. — Diese Erklärung klingt allerdings
plausibel genug, doch muss der Ref. gestehen, dass er einen nach allem über
die Messungen Q.'s Bemerkten gewiss nicht ganz unberechtigten Zweifel
darüber hegt, ob diese Behauptung sich auch bei dem Mittel einer grösseren
Zahl von Messungen als haltbar und richtig erweisen würde. — Die Messungen von Liharzik, Carus und Zeising ergeben kein solches Resultat,
keine solche Verschiedenheit bei verschieden alten Individuen. Zu der Zeit,
wo sich der Thorax in der Breitendimension vergrössert, wächst auch der
Körper nicht minder in die Höhe, und hört der letztere auf zu wachsen, hört
auch das Längenwachsthum der Rippen auf, während die Zunahme der Capacität
des Brustraums dann nur durch die höhere Wölbung des Brustkastens bewirkt
wird, die an sich keine Vergrösserung des queren Durchmessers bedingt,
was Alles hier wohl zu beachten sein dürfte. Der grösste Diameter des Kopfes
ist in Folge der Geburt etwas grösser beim Neugeborenen, und übertrifft daher
bei diesem die Hälfte desselben Durchmessers beim Erwachsenen. Der Unterschied dieses Durchmessers und der Höhe des Kopfes vermindert sich immer
mehr, je mehr sich das Wachsthum des Schädels seiner Vollendung nähert,
und die Differenz zwischen beiden, welche beim Neugeborenen 44 Mm. betrug, beläuft sich bei dem Erwachsenen auf 12—13 Mm. Auch diese Angabe
dürfte nach des Ref. Ansicht noch weiterer Stützen bedürfen, besonders was
den supponirten Einfluss des Geburtsactes auf die bezeichnete Schädelforma-
tion anbelangt. Da wohl kein Maler oder Bildhauer sich ein vor wenig Stunden geborenes Kind als Modell für seine Schöpfungen wählen dürfte, so
können auch die, meist ganz rasch zurückgehenden, flüchtigen Formveränderungen des Schädels in Folge des Durchganges desselben durch die Geburts-
wege hier gar nicht oder wenigstens nur äusserst selten massgebend sein.

Nach **Q.** verhält sich ferner die Höhe des Kopfes zur Körperlänge

beim neugeborenen . . K. wie 1 : 4·50, M. 1 : 4·45
mit vollendet. 1. Lebensj. „   „   1 : 4·53, „ 1 : 4·48
„   „   20. „   „   „ 1 : 7·85, „ 1 : 7·15

Indem das Mittel dieses Verhältnisses annähernd $^1/_7$ beträgt, kann man die Schwankungen auf $^1/_6$ bis $^1/_8$ veranschlagen. Während der Wachsthumsperiode des Kopfes entwickelt sich derselbe mehr in seinem Höhen- als in seinen anderen Durchmessern. Die Masse und die Entfernungen mancher Theile des Gesichtes stimmen bekanntlich unter einander überein; nach **Q.** ist insbesondere die Länge der Augenlidspalte gleich der Breite der Nase, dem Zwischenraume zwischen den beiden Augenwinkeln, verhält sich zur Mundspalte wie 2 : 3 etc.; die Länge des äusseren Ohres ist gleich der Hälfte des Abstandes der Ohröffnung von der Scheitelhöhe.

Die Breitendurchmesser des Rumpfes im Ganzen lässt **Q.** fast in dem gleichen Masse zunehmen, wie jene der Höhe, so dass auch diese ersteren mit vollendetem Wachsthume verdreifacht, in dem Alter von 6—7 Jahren aber verdoppelt erscheinen. Der Querdurchmesser des Thorax speciell verdoppelt sich jedoch erst zur Zeit der Pubertät, und wächst von der Geburt angefangen von 1 zu 2·36. Auch das Dreieck, dessen Basis eine die beiden Brustwarzen verbindende Linie, und dessen Spitze der obere Rand des Manubriums sterni (oder wie **Q.** sagt die Verbindung der Schlüsselbeine) bildet, wird berücksichtiget. Die Basis desselben vergrössert sich im Ganzen wie 1 : 2·81, die Seiten des Dreieckes wie 1 : 3·41, daher wird der obere Winkel im Verlaufe des Wachsthumes spitziger und hält beim Erwachsenen blos 64·44 Gr., während er beim Neugeborenen 80·48 Gr. weit ist; die Höhe des Dreieckes ist beim Neugeborenen 41, beim Erwachsenen 155 Mm. Verbindet man diese zwischen den Brustwarzen gezogene Linie an ihren Enden mit dem Nabel, so entsteht ein Dreieck, dessen Nabelwinkel beim Neugeborenen 40·50, beim Erwachsenen 46·54 Gr. hat, und sich somit im Gegensatze zu dem eben gedachten oberen Winkel vergrössert.

Der Punkt, welcher die Körperhöhe in zwei gleiche Hälften scheidet, fällt nach **Q.** (der auch hier das ausgetragene von dem unreifen Kinde nicht unterscheidet) zur Zeit der Geburt ein wenig über den Nabel und befindet sich selbst nach zurückgelegtem 2. Lebensjahre noch am Nabel; — mit dem 3. Jahre in der Höhe der Darmbeinkämme, mit dem 10. fällt er in eine, die Trochanteren verbindende Linie, mit dem 13. in die Regio pubis, beim Erwachsenen 7—8 Mm. tiefer. Die Länge des Armes (ohne die Hand ?) verdoppelt sich in 4—5 Jahren, verdreifacht sich bis zum 13. Jahre und vervierfacht sich mit Abschluss des Wachsthumes. — Weniger rasch ist nach **Q.** das Längenwachsthum der H a n d; diese erreicht das Doppelte ihrer ursprünglichen Länge erst im Alter von 5—7 Jahren und das Dreifache beim Erwachsenen. Fast ebenso verhält es sich mit ihrer Breite. Noch weniger wächst der Umfang der Hand, der sich nur auf 2·84 des ursprünglichen Masses vergrössert. Im Vergleiche zur Körperlänge behält die Hand dasselbe Verhältniss bis gegen das 7.—8. Jahr, nämlich 0·113 der ersteren. Vom 5. Jahre angefangen variirt das Verhältniss der Hand zur Körperlänge nicht bedeutend von 1 : 9. Am meisten nimmt der Vorderarm an Länge zu, von 57 bis 243 Mm.; der Oberarm (bis zum Acromion) von 89 bis 333 Mm. Wir werden weiter sehen, dass sich dies bei der unteren Extremität nach **Q.** ver-

schieden verhalten soll. Warum? wäre nicht abzusehen und eher dürften hier
wie anderwärts Zufälligkeiten, welche in kleinen Gruppen mehr hervortreten,
die Endergebnisse Q.'s trüben.

Als Länge der unteren Gliedmassen nimmt Q. die Höhe vom Boden
bis zur Bifurcation, wie er sagt, also bis zum Schritte an. Auch er hebt
hervor, dass diese Höhe der unteren Gliedmassen mehr variire, als jene des
Kopfes oder des Rumpfes, und dass daher sie vornehmlich die relative Körperlänge des Menschen bedinge. Hier begegnen wir einer sonderbaren Hypothese.
Q. behauptet nämlich, dass die Landbewohner durchschnittlich eine geringere
Körperhöhe erreichen, als die Einwohner von Städten, und führt als Grund
dieses Verhaltens an, dass das Tragen grosser Lasten und die schweren Arbeiten der ackerbauenden Bevölkerung der regelmässigen Entwicklung der
unteren Extremitäten Eintrag thun. Es ist schon das angegebene statistische
Ergebniss gewiss nicht in allen Ländern wahr und nicht überall der Bauer
durchschnittlich kleiner als der Städter, — wo er es aber ist, ist er gewiss
eher aus irgend welcher anderen als aus jener Ursache, die Q. annimmt und
die er zwar poetisch — indem er sagt, dass die Landbewohner sich zu dem
Boden krümmen, der alle ihre Sorgen auf sich vereine, — keineswegs aber
wissenschaftlich erklärt. Trotzdem nun Q. wie wir früher sahen, das Wachsthum des weiblichen Geschlechtes für weniger ausgiebig erklärt, als jenes des
männlichen, finden wir doch hier angegeben, dass die Höhe der unteren Extremitäten (von der Bifurcation herab) bei beiden Geschlechtern schon vor
dem 3. Jahre verdoppelt, mit 7 Jahren verdreifacht, mit 12 Jahren vervier-
und mit 20 Jahren verfünffacht sei. Der Schenkel (von der Bifurcation bis
zur Kniescheibe) ist beim Neugeborenen 45 Mm., beim Erwachsenen 329 Mm.
lang (1 : 7·31), der Abstand von der Patella bis zur Fussbeuge oder das
Bein bei Neugeborenen 87, bei Erwachsenen 390 Mm. oder 1 : 4·48; —
die Fusshöhe endlich bei Neugeb. 28, bei Erwachs. 86 Mm. oder 1 : 3·07.
Die Fusslänge nimmt etwas rascher zu (1 : 3·52), in der Höhenrichtung
wächst aber der Schenkel mehr als der Unterschenkel und dieser mehr als der
Fuss; — also ein etwas verschiedenes Verhältniss wie bei der oberen Extremität, wie bereits erörtert wurde. Zu einem Vergleiche mit der letzteren wäre
es freilich, wie auch Q. selbst bemerkt, nöthig, den Schenkel vom Trochanter
aus zu messen, dann wäre das Verhältniss zwischen Neugeborenen und Erwachsenen 80 : 400 Mm. oder 1 : 5. In jedem Alter und bei beiden Geschlechtern bildet die Fusslänge des Menschen 0·15 bis 0·16 seiner Körperhöhe. Relativ kürzer ist die Fusssohle bei Neugeborenen und Erwachsenen,
um ein wenig länger bei Halberwachsenen, bei welchen 6¹/₄ Fusslängen die
Körperlänge ergeben, während beim Erwachsenen 6²/₃ Fusslängen der letzteren
entsprechen. Fusslänge und Kopfhöhe sind einander unr in dem Alter von 10 Jahren
gleich, vor dieser Zeit ist die Kopfhöhe grösser, nach ihr kleiner; die Kopfhöhe steht dann in der Mitte zwischen der Länge der Hand und des Fusses.
Q. machte die Wahrnehmung, dass die Künstler gerade gegen dieses Verhältniss am allerhäufigsten sündigen.

Der nun folgende Abschnitt über die Mittelmasse der Population enthält
ausser den zahlreichen Tabellen der verschiedenen Längenmasse, welche nach
den zwar genauen, aber nur spärlichen Messungen Q.'s entworfen sind, und deren
Verwerthung dem Ref. somit nicht ohne kritische Würdigung räthlich
erscheint, wohl viel des Interessanten namentlich für Künstler und National-
ökonomen, aber wenig die Formlehre des kindlichen Alters selbst Betreffendes.

Die Lex binomialis **Newton's** findet auch in den Ergebnissen der Messungen der Bevölkerung ganzer Länder ihre Anwendung. Innerhalb der ziemlich enge gesteckten Grenzen der extremen Abweichungen vom Mittelmasse rangiren sich die Coordinirten a minimo und a maximo beiderseits gleichmässig (was ihre Häufigkeit anbelangt) um die Mittelgrösse, so dass die erstere um so mehr abnimmt, je weiter sich das Mass von der letzteren entfernt. Die nach diesem Gesetze gemachte Berechnung der Häufigkeit jeder Körperhöhe unter 1000 Menschen fällt mit dem diessfälligen Resultate directer Massbestimmungen zusammen. Aeusserst interessant sind in diesem Abschnitte die Vergleiche sorgfältiger Messungen von Riesen und Zwergen, dann dieser letzteren mit Neugeborenen (pag. 306—308). Was nun bezüglich der Länge des Körpers als Gesetz erkennbar wird, gilt auch vom Gewichte desselben. Das Gewicht lässt in den verschiedenen Altersabschnitten ebenso seine Mittelgrössen heraustreten wie die Länge, und sie nehmen mit jener der letzteren während der Zeit des Körperwachsthumes parallel zu. Ref. kann hier die Bemerkung nicht unterdrücken, dass wenn dieses Gesetz wirklich besteht, und darüber dürfte wohl kein Zweifel bestehen, auch die Gewichtsabnahme in den ersten Lebenstagen keine Nothwendigkeit, kein Naturgesetz sein könne, und folgerichtig, sowie andere Abweichungen in den betreffenden Fällen, mögen diese auch noch so zahlreich sein, auf zufälligen Einflüssen beruhen müsse, — weil das Längenwachsthum des Kindes nicht stille steht, sondern erwiesenermassen auch dort, wo es im Ganzen sehr träge ist, um so rascher vorschreitet, je näher das Kind dem Zeitpunkte seiner Geburt steht.

Das Mittelgewicht des männlichen Neugeborenen setzt **Q.** mit 3100, jenes der weiblichen mit 2900—3000 Grammes an, was jedenfalls hübsch hoch ist, und die 119 Neugeborenen, darunter besonders die Mädchen, aus deren Wägungen diese Mittel gezogen wurden, müssen vorwiegend sehr kräftige Kinder gewesen sein. Bei dieser kleinen Zahl von Gewichtsbestimmungen darf es uns auch nicht wundern, dass **Q.** die Behauptung aufstellt (von der wir schon bei den Mitteln der Körperlänge Neugeborener gesprochen haben), dass die Verschiedenheiten des Gewichtes derselben im Allgemeinen gering seien, während sie der Ref. im Gegentheile sehr gross gefunden hat. **Q.** fand nur 500 Grammes als höchsten Unterschied, Ref. (abgesehen von den selteneren Extremen) nur die Kinder von 3—7 Pfund oder 1680 Grammes und 3920 Grammes ins Auge fassend, welche ersteren unter 11430 Gewogenen mit 718, letztere mit 267 Kindern vertreten waren, die mehr als vierfach grössere Differenz von 2240 Grammes; — zwischen den vorgekommenen äussersten Extremen aber (717·5 und 4900 Grammes) einen Abstand von 4182·5 Grammes. Das dürfte denn doch deutlich gegen die allseitige Benützbarkeit kleiner Beobachtungsgruppen zur Beurtheilung der Körperverhältnisse des Menschen sprechen. Bei allem dem ist **Q.s** Anthropométrie dennoch eine würdige Beigabe zu seiner im strengsten Sinne des Wortes Epoche machenden Physique sociale; — läugnen lässt es sich jedoch nicht, dass er dem Buche einen weit höheren Werth verleihen, dem Leser und der Wissenschaft einen unvergleichlich grösseren Nutzen bringen hätte können, wenn er statt Klage darüber zu führen, dass auf diesem Gebiete so gar wenig gearbeitet werde, wenigstens nur **Liharzik's** neuere Forschungen beachtet, einerseits benützt und andererseits einer wissenschaftlichen Kritik unterzogen hätte, zu welcher eben Niemand so berufen war und ist, als **Q.** selbst. **R.**

Hyrtl's grossem Prachtwerk über die **menschliche Nachgeburt** (9) entnehmen wir folgende Daten über das intraabdominelle Verhalten der **Nabelgefässe**. An einem Embryo aus dem Beginne des 3. Monates war noch keine eigentliche Arteria hypogastrica vorhanden und die Aeste, welche diese Schlagader im Erwachsenen zu erzeugen pflegt, sprossten einzeln aus dem convexen Rande des Bogens der Nabelarterie hervor. Ihre Reihenfolge ist: 1. Ileo-lumbalis (sehr schwach); 2. Glutea superior; 3. Sacralis lateralis; 4. Ischiadica (Glutaea inferior); 5. Pudenda communis; 6. Uterina. Aus dem bereits der Harnblase anliegenden Verlaufsstücke der Umbilicalis entspringen nur die Art. vesicales. Die angeführten Schlagadern wachsen nicht in gleichem Masse. Die Glutaea superior thut es den übrigen zuvor. Da nun ihr Vor- und Hintermann dicht an ihrer Wurzel entspringen, so werden sie durch das rasche Anwachsen der Glutaea in ihren Stamm einbezogen, d. h. ihre Abgangstellen verlassen den Bogen der Umbilicalis und wandern auf die Wurzeln der Glutaea über. Wenn dann nach der Geburt das Stück der Umbilicalis, welches zwischen Nabel und Ursprung der Art. vesicalis superior liegt, eingeht, und die nun eintretende Entwicklung der Gefässmusculatur ein weiteres Zunehmen der Glutaea superior veranlasst, so erhält diese erst Charakter und Rang einer Art. hypogastrica und zieht den Bogen der Art. umbilicalis tiefer in das kleine Becken hinab, bis in die Nähe des oberen Randes der Incisura ischiadica major. Ist dies geschehen, lässt man gewöhnlich die Hypogastrica in einen hinteren und vorderen Ast getheilt sein. Der hintere ist die Glutaea superior mit der Ileo-lumbalis und Sacralis lateralis; der vordere aber ist das noch wegsame Stück der Nabelarterie, auf welches die Abgangsstellen der übrigen Zweige der Hypogastrica fallen. Dieser vordere Abschnitt, welcher nur die Art. vesicales erzeugt, schwindet nach der Geburt — wie sich **H.** bei Kindern in der 2. und 3. Woche überzeugte — und verliert an Lumen (nicht aber an Caliber) derart, dass er eben nur für die Speisung der kleinen Blasenarterien hinreicht, während der über der Art. vesicalis superior befindliche Antheil der Nabelarterien gänzlich eingeht. So lange dieses Nabelstück der Art. umbilicalis noch offen ist, gibt sie eine vierte Blasenarterie, welche **Hyrtl** „Vesicalis suprema“ nennt, ab. Sie ist sehr fein, zuweilen auf einer oder auf beiden Seiten doppelt, und geht direct zu jenem Zipf am Blasenscheitel, welcher mit dem verkommenen Urachus in Zusammenhang steht. Die rechte oder linke gibt selbst dem Urachus ein haarfeines Zweigchen mit, welches sich zum Nabelring verfolgen lässt. Natürlich ist diese oberste Blasenarterie nach der Geburt dem Verfalle geweiht. An feinen Injectionen muss man staunen über den Reichthum feinster Gefässe, welche in der Adventitia des der Verödung unterliegenden Stückes der Nabelarterie vorhanden sind. Sie stammen aus 2 oder 3 Aestchen der Epigastrica inferior, haben geradlinigen gestreckten Verlauf, anastomosiren stellenweise und bilden ein langmaschiges Capillargefässnetz, aus welchem Venen in gleicher Zahl sich hervorbilden und in die Vena epigastrica inferior ergiessen. Auch die dem Urachus folgende feinste Arterie aus der Vesicalis suprema wird von einem Ausläufer einer oberen Blasenvene begleitet. Diese Gefässe bilden aber nur ein ärmliches Netz um den genannten Canal oder seinen strangförmigen Ueberrest. Einmal fand **H.** die den Urachus begleitende Vene strohhalmdick, klappenreich und unregelmässig gewunden zum Nabelringe emporsteigend, woselbst sie in 2 Zweige zerfiel, welche in den Rectus abdominis ablenkten. Er glaubt, dass sie den Art. epigastricae mediae entsprochen haben. Auch in Erwachsenen beobachtete man (z. B. H. S c h u l z e) eine erweiterte, mediane Na-

belblasenvene. An den meisten Injectionspräparaten von Kindern mit Nabel-
strängen findet **H.** die Nabelarterien gegen' den Nabel zu wenig, aber doch
merklich enger werden und ohne Spuren von Eigendrehung. — Als seltenes
ungewöhnliches Vorkommniss bespricht **H.** eine **Art. epigastrica media,**
welche er an zwei Embryonen aus dem 5. und 6. Monate beobachtete. In beiden Fällen entsprang diese abnorme Arterie aus der Umbilicalis (in dem einen
auf beiden Seiten, in dem anderen nur auf der rechten), ungefähr 2 Linien vor
ihrem Eintritt in den Nabelring. Die Richtung des etwa Schweinsborsten-star-
ken Gefässes lief schief aus- und aufwärts, dem Rectus abdominis zu, dessen
Scheide es am inneren Rande durchbohrte, um sich an der hinteren Fläche des
Muskels in einen auf- und absteigenden Ast zu spalten. Der erstere anastomo-
sirte mit der Art. epigastrica sup., der letztere mit der inferior. Bei der Obliteration der Nabelarterien muss natürlich ein solches Stämmchen bis zur Theilungsstelle eingehen, während die Endäste, weil sie von den beiden Epigastri-
cis ihr Blut erhalten, als Fortsetzungen der letzteren perenniren und deren
anastomotische Verbindung vermitteln können. Vielleicht ist der Ramus umbilicalis des inneren Theilungsastes der Epigastrica inferior (**Haller**) ein Ueber-
bleibsel der Art. epigastrica media. Ein dieser Arterie entsprechendes venöses Gefäss beobachtete **H.** nicht. Die Art. epigastrica media hat einigen Werth
für die Erklärung gewisser abnormer Zustände der Art. umbilicalis. Durch
das Perenniren der Epigastrica media scheint nämlich in jenen Fällen, wo die
Nabelarterie zwar von unten auf bis über den Blasenscheitel obliterirt, doch
vom Nabel herab eine Strecke weit offen gefunden wurde, Blut in dieses obere
Ende geschafft und sein Verwachsen dadurch verhindert worden zu sein (die
Fälle von **Otto**, **Kelch**). An einem zweimonatlichen Knaben fand **H.** die
rechte Nabelarterie, obwohl schon stark eingegangen, dennoch bis in die Nähe
des Nabels offen; in geringer Entfernung vom Nabel trat sie in den Rectus
abdominis ein. Ihre Bauchfellfalte (Ligamentum vesico-umbilicale laterale)
zeigte eine sehr auffallende Breite, so dass das offene Stück der rechten Umbilicalis an einer Art von Gekröse zu hängen schien. Auch **Otto** erwähnt einer
solchen breiten Bauchfellfalte und zählt sie unter die seltenen Veranlassungen
innerer Einklemmung bei Darmumschlingung. Die Persistenz einer Nabelarterie als Bauchdeckenschlagader hat übrigens ihres Gleichen in der
von **H.** gefundenen Persistenz der Art. omphalo-meseraica, welche aus der
Wurzel der Art. mesenterica sup. zwischen den Schlingen des Dünndarms frei
hindurch zum Nabel zog, um dort theils mit der Epigastrica inf. zu anastomosiren, theils sich in das runde Leberband fortzusetzen. Abnorme Zweige der
Nabelarterie zur Bauchwand wurden auch von **Lauth** und **Pistocchi** beobachtet. Auch **Haller** scheint eine persistente Nabelarterie beobachtet zu
haben. Dass die Epigastrica med. von keiner Vene begleitet wird, darf nicht
befremden, da die obere oder untere V. epigastrica die Dienste einer solchen
übernimmt. — **Varietäten der Art. umbilicalis.** Imposantere Formen
derselben sind nur von Missgeburten bekannt; bei wohlgebildeten Früchten
variirt nur ihr Ursprung. Von auffallender Ungleichheit im Caliber beider Nabelarterien führt **H.** mehrere Fälle an (pag. 35); bald ist die rechte, bald
die linke die stärkere. 17 Fälle von Fehlen einer Nabelarterie hat **Otto**
(pathol. Anat. I, 312) zusammengestellt; **H.** (pag. 38) fügt 12 eigene Beobachtungen hinzu. Die von **Späth**, **J. G. Walter** und **A. Bauer** beschriebenen Fälle betreffen Monstra. Intraabdominale Vereinigung der beiden Um-
bilicalarterien wurde von **Scanzoni** und **J. Cloquet** beobachtet. Zerfall

einer Nabelarterie in 2 bis 3 Aeste wird nur von Scanzoni angegeben. Ursprung beider Umbilicalaterien aus dem rechten Theilungsaste der Aorta (die linke aus dem Anfangsstücke der Iliaca comm. dextra, die rechte an gewöhnlicher Stelle) beobachtete **H.** an einer 8monatlichen, männlichen Frühgeburt. Unmittelbarer Ursprung der rechten Nabelarterie aus der Aorta wegen Mangel der Art. iliaca comm. dextra erwähnt Cruveilhier. Isolirter Ursprung der rechten Nabelarterie aus der Iliaca comm. dextra ist **H.** nur einmal vorgekommen. Ursprung der Nabelarterien aus der Aorta findet sich nicht nur an Monstris (Sirene, Monopus etc.), sondern auch an gut gebildeten Früchten (Needham, Schulze, Otto, Herrmann). Eine einfache Nabelarterie als Fortsetzung der Aorta beobachteten E. Thorner und Breschet. Fingerhuth sah bei einem monströs gebildeten Kalb die beiden Nabelarterien aus der Mesenterica anterior entstehen. — Den intraabdominalen Theil der Vena umbilicalis theilt **H.** in 4 Abschnitte: 1. Vom Nabel zur Leber; 2. Im vorderen Abschnitt des Sulcus longitudinalis sin. der Leber; 3. In der Pforte; 4. Im hinteren Abschnitt des erwähnten Sulcus. Ad 1. Im Nabel selbst besitzt die Vene ein etwas geringeres Caliber als im Nabelstrang. Beim Eintritt in den Sulcus long. sin. bildet sie eine schwache S-förmige Schlängelung, jedoch ohne Klappenspuren. Auch im Nabelring hat die Vene keine Klappe. Kurz vor dem Anlangen am vorderen Leberrand nimmt sie die Vena Burovii auf, welche durch paarige Seitenäste der Vv. epigastricae inferiores und eine von den Blasenvenen längs des Urachus heraufkommende unpaare V. vesicalis construirt wird. Ausserdem werden von der Nabelvene auf ihrem Wege durch das Aufhängeband noch mehrere kleinste Venenzweigchen, welche aus dem Bindegewebe zwischen beiden Bauchfellplatten dieses Bandes und von dem subperitonealen Bindegewebe der Bauchwand selbst abstammen, gesammelt. Zuweilen münden diese, in Zahl und Stärke sehr variablen Venchen erst in die Theilungsstelle des Stammes in der Leberpforte; sie sind es, welche die 5. Gruppe der von Sappey aufgestellten accessorischen Pfortadern bilden. Ad. 2. Der zweite Abschnitt der Nabelvenen sendet unter spitzen Winkeln variable Zweige in den Lobus sinister und quadratus. Nach der Obliteration bleibt das Stück der V. umbilicalis, welches zwischen linkem Pfortaderast und Abgangsstelle der Leberäste der Nabelvene liegt, offen und erhält, während es vor der Obliteration der V. umbilicalis Blut in die Pfortader führte, nach dem Schwinden Blut aus der Pfortader. Ad 3. In der Pforte zerfällt die Nabelvene bei jungen Embryonen in zwei zuführende Lebervenen, deren rechte die noch schwache Pfortader aufnimmt, welche in einer der Bewegungsrichtung des Blutes in der rechten zuführenden Lebervene entgegengesetzten Richtung in sie einmündet. Pfortader- und Nabelvenenblut werden somit in diesem Stücke des rechten portalen Astes der Nabelvene aufeinander treffen, wodurch dasselbe einer Ausdehnung unterliegt, welche dann auch, nachdem die Nabelvene bereits geschlossen und die Pfortader allein Blut in die Leber führt, als „Sinus" fortdauert und sich auch auf den ganzen linken Pfortaderast erstrecken kann. Nimmt im Verlauf der Entwicklung des Embryo die Pfortader an Grösse zu, so wird sie immer mehr Blut in die beiden portalen Zweige der Nabelvene schaffen, und diese werden nach und nach wie Aeste der Pfortader aussehen, in deren linken sich, wie es beim reifen Embryo der Fall ist, die Nabelvene ergiesst. An der Einmündungsstelle der Pfortader in den rechten Portalast der Nabelvene existirt keine Klappenspur. Ad 4. Der vierte Abschnitt ist der Ductus Arantii (pag. 9). Er gibt keine

zuführenden Leberäste ab, nimmt aber dagegen an seinem Ende Lebervenen
auf. Schon seine sehr häufig nicht in die Cava, sondern in eine grössere
Lebervene stattfindende Einmündung kann als Aufnehmen einer Lebervene genommen werden. Vor dem Erscheinen der Leber ist er das wahre Endstück
der Nabelvene und so stark wie diese. Mit der Ableitung des Nabelvenen-
blutes in das Leberparenchym nimmt er verhältnissmässig an Volumen ab und
bekommt beim achtmonatlichen Fötus eine sehr deutliche Kegelform, deren
Basis an der Hohlvene, deren Spitze am linken Pfortaderaste liegt. Deshalb
schliesst sich auch der Arantische Gang zuerst an seiner Abgangsstelle aus
dem Ramus sin. venae portae, nicht aber wie Bernt will, am Hohlvenenende
und hat er sich am Pfortaderende geschlossen, so bleibt sein Hohlvenenende
noch bis in das zweite Monat offen und bildet an Corrosionspräparaten einen
scharf spitzigen konischen Zapfen, von dem selbst im 3. Monate noch ein
linienlanges Rudiment, wie ein feiner Stachel auf der Hohlvene sitzend, er-
übrigt. Das Pfortaderende schliesst sich schon am 4. Tage nach der Geburt vollkommen zu; übrigens mag es auch da an Ausnahmen wohl nicht
fehlen. Elsässer sah den Gang erst nach 6 Wochen sich schliessen. An
beiden Enden des Ductus zeigen sich Klappenspuren. In einem Falle nahm
er am Hohlvenenende eine ansehnliche Zwerchfellvene auf. Varietäten in der
Stärke des Ganges sind so an der Tagesordnung, dass ein bestimmtes Verhältniss zur Stärke der Nabelvene und der Pfortader sich nicht ergibt. Oftmals erhält sich im Erwachsenen kein Ueberrest des Ganges. Ist ein solcher
als bindegewebiger Strang vorhanden, mag er Ligamentum venosum
(Henle) oder Ligamentum ductus venosi (Luschka) heissen. Selten
schliesst sich auch der hintere Abschnitt der linken Längenfurche über dem
Ductus zu einem Kanal, während im vorderen Abschnitt dieser Furche das
Zuwölben einfach, mehrfach oder in der ganzen Furchenlänge häufig sich
zeigt (Tectum 5. Pons Eustachii). Spaltung der V. umbilicalis in zwei
Aeste, deren einer sich mit der Pfortader verbindet, der andere aber den
Ductus Arantii bildet, wird von Einigen als Norm (z. B. von Burdach), von
den meisten aber als Ausnahme angesehen.

Varietäten der V. umbilicalis. Viel häufiger bei missgestalteten,
als bei wohlgebildeten Früchten. 1. Vermehrung. Doppelte Nabelvenen bei
einfachen Früchten erwähnen Arantius, Kerkring und Trew. Gabelige
Theilung der Nabelvenen mit bald darauf folgender Wiedervereinigung gehört
zu den seltensten Anomalien. Unvereinigte Spaltungsäste können bis zur
Leber hinauf getrennt bleiben. Bei einem von H. untersuchten 7monat-
lichen Abortus fand das Zerfallen der Nabelvene einen Zoll vor dem Nabel
statt; beide Aeste stiegen im Lig. triangulare zur Leber auf, der schwächere
derselben ging in der Pforte als Ductus venosus zur Cava (eigentlich V. hepa-
tica), während der stärkere in den linken Ast der Pfortader einmündete. Zwei-
und dreigetheilte Nabelvenen erwähnen Th. Bartholin und Noortwyck.
Zwei Nabelvenen findet H. im Nabelstrang verwachsener Zwillingsmonstra.
An einem Thoraco-didymus erhält die doppelte Leber je eine dieser doppelten
Venen. Ist die Leber einfach, wie bei Monstrositäten mit oberem Doppelt-
werden, so vereinigen sich die 2 Nabelvenen vor dem Nabel zu einer einfachen. — 2. Abnorme Insertion. Die Nabelvene zieht zuweilen nicht
durch die linke Längenfurche der Leber zur Pforte hin, sondern senkt sich in
die convexe Leberfläche ein, nahe an deren vorderem schneidenden Rand (pa-

renchymatöse Insertion). **H.** fand diese Anomalie nicht eben selten bei
Früchten mit Nabelbrüchen und mit partiellem Defect der Bauchwand; sie
kommt jedoch auch unter ganz normalen Verhältnissen der Bauchorgane vor
(Breschet, Otto). Die parenchymatöse Einpflanzung der Nabelvene am
vorderen Leberrande wird schon dadurch vorbereitet, dass an ganz normal
gebildeten Lebern der Sulcus longitudinalis sin. sich zu einem wirklichen
Kanal zuwölbt, in welchem die Nabelvene aufgenommen wird. Ein solcher
Kanal kann nun seine Anfangsöffnung leicht auf die convexe Fläche der Leber
versetzt haben, bleibt aber dennoch immer ein Kanal, welcher zur Pforte
führt und in welchem die Nabelvene ebenso verläuft und ebenso Aeste in die
Leber abgibt, wie in der offenen Furche des Sulcus long. sin. Abnorme Einmündung der Umbilicalvene mit Umgehung der Leber wurde beobachtet: von
Rosenthal in die Cava inf. bei einem Fötus mit Nabelbruch, von Littre
nach Durchbohrung des Zwerchfells in die Cava sup.; Weese fand sie in
zwei Zweige getheilt, der eine ging zur Leber, der andere zur Cava; Mende
sah sie über die Leber weg in das rechte Atrium cordis aufsteigen. Nach
Kerkring ging ein Ast in die Leber, der zweite in die Gekrösvene. Auch
H. sah von der Gekrösvene einen Verbindungszweig zum oberen Ende der
Nabelvene ziehen; es liesse sich diese Abweichung auch als doppelte oder
accessorische Pfortader deuten. Ohne Gleichen steht die Beobachtung von
Herholdt da, wo die Nabelvene an einer Missgeburt den einzigen gemein-
schaftlichen Hauptstamm für alle Körpervenen darstellt. Bei einem kopf- und
herzlosen Fötus sah Houston die Nabelvene in die V. iliaca münden und
bei einem Aëncephalus erzeugte die Nabelvene zuerst die V. iliaca sin., in
welche sich die rechte entleerte und verlor sich in die Venen des Darmes, der
Bauchwand und der Nieren. Eine abnorme Anastomose zwischen der Nabelvene und der V. iliaca dext. wurde von Serres veröffentlicht. Bei einem
weiblichen Acephalus · theilte sich die Nabelvene, nachdem sie Bauchdecken,
Darm und Eierstock versorgte, in beide Hüftvenen (Tiedemann) und bei
einer Monstrosität gleicher Art sah A. Monro die Nabelvene gleich nach
ihrem Eintritt in die Bauchhöhle in viele Zweige zerfallen, welche sich in allen
Organen verbreiteten. — Offenbleiben der V. umbilicalis vom Nabel bis
zur Pfortader hinauf wird zuerst von Volcherus Coiter (bei einem 35jähr.
Weib) erwähnt. Gleiche Fälle kamen Kerkring, Haller, Vater, Duver-
noy, Coschwitz und Hoffmann vor und Otto hat die eigenen und
fremden Erfahrungen hierüber in seiner pathol. Anatomie zusammengestellt
(pag. 350). Haller fand die Vene am 21. und 40. Tage nach der Geburt,
im 6., 7. und 8. Monat und nach dem 1. Lebensjahre noch offen und sammelt die Angaben Anderer über gleiche Befunde bei 20-, 30- und 35jährigen
Menschen. Man hat auch die Menstrualblutung aus dem Nabel mit dem
Offenbleiben der Nabelvene in Zusammenhang gebracht. Dieses Offenbleiben
kann aber nicht durch Wiedereröffnung ihres einmal verwachsenen Lumens
veranlasst worden sein, sondern die Vene hat sich vielmehr nicht geschlossen
und zwar wahrscheinlich deshalb, weil sie Blut von den Bauchdecken oder
durch die V. Burovii von der Blase her zugeführt erhielt. Offensein der Nabelvene bis in die 3. und 4. Woche nach der Geburt beobachtete **H.** häufig.
Seit Burow und Schiff die Anastomose zwischen der V. iliaca ext. und
epigastrica inf. einerseits und der Pfortader andererseits sichergestellt und
gezeigt haben, dass das Endstück dieser Anastomose neben dem Lig. teres
zur Leber aufsteigt und sich in den linken Ast der Pfortader ergiesst

(Schiff), wo derselbe mit der verwachsenen Nabelvene sich verbindet*), hat man die Vorstellung von Wiedereröffnung der V. umbilicalis bei Behinderung des Pfortaderkreislaufes durch die Leber aufgegeben. Schiff nannte diese Vene, welche auch dem Erwachsenen zukommt, Para umbilicalis (Paromphalica, Hyrtl). Sappey schrieb die vermeintliche Wiedereröffnung der Nabelvene nur einer Ausdehnung der, das runde Leberband begleitenden kleineren Venenzweigchen zu, welche sich in die Pfortader entleeren und durch welche das Blut der Pfortader bei Störungen der Lebercirculation in die Venen der Bauchdecken und sofort in das System der Cava inf. geschafft werden kann. Schiff gibt diese Intervention zwar zu, hält aber jene Verwendung des Gefässes für wichtiger, wo durch dasselbe bei Obliteration des Pfortaderstammes den offengebliebenen Zweigen desselben Blut von der Bauchwand her zugeführt werden kann. Eine bis zur Fingerdicke gediehene Erweiterung eines, hinter der Linea alba aufsteigenden anastomotischen Gefässes zwischen V. iliaca d. und Pfortader hat Menière beschrieben. — Offenbleiben des Ductus venosus Arantii erwähnen Haller (bei einem 30jährigen Mann) und Möbius (bei einem $3^{1}/_{2}$jährigen Knaben). Fehlen desselben wird von Haller, Gunz, Sömmering und Küstner erwähnt und Otto beobachtete dasselbe 3 Mal bei ungewöhnlichem Eintritt der Nabelvene in die Leber.

Arterielle und venöse Gefässkränze um den Nabel. Im subperitonealen Bindegewebe der Nabelgegend und etwa 2 Linien von der Nabelöffnung liegt eine kranzförmige Anastomose arterieller Gefässe, welche H. den Circulus arteriosus umbilicalis nennt. Er stellt keinen regelmässigen Kreis dar, sondern ein Polygon mit einwärts, gegen den Nabel hin gebogenen Seiten und so viel Winkeln, als Arterienstämmchen sich an seiner Zusammensetzung betheiligen. Diese letzteren sind: 1. ein Zweigchen der Art. epigastrica inf.; 2. ein ähnliches aus der Epigastrica sup.; 3. zwei oder drei feinste Arterien, welche aus der Wurzel der Epigastrica inf. entspringen, die Nabelarterie nach aufwärts begleitend ein reiches Capillarnetz (Vasa vasorum arteriae umbilicalis) um dieselbe bilden, aus welchem endlich ein oder zwei Stämmchen hervorgehen, welche den Nabelkranz bilden helfen. 4. eine von der Harnblase mit dem Urachus heraufkommende Arterie; 5. zwei bis drei an der Nabelvene von der linken Leberfurche herabziehende kleine Arterien, welche ein reiches Netzwerk in der Adventitia der Umbilicalvene bilden. Der Kranz ist nicht immer vollkommen geschlossen; zuweilen ist sein über den Nabel gelegenes Bogenstück offen. Aus diesem Kranze treten perforirende Zweigchen durch die Nabelöffnung und durch die Linea alba zum subcutanen Bindegewebe des Nabels, wo sie schon capillar werden und sich im Integument des Nabels auflösen. Da aber dieses sich eine Strecke weit auf den Nabelstrang als stumpfer Trichter (Nabelhaut-Trichter) fortsetzt, wird es auch seine ernährenden Gefässe mitnehmen und dieser Trichter in demselben Grade vascularisirt sein müssen, wie jede andere Partie der Haut des Unterleibes. Ein scharfer Absatz bildet die Demarcationslinie zwischen diesem Hauttrichter und dem Beginn der gefässlosen Nabelstrangscheide. An dieser Linie füllt sich bei gelungener mikroskopischer Injection

---

*) Burow lässt diese Vene an die V. umbilicalis eng anliegen und sich in dieselbe kurz vor ihrem Eintritt in die Leber entleeren.

i *

ein capillarer Gefässkreis, mit welchem der arterielle Gefässapparat des Trichters endet. Es gibt somit einen grossen inneren, d. i. subperitonealen und einen kleineren äusseren, d. i. subcutanen Gefässkranz am Nabel. H.'s Präparate beziehen sich indess nur auf Frühgeburten und reife Kinder. Burow und Schiff haben nur der venösen Anastomosen erwähnt, welche gewisse Venen, die dem System der Cava inf. angehören, am Nabel mit der Nabelvene oder mit Zweigchen des linken Pfortaderastes eingehen. Die Frage, ob diese venösen Anastomosen um den Nabel Kreise bilden, welche den arteriellen Kranzen entsprechen, verneint H. für den äusseren Nabelkranz mit Bestimmtheit. Der äussere Nabelkranz ist schon capillär und die aus ihm entspringenden Venenwurzeln bilden im Nabeltrichter keine kreisförmige Anastomose mehr. Aber am inneren Nabelkranz existirt eine, auswärts von ihm gelegene kreisförmige Venenanastomose, welche in die, den Arterien gleichnamigen Venenzweige ihren Abfluss nimmt. Sie ist durch ihre Füllung mit Blut bei gewissen Todesarten der Neugeborenen ohne Injection zu erkennen. Die Erweiterung dieses venösen Kranzes und seiner in der Richtung der Radien ein- und austretenden Gefässe bedingt vorzugsweise die Ringgestalt und die strahligen Ausläufer der als Caput Medusae bekannten Erweiterung der Bauchdeckenvenen um den Nabel.   W.

E. Neumann in Königsberg in Pr. (10) fand, dass eine gewisse Zahl **kernhaltiger Blutzellen** sich noch bei reifen Neugeborenen in dem allgemeinen Blutstrom und nicht blos, wie Kölliker zeigte, in Milz und Leber, oder, wie N. später nachwies, im Knochenmarke befindet. N. hat sich von dieser Thatsache durch die wiederholte Untersuchung des der linken Herzhälfte entnommenen Blutes überzeugt und es findet hierdurch die Paget'sche Angabe, welcher nur bis zum 5. Fötalmonate hin das Vorkommen der embryonalen Blutzellen festzustellen vermochte, eine bedeutende Erweiterung. Wie lange sich diese Körperchen nach der Geburt erhalten, muss noch näher untersucht werden; bei einem Kinde, welches am 16. Tage an Peritonitis gestorben war, vermisste sie N. bereits.   -   W.

Allgemeine Pathologie und Allgemein-Erkrankungen.

(11) Dr. O. Barth: Beiträge zur Kenntniss der Atrophia musculorum lipomatosa. Archiv d. Heilk. XII. pag. 121.

(12) Dr. E. Küster: Chirurgisch-onkologische Erfahrungen. Archiv f. klin. Chirurgie. XII. pag. 596.

(13) Dr. Suttina: Lipom ausserordentlicher Grösse bei einem 20monatl. Mädchen. Wien. med. Presse 1870, Nr. 32.

(14) Dr. B. J. Stokvis: Zur Atropin-Vergiftung. Virchow's Archiv XLIX. pag. 450.

Barth in Leipzig (11) liefert einen Beitrag zur Kenntniss jener seltenen Krankheitsform, welche Seidel als **Atrophia musculorum lipomatosa**, Heller als Lipomatosis luxurians musculorum progressiva bezeichnete, während Duchenne sie anfangs Paraplégie hypertrophique congénitale, in neuester Zeit dagegen Paralysie musculaire pseudo-hypertrophique ou paralysie myo-sclérosique nannte. Die Mehrzahl der Autoren beschrieb den Zustand schlechthin als „Muskelhypertrophie". Das Wesen dieser namentlich im Kindesalter vorkommenden Krankheit besteht bekanntlich in einer Abnahme der Functionsfähigkeit bestimmter Muskeln bei Volumszunahme derselben. Duchenne führt als wichtigste Erscheinungen an, dass Anfangs sich Schwäche der unteren Extremitäten einstelle; der Rumpf neigt sich seitwärts, die Beine werden zu sicherer Stellung des Körpers gespreitzt. Bald tritt eine Zunahme des Umfanges der einzelnen Muskeln, namentlich der Waden auf, später werden auch andere Körpertheile betroffen; die Wirbelsäule krümmt sich nach vorn, die Zehen nehmen Krallenstellung an. Als Ursache der Volumzunahme wies Billroth eine reichliche Entwicklung von Fettgewebe um die Primitivbündel der Muskeln nach, während Duchenne's Untersuchungen eine Vermehrung des Bindegewebes als verdickende Substanz ergaben. Die Verschiedenheit dieser beiden Muskelbefunde erklärt B. aus der Art der Untersuchung. Während Billroth hierzu ein ausgeschnittenes Muskelstückchen verwendete, gelangte Duchenne zu demselben durch eine Art Harpune, die er emporte-pièce histologique nennt. B. macht darauf aufmerksam, dass durch diese Vorrichtung nur die festeren Parthien des Muskels, weniger aber das Fettgewebe, welches zurückweicht, gefasst werden können; auch kann man die auf diese Weise erhaltenen Partikeln nur zu Zerzupfungspräparaten benützen, welche über die wahre Anordnung der Elemente keinen hinreichenden Aufschluss geben.

B. hatte Gelegenheit einen auch im Leben beobachteten Fall (44jähr. Mann) am Secirtisch zu untersuchen. Er fand neben normalen Muskelfasern geschwollene mit sehr undeutlicher Querstreifung in grösserer Anzahl, sowie solche, in denen sich eine deutliche, fettige Entartung vollkommen klar zeigte, endlich Fasern, die bei erhaltener Querstreifung eine Verschmälerung darboten. Die Muskelfasern waren in entschiedener Minderzahl gegen Bindegewebsbündel, namentlich aber gegen zwischen sie vertheilte Fettinseln, die sich theils zwischen die einzelnen Muskelbündel, theilweise aber auch zwischen die einzelnen Muskelfasern eingedrängt hatten. In grosser Masse fanden sich collabirte Capillaren, die parallel mit den Muskelfasern verliefen und in der Umgebung der kleinen Gefässe zeigte das Bindegewebe einen grossen Reichthum an Kernen. Nach diesem Befunde unterliegt es wohl keinem Zweifel, dass der Fall als eine Atrophia musculorum lipomatosa aufgefasst werden muss. Trotz der Volumsvermehrung durch massenhafte Einlagerung von Fettgewebe musste man jedoch die Zahl der einzelnen Muskelfasern als entschieden verringert annehmen, da dieselben in bedeutenden Zwischenräumen von einander standen. Die klinische Beobachtung des endlichen Erlöschens jeder Bewegungsfähigkeit findet in dem neben normal aussehenden Fasern beobachteten Vorkommen solcher ihre Erklärung, in denen durch den Verlust der Querstreifung und das Auftreten dichtgelagerter Fettmolecule die regressive Metamorphose angedeutet ward. Die sehr verschmälerten Fasern scheinen am ehesten den Uebergang zu den von Cohnheim beobachteten collabirten Sarcolemmaschläuchen zu bilden. Von den massenhaft auftretenden Gefässen scheint es am wahrscheinlichsten, dass ihre Vermehrung nur eine gegen die schwindende Muskelsubstanz relative ist, nicht aber eine Neubildung derselben stattgefunden hat. — Die meisten der bis jetzt beschriebenen Fälle betreffen Knaben bis höchstens 16 Jahre, bei vielen waren seit der ersten Kindheit Spuren der

Krankheit nachzuweisen. Heller theilt einige Fälle bei Erwachsenen' mit, welche mit dem hier von B. beschriebenen den Beweis liefern, dass es sich hier nicht um eine dem Kindesalter allein angehörende Krankheit handelt. Heilung wurde nur in wenigen Fällen beobachtet und zwar unter dem Einflusse der Elektricität und kalter Abreibungen in Fällen, wo die Krankheit noch nicht allzuweit vorgeschritten war. Bei den tödtlich verlaufenen Fällen schienen Pneumonien in vorwiegendem Grade das Ende herbeigeführt zu haben. — Während in dem von Cohnheim untersuchten Falle das Rückenmark normal befunden wurde, fand B. in seinem Falle eine bedeutende Degeneration dieses Organes und es frägt sich nun, ob die Muskelerkrankung als eine specifische und die Rückenmarksänderung als ihre Folge aufzufassen ist. Hierauf wäre zu bemerken, dass jedenfalls hier eine tiefere Ernährungsstörung zu Grunde liegt, indem sich die enorme Fettanhäufung nicht nur in den Muskeln vorfand, sondern sich auch auf die Scheiden der Nerven, auf die Auskleidung des Wirbelkanals, auf das Mesenterium, Retroperitoneum, subpericardiale und subcutane Bindegewebe erstreckte. Wie schon Griesinger vermuthet, ist die Krankheit durch eine Affection der Gefässnerven bedingt; wäre dies der Fall, so wäre der Nachweis des in den Vordersträngen vorgefundenen Schwundes von Nervenfasern von grosser Wichtigkeit, da wir in diese den Sitz der vasomotorischen Nerven verlegen; mit der in B.'s Fall erhaltenen Sensibilität ist es ferner im Einklange, dass sich auf in den verschiedensten Höhen gemachten Schnitten des Rückenmarks wohlerhaltene weisse Substanz im hinteren Theile der Seitenstränge vorfand, indem die neuesten physiologischen Versuche in diese Theile die Leitungsbahnen der sensiblen Fasern verlegen.

B. schliesst mit der Mittheilung eines ähnlichen, einen 11jährigen Knaben betreffenden Falles. Derselbe lernte erst im Alter von $2^{1}/_{2}$ Jahren laufen, jedoch nicht wie andere Kinder, denn sein Gang war immer wacklig, der Kopf nach hinten, die Brust nach vorwärts gerichtet, die Schultern wurden beim Gehen heftig bewegt, er trat nur mit den Zehen auf. In seinem 4. Jahre bemerkten die Eltern Schwäche auch des übrigen Körpers. Im 9. Jahre war der Gang der eben beschriebene, die Wirbelsäule stark lordotisch, jedoch so, dass auch das Kreuzbein mit in der Krümmung lag; das Schwanken wurde durch die rückwärts gehaltenen, gleichsam balancirenden Arme etwas ausgeglichen. Dabei spreizt er beide Beine und setzt die Füsse stampfend auf. Die Muskeln am Stamm und den oberen Extremitäten im Allgemeinen wenig entwickelt, auf der linken Seite kräftiger. An den unteren Extremitäten waren die Oberschenkelmuskeln schlecht entwickelt; im grössten Contraste hiermit steht die Wadenmusculatur, die beinahe doppelt dicker erscheint als normal, sie fühlt sich fest an. Die Faradische Reizung ergab in allen Muskeln noch deutliche Reaction, bei vielen, besonders den Muskeln der unteren Extremitäten wurden sehr starke Ströme erfordert. Nach $^{1}/_{4}$ Jahr verschlimmerte sich der Zustand insoweit, dass er nicht gehen konnte. Nachdem dann abwechselnd Besserung und wieder Verschlechterung eintrat, konnte er im nächsten Jahre, nachdem er noch ruhig am Tisch gegessen, wieder nicht mehr stehen und gehen, ohne dass weitere Besserung eintrat. Die Krankheit befindet sich gegenwärtig in ziemlich vorgeschrittenem Stadium: einige Muskeln, die jetzt in hohem Grade atrophisch erscheinen (Supraspinatus, Tibialis anticus, Peronaeus longus etc.), hatten früher bei bereits ziemlicher Kraftlosigkeit einen viel bedeutenderen Umfang; die Gastrocnemii sind im Rückgehen begriffen, haben aber ein noch relativ grosses Volumen, die elektromusculäre Contractilität ist in den unteren Extremitäten fast vollständig erloschen, mit Ausnahme des Peroneus longus und der Gastrocnemii, die noch schwache Reaction auf den galvanischen Strom zeigen. Weitere Beobachtung wird lehren, in wie weit Abnahme des Volumens und der Reaction übereinstimmen, und es ist von Interesse, hervorzuheben, dass auch bei dem sehr atrophischen Biceps humeri die willkürliche Contraction und die auf Faradische Reizung vollkommen verschwundene Reaction auf den galvanischen Strom noch nachweisbar ist. Seine Function ist theilweise vom Supinator longus übernommen worden, dessen verhältnissmässig gute Entwicklung also wohl sicher nicht durch Veränderungen bedingt ist, wie sie in den verdickten, aber zugleich geschwächten Muskeln Infraspinatus, Sacrolumbalis, Gastrocnemius angenommen werden müssen. **W.**

Dr. **Küster** in Berlin (12), berichtet in seinen „onkologischen Erfahrungen" über folgende **Geschwülste**, welche er bei Kindern vom 1. April 1868 bis 1. October 1869 auf der chirurgischen Abtheilung des Krankenhauses Bethanien zu beobachten Gelegenheit hatte. **1. Ohrgegend:** Cavernöse Venengeschwulst am Ohr und der Wange bei einem $3/4$ Jahre alten Mädchen. Injection von Liquor ferri sesquichl. führte zur Heilung. **2. Nase und Rachenhöhle:** Fibröser Nasen-Rachenpolyp, von der Schädelbasis ausgehend und in die eine Choane hineinragend, bei einem 13jährigen Mädchen. Extraction mittelst der Polypenzange durch die Nase mit Hilfe des hinter dem Velum hinaufgeführten Fingers. Heilung. — **3. Oberkiefer:** Cavernöse Venengeschwulst bei einem 7jährigen Knaben, der früher eine ähnliche Geschwulst an der Lippe gehabt haben soll, die zur Heilung gebracht wurde. Die Neubildung war unregelmässig und nahm vorwiegend den rechten Zwischenkiefer ein; griff aber auch etwas in den eigentlichen Oberkiefer über. Heilung durch mehrmalige Punktion mit der galvanokaustischen Nadel. Ferner Epuliden (Sarcoma gigantocellulare periost.) bei 2 Kindern von 8 Jahren (1 Knaben und 1 Mädchen), in beiden Fällen fast von der Grösse eines Hühnereies. Resection mit schneidender Zange und Hohlmeissel. — **4. Unterkiefer:** Epulis (Sarcoma gigantoc. periost.) bei einem Knaben von 13 Jahren. Keilförmige Excision vom Munde her, Heilung. — **5. Hals:** Cavernöse Venengeschwulst der Regio inframaxillaris bei einem 10jährigen Knaben. Eigross, etwas lappig, unter dem rechten Kieferwinkel. Diagnose unsicher. Ein probatorischer Einschnitt legt cavernöse Massen frei, welche mit der Jugularis interna im Zusammenhang zu stehen scheinen; Operation unterbleibt daher als zu gefährlich. Lympho-Sarcom bei einem 10jährigen Knaben als eigrosse, dunkel fluctuirende Geschwulst im rechten Trigonum colli sup. Exstirpation. Während der Heilung ausgedehnte Recidive in den Cervicaldrüsen, die bald bedeutende Grösse erreichten. Es wurden nun längere Zeit Einspritzungen von Jodtinctur gemacht, nach deren Aufhören die Geschwulst mehrere Monate stationär blieb, ja sich endlich langsam zu verkleinern schien. — **6. Nacken und Rücken:** Teleangiectasien an Rücken und Brust bei einem $1 3/4$ jährigen Mädchen, durch Aetzung mit Acid. nitr. fum. geheilt. Fibrosarcom der Haut bei einem 14jährigen Knaben. Die Geschwulst war pilzförmig und war aus einer angeborenen Warze hervorgegangen. Sie bestand mikroskopisch aus kleinen spindelförmigen Elementen mit Kernen, deren Haufen von Abschnitt zu Abschnitt durch Züge derben Bindegewebes durchsetzt wurden. Wurde durch Exstirpation geheilt. —

7. Brustdrüse: Einfache Hyperplasie der rechten Mamma bei einem 13jährigen Knaben, welche dadurch Grösse und Ansehen einer jungfräulichen Brust bekommen hatte, während die linke unentwickelt blieb. Die Difformität wurde durch Amputation beseitigt. — **8. Bauch:** Fibrom der Bauchhaut bei einem 10jährigen Mädchen als taubeneigrosse, feste, verschiebbare Geschwulst in der linken Regio hypogastrica. Heilung durch Exstirpation. — **9. Vulva:** Rundzellensarcom der linken grossen Schamlippe bei einem 6jährigen Mädchen als gänseeigrosser, höckeriger, ziemlich fester Tumor. Heilung durch Exstirpation. Geschwulst auf dem Durchschnitt schmutzig graubraun, besteht aus runden Zellen in einem zu unregelmässigen Zügen angeordneten bindegewebigen Stroma.   **W.**

Suttina (13) beobachtete ein **Lipom** in der Grösse einer starken Mannesfaust an der Lendenkreuzgegend eines 20monatlichen Mädchens. Die Neubildung wurde zuerst bemerkt, als das Kind 2 Monate alt war; sie war damals bohnengross und wuchs von da an stetig bis zur erwähnten Grösse. Bei der manuellen Untersuchung erschien sie weich, schwappend, schmerzlos, nach allen Richtungen verschiebbar und die sie bedeckende Haut war überall in dicken Falten abhebbar. Die exstirpirte Geschwulst zeigte Brotlaibform mit mehreren Einkerbungen und wog 22 Loth.   **W.**

Dr. **Stokvis** in Amsterdam (14) beobachtete einen eigenthümlichen Fall von **Atropin-Vergiftung** bei einem 4jährigen Mädchen. Dasselbe hatte sich am Abend vorher ganz frisch und munter ins Bett gelegt, war aber zwischen 11 und 11$\frac{1}{2}$ Uhr erwacht und sang und phantasirte seit dieser Zeit fortwährend. Wenn das Kind nicht sang, so redete es von spielenden Kindern, von todten Kindern, von Schlössern, Blumen. Das Bewusstsein war dabei relativ wenig getrübt. Wenn man das Kind anredete und um etwas befragte, so war nicht daran zu zweifeln, dass es Alles ganz deutlich verstand. Es kannte die Mutter, die Schwesterchen u. s. w. und war im Stande seinen Trieb zum Singen und Phantasiren zu überwinden. So lange man sich mit ihm unterhielt, war das Kind ruhig; sich selbst überlassen, fing es aber sogleich wieder zu singen und zu deliriren an. Dieses Delirium war buchstäblich die einzige Erscheinung, welche das Kind darbot. Der Puls war um etwas verlangsamt (80 in der Minute), die Respiration regelmässig, der Kopf kühl, die Augen nicht injicirt, die Pupillen mässig dilatirt und auf Licht reagirend, die Zunge feucht, nicht belegt, die Stimme klar, die Sprache deutlich, keine Spur von Uebelkeit, von Schlingbeschwerden, von Bewegungsstörungen auf irgend welchem Gebiete. Hände und Finger bewegte das Kind unruhig hin und her. Harn und Stuhl wurde an diesem Tage nur einmal entleert. In ähnlicher Weise war auch der Vater des Kindchens erkrankt und somit die Vermuthung, dass es sich hier um irgend eine Vergiftung handelte, sehr wahrscheinlich. Die beschriebenen Erscheinungen nahmen allmälig an Intensität ab. Das Kind liess beim Abendbesuche auf die Mahnung, dass es jetzt Zeit zum Schlafen wäre, während mehr als 5 Minuten mit dem Singen völlig nach und fing damit erst wieder an, als S. sich aus dem Zimmer entfernt hatte. Später schliefen beide Patienten ganz ruhig ein und erwachten am folgenden Morgen bei vollkommen klarem Bewusstsein. Das Kind spürte nur noch etwas Schwäche in den Beinen, war aber am folgenden Tage ganz hergestellt. Erst jetzt brachte S. in Erfahrung, dass Vater und Kind am Abende vor der Erkrankung statt

Brustthee eine Abkochung von Herba belladonnae und H. hyoscyami zu sich genommen hatten, welche zu äusserlichen Zwecken verordnet worden waren.

W.

Zymosen, Epidemien.

(15) Dr. L. Fleischmann: Beiträge zur Gleichzeitigkeit zweier acuter Exantheme. Jahrb. f. Kinderheilk. IV. 2. p. 166.

(16) Dr. Franz Auchenthaler: Gleichzeitiges Vorkommen von Morbillen und Variolen. Jahrb. f. Kinderheilk. IV. 2. p. 220.

(17) Prof. L. Thomas: Neue Beobachtungen über gleichzeitiges Auftreten zweier Exantheme. Jahrb. f. Kinderheilk. IV. 1. p. 1.

(18) Dr. L. Fleischmann: Morbilität, Mortalität und Periodicität der acuten, contagiösen Exantheme. Jahrb. f. Kinderheilk. III. 4. p. 444 und IV. 2. p. 174.

(19) Dr. Levieux: Variole épidémique à Bordeaux. Arch. génér. 1870. Revue générale p. 101—106.

(20) Dr. Blondeau: Scarlatine et Rheumatisme. Arch. génér. Mémoires originaux. September 1870 p. 257.

(21) Dr. R. Shingleton: Notes on Cases of Scarlet Fever occurring in dispensary Practice 1869. Med. Times et Gaz. 1870 N. 1053.

(22) Prof. Thomas: Ein interessanter Scharlachfall. Jahrb. f. Kinderheilk. IV. 1. p. 60.

(23) Prof. Thomas: Zur Eintheilung der Scharlachfälle. Jahrb. für Kinderheilk. III. 1. p. 85.

(24) Dr. H. Emminghaus: Ueber Rubeolen. Jahrb. für Kinderheilk. IV. 1. p. 47.

Die Beobachtungen über das **gleichzeitige Vorkommen zweier acuter Exantheme**, welche **Fleischmann** (15) mittheilt, beziehen sich zunächst auf die Combination des Scharlachs mit Pocken, so dass der erstere dem bereits oder nahezu abgelaufenen Blatternexantheme folgt. Für die Annahme einer Scarlatina sprachen das epidemische Auftreten und die Durchseuchung der hierzu disponirten Individuen innerhalb der kurzen Zeit von 5 Tagen, dem acuten Verlaufe des Exanthemes vollkommen entsprechend; die begleitende Angina mit Ausschluss jeder anderen katarrhalischen Erscheinung; die hohe Fieberbewegung zu einer Zeit, wo sie normaler Weise bei den Pocken niemals angetroffen wird; das Bild des Exanthemes selbst der Scharlacheruption vollkommen entsprechend unter bedeutender Fieberhöhe mit nachfolgender lamellöser Desquammation; endlich die, wenn auch nur in dem 3. der fünf Beobachtungsfälle aufgetretene, dem Processe entsprechende Nephritis und Hydrops. Die Symptome der Nierenaffection entwickelten sich ausserordentlich rasch, und der Fall gehörte zu denjenigen, welche mit einem stürmisch entstehenden Morbus Brightii beginnen und gewöhnlich einen lethalen Ausgang haben. Die Verschiedenheit der Temperaturcurve in dem Verlaufe von einfachen Pocken und jener bei der betreffenden Combination bietet auch auf den von Fl. beigegebenen graphischen Tabellen eine so augenfällige und in ihrer zweiten Steige-

rung für das Hinzutreten des späteren Exanthemes so charakteristische Verschiedenheit, dass schon damit jeder Zweifel darüber verscheucht wird. Die
Ansteigung der Curve ist unter dem Verhältnisse der Gleichzeitigkeit der Pocken
und des Scharlachs markirt durch ihre Aehnlichkeit mit der Curve bei Typhus
und durch die zweitägige Behauptung der Culminationshöhe mit 40·5 Ctm.
Die Decrustation wurde in zwei Fällen bei dem Beginne des Scharlachs
beschleunigt, was mit der Bemerkung Steiners übereinstimmt, dass das
zweite Exanthem auf das erste abschwächend einwirken soll, wobei jedoch in
seinem Falle die Blattern durch die hinzugekommenen Masern leichter auftraten, hier rascher verliefen. Uebrigens war es bei den beobachteten Fällen nicht
wahrscheinlich, dass das Auftreten des zweiten Exanthemes durch eine bereits
vor der Aufnahme der Kinder in das St. Josefs-Kinderspital gesetzte Infection
bedingt war, obgleich die Incubationszeit im entgegengesetzten Falle eine
kurze (2—3 Tage) gewesen sein muss. Die Erfahrung spricht jedoch keineswegs gegen eine solche Kürze der Incubationszeit und Murchison erwähnt
gar nur einer 14stündigen. Der Umstand, dass im Spitale Scarlatinakranke zu
jener Zeit waren, dass in dem 5. Falle, wo das blatterkranke Mädchen trotz
längeren Aufenthaltes im Spitale erst dann auch an Scarlatina erkrankte, als
das Exanthem in ihrer unmittelbaren Nähe florirte, so dass man ebenfalls nur
eine ganz kurze Incubationszeit annehmen muss, — spricht dafür, dass die Infection erst in der Anstalt stattgefunden und das Hinzutreten des Scharlachs
zu den Blattern bedingt habe.   R.

    In dem von **Auchenthaler** (16) mitgetheilten Falle von **gleichzeitigem
Vorkommen** von **Masern und Variola** bei einem 13jährigen Zöglinge des
Blindeninstitutes fanden sich am 4. Tage der Erkrankung nebst intensiven
katarrhalischen Erscheinungen der Schleimhaut des Mundes und des Halses
im Gesichte, am Stamme und an den Extremitäten etwas über die Oberfläche
der Haut erhobene, theils allein stehende, theils zu grösseren Flecken confluirende rothe Flecken, zwischen denen sich normal gefärbte Hautinseln zeigten.
Nebstbei jedoch bemerkte man im Gesichte, wie auch am Rücken und an den
Extremitäten, weniger an Brust und Bauch vereinzelt stehende, dunkler als das
Fleckenexanthem gefärbte, härtlich anzufühlende hirsekorngrosse Knötchen
oder hanfkorngrosse Bläschen mit deutlichem Hof und Delle; Temper. 41·1⁰.
Am 6. Tage der Erkrankung war das Fleckenexanthem, das in derselben Rei-
henfolge erblasste, als es sich entwickelte, nur mehr an den Füssen, am übrigen
Körper in braun pigmentirten Flecken sichtbar, alle Knötchen haben sich zu
Bläschen, die Bläschen zu Pusteln mit trübem eitrigen Inhalte vergrössert.
Temper. Früh 38·5⁰, Abends 39·4⁰. Die Pusteln begannen am 7. Tage im Ge-
sichte einzutrocknen, der Husten wurde geringer; am 8. Tage machte sich im
Gesichte eine kleienartige Abschuppung bemerkbar, die Pusteln am ganzen
Körper mit Ausnahme der Füsse zu braunen Crusten vertrocknet. Temper. 37·2.
Am 12. Tage der Erkrankung war die Abschuppung an der ganzen Körper-
fläche im Gange, die Borken, von welchen einige sehr fest sassen, fielen nach
und nach ab, und mit dem 26. Tage wurde der Knabe genesen entlassen.
                                                               R.

    Einen Beitrag **zur Casuistik des gleichzeitigen Vorkommens zweier
acuter Exantheme** liefert Prof. **Thomas** (17) unter Anführung von 4 Krankengeschichten, wobei jedesmal Varicellen, u. z. zweimal als erste, zweimal
als zweite Affection mit Masern und Scharlach, zweimal mit ersteren, zweimal

mit letzteren complicirt auftraten. In allen 4 Fällen erschienen die beiden zu einer gewissen Zeit neben einander vorhandenen Exantheme mit allen ihnen zukommenden Eigenthümlichkeiten und vollkommen charakteristisch ausgebildet. Ebenso waren die zugehörigen Erscheinungen, die für die einzelnen Exantheme pathognostisch sind, zugegen; so fehlte weder die Affection der Schleimhäute bei Masern, noch die lamellöse Abschuppung der Volae und Plantae bei Scharlach, dem mit recurrenten Auftreten von Scharlach, Masern oder Varicellen entsprachen auch die Veränderungen der Temperatur, welche der Verfasser durch entsprechende Curven, die in einer Tabelle beigegeben sind, zu veranschaulichen sucht und zugleich den Nutzen hervorhebt, den die Thermometrie bei derartigen complicirten Fällen gewährt, wenn es sich um deren zweifellose Feststellung handelt.

Unter Berücksichtigung ähnlicher Beobachtungen, die in den letzten Jahren namentlich von Monti, Steiner, Körber in Petersburg, René, Blache und Fleischmann gemacht wurden, ergeben sich nach Th. folgende bisher constatirte Combinationen: Masern mit Scharlach, wobei ein oder das andere vorangehen kann, Masern mit Pocken und umgekehrt, Scharlach und Pocken, Masern und Varicellen und umgekehrt, endlich Scharlach mit vorhergehenden oder nachfolgenden Varicellen; es fehlen also nur noch Beobachtungen über die Combination: Pocken mit nachfolgendem Scharlach, sowie Pocken und Varicellen.

Die von Th. beschriebenen Fälle betrafen:

1. Fall ein 4jähriges Mädchen: Varicellen, am 2. Tage trat Scharlach hinzu.

2. Fall ein $1^{1}/_{3}$ Jahr altes Mädchen erkrankte wenige Tage nachdem ihre zwei Geschwister an Scharlach gestorben waren; deutliches Scharlachexanthem am Rumpf, Oberarmen und Oberschenkeln, später auch Vorderarmen und Unterschenkeln; am 3. Tage bei beginnendem Erblassen des Scharlachs unter erneuter Temperaturzunahme Eruption von Varicellenbläschen.

3. Fall betrifft ein 1jähriges, nicht geimpftes Mädchen, das an Varicellen erkrankte, zu denen sich sodann Masern gesellten, während im

4. Fall umgekehrt auf Masern Varicellen folgten.

Th. macht darauf aufmerksam, dass da, wo auf Varicellen Scharlach oder Masern folgen, diese letzteren Affectionen eine verhältnissmässig geringe Intensität zeigen, während wenn die Varicellen zu Scharlach oder Masern herantreten, der Fall in der Regel schwerer verläuft. In allen hier angeführten 4 Fällen erfolgte Genesung.   G.

Dr. L. Fleischmann (18) entwickelt in einer sehr dankenswerthen Arbeit über **Morbilität, Mortalität und Periodicität der acuten contagiösen Exantheme** die Schlussfolgerungen, welche sich aus den statistischen Zusammenstellungen und klinischen Erfahrungen in erster Reihe des St. Josef Kinderspitales in Wien, sowie auch anderer Beobachtungsorte bezüglich der acuten Exantheme ergaben und inwiefern dieselben mit den herrschenden Ansichten im Einklange stehen oder deren Berichtigung erheischen. Die Beobachtungen und statistischen Daten beziehen sich auf die letzten 20 Jahre und haben die Variola und Varicella, sodann die Morbilli und Scarlatina zum Gegenstande.

Die Zahl der im Kinderspitale vom Jahre 1850—69 behandelten, an Variola erkrankten Kinder betrug 631, davon 344 Knaben, 287 Mädchen. Das stärkste Contingent stellten Kinder von 1—8 Jahren, dann beginnt die Morbilitätszahl wieder zu sinken; nimmt man jedoch die 20jährigen Ausweise der Blatternabtheilung des Wiener allgemeinen Krankenhauses dazu, so ergibt sich ein zweites Ansteigen der Morbilitätscurve, indem von 6213 Fällen 5305 zwischen das 11. und 30. Lebensjahr fallen, worauf ein stetiges Sinken der Disposition zu Variola bis ins hohe Alter erfolgt. Der Verfasser folgert daraus, dass die Empfänglichkeit für das Variola-Contagium mit dem Alter (namentlich bei Ungeimpften) im Steigen begriffen ist, und zwar vom 2.—30. Lebensjahre mit einem ersten Höhestadium zwischen dem 1. und 8. und einem zweiten Höhestadium zwischen dem 20. und 30. Lebensjahre. Aus einer die Jahre 1861—69 umfassenden Tabelle ergibt sich, dass obgleich die Zahl der im Kinderspitale behandelten geimpften Kinder doppelt so viel betrug als jene der Ungeimpften, dennoch viermal so viel von den Ungeimpften an Blattern erkrankt waren als von den Geimpften. Ferner wird aus einer 20jährigen Aufzeichnung ersichtlich, dass die meisten Erkrankungen auf die Frühjahr- und Wintermonate entfallen, sowie dass in Städten, wie London, Paris, Wien, Prag, Dresden die Variola nie vollständig erlischt; der Anfang eines Epidemienjahres fällt fast immer auf den Monat October.

Bezüglich der Varicella bemerkt Verfasser, dass fast alle vorliegenden Daten zu Gunsten der Specifität der Varicella und gegen die Identitätslehre sprächen. So befinden sich unter den Varicellakranken verhältnissmässig Viele, die geimpft waren oder Blattern überstanden hatten; es wurden aber auch nicht wenige Fälle notirt, wo unmittelbar nach überstandener Varicella die Blattern auftraten zum Theil mit tödtlichem Ausgang. Die Sterblichkeit war conform auch anderen Beobachtungen, am grössten im ersten Kindesalter. Es entfielen 82·5 % auf die ungeimpften, 17·5 % auf die geimpften Kinder; dabei von 184 Todesfällen 97 auf das Alter vom 1. bis zum 4. Lebensjahre (exclus.).

Bezüglich der Periodicität im Auftreten grösserer Variola-Epidemien constatirt Dr. Fl., dass während jener 20 Jahre alle 4—5 Jahre eine solche beobachtet werden konnte, gerade so wie die Pocken-Tabellen von Kopenhagen, welche von 1750—1850 reichen, alle 5 Jahre eine Epidemie aufzuweisen haben; wenn nun Förster abweichend davon Intervalle von je 7—8 Jahren als constant bezeichnet, so sucht Fl. die Ursache eines anderen Cyclus in den verschiedenen Impfverhältnissen. Er nimmt nämlich an, dass die Zahl der vorhandenen ungeimpften Kinder einen Einfluss auf die Ausbreitung der Blattern hat; nach jeder Epidemie vergingen einige Jahre, bis wieder viele infectionsfähige Kinder vorhanden seien, wozu nach unseren Impfverhältnissen 4—5 Jahre ausreichen. Mittlerweile waren dann die in der früheren Epidemie geborenen und der Erkrankung entgangenen Kinder zum Schulbesuch reif, wo sie dann auch beim fortwährenden Bestande der Variola bald inficirt wurden.

Ueber Morbillen finden sich in vorstehender Arbeit ebenfalls nicht uninteressante Aufzeichnungen, wovon hier das Folgende mitgetheilt werden soll. Die von Panum aufgestellte Behauptung, dass die Empfänglichkeit für Masern bei allen Altersstufen gleich vorhanden sei, wird durch Fl. vollkommen bestätigt, es werden selbst Kinder von wenigen Tagen nicht verschont und das Alter unter 1 Jahre hat in Fl.'s Tabellen die zweitgrössten Ziffern bezüglich der Morbilität aufzuweisen, während die grösste Erkrankungszahl auf die Jahre 1 bis 4 (incl.) entfällt. Abweichend von den Blattern fand **Fl.** an der Masernerkrankung nur eine gewisse Altersperiode vorzüglich betheiligt, also ein fehlendes zweites Höhestadium. Aus dem Umstande, dass die acuten Exantheme ein für alle Altersstufen bezüglich der Empfänglichkeit gleiches Contagium zeigen, während die Pocken unter Schonung des ersten Kindesalters das vorher beschriebene doppelte Höhestadium erreichen, geht hervor, dass ein gewisses Etwas in der ersten Jugend störend auf die allgemeine Pockenverbreitung einwirken müsse; dass ferner dieses unbekannte Agens nach einer Reihe von Jahren seine Wirksamkeit einbüsse: zweites Höhestadium, woraus ganz unverkennbar die Schutzkraft der Pocken hervorgehe und auch die eben erwähnte Modification der Blatterncurve erklärlich sei.

Die grösste Mortalität fand **Fl.** übereinstimmend mit Anderen bei den jüngsten Individuen, während sie bei Kindern von 10 Jahren aufwärts beinahe Null ist. In Wien gehen gleichwie Variola auch die Masern nie ganz aus, wobei ein dreijähriger Typus, d. h. das Auftreten von Epidemien alle 3 Jahre constatirt wurde. **Fl.** wendet sich schliesslich gegen die ziemlich allgemein angenommene Verwandtschaft zwischen den Contagien der Masern und des Keuchhustens, indem der Umstand, dass an Masernhusten leidende Kinder viel eher und schwerer als andere von Pertussis befallen werden, sowie auch die Localisation der Masern auf der Haut, wenn auch zugleich im Respirationstractus gegen diese Verwandtschaft spreche; verwandte Contagien pflegen ja eher einen gewissen Schutz gegen einander zu verleihen, nicht aber, wie dies hier der Fall, eine vermehrte Disposition zu erzeugen.

Die Scarlatina, welche Verfasser im 2. Heft des IV. Jahrgangs bespricht, bietet bezüglich der Morbilitätscurve ein Analogon zu den Morbillen, indem dieselbe im Gegensatze zu Blattern ebenfalls nur eine Culmination aufzuweisen hat, wobei nach der Statistik des Wiedener Kinderspitals mit Einbeziehung des Ambulatoriums das Alter von 1—4 Jahren incl. zunächst am meisten betheiligt erscheint. Während die Blattern eine besondere Vorliebe für die Wintermonate, die Masern für das Frühjahr zeigen, ergibt sich bei Scarlatina ein allmäliges Aufsteigen der Frequenz mit beginnender Sommerwärme mit dem Höhepunkt im Spätherbst, zumeist October. Der Scharlach erscheint für die Kinder als das gefährlichste der Exantheme; denn trotz der grösseren Häufigkeit der Masern verhält sich doch ihr Sterbeprocent zu jenem des Scharlachs wie 1 : 3; dabei zeigt sich eine schnelle Abnahme des Sterblichkeitsprocentes vom 1. Lebensjahre gegen das spätere Kindesalter hin; dasselbe stellte sich bei Kindern unter 1 Jahr mit 75 %, bei solchen von 1—4 Jahren incl. mit 43 %, endlich von 5—12 J. incl. mit 19·6 % heraus. — **Fl.** kann sich der Ansicht nicht anschliessen, dass die Scharlachepidemien mit den Jahren an Bösartigkeit abnehmen; die etwas herabgedrückten Sterbezahlen der letzten Jahre haben nach seiner Ueberzeugung viel mehr in der rationelleren Behandlung ihren Grund und nicht in dem gutartigen Charakter der Epidemien.

Für das Auftreten von Scharlachepidemien stellte sich ein vierjähriger Cyclus heraus, und zwar mit viel grösserer Regelmässigkeit als dies bezüglich der Periodicität anderer Exantheme der Fall war. Aus dem Umstande, dass in Epidemiejahren wiederholt ein viel günstigeres Sterbeprocent constatirt wurde, als in einzelnen Jahren, wo nur sporadische Erkrankungen vorkamen, ergibt sich, dass keineswegs eine grössere Gefahr darin liegt, wenn ein Kind während einer Epidemie an Scharlach erkrankt und dass es durchaus nicht

günstiger ist, von sporadischen Erkrankungen infizirt zu werden, weshalb **Fl.**
den Rath ertheilt, auch bei vereinzelten Scharlachfällen eine sorgfältige Absperrung der Erkrankten durchzuführen. — Der Autor verbreitet sich sodann über die verschiedenen Complicationen, unter denen in erster Reihe
Diphtheritis, sodann Morbus Brightii aufgeführt werden, wobei namentlich
die Epidemie von 1870 sich durch grosse Häufigkeit der ersteren auszeich-
net, indem jeder zweite Scharlachfall mit Diphtherie complicirt war. — Nach
einigen Bemerkungen über das Ungegründete einer engeren Beziehung zwischen
lymphatischer oder scrofulöser Constitution einerseits und Scharlach sowie
Brightischem Hydrops anderseits führt **Fl.** einzelne Fälle an, die gegen Aus-
schliessung von Scharlach und Tuberculose sprechen, wie es **Rilliet** und
Barthez aufgestellt haben und berichtet auch über mehrere Fälle, wo das
gleichzeitige Vorhandensein anderer Exantheme neben Scharlach constatirt
wurde, so von Urticaria, Varicellen, Morbillen.

Bezüglich der zum Schlusse dieses Artikels vom Verfasser näher bezeichneten Aufgaben, deren Lösung er vor ähnlichen statistischen Studien
auf diesem Gebiete wünscht und erwartet, müssen wir auf seine gewiss sehr
verdienstliche Arbeit selbst verweisen.   G.

Dr. **Levieux** zu Bordeaux (19), welcher im Departement der Gironde
vier **Variola-Epidemien** zu beobachten Gelegenheit hatte, macht darüber
nachstehende Mittheilungen: Die erste Epidemie herrschte im Jahre 1847;
sie nahm ihren Ausgangspunkt vom Spital Saint-André zu Bordeaux und wüthete während der Monate Juli, August und September, wobei 97 der Erkrankten dahingerafft wurden. Doch wurde die weitaus grössere Mehrzahl
der Erkrankten nur von der gutartigeren Form der Blattern, der sogenannten
Variolois ergriffen, welchen Umstand **L.** der Impfung zuschreibt. Von den
Blatternkranken hatte kaum der zehnte Theil deutliche Impfnarben aufzuweisen, und es waren gerade wieder die nicht Geimpften, welche die schwersten
Erkrankungsformen darboten. Hämorrhagische Blattern waren nicht selten
und fast immer tödtlich. — Die zweite Epidemie 1853 ist dadurch interessant, dass sich die Uebertragung des Contagiums von einem nicht geimpften
und von Blattern befallenen Individuum auf mehrere andere und weiterhin
auf ganze Gemeinden von Fall zu Fall verfolgen liess. In der Commune
Castelnau mit 1300 Seelen kamen 136 schwere Blatternerkrankungen vor,
und zwar bei nicht Geimpften 188 Fälle von Variolois, bei Geimpften mit mehr
weniger leichtem Verlauf und 8 Fälle von Varicellen; von diesen 332 Kranken starben 4 u. zw. nicht Geimpfte. In einer anderen Gemeinde mit 2600
Bewohnern zählte man 260 Erkrankungen mit 10 Todesfällen ebenfalls bei
nicht Geimpften. Die sofort in der ganzen Umgegend dieser Gemeinden
vorgenommenen Vaccinationen und Revaccinationen sollen sich sehr wirksam
gegen das weitere Umsichgreifen der Epidemie erwiesen haben. — Es hat sich
bei dieser Epidemie abermals gezeigt, dass die Impfung für eine gewisse Zeit
immerhin vor Blattern schützt und dass Geimpfte zumeist doch nur leichtere
Formen von Variola durchzumachen haben. — Im Jahre 1861 gaben einige
Besucher des Spitals Saint-André, welche an Blattern erkrankten, abermals
Veranlassung zu einer Epidemie, die durch fast 3 Jahre bald da bald dort
auftretend, im Departement der Gironde wüthete und zahlreiche Opfer forderte. In der Stadt Bordeaux selbst kamen innerhalb 5 Monaten 109 Sterbefälle vor, wovon nur 7 bei Geimpften. Noch günstiger für die Geimpften

gestaltete sich das Verhältniss in der Epidemie von 1864, wo man bei 142 Erkrankungen auf 107 Geimpfte 15 Sterbefälle, dagegen auf 35 nicht Ge-impfte 22 Sterbefälle zählte. G.

Dr. **Blondeau** in Paris (20) hat, gestützt auf mehrfache Beobachtun-gen und Erfahrungen aus seiner Praxis in einem Artikel darzulegen versucht, wie **zwischen Scarlatina und den verschiedenen rheumatischen Erkran-kungen** eine Analogie und wesentliche Verwandtschaft bestehe, wobei er namentlich eine im Jahre 1869 beobachtete Epidemie zum Ausgangspunkte nahm. Es kam nämlich zur Zeit, wo in Paris der Scharlach seit Monaten herrschte, unter den Kindern eines Hauses eine Reihe von Erkrankungen vor, die wenn auch in Manchem verschieden doch wieder so auffallende und allen gemeinsame Eigenthümlichkeiten in ihrer Verlaufsweise darboten, dass die Identität dieser Processe daraus hervorging.

Der erste Fall betraf einen Knaben von 5 Jahren, zu welchem **B.** am 1. Dezember 1869 gerufen wurde. Er fand das Kind, welches er gut kannte, nicht wesentlich verändert, nur etwas bleich, ohne Fieber, die Untersuchung des Schlundes zeigte eine diffuse Röthung der Schleimhaut desselben, sowie eines Theiles des weichen Gaumens und der Mandeln; die Submaxillardrüsen waren leicht geschwellt. Am folgenden Tage fand **B.** eine scarlatinöse Röthung der Brust und anderer Körpertheile, wobei jedoch Puls und Temperatur nicht alterirt war, und auch das Allgemeinbefinden bis auf eine geringe Mattigkeit keine Störung zeigte. Am 4. Tage hatte sich die Eruption über die gesammten Hautdecken mit alleiniger Ausnahme des Gesichtes verbreitet, von wo an die Krankheit einen sehr milden und regelmässigen Verlauf nahm, so dass unter ganz unbedeutender Abschuppung am 8. Tage sowohl die Hautaffection als auch die Angina vollständig geschwunden war. Am 9. Tage jedoch traten neuerdings krankhafte Erscheinungen auf: Fieber, Temperatursteigerung, das Allgemeinbefinden erschien mehr gestört als je, dabei Mangel jedes objectiven Befundes bei physikalischer Untersuchung sämmtlicher Organe. Tags darauf äusserte der Kleine, als **B.** seinen Arm ergriff, lebhaften Schmerz und **B.** ent-deckte etwas unterhalb der Ellbogengegend mehrere rothe Flecken von der Grösse eines Vier- bis Zehn-Sousstückes, die über das Niveau der Haut deut-lich hervorragten; Beugung und Streckung des Gelenkes selbst war nicht schmerzhaft. Eine ähnliche Eruption fand sich auch an den unteren Extremi-täten und **B.** diagnosticirte ein Erythema nodosum (Erythème noueux). Das Fieber hörte schon einen Tag nach dem Auftreten des Erythems auf, letzteres war binnen sechs Tagen vollständig geschwunden; zu diesen anscheinend so geringfügigen Symptomen bildete die Störung des Allgemeinbefindens einen auffallenden Gegensatz: das Kind war sehr matt, bleich und abgemagert, sein Appetit verminderte sich stetig, wozu sich noch eine hartnäckige Obstipation gesellte, die durch Abführmittel nur ganz vorübergehend behoben werden konnte. Der Unterleib war schmerzhaft jedoch nicht ausgedehnt. Dieser Zu-stand dauerte etwa 3 Wochen, es hatte sich auch wieder Fieber eingestellt mit abendlichen Exacerbationen bei einer Pulsfrequenz bis zu 140 Schlägen, hoher Temperatur und reichlichen besonders im Schlaf eintretenden Schweissen. Hierauf folgte eine leichte Besserung, die jedoch nur 5—6 Tage anhielt; nach dieser Zeit begann das Kind abermals stärker zu fiebern, es stellte sich häufi-ger Husten, Athemnoth und Schmerzen im oberen Theil der rechten Brust-hälfte ein, ohne dass Auscultation und Percussion zunächst einen objectiven

Befund ergaben, während am folgenden Tage entsprechend der rechten Fossa
supra- und infraspinata pfeifende Geräusche beim Exspirium und Knisterrasseln zu hören war; aus diesen Symptomen schloss **B.** auf das Vorhandensein
einer Lungencongestion (congestion pulmonaire). Nach 3 Tagen waren die
Symptome dieser „Lungencongestion" verschwunden, ebenso die Fiebererscheinungen; jedoch nur um schon einen Tag später ganz in derselben Weise in der
linken Lungenspitze aufzutreten, wo der Process ebenfalls nach 3 Tagen been-
digt war und nun die Basis der linken Lunge ergriff, wenn auch mit geringerer Intensität, als es bei den vorher erkrankten Lungenabschnitten der Fall gewesen. Das Kind war dabei unter stets zunehmender Schwäche so herabgekommen, dass sein Leben ernstlich bedroht schien und erst in der 7. Woche der
Erkrankung unter Anwendung von Roborantien langsam sich zu erholen begann
und endlich genas. Die während des ganzen Verlaufes der Krankheit wiederholt und sorgfältig unternommene Untersuchung des Harns liess keine Spur
von Albumen nachweisen, wogegen Harnsalze und Schleim reichlich vorhanden
waren. Unter Hinweis auf die Lehre T r o u s s e a u's, dass im Verlaufe der
Scarlatina rheumatische Affectionen häufig genug, wenn auch nicht immer unter
der Form des acuten Gelenksrheumatismus und insbesondere bei Erwachsenen
vorkommen, ist **B.** geneigt in unserem Falle sowohl das Erythem als auch die
übrigen ebenso plötzlich erschienenen als wieder verschwundenen krankhaften
Affection verschiedener Organe als ebenso viele Localisationen einer rheumatischen Diathese aufzufassen; zur Unterstützung dieser Ansicht führt er weitere
Fälle als Belege an. — Eine Woche später als jener Knabe erkrankte seine
ältere Schwester, ein Mädchen von 10 Jahren ebenfalls an Scarlatina, die mit
einer Angina beginnend ganz normal verlief, bis am 4. Tage ihres Bestehens
unter Steigerung des Fiebers, Schmerzen in den Hand- und Ellbogengelenken,
ebenso in den Knie- und Fussgelenken auftraten, welche auch von sichtlicher
Schwellung dieser Gelenke begleitet waren. Nach 2 Tagen wurden die Schul-
tergelenke und die Sternoclaviculargelenke ergriffen, während die Affection der
früher befallenen Partieen beinahe geschwunden war. Die Krankheit nahm
weiterhin einen ganz milden Verlauf ohne weitere Complicationen, namentlich
ohne Albuminurie.

    Nach T r o u s s e a u bietet der Gelenkrheumatismus als Complication der
Scarlatina zumeist nur leichte Formen dar, und es ist als grosse Seltenheit zu
betrachten, dass er nach Art der eitrigen Gelenksentzündungen bei Puerperal-
process einen schweren Verlauf nimmt. Nach B o u i l l a u d sollen die rheumatischen Complicationen bei Scharlach denselben Gang einhalten, wie dies beim
idiopathischen acuten Gelenksrheumatismus der Fall ist, so dass in der Regel
die Affection der Gelenke vorangeht, während die entzündlichen Processe anderer seröser Häute als Endocarditis, Pericarditis, Pleuritis nachfolgen; doch
kommt auch die umgekehrte Reihenfolge vor und anderseits beobachtet man
im Gefolge von Scharlach Endo- und Pericarditis ohne Intercurrenz von Gelenksaffectionen. Auch die Chorea soll nach **B.** als Folgekrankheit des Scharlachs u. z. durch Vermittlung rheumatischer Affectionen häufig zur Beobachtung gelangen, gewöhnlich einige Wochen oder Monate nach überstandenem
Scharlach; (vermuthlich hat hier der Verfasser den hie und da supponirten,
aber keineswegs erwiesenen Causalnexus zwischen Herzfehlern und Chorea im
Auge. Ref.) Die den Scharlach begleitenden Pleuresien, welche **B.** ebenso
wie die Pericarditis auf Rechnung der rheumatischen Diathese setzt, sollen
wie überhaupt entzündliche Processe auf scarlatinösem Boden Neigung zur

Vereiterung zeigen. Wenn die Morbillen den Katarrh der gesammten Respirationsschleimhaut als Eigenthümlichkeit ihres Wesens beanspruchen können, so bildet im Scharlach die „Congestion" charakterisirt durch ihre Unbeständigkeit und Beweglichkeit das herrschende Element, weshalb die Verwandtschaft dieser Processe mit den Fluxionen rheumatischer Natur nicht bestritten werden kann. Der Verfasser schildert weiterhin zwei Krankheitsfälle von Erwachsenen, die ihm analog den eben beschriebenen ebenfalls als „congestive Zustände" rheumatischer Natur imponirten, und die wir hier übergehen und nur noch einer Krankheitsgeschichte erwähnen wollen, welche B. von seinem eigenen Kinde entwirft, indem er sie gleichfalls in die Kategorie der in Rede stehenden Erkrankungen verweist.

Im Frühjahre 1868 bemerkte er, 2 Tage nach einer Promenade, die sein 7jähriger Knabe unternommen, und wobei er sich erkältet haben mochte, da er lange Zeit und leicht bekleidet im Freien spielte, dass dem Kleinen die Füsse anschwollen, während zugleich der Urin eine rothbraune Farbe bekam und bei der mikroskopischen Untersuchung Blutkörperchen in grosser Menge zeigte. Das Allgemeinbefinden war nicht wesentlich gestört, der Kleine musste das Bett hüten und nach wenigen Tagen waren diese Symptome beseitigt; aber es folgte alsbald eine ausgebreitete katarrhalische Bronchitis, die nach dreiwöchentlicher Dauer scheinbar in vollständige Genesung überging; 14 Tage darauf als das Kind schon mehrmals ausgegangen war, traten abermals nach längerem Verweilen im Freien in der Nacht heftige Schmerzen in der linken Thoraxhälfte auf, begleitet von heftigem Fieber. Weder B., noch die später herbeigerufenen Collegen Trousseau und Lasègue gelangten während der ersten 2 Tage zu einem diese Symptome erklärenden physikalischen Befunde, am 3. Tage jedoch stellten sich pfeifende Geräusche und Knisterrasseln ein, so dass die Anwesenheit einer Pneumonie angenommen wurde; 48 Stunden später waren alle diese Symptome verschwunden und der Knabe vollständig genesen.

Indem nun der Verfasser diese ganze Reihe krankhafter Erscheinungen als eben so viele Aeusserungen eines rheumatischen, mit dem Charakter der „Congestion" einherschreitenden Processes betrachtet, zieht er zugleich eine Parallele mit den zuvor beschriebenen Scharlacherkrankungen und betont die in der Verlaufsweise dieser Processe herrschende Analogie, so namentlich die beide charakterisirende Instabilität und Beweglichkeit, das rasche Auftreten und Verschwinden, das Ueberspringen von einem Organ auf das andere. Der Hämaturie in dem letzterwähnten Falle schreibt er nicht den Charakter einer eigentlichen Entzündung, einer tieferen Läsion des Nierenparenchyms zu, sondern verweist sie in das Gebiet der congestiven Zufälle, wodurch auch das rasche Zurückkehren zur Norm erklärlich sei.

Ein anderer Erkrankungsfall in derselben Familie, wo schon zwei Geschwister an Scarlatina erkrankt waren, betraf deren 7jährigen Bruder und ist darum interessant, weil es sich hier offenbar um eine scarlatinöse Allgemeinerkrankung handelte, die jedoch bei jedem Abgang von Exanthem bloss in einer Angina ihre Localisation gefunden hatte. B. hatte bei demselben Kinde wiederholte Anfälle von Rachenentzündungen u. zw. meist von heftigem Fieber begleitet zu beobachten Gelegenheit gehabt. Diesmal war das Fieber nicht bedeutend, die Schleimhautaffection binnen 8 Tagen abgelaufen, wogegen die Störung des Allgemeinbefindens eine im Verhältniss zu den unbedeutenden localen Symptomen sehr beträchtliche war. Blässe der Haut, zunehmende Schwäche und Abmagerung stellten sich während des Verlaufes

ein und überdauerten noch lange die eigentliche Localerkrankung. In ganz
ähnlicher Weise erkrankte auch das Stubenmädchen, welches man mit der
Wartung der erkrankten Kinder betraut und die noch keinen Scharlach überstanden hatte. Solche Fälle stehen keineswegs vereinzelt da und zeigen, wie
wesentlich die Angina unter den Symptomen der Scarlatina ist; es gehört
zu den Seltenheiten, dass sie gänzlich fehlt, wenn sie auch nicht gleichen
Schritt hält mit der Intensität des Exanthems. Die Bedeutung einer solchen
Angina bei mangelndem Exanthem ist namentlich bei sporadischen Fällen
nicht immer leicht zu erkennen; weniger Schwierigkeiten bietet sie, wenn
eben eine Epidemie herrscht. B. verweist auf Prof. Lasègue's Traité des
angines, wo das Vorkommen derartiger abortiver Scharlachfälle unter dem
Bilde einer Angina geschildert und hervorgehoben wird, dass solche Formen
namentlich zur Beobachtung kommen, wenn in einer Familie, einem Pensio-
nat etc. der Scharlach ausbricht, wo dann ein Theil von der ausgeprägten
Form dieser Krankheit, ein anderer Theil nur von Angina befallen wird,
während manche Personen ganz verschont bleiben, je nach ihrem Alter und
überhaupt ihrer Prädisposition für das Scharlachcontagium. Diese scarlatinöse Angina stellt B. als ganz ähnlich zur Seite der rheumatischen Angina
(,,l'angine rhumatismale‘‘), so dass Verwechslungen zwischen beiden selbst
dem Geübtesten passiren können.

Unter Hinweis auf dieses Material und mit Berufung auf ähnliche Erfahrungen von Barthez, Trousseau, Lasègue und Anderer resumirt Dr.
B. seine Erwägungen dahin, dass Scharlach und Rheumatismus, obgleich
ihre Unterscheidung als zwei differente Krankheitsformen in Ansehung der
jeder von ihnen eigenthümlichen Momente vollständig gerechtfertigt erscheint,
dennoch unzweifelhaft darin übereinstimmen, dass sie im menschlichen Organismus eine specifische Diathese setzen, unter deren Einflusse derselbe einer
Reihe von Ernährungsstörungen unterliegt, deren augenscheinliche Uebereins-
stimmung in Auftreten, Verlauf und Abheilung nicht zu verkennen sei.

G.

·   Dr. Shingleton (21) fasst seine Bemerkungen über den Scharlach
in London auf 80 Fälle, die er in den Monaten Juli bis November 1869 behandelte und welche sämmtlich aus dem ihm als Bezirksarzt angewiesenen
District stammten. Zwölf von diesen Fällen starben. Die Verbreitung in der
Stadt war übrigens eine ziemlich allgemeine und keine Strasse besonders bedacht. Die grösste Zahl der Erkrankungen fiel auf den October, nämlich 30.
Die Mortalität war eine hohe 15 %; während die Sterblichkeit im Fieberhospital eine ungefähr eben so hohe war (15·3); letztere wurde als eine ungewöhnlich hohe von Dr. Murchison dadurch erklärt, dass in dasselbe auch
sterbende Kinder aufgenommen und nur schwere Fälle eingebracht wurden,
wobei die Ueberführung und die Gelegenheit zur Erkältung auch ins Gewicht
fallen. Sh. glaubt, dass bei seinen Kranken, wo diese Momente wegfallen,
nebst der Bösartigkeit der Epidemie die schlechten Verhältnisse, unter denen
die Kranken lebten und die schlechte Pflege Schuld an der hohen Sterblichkeit tragen. So starben 3 Kranke an Anasarca und Convulsionen, bei welchen
der üble Ausgang vielleicht durch sorgfältige Pflege hätte vermieden werden
können. In 17 Fällen trat Infiltration der Halsdrüsen, 8 Mal darunter Gangrän des Nackens, von welch letzteren nur einer genas. Albuminurie war in
15 Fällen, ulcerative Stomatitis in 2 Fällen, acuter Rheumatismus in 4 Fällen zugegen. Die grosse Zahl der Fälle von Albuminurie hat ihren Grund

darin, dass die Kranken nicht (wie im Fieberhospital, wo von 614 Fällen nur 5 Mal Hydrops beobachtet wurde) genug lange im Bette gelassen werden. — Alle Fälle, bei denen Gangrän eintrat, waren von Anfang an sehr heftig; die meisten starben unter Delirien am 4., 5. Tage, unter Schling- und Athembeschwerden. Nur in 2 Fällen war der Verlauf langsamer, einer davon genas.

In 2 Fällen trat während der Desquamation unter Fieber und Schwellung der Drüsen ein zweiter Anfall von Scharlach auf. Bei einem 21 Monate alten Kinde war 2 Tage nach Beginn der Erkrankung das Exanthem über den ganzen Körper verbreitet und ein kleines Geschwür an der linken Tonsille; 2 Tage darauf Schwellung und Spannung der rechten Halsgegend, welche am 9. Tage bei beginnender Desquamation des Ausschlages und Wohlbefinden des Kindes abzunehmen begann. Nach 3 Tagen jedoch erschien von neuem der Ausschlag am ganzen Körper; die Schwellung des Nackens stieg und nach der Incision entleerte sich reiner Eiter aus derselben. 4 Tage später schwoll auch die linke Seite des Halses an; rechts bildete sich ein nekrotischer Schorf; das Gesicht wurde ödematös; im Harne Spuren von Albumen. Am 21. Tage der Erkrankung, am 9. nach der Recidive starb das Kind. — Bei einem zweiten Kinde trat während des Schälens am 14. Tage nach Beginn der Erkrankung am Rücken und den Extremitäten ein papuloses Exanthem auf, welches am andern Tage eine confluirende Scarlatina darstellte. Auch hier wurde in die besonders in der rechten Parotidengegend hervortretende Geschwulst am Halse ein Einschnitt gemacht, aus welchem sich einmal eine grössere Menge Blutes entleerte. Es bildete sich ein grosser Schorf. 19 Tage nach Beginn des zweiten Anfalles schälte sich die Haut, die Halswunde reinigte sich und das Kind genas.

Verfasser hält diesen zweiten Anfall nicht für ein Analogon der pyämischen Roseola, sondern für einen zweiten Anfall von Scarlatina, so selten auch ein derartiges zweimal Befallenwerden desselben Individuums vorkommen mag.

Wichtig ist die Beobachtung, dass in dieser Armenpraxis die Verhältnisse sowohl bezüglich der Mortalität als bezüglich der Complicationen ungünstiger waren als im Fieberhospital bei derselben Epidemie. **K.**

Unter dem Titel: **Zur Eintheilung der Scharlachfälle** bringt Professor **Thomas** (22) eine Kritik der von Rilliet und Barthez eingeführten und ziemlich allgemein verbreiteten Eintheilung der Scarlatina, wonach unter ausschliesslicher Berücksichtigung des Exanthems ein normal verlaufender Scharlach und Varietäten desselben unterschieden werden; die dabei vorkommenden Affectionen anderer Organe dagegen in das Kapitel „Complicationen‟ verwiesen werden. Weitere Unterabtheilungen machen R. und B. nach dem primären oder secundären Auftreten des Exanthems. Als Mängel dieser Eintheilung bezeichnet Th., dass die Entscheidung, ob die Eruption normal oder anomal, primär oder secundär sei, oft ihre Schwierigkeiten habe, sowie dass auf die Hauterkrankung unter Hintansetzung anderer Organerkrankungen: des Rachens, der Lymphdrüsen und Nieren bei jener Eintheilung zu viel Gewicht gelegt werde. Th. vindicirt diesen Organerkrankungen genau dieselbe principielle pathologische Bedeutung beim Scharlach, wie der Hauteruption unter Hinweisung auf einzelne Scharlachfälle, wo jene, ohne Spur von Scharlachausschlag auf der Haut, isolirt vorkommen.

k *

Th. unterscheidet als 2 Hauptgruppen: 1. Scharlachfälle mit einfachen oder isolirten, 2. solche mit mehrfachen oder combinirten Organerkrankungen. Zu 1. gehören solche Fälle, wo ein einziges Organ durch Einwirkung des Scharlachcontagiums erkrankt, also zunächst die Haut und Rachengebilde, seltener die Nieren und Lymphdrüsen, namentlich des Halses.

Die 2. Classe zerfällt je nach dem gleichzeitigen oder ungleichzeitigen Ergriffensein der verschiedenen Organe in mehrere Unterabtheilungen:

a) Gleichzeitiges Auftreten von Exanthem, Angina und Lymphdrüsenentzündung; Nieren frei.

b) Affection aller genannten Organe einschliesslich der Nieren und zwar gleichzeitig.

Mit ungleichzeitigen Organerkrankungen:

c) Beginn mit Exanthem und Angina, später Affection der Nieren und Drüsen.

d) Zuerst bloss Exanthem, sodann Angina, zuletzt Nierenerkrankung.

e) Kein Exanthem, zuerst Rachen- oder Halsdrüsenentzündung, später die Nieren.

f) Primäre Nephritis scarlatinosa, nachher Exanthem.

Schliesslich führt der Verfasser aus, wie zu einer weiteren Eintheilung der Scarlatina das Verhalten und der Verlauf des Fiebers geeignet wäre, indem dasselbe nicht nur bedingt von Anwesenheit und Gestaltung der Localaffectionen eine von diesen unabhängige, selbstständige Existenz besitze.

G.

Einen **interessanten Scharlachfall** beschreibt Prof. **Thomas** (23). Derselbe bot sowohl in seinem Auftreten, als im weiteren Verlaufe mannigfache Eigenthümlichkeiten dar und betraf einen $4^7/_{12}$ Jahre alten Knaben, der nachdem wenige Tage zuvor eine leichte Intestinalaffection aufgetreten war, die sich bis zum vollständigen Wohlbefinden wieder verloren hatte, am 23. Juli 1870 unter bedeutender Temperaturssteigerung und Unruhe erkrankte, worauf am anderen Tage grosse, rothe Flecke ganz entschieden zuerst im Gesichte, bald auch am Halse und Rumpfe bemerkbar wurden. Temperatur Abends 5 Uhr 39·6, mässig gesteigerte Pulsfrequenz; am ganzen Körper, besonders im Gesichte scharf umschriebenes, fleckiges, masernähnliches Exanthem mit vollkommen normal gefärbter Haut zwischen den Flecken. Uvula und Gaumenbögen ziemlich stark geröthet. Respirationsorgane frei, kein Husten oder Schnupfen.

Am 25. Juli begannen die rothen Flecke an vielen Stellen zu confluiren, so namentlich im Gesichte, Rumpfe, an den oberen Extremitäten und in der Schenkelbeuge; doch waren noch zahlreiche durch normal gefärbte Haut isolirte Flecke sichtbar. Temperatur Früh 38·8, Abends 39·2. Am 26. Juli war die Confluenz noch allgemeiner, so dass am Abende nur noch am Fussrücken einzelne isolirte Flecke zu sehen waren, sonst allenthalben diffuse Röthung. Temperatur Früh 38·2, Abends 40·1. Harn normal, Rachenaffection gleich. Am 27. und 28. begann das Exanthem hie und da etwas abzulassen, die Haut stellenweise leicht pigmentirt, rauh anzufühlen, am 28. reichliche, wasserhelle Sudamina, Lymphdrüsen am Halse leicht geschwellt, der Temperaturgang zeigte in diesen Tagen ein allmäliges Ansteigen der Morgentemperatur bis 39·7, der Abendtemperatur bis 40·4. Von da an bis zum 3. August wurden sämmtliche Erscheinungen bei vorschreitender Erblassung des Exanthemes und Sinken der Temperatur auf 38 Abends, immer mehr rückgängig; dabei entwickelten sich reichliche Sudamina- und Miliariabläschen.

Am 4. August, dem zwölften Krankheitstage, erschienen viele frische Roseolae am Rumpf, besonders um Frieselbläschen herum. Temperatur Früh 38, Abends 39·2. Abends zeigten sich die Roseolae auch auf den Extremitäten, das Gesicht gleichmässig geröthet, an der rechten Tonsille gelblichgrüner Belag, Fauces geröthet; an den folgenden 2 Tagen wurden die Roseolae dichter und vollkommen masernähnlich, dabei mässige Albuminurie, Epithelial - Desquamat und reichliche „cylinderähnliche Fäden" im Harn. Vom 8. August an flossen die Flecke wieder mehr in einander, am 9. zeigten besonders die Extremitäten diffuse Röthung, worauf dann das Exanthem immer blässer wurde und am 20. vollkommen geschwunden war; in den letzten Tagen war sowohl der Albumengehalt des Harnes als auch die Cylinder in demselben vermehrt. Am 24. August kein Albumen mehr im Harn, Patient vollkommen genesen. An den Volis und Plantis war leichte Abschuppung eingetreten.

Da zur Annahme einer Complication mit Morbillen oder Rubeolen, zu welcher das Auftreten der Erkrankung mit kleinfleckigem Exanthem hätte verleiten können, keinerlei anderweitige Symptome berechtigten, sieht sich Th. veranlasst, die vorliegende Erkrankung jenen Fällen von Scharlach an die Seite zu stellen, die Hebra und Mayer als Scarlatina variegata beschreiben. Auch für die 2. Eruption eines morbillenähnlichen Exanthemes hat Th. Analogien gefunden, indem er an ähnliche Fälle erinnert, wo nach dem Erblassen eines Scharlachausschlages ganz ähnliche Eruptionen erfolgten; es sind das Fälle, die Th. selbst beobachtet, und im Archiv für Heilkunde X. S. 458 veröffentlicht hat.   G.

Die Rubeolen, deren Auffassung als selbstständige, von Morbillen und Scharlach zu trennende Krankheit noch vielfach bekämpft wird, hat Dr. Emminghaus (24), zum Gegenstand einer Arbeit gemacht, zu welcher eine 1868 in der Jenaer Kinderbewahranstalt ausgebrochene Epidemie, sowie frühere dahin einschlägige Beobachtungen, das Material lieferten. In einem historischen Rückblick erwähnt E. die Schriften von de Bergen und Orlow, Thomson's Dissertatio de Rubeola, sodann eine Arbeit von Verson aus Canstatt's Pathologie (1847), in denen meist in sehr unklarer Weise die Rubeolen abgehandelt werden, indem man jedes fleckige Exanthem, das auf Masern oder Scharlach nicht zu passen schien, einfach Rubeola nannte. Gelmo, im Jahrbuch für Kinderheilkunde von Mayer, Politzer und Schuller (1858) bestreitet die Berechtigung zur Annahme einer specifischen Roseola unter dem Namen der Rubeolen oder Rötheln und verweist sie als blosse Anomalien unter die Rubrik der Scarlatina variegata oder der französischen Rougeole (Morbilli), wobei er sich auf Rilliet und Barthez beruft, die sich ebenfalls nicht veranlasst fanden, den Rötheln eine selbstständige Stellung einzuräumen.

Aehnlicher Ansicht ist Köstlin (Archiv f. wissensch. Heilkunde 1865) während Henry Veale (Edinb. med. Journ. 1866), auf Grundlage seiner Beobachtungen bei Gelegenheit einer Epidemie in der Präsidentschaft Bombay die Annahme der Rötheln als specifische Erkrankungsform unter dem Namen „Rubella" empfiehlt. Diese Auffassung der Rubeolen als Exanthem sui generis hat in neuester Zeit immer mehr Vertheidiger gefunden; während Schwarz 1868, als charakteristisches Differenzialmerkmal zwischen Morbillen und Ru-

seolen den Abgang eines Exanthemes am weichen Gaumen und Uvula bei letzteren constatiren wollte, behaupten O es terreich, Thomas und der Verfasser
auch bei Rubeolen jenes Exanthem beobachtet zu haben; Wunderlich dedu-
cirt die Specificität der Rötheln auf thermometrischem Wege. Steiner (Archiv für Dermatologie und Syphilis 1869, 2. Heft), definirt die Rötheln als
Krankheit sui generis, charakterisirt durch ein ohne, oder unter sehr geringen
Fiebererscheinungen auftretendes Fleckenexanthem von sehr kurzer Dauer (nie
über 48 Stunden), meist epidemisch auftretend, jedoch nicht contagiöser Natur.
Nachdem E. noch die umfassende Arbeit von Prof. Thomas in Leipzig citirt,
sucht er darzuthun, wie die Geringfügigkeit und Ungefährlichkeit dieser Erkrankung Schuld sei an den noch mangelhaften Kenntnissen und daher wie-
derstreitenden Ansichten über dieselbe, und namentlich über ihren contagiösen
oder nicht contagiösen Charakter.

Folgendes sind die Resultate seiner Studien bei Gelegenheit der obenerwähnten Epidemie in der Kinderbewahranstalt zu Jena. Die Krankheit ist
contagiös, sowohl direct als indirect von Individuum zu Individuum übertrag-
bar, das Kindesalter prädisponirt, der Geschlechtsunterschied ohne Einfluss;
das Exanthem gewährt keine Immunität gegen Masern und Scharlach; Incubationszeit 14 Tage bis 3 Wochen. Dem Exanthem gingen meist leichte All-
gemeinstörungen voraus, die Eruption selbst war von Schleimhautaffectionen
und Drüsenschwellungen begleitet. Das Exanthem begann meist am 3. Tage
und begann sich zu entwickeln als leichte röthliche Wölkung auf der Haut,
welche dem Fingerdruck wich und gar keine Erhabenheit wahrnehmen liess.
Aus diesem Zustande entwickelte sich das Exanthem innerhalb weniger Stunden zu einer zweiten Stufe. Aus den helleren Wölkchen waren zum Theil
circumscripte dunklere und kleinere Maculae geworden, zum Theil bestanden
jene noch. In anderen Fällen waren die Flecken verwaschener und die zwi-
schenliegende Haut stärker geröthet. Die erstere Form entwickelte sich binnen wenigen Stunden zu „dunkleren, rosenrothen, mit einem Strich ins feuer-
roth isolirt stehenden Fleckchen" von Stecknadelkopf- bis Linsengrösse, die
deutlich erhaben sind. Bei der diffuseren zweiten Form verbinden sich die
Flecke von einem Hof umgeben mit den benachbarten durch Streifen und
Striche; in beiden Fällen weichen die Flecke auf Fingerdruck. Nach diesem
Acmestadium von halbtägiger Dauer bekommen die Flecke einen Strich ins
rothbraune und ihre Regelmässigkeit geht verloren; nach 1 Tag ist keine Erhabenheit mehr zu fühlen, die Flecken weichen dem Fingerdruck nicht und
sind noch deutlicher braunroth. Die Abblassung und bräunliche Pigmentirung
setzt sich bis zum 4. Tage fort, wo nur noch einzelne Wölkchen zu sehen
sind und zugleich eine kaum merkliche Abschuppung beginnt. Die Eruption
begann in der Regel an der Stirne, ging dann über Gesicht und Hals, an
welchem es eine dichtere ringförmige Efflorescenz bildete, zur Brust und
Schulterblättern und war am stärksten an den Nates und der hinteren Fläche
der Oberschenkel, wie überhaupt an den bedeckten warm gehaltenen Theilen,
sparsam und mehr bläulich an den unbedeckten Vorderarmen. Auch an der
Gaumenschleimhaut zeigte sich in einigen Fällen ein ähnliches Exanthem.

Alle Fälle gingen mit Temperatursteigerung einher, die selten über $1\frac{1}{2}$
Grad, meist weniger betrug. Bei mässiger Prodromie und sofortiger Eruption
erfolgte nur einmaliges Ansteigen der Temperatur; war die Prodromie stärker ausgeprägt und trat das Exanthem erst am 2. Tage auf, so war am Morgen dieses Tages Remission mit einer zweiten Erhebung am Abende. Die

Defervescenz erfolgt in regelmässigen morgendlichen Remissionen. Der Gipfel der Acme fällt auf die erste Andeutung des Exanthems und ist ganz unabhängig vom Maximum desselben. Als Complication wurde einmal Gastroenteritis und einmal Bronchitis beobachtet.　　　　　　　　　G.

Syphilis.

(25) Dr. Georg Wegner: Ueber hereditäre Knochensyphilis bei jungen Kindern. Virch. Archiv tom. L. p. 305.

　　　Dr. **Wegner** in Berlin (25) machte die **syphilitischen Knochenaffectionen** Neugeborener und junger Kinder zum Gegenstande eingehender Untersuchungen. Er findet, dass syphilitische Erkrankungen der Schädelknochen zu den seltenen Vorkommnissen gehören, indem unter mehr als 40 mit hereditärer Syphilis behafteten Kindern in nur 2 Fällen gummöse innere Periostitis (einmal des Stirnbeins, einmal des Os parietale dextr.) und überhaupt nur einmal diffuse Hyperostose des Cranium beobachtet wurde. Häufiger zeigt sich eine Affection des Pericraniums in Form wenig zahlreicher, disseminirter flacher Knötchen von Hirsekorn- bis Linsengrösse, von gelblichweisser, etwas trüber Färbung, scharf umgrenzt, im Periost gelegen oder leicht über dessen Niveau erhaben; sie wechseln ziemlich in ihrer Zahl und haben mit Vorliebe ihren Sitz an den Seitenwandbeinen, seltener am Stirn- und Hinterhauptbein. Bei mikroskopischer Untersuchung ergeben sie sich als Wucherungsherde mit partieller oder totaler fettiger Degeneration der neugebildeten Elemente. — Ungleich viel häufiger als an den Schädelknochen, und wie es scheint fast constant, sind Veränderungen an den Röhrenknochen zu beobachten. Zunächst scheint allerdings, wie Bouchut erwähnt, eine grössere Härte und Dichtigkeit des Knochens sowohl in der spongiösen Substanz der Epiphysen, als auch in der compacten der Diaphysen eine häufige Erscheinung bei intrauteriner Syphilis zu sein, indessen nicht so ausschliesslich, dass nicht auch gelegentlich vollkommen normale Consistenz und losere Beschaffenheit vorhanden wäre. Periostitiden sind sowohl an den Röhrenknochen, als auch an den Rippen ein häufiges Vorkommniss; die neu aufgelagerten Schichten zeichnen sich aus durch eine kreideweisse, sehr dichte, spröde, fast erdige Beschaffenheit, die Haversischen Canäle sind wenig und sehr unregelmässig entwickelt, die Knochenkörperchen von plumper, variabler, ungewöhnlicher Form, atypisch angeordnet, sonst ist aber wenig von der gewöhnlichen Erscheinungsweise der ossificirenden Periostitis Abweichendes hier zu notiren. Sehr eigenthümlich dagegen und sehr constant ist eine Erkrankung an der Uebergangsstelle des Diaphysenknochens in den Knorpel der Epiphyse, resp. bei den Rippen an der Grenze zwischen knöchernen und knorpeligen Theil. Der Verlauf dieser Erkrankung stellt sich nach den Resultaten der Detail-Betrachtung der Knochen syphilitischer Kinder etwa so dar: Angeregt durch einen Reiz, dessen Sitz mit Rücksicht auf die örtliche Multiplicität des Processes in die allgemeinen Säfte, mit Wahrscheinlichkeit in das Blut, verlegt werden muss, stellt sich in mehr oder weniger sämmtlichen Röhrenknochen in den tiefsten Lagen des Epiphysenknorpels, von denen aus man bis in die jüngste Zeit das Längenwachsthum des Knochens ziemlich ein-

stimmig hat ausgehen lassen, resp. bei den Rippen an der Knorpelknochen-
grenze, eine das physiologische Maass überschreitende Wucherung der Knorpelzellen ein, während gleichzeitig die Umwandlung der verkalkten Knochensubstanz in Knochen retardirt wird. Weiterhin erstreckt sich bei fortschreitender übermässiger Knorpelproliferation, die bereits eine leichte Anschwellung
der Epiphyse zur Folge hat, die Sclerose und Kalkinfiltration in ganz ungewöhnlicher Höhe und discontinuirlicher Weise in den hyalinen Knorpel der
Epiphyse hinein, und zwar in den äussersten, unmittelbar unter dem Peri-
chondrium befindlichen Lagen ziemlich gleichmässig, so dass eine Art von
breitem, peripherischem Incrustationsring gebildet wird, in den inneren Lagen
mehr ungleichmässig dem Verlaufe der den Knorpel nach allen Richtungen
hin durchziehenden Gefässe folgend. Gleichzeitig verwandelt sich, ein innerhalb des Knorpels ganz abnormer Vorgang, das in den Knorpelkanälen befindliche faserige Markgewebe direct in osteoide und wirkliche kalkhaltige
Knochensubstanz, so dass noch innerhalb des Epiphysenknorpels in derselben Höhe hyaline und verkalkte Knorpelsubstanz und Knochen erscheint.
Wenn jetzt bei fortdauernder Nichtumwandlung der incrustirten Knorpelsubstanz in gefässhältigen Knochen die Quantität des kalkinfiltrirten Materials
eine gewisse Massenhaftigkeit erreicht hat, beginnen sich die Folgen dieser
Verzögerung geltend zu machen. Bei normaler Entwicklung von Knochen
aus dem verkalkten Knorpel findet aus dem letzteren, dessen Ernährung
auch in dünner Lage jedenfalls eine gewisse Schwierigkeit hat, eine Neubildung von Gefässen statt, die sich in die der allgemeinen Circulation zugäng-
lichen Gefässe der spongiösen Knochen öffnen. Hier ist dieselbe in geringer,
ungenügender Weise vorhanden oder bleibt vollkommen aus; der grössere
Theil der massenhaft angesammelten verkalkten Substanz, bei der relativ
grossen Entfernung von gefässführendem Knorpel einer-, Knochen andererseits wird der Säfteströmung entzogen, wird ausser Ernährung gesetzt und
geht langsam unter. Innerhalb der verkalkten Kapsel und Grundsubstanz
schrumpfen die Zellen und verfallen einer unvollständigen Fettmetamorphose.
So liegt jetzt zwischen den jüngsten verkalkten Knorpellagen nach oben und
dem normalen spongiösen Knochen der Diaphyse nach unten eine abgestorbene nekrotische Masse, ein Caput mortuum, das als solches einen Reiz
ausübt auf die benachbarte, lebende, gefässführende spongiöse Knochensubstanz. Von dieser aus wächst nun analog anderen Fällen der Knochenpatho-
logie offenbar zum Zwecke der Ausstossung des reizenden todten Körpers ein
Granulationsgewebe empor, die Epiphyse wird gelockert, weiterhin folgt wirkliche Eiterung, die nach Perforation des ebenfalls entzündlich geschwollenen
Periostes der nekrotischen Masse einen Ausweg verschafft: die durch die
fortdauernd vermehrte Wucherung der Knorpelzellen einerseits, die entzündliche Verdickung des Periostes andererseits erheblich angeschwollene Epiphyse
ist abgelöst.

Von der Rhachitis unterscheidet sich dieser als Osteochondritis
aufzufassende Process dadurch, dass — während bei der ersteren aus den
massenhaft neugebildeten Zellen, begünstigt von reichlicher Gefässentwick-
lung osteoides, weiches, kalkfreies Knochengewebe entsteht, — hier die Man-
gelhaftigkeit der Gefässbildung bei sehr intensiver Verkalkung die Ursache
ist, dass die neugebildeten Elemente der Necrobiose anheimfallen. In der
Regel bildet diese Osteochondritis eine intrauterine, und zwar in verhältnissmässig frühen Monaten beginnende Erkrankung; auch da, wo die Affection

Wochen und Monate nach der Geburt beobachtet wurde, ist mit Rücksicht auf das vorgerückte Stadium der Beginn der Erkrankung wohl mit Wahrscheinlichkeit in die Fötalzeit zu verlegen. Das locale Auftreten des osteochondritischen Processes ist immer ein multiples, jedoch nicht immer und an allen Stellen von derselben Intensität. Für die einzelnen Röhrenknochen kann man nach Vergleichung einer grossen Zahl von Fällen eine bestimmte Scala der Erkrankungsintensität aufstellen. In erster Linie das untere Gelenksende des Femur, dann die unteren Epiphysen der Unterschenkel- und Vorderarmknochen und die obere Epiphyse der Tibia, weiterhin die obere Epiphyse des Femur und der Fibula. Etwas geringer die des Humerus, sehr viel geringer die obere Epiphyse des Radius und der Ulna und endlich in der Reihe am meisten zurückstehend als constant am geringsten betroffener Theil die untere Epiphyse des Humerus. Auffallender Weise stimmt diese Scala vollkommen überein mit einer analogen, die man für die Rhachitis aufstellen kann. Die Schwere der syphilitischen Erkrankung der Knochen hält nicht immer gleichen Schritt mit der Ausdehnung und Intensität, mit der Haut und innere Organe in Folge hereditärer Lues leiden.

Zum Schluss macht **W.** aufmerksam auf eine sehr häufig bei syphilitischen Kindern zu constatirende Veränderung des Knochenmarkes; es findet sich nämlich entweder gleichmässig mehr oder weniger in allen Röhrenknochen verbreitet oder mehr herdweise in einzelnen auftretend, sehr exquisite fettige Degeneration der Markzellen und der Gefässe; das Knochenmark bekommt dann statt des normalen rothen Aussehens eine eigenthümlich röthlichgelbe, selbst eine honiggelbe Färbung. — Ist man einverstanden mit den in neuester Zeit von Neumann, Bizzozero u. A. vorgetragenen Anschauungen über die Blutbildung aus dem Knochenmark, so wird vielleicht in diesem ausgedehnten Untergang des Knochenmarks ein wichtiger Factor zu finden sein für die häufig sehr auffällige Anämie und Blässe der Haut, Muskeln und innern Organe bei syphilitischen Kindern. **W.**

Nervensystem.

(26) Dr. J. Talko: Ueber angeborene Hirnhernien. Virch. Archiv L. p. 517.

(27) Prof. Dr. O. Wyss in Zürich: Gehirnabscess im Kindesalter.

(28) Dr. L. Caradec: Fall einer perforirenden Kopfwunde in Folge eines Falles. Gaz. médic. 1871. 4.

(29) Prof. Steiner: Epidemie der Chorea minor. Jahrb. f. Kinderheilk. III. 3. p. 291.

(30) Dr. Auchenthaler: Ein Fall von Tetanus (Trismus) geheilt mit Chloralhydrat. Jahrb. f. Kinderheilk. IV. 2. p. 218.

Dr. **Talko** in Tiflis (26), publicirt eine, mit einer reichen Casuistik versehene Abhandlung über **angeborene Hirnhernien**, aus der wir Folgendes entnehmen. Man muss unterscheiden: 1. Die umfangreichen Hirnhernien, welche gewöhnlich pulsiren und nicht einrenkbar sind. Sie können leicht mit Fungus durae matris verwechselt werden und nehmen die Nackenfläche ein.

2. Die kleinen Hirnhernien, worunter es auch pulsirende gibt, die jedoch zum grössten Theile wieder eingerenkt werden können; sie bestehen aus Hirnhäuten, einem unbedeutenden Theile Gehirn und aus einem bedeutenden Quantum Flüssigkeit (Hydrencephalocele), wesshalb sie auch leicht einrenkbar sind. Sie kommen sehr selten vor, und gaben Anlass zu häufigen diagnostischen Irrthümern. — Gewöhnlich pflegen die Hirnhernien auf Knochennähten und Fontanellen zu sitzen (jedoch selten auf den Seitentheilen des Schädels), finden sich jedoch, was freilich noch nicht ganz erwiesen ist, sehr selten auf flachen Knochen. J. Z. Lawrence fand unter 75 Hirnhernien (Encephalocele, Hydrencephalocele, Hydromeningocele) nur 15 Mal die Hernie auf der Stirngegend und auch hierbei noch 2 Mal über den Nasenknochen, 1 Mal zwischen Stirn- und Nasenknochen und 1 Mal zwischen den frontalen und rechten Lacrymalknochen. Wallmann hat von 44 von ihm in verschiedenen Museen gesehenen Hernien 12 auf der Nasenwurzel und 8 in der Stirngegend getroffen. — Die Vorderhirnhernien kann man eintheilen in solche, die sich über (Herniae cerebri nasofrontales), und solche, die sich unter den Nasenknochen gebildet haben.

Denonvilliers bemerkt, dass ihm kein Beispiel bekannt sei, wo eine auf dem unteren Theile der Stirn in der Mittellinie, zwischen den Augenbrauenbögen befindliche Geschwulst etwas anderes gewesen wäre, als eine Hirnhernie (Encephalocele). — Die Hirnhernien werden mitunter schmerzhaft und vereitern, worauf der Tod durch Meningitis und Encephalitis erfolgt. Zuweilen trocknet die Geschwulst einfach aus, nach Lambl nur dann, wenn die Hernie nur von Hirnhäuten bedeckt ist. Die Hernien können sich aber auch durch den Verknöcherungsprocess ganz von der Schädelhöhle isoliren und erscheinen dann in Form von Cysten. Es ist höchst wahrscheinlich, dass einige Arten von Balggeschwülsten auf dem Kopfe einer solchen Ursache ihren Ursprung verdanken (Golizinski). — Im Leben spannen sich die Geschwülste häufig beim Schreien der Kinder und wechseln die Farbe; nicht selten sind isochrone Bewegungen mit dem Pulse wahrnehmbar, und treten beim Zusammendrücken Krämpfe oder soporöse Zustände ein. Doch können alle diese Symptome auch fehlen. Schwierig wird oft die Unterscheidung der Hirnbrüche von Atheromen, indem 1. auch die letzteren nicht selten für angeborene gehalten werden, wenn sich ihre Entwickelung von frühester Kindheit her datirt; 2. weil sie eine tiefe Usur der Schädelknochen bedingen können, deren knöchernen Rand man fühlen kann, und weil 3. Cerebralerscheinungen beim Druck auf die Geschwulst mitunter auch bei Hirnhernien fehlen können. Eine Probepunction kann die Sicherstellung der Diagnose oft wesentlich erleichtern. Nicht schwer ist übrigens die Diagnose, wenn wir auf dem Schädel eines Neugeborenen ähnliche Geschwülste finden. Sobald diese in der Richtung der Knochennähte und besonders in der Frontal- oder in der Naso-frontal-Gegend sitzen, so kann man mit Sicherheit annehmen, dass man es mit einer Hirnhernie zu thun hat, wenn selbst im Schädel keine Oeffnung bemerkt werden und beim Drücken auf die Geschwulst sich keine Cerebralerscheinungen geltend machen sollten. Operative Eingriffe haben selten einen günstigen Ausgang, indem die Kinder gewöhnlich in Folge von Meningitis zu Grunde gehen. Dézeimeris versichert, dass die Ligatur fast immer den Tod herbeiziehe. Diese Ansicht wird durch die Fälle von Klimentowski, Scheider bestätigt; der Fall Harting's dagegen verdient wegen des günstigen Ausganges der Operation als Curiosum verzeichnet zu werden. Was die Behandlung der Hirnhernien durch die Punction anbe-

langt, so versichern Adams und Chassaignac günstige Resultate erzielt zu
haben. T. hält die Punction für gefahrlos, indem er in einem Fall von Hydrocephalus externus diese Operation ohne üble Folgen fast allwöchentlich wiederholt hatte. Dagegen unterliegt es keinem Zweifel, dass das Ausschneiden der
Geschwülste gewöhnlich den Tod zur Folge hat. Bemerkenswerth ist aber der
Fall Bennet's: nachdem er bei einem 4 Monate alten Mädchen gleich nach
der Operation den Gehirn enthaltenden Bruchsack geöffnet, näherte er die
Wundränder einander und innerhalb 8 Wochen war im Zustande der Kranken
eine wesentliche Besserung eingetreten. Das Mädchen starb erst im 17. Lebensjahr. Velpeau versichert, dass, wenn es auch einige seltene Fälle gab,
wo die Kranken nach der Operation genasen, er es doch vorziehe, ähnliche Geschwülste eher mit einer platten, elastischen Bandage zusammenzupressen, als
dabei zum Gebrauche von Schneideinstrumenten die Zuflucht zu nehmen.
Lalleneuve theilte einen Fall mit, wo eine Hirnhernie durch Zusammendrücken mit einer Bleiplatte vollständig geheilt wurde. Auch Lenoir,
Richard, Michon rathen zur Pression, als der einzig rationellen Heilmethode.
W.

Prof. **Wyss's** (27) Mittheilung eines Falles von **Gehirnabscess** ist nicht
allein wegen der in so frühem Kindesalter allerdings grösseren Seltenheit ähnlicher Beobachtungen — also wegen des Interesses, welches der Fall als solcher gewährt und der exacten Beobachtung desselben, sondern auch wegen
der Art und Weise, in welcher die Epicrise abgefasst ist, den Fachgenossen
besonders anzuempfehlen. W. gesteht freimüthig die Diagnose im Leben nicht
gemacht und einen Gehirntumor vermuthet zu haben, trotzdem der ganze Verlauf der Erkrankung in seinem Typus wirklich dem Verlaufe jener Fälle von
Gehirnabscessen im Kindesalter entspricht, welche man in der Literatur zerstreut beschrieben findet. So ist es recht! Niemand wird W. desshalb für einen
weniger scharfen Diagnostiker halten, als so Manchen, der niemals geirrt haben
will, — indem er aber die Umstände zergliederte und studirte, welche ihn irre lei-
teten (wenn hier überhaupt von einem Irrthume gesprochen werden kann), förderte er die klinische Kenntniss solcher Zustände in weit höherem Masse, und
machte seine Mittheilungen weit lehrreicher, als wenn er diese Differenz zwischen der klinischen Diagnose und dem anatomischen Befunde mit Stillschwei-
gen übergangen hätte. Der von W. beobachtete Fall betraf einen Knaben
im Alter von $10^1/_2$ Monaten. Trotz der Angabe der Mutter, dass das Kind
früher ganz gesund war, kam es doch später heraus, dass es etwa 4 Tage vor
seiner Erkrankung von seinem erhöht stehenden Bettchen reichlich 1 Meter
tief mit dem Kopfe abwärts herab gefallen sei. — Unmittelbar nach dem Vorfalle waren ausser dem Schreien des Kindes keine auffälligen Erscheinungen
an demselben bemerkbar; um Mitternacht stiess der Kleine zwei eigenthümliche
laut gellende Schreie aus und zitterte am ganzen Körper. Hierauf stellten sich
Zuckungen am rechten Arme und rechten Beine ein, um 11 Uhr Morgens traten auch im Gesichte, um Mund- und Augenwinkel Zuckungen auf. In den folgenden Tagen war das Kind sehr blass, lag mit geschlossenen Augen theilnahmslos da, nahm nichts zu sich, und als sich der Zustand nach 8 Tagen
so weit besserte, dass der Knabe wieder active Bewegungen machte, zeigte
sich eine Lähmung der rechten oberen und unteren Gliedmasse. In der
Folge war er besser, litt nie an Erbrechen, doch war der Stuhlgang träge
— alle 2 Tage erfolgend, er hörte so gut wie früher, doch war er auffallend still ohne zu schlafen, und schrie manchmal im Schlafe auf. Ende

September Erbrechen alles Genossenen, später wieder zeitweise Zuckungen, jetzt aber im linken Arm und Bein. Der bis dahin nicht ungewöhnlich grosse Kopf nahm an Umfang zu, und war sehr empfindlich; das Kind fieberte manchmal, flüchtige Röthe der Wangen wechselte mit der fast vorherrschenden Blässe, die Apathie nahm zu; in die Mitte October fiel die Masernerkrankung der Geschwister des Patienten und dessen selbst. Die Lähmungserscheinungen bot derselbe auch dar, als er das erste und einzige Mal (23. September 1869), auf die Poliklinik gebracht worden war. Die Reaction auf Elektricität war erhöht. Von dem Trauma erfuhr W. erst später etwas, als er am 18. October zu dem Kinde gerufen wurde; dasselbe war über und über mit Masernexanthem überschüttet; mässige Conjunctivitis, geringe Bronchitis waren nachzuweisen, das Kind jedoch bewusstlos, der Kopf nach hinten übergebeugt, die Bulbi starr, die Pupillen gleich weit. Der rechte Arm flectirt, leichte Contractur im Ellenbogen und Handgelenk. Die Daumen beiderseits eingeschlagen, das rechte Bein vollständig bewegungslos, auf Kitzel an der Fusssohle nicht reagirend, während dies bezüglich der linken Fusssohle der Fall ist; im Gesichte keine Muskellähmung ausgesprochen, Respiration, Stuhl- und Harnentleerungen normal, Pulsfrequenz 140. Später traten epileptiforme Anfälle auf, die immer häufiger wurden; unter allgemeinen Krampfanfällen erfolgte der Tod am 24. October. Bei der Leichenschau fand sich der Kopf sehr voluminös, beide Fontanellen sehr weit offen, die Nahtränder 5—10 Mm. von einander abstehend; das Schädeldach überall sehr dünn, die Nahtränder der Knochen dicht besetzt von zwei Reihen feiner Knochennadeln, deren eine der Tabula interna, die andere der externa entsprechen; auch die innere Oberfläche der flachen Schädelknochen ist rauh und mehrfach oberflächliche Arrosionen zeigend. Die Dura gespannt, blutreich, das Gehirn ungemein die linke Hemisphäre überwiegend, umfangreich, namentlich der Stirntheil derselben colossal vergrössert, fluctuirend. Beim Eröffnen des Tentoriums und Durchschneiden des verlängerten Markes ergiesst sich eine reichliche Menge klaren Serums in die Occipitalgruben. Beim Herausheben des Gehirnes ergiesst sich aus einer colossalen Abscesshöhle in der linken Hirnhemisphäre eine grosse Menge intensiv grünen, nach Milchsäure riechenden dicken Eiters (etwa 4—500 C. Cm.), der stark sauer reagirte, unter dem Mikroskope nebst verfettenden Eiterzellen einzelne rhombische Hämatoidinkrystalle nachweisen liess. Fast der ganze linke Vorderlappen des Gehirnes erscheint ausgehöhlt, der Gyrus formicatus in der Mitte ist zerstört, während die über ihm liegenden Gyri erhalten sind, ebenso sind die Gyri der convexen Hirnfläche längs der Sciss. long. cerebri auf 3—4 Cm. von letzterer nebst der ihnen entsprechenden weissen Substanz erhalten. Nach Aussen davon bis zur Fossa Sylvii sind die schwach angedeuteten Sulci und Gyri aufs äusserste verflacht, die Gehirnsubstanz fehlt hier, die Abscesshöhle reicht bis an die getrübte und verdickte Pia. — Der Abscess liegt nach aussen und oben vom mittleren Horn des linken Seitenventrikels, über dessen Dach er sich gegen die nach rechts verdrängte Scissura long. ausbreitet, und nach hinten durch die Markmassen des Lob. parietal. begrenzt erscheint. Von der umliegenden nur etwas erweichten Gehirnsubstanz ist die Höhle durch eine, mit der Gehirnsubstanz durch lockeres Bindegewebe verbundene Membran von 1—2 Mm. Dicke geschieden, welche auf mikroskopischen Querschnitten die Elemente des Granulationsgewebes erkennen lässt. Von der an vielen Stellen gefalteten und Wülste bildenden Innenfläche der Membrana pyogena springen nebst wulstförmigen auch segel-

förmig bis 2 Cm. in den Innenraum ragende Leisten hervor, — eine solche
grosse Falte ist in der Mitte ganz abgeschnürt von der Abscesswand. Das
Bindegewebe ist in den tieferen Schichten der Membran mit lymphatischen
Zellen infiltrirt, welche nach der Oberfläche zu zahlreicher werden und endlich
das ganze Gewebe darstellen. Die Ventrikel sind stark ausgedehnt, der linke
Thalamus opt. und das linke Corpus striatum sind von links und obenher
comprimirt, mässiger jene der rechten Seite; im Occipitallappen nahe der
Oberfläche ein kleiner, kaum linsengrosser alter apoplectischer Herd. — Alle
übrigen Organe normal.

In der Epicrise wird zunächst auf die Erscheinungen aufmerksam gemacht, welche bei einem Tumor nicht beobachtet zu werden pflegen: Anfangs
ein acutes Stadium mit oft schweren Erscheinungen von Stupor, Convulsionen,
paralytischen Störungen, — dann Ermässigung oder mitunter völliges Schwinden derselben, selbst durch längere Zeit, — endlich Wiederauftreten von
Kopfschmerz, Erbrechen, Stupor, Paralysen, welche rasch zunehmen und zum
Tode führen. Das Endstadium bietet freilich zuweilen Verschiedenheiten dar,
und ist in manchen Fällen blos durch Coma charakterisirt. Der Verlauf in
dem mitgetheilten Falle war somit ziemlich genau der eines chronischen Ge-
hirnabscesses.

Das ausserordentlich seltene Vorkommen desselben im Kindesalter —
(welche Annahme W. jedoch selbst für nicht allgemein richtig erachtet, worin ihm
Ref. nur beistimmen kann) — einerseits, die allerdings auch sehr naheliegende
Erklärung der Vergrösserung des Schädelumfanges durch Zunahme des Hydrocephalus internus, — die Unkenntniss des ätiologischen Momentes, nämlich des Sturzes andererseits machten W. während des Lebens des Kindes
mehr geneigt einen Tumor zu diagnosticiren. Ob in Fällen, die innerhalb
des 1. Lebensjahres vorkommen, eine ungleichmässige Ausdehnung der Schä-
delhälften bei grösseren Abscessen nachgewiesen werden könnte, ist nach W.
noch fraglich, aber denkbar. Dann werden auch, sagt W., Temperatursteigerun-
gen für die Diagnose auf Abscess zu verwerthen sein, wenn keine anderen Fieber
erregenden Erkrankungen vorhanden sind. Damit scheint aber dem Ref. nicht
viel gesagt zu sein, um so mehr, als die Eigenwärme des so jungen Kindes
selbst bei acuten Gehirnabscessen, namentlich in den Endstadien durchaus
nicht immer erhöht ist. — Was die Behandlung zunächst traumatischer Ge-
hirnabscesse anbelangt, erachtet W., dass bei der ohnehin tristen Prognose
die directe Entleerung, so das Auspumpen des Eiters durch eine feine Canüle
einmal unbedenklich, andererseits aber doch auch von Nutzen sein können,
wie in dem von Renz bekannt gemachten Falle.   R.

Dr. L. **Caradec** (28) bespricht einen Fall von **penetrirender Kopfwunde
in Folge eines Sturzes**, der wegen der Höhe der Erscheinungen und dem
günstigen Verlaufe manches Interesse bietet. Ein 6jähriges Kind fiel am
11. Juni 1868 aus einem Fenster des zweiten Stockes (15 Meter hoch) in den
Hof hinab. Der herbeigerufene Verfasser erhob folgenden Status präsens:
Die Gesichtszüge waren bleich, eingefallen, das Kind lag im tiefen Coma, die
Bewegungen und Gefühlsperceptionen waren vollkommen aufgehoben. Am linken Scheitelbeine bemerkte man eine den Knochen penetrirende Wunde, aus
welcher sich der Liquor cerebrospinalis (??) entleerte. Die Scheitelbeinnähte waren auseinandergetreten, ein zwischen ihnen liegender Worms'scher Knochen war
tief in die Gehirnmasse hineingedrückt. Die Umgebung der Wunde war geschwollen. Das rechte obere Augenlid zeigt deutliche Pstose, der rechte Bulbus weicht

nach oben ab, die Pupille ist erweitert und reagirt nicht auf äussere Reize. Ausser einer leichten Contusion des rechten Oberarmes konnte man an den gelähmten Extremitäten nichts sonst abnormes nachweisen. Verf. ordinirte ein Senfbad und Eisbeutel auf den Kopf, die Kranke fing an zu reagiren, es hob sich der Puls und auch die Temperatur begann zu steigen. Den folgenden Tag traten sogar Fieberbewegungen auf, welche Verf. bewogen, den antiphlogistischen Apparat zu Hilfe zu nehmen (Blutegel, Digitalis); den 4. Tag gingen die Fiebererscheinungen etwas zurück und man konnte ein deutliches Zurückgehen der Lähmungserscheinungen im motorischen Apparate beobachten. Die Intelligenzstörung bestand noch fort.   Am Ende des ersten Monats trat insoferne eine bedeutende Besserung ein, als die Sinnesstörungen sich ausglichen und die Kranke wieder sah und hörte. Die Sprache war noch behindert; das Gedächtniss fehlte der Kranken vollständig, auch einzelner Worte im gewöhnlichen Sprachgebrauche konnte sie sich gar nicht erinnern. Die hemiplegischen Erscheinungen gingen unter einer indifferenten Behandlung im Verlaufe von 6 Monaten so zurück, dass die Kranke nach Ablauf dieser Zeit vollkommen geheilt war. Merkwürdig und gewiss nicht unantastbar ist die Epikrise des Verfassers. Verf. legt nämlich bei Entstehung der Hemiplegie ein grosses Gewicht auf die dabei stattgefundene Apoplexie.   Ohne dass Ref. den, durch den gewiss stattgefundenen Blutaustritt gestörten Druckverhältnissen ihren Antheil an den Erscheinungen nehmen wollte, glaubt er, dass doch die hier stattgefundene Verwundung schon an sich das Herausquellen des Liquor cerebrospinalis und die gewiss heftige Reaction eine hinlängliche Erklärung für die vorhandenen Symptome darbieten. Eine gründlichere Darstellung würde den Fall jedenfalls viel instructiver gemacht haben.   J.

Eine **Epidemie von Chorea minor** beschreibt Prof. **Steiner** (29), indem der Winter 1870, wo auch acute Exantheme und Diphtheritis in Prag epidemisch herrschten, ihm Gelegenheit bot, eine grössere Anzahl von Choreakranken theils in der Privatpraxis, theils auf der Klinik des Franz Josef Kinderspitals zu beobachten. Diese Epidemie liess durchaus nicht die Imitation als ursächliches Moment auffinden, wie das bei den bisher verzeichneten Chorea-Epidemien behauptet worden war; denn sämmtliche Erkrankungen traten bei Kindern verschiedener, getrennt von einander lebender Familien auf in der Zeit vom 15. Jänner bis Ende Februar 1870 und betrafen 19 Kinder im Alter von 5 bis 13 Jahren.   Davon waren 18 Mädchen und nur 1 Knabe. Nach kurzer Skizzirung der betreffenden Krankengeschichten übergeht der Verfasser zur Ergründung der ursächlichen Momente jener Epidemie, welche er einerseits in bereits vorhandener Disposition, Schwäche und Anämie als in dem ungewöhnlich rauhen, in den Temperaturgraden rasch wechselnden Winter zu finden glaubt. St. bezieht sich hiebei auf seine in einer früheren Arbeit dargelegte Auffassung der Chorea als Spinalirritation, welche durch verschiedene Störungen acuter wie chronischer Art bedingt, bei Einwirkung disponirender Gelegenheitsursachen zum Ausbruche kommt. St. macht zur Unterstützung seiner Ansicht geltend, dass sämmtliche von der Krankheit befallene Kinder schwächlich, anämisch, geistig geweckt und 18 davon Mädchen waren, welche stets mehr disponirt sind; ferner dass auch nach anderen Beobachtungen die Mehrzahl der Choreafälle auf die Wintermonate fällt. Die Dauer des Leidens schwankte zwischen 4 bis 9 Wochen.

Bezüglich der Therapie bemerkt der Autor, dass sich ihm das so sehr gerühmte Kali bromatum, welches er in zahlreichen Fällen versuchsweise gegeben, nicht bewährte; hingegen empfiehlt er die Solutio arsenicalis Fowleri, zu beginnen mit 2—3 Tropfen täglich, wobei man bis 7, 8 Tropfen binnen 24 Stunden Verbrauch steigen kann; bei grosser Unruhe, besonders während des Schlafes kann man noch einige Tropfen Tinct. opii simpl. zusetzen. Eben so haben sich Zincum oxyd. und Ferrum namentlich bei Anämie bewährt.

G.

Ueber einen Fall von **Tetanus neonatorum** berichtet **Auchenthaler** (30), in welchem unter Anwendung von Chloralhydrat vollständige Genesung erfolgte. Ein 14 Tage altes Kind wurde, nachdem es durch 4 Tage an Trismus gelitten, indem nach Angabe der Mutter von Zeit zu Zeit die Kiefer des Kindes krampfhaft zusammengepresst waren, so dass es nicht saugen konnte, in das Wiener St. Annen-Kinderspital gebracht und bot daselbst folgende Erscheinungen. In seinem Aussehen und den physikalischen Verhältnissen seiner Organe keine wesentliche Abweichung von der Norm. Puls 158, Respiration 56 regelmässig, ruhig; die Pupillen mässig weit, gut reagirend. Mit Unruhe und kläglichem Schreien beginnt der Anfall. Die Hautfarbe geht dabei vom Normalen durch's Rothe bis in die tiefe Cyanose über, die Stirnhaut ist gegen die Nasenwurzel in Falten gezogen, ebenso dahin die festgeschlossenen Augenlider. Die Kiefer waren fest geschlossen, die Masseteren prall und hart anzufühlen, die Bauchdecken gespannt, die Wirbelsäule nach vorn gebeugt, die Extremitäten steif, die oberen dabei gebeugt; das Kind war so steif, dass es bei der Ferse erhoben werden konnte, ohne dass die Wirbelsäule irgendwie nachgab.

Nachdem das Kind drei solche Anfälle gehabt, wurde beim vierten ein Gran Chloralhydrat mit 5 Gr. Gummi arab. in Muttermilch gelöst durch die Nase eingeflösst, worauf der Anfall nach 3 Minuten aufhörte, während die früheren eine viertel bis eine halbe Stunde gedauert hatten. Die folgenden Anfälle begannen unter steter Darreichung dieser Gabe immer weniger intensiv zu werden, bis um 8 Uhr Abends eine vollständige Pause eintrat, die bis zum nächsten Tage, also vom 4. bis 5. Juni früh anhielt. An diesem Tage traten 6 Anfälle ein, jedoch von geringerer Heftigkeit und mit weniger ausgesprochener Muskelstarre einhergehend. Das Kind litt dabei an Diarrhöe und bekam Tinct. ratanh.; mit dem Chloralhydrat fuhr man fort wie oben. Darauf abermals Pause vom Abend bis zum nächsten Tage früh; unter Tags 7 schwächere Anfälle, am nächstfolgenden Tag 3 Anfälle; das Kind sah gut aus, nahm gierig die Brust, die Diarrhöe cessirte. Nachdem noch am 9. Tage der Erkrankung zwei unbedeutende Anfälle gewesen, wurde das Kind am 10. Tage entlassen, blieb jedoch unter ärztlicher Beobachtung, und zwar durch 14 Tage, ohne dass die Affection wiedergekehrt wäre. Das Kind hatte während seines 6tägigen Spitalaufenthaltes 27 tetanische Anfälle gehabt und 25 Gran Chloralhydrat verbraucht. Die Temperatur variirte nur um einige Zehntel und überstieg niemals 37·7°, welches Verhalten nach Dr. M o n t i eine günstige Prognose gestattet.

G.

Nase, Mund- und Rachenhöhle.

(31) Dr. Schuller: Primärer Croup der Nasenschleimhaut. Jahrb. f. Kinderheilk. IV. 3. p. 331.

(32) Prof. Arnold: Ein Fall von congenitalem zusammengesetzten Lipom der Zunge und des Pharynx mit Perforation in die Schädelhöhle. Virch. Archiv L. p. 482.

(33) Henry Sewills: Irregularität der Zähne. Uebers. von Dr. A. Kühner. Berlin 1870.

(34) Henry Sewill: Ein Fall von einer eigenthümlichen Zahnfistel. (Ebendaselbst.)

(35) Prof. E. Neumann: Ein Fall von congenitaler Epulis. Archiv f. w. Heilk. XII. p. 189.

Die Seltenheit von Beobachtungen **primären Croups der Nasenschleimhaut** hervorhebend, theilt Dr. **Schuller** (31), nachstehenden Fall mit. Ein fünf Wochen alter Knabe stammte von einer gesunden Mutter und einem Vater ab, der seit vielen Jahren an Stockschnupfen leidet. Bald nach der Geburt trat bei dem Kinde Schnupfen ein, doch wurde das Athmen durch die Nase erst zwei Tage, bevor Sch. das Kind sah, erschwert und geräuschvoll, steigerte sich in der letzten Nacht zu förmlichen Dyspnoeanfällen, zu denen sich Eclampsie gesellte. Der Ausfluss aus der linken Nasenhälfte war schleimig eitrig, mit Blut gemengt; in der rechten Nasenöffnung war eine bräunliche ausgespannte Membran zu gewahren, die bei den angestrengten Respirationsbewegungen auf- und abwärts flottirte. Beiderseits Katarrh der Schleimhaut der unteren Augenlider, Mundschleimhaut, Defäcation normal. Nach zwei mit lauem Wasser vorgenommenen Einspritzungen in die linke Nasenöffnung erfolgte heftiges Niesen, worauf eine gelbgrünliche Pseudomembran herausgeschnellt wurde, die nach Form und Grösse der Scheere eines Flusskrebses, welcher eine Zacke fehlt, ähnelte. Ihre Länge betrug beiläufig zwei Ctm. Unter dem Mikroskope präsentirten sich geronnene Faserstoffmassen, in welchen Zellenhäufchen eingebettet lagen. Nach Entfernung dieser Membran schlug das Kind die bisher geschlossenen Augen auf, schrie kräftig, aus der linken Nasenhälfte floss etwas hellrothes Blut, aus der rechten gelblicher Schleim. Obwohl laue Einspritzungen mit Wasser und mit einer schwachen Chlorkalilösung (4 Gr. ad Unc. j) fortgesetzt wurden, wurde am 3. Tage das Lufteinziehen durch die linke Nasenöffnung wieder geräuschvoll, einige Linien oberhalb der letzteren bemerkte man abermals eine quer ausgespannte bräunliche Membran; nach der Injection beider Nasenhälften kam rechts ein linsengrosses, blutig gefärbtes Gerinnsel, links Blut und Schleim zum Vorschein, und es mussten zur Sistirung der Blutung in Alaunpulver getauchte Charpiewiecken eingeführt werden. Gleichzeitig begann sich mit einzelnen gerötheten Stellen am rechten, unteren Augenlide, dann an der linken Wange ein Erysipel zu entwickeln, das sich bald über den grössten Theil des Gesichtes, später über den Hals und Rücken ausbreitete; die Hautdecken waren an den betreffenden Partien turgescirend und zeigten mit dem Finger gedrückt, eine intensiv gelbe Färbung. Nur Hände und Füsse, sowie Vorderarme und

Unterschenkel blieben vom Erysipel frei. Fiebererscheinungen traten vorzüglich zur Nachtszeit auf; das Athemholen durch die Nase wurde immer schwieriger, das Kind verfiel ziemlich, und kräftige Einspritzungen erschöpften dasselbe so auffällig, dass sie ausgesetzt werden mussten. Sie führten auch zu keiner Erleichterung, weil der croupöse Process sich weiter gegen die Pharynxschleimhaut ausgebreitet hatte, das Saugen wurde unmöglich und am 8. Tage der Beobachtung trat unter erneutem Auftreten eclamptischer Anfälle der Tod des Kindes ein. Die Dermatitis hält Sch. für eine Folgeerscheinung des an der Schneider'schen Schleimhaut gesetzten Exsudationsprocesses.

R.

Prof. **Arnold** in Heidelberg (32) theilt einen Fall mit von **congenitalem Lipom der Zunge und des Pharynx mit Perforation in die Schädelhöhle.** Das betreffende Kind wurde durch künstliche Fütterung mit Milch einige Tage am Leben erhalten. Die Respiration war in sitzender Stellung ziemlich frei, weil die Geschwulst durch ihre eigene Schwere die Zunge nach aussen zog und dadurch ein Zurücksinken des Zungenrückens nach hinten verhinderte. Im Liegen dagegen traten sehr häufig mehr oder weniger bedeutende Respirationsbeschwerden, ja nicht selten hochgradige Cyanose des Gesichtes ein. Nachdem das Kind sich 4 Tage verhältnissmässig wohl befunden hatte, stellte sich an der Oberfläche des im oberen Abschnitt der Mundhöhle gelegenen Tumors eine stinkende jauchige Absonderung ein. Am folgenden Tage kamen Respirationsbeschwerden, hinzu, und einen Tag später starb das Kind in Folge von Pleuropneumonie. — Die fragliche Geschwulst stellte ein eiförmiges Gebilde dar, das mit dem grössten Theil vor der Mundspalte, mit dem kleineren in der Mundspalte und Mundhöhle gelegen ist. Die Seitentheile sind mit zahlreichen, theils kugeligen, theils cylindrischen oder cubischen Fortsätzen besetzt und durch seichte Furchen eingekerbt. Die Verbindung des Tumors mit dem Zungenrücken vermittelt ein breiter etwas platter Stiel, so zwar, dass von der Zunge nur die Zungenspitze, der hinterste Abschnitt des Zungenrückens, der linke Zungenrand und das an ihn grenzende Dritttheil der Zunge frei bleibt. Die Geschwulst wird fast an der ganzen Oberfläche von einem der Cutis ähnlichen Ueberzug bekleidet, in welchem durch das Mikroskop Haarbälge und Talgdrüsen nachweisbar sind. Auf dem Durchschnitt zeigt die Geschwulst im oberen und unteren Abschnitt eine ungleiche Zusammensetzung. An der letztgenannten Stelle trifft man fast nur Fettgewebe und in der Mitte einen kleinen Hyalinknorpel, an dessen oberem Ende Muskelbündel auslaufen. In dem oberen Abschnitt aber liegt eine grosse buchtige Höhle, deren ziemlich dicke Wand aus derben Bindegewebszügen besteht, während die Innenfläche von einer Schleimhaut, die Aussenfläche von einer reichliche Muskelfasern enthaltenden Membran bekleidet ist. In der Höhle liegt eine röthliche, abgestossene Epithelien, Körnchenzellen und Kugeln freies Fett, und colloide Pröpfe enthaltende Schmiere. Ueber dieser Höhle trifft man auf theils gewunden verlaufende, theils in Säcke sich fortsetzende, theils blinde und in einen soliden Faden übergehende Röhren von ähnlichem Bau, wie die Höhle, nur dass ihre Wandungen wechselnde Mengen acinösen Drüsengewebes enthalten. Im Stiel werden die Röhren seltener, verlaufen mehr gestreckt, dagegen nimmt das Drüsen- und Muskelgewebe an Menge zu. Die Mehrzahl der Fortsätze der Geschwulst besteht ausschliesslich aus Fettgewebe, nur der grösste Fortsatz enthält noch ausserdem acinöses Drüsengewebe und Convolute von Gefäsen. — In der Mittellinie des Halses fanden sich unter dem Mylohyoideus mehrere, durchschnittlich haselnussgrosse

Säcke, welche nach unten sämmtlich kuppenförmig abschliessen, am oberen
Ende dagegen sich theils in die im Stiele der Geschwulst befindlichen Röhren
fortsetzen, theils in solide Fäden übergehen, oder endlich als vollkommen in
sich geschlossene Bälge erscheinen. Wandung und Inhalt zeigen denselben
Befund wie die früher beschriebenen Säcke und Röhren. An der Stelle, die
gewöhnlich die Glandula submaxillaris einnimmt, findet sich ein, von einer
eigenen bindegewebigen Capsel umhülltes Gebilde, in dessen Röhren und Säcken
steinige Concretionen enthalten sind. Die Reihe dieser Säcke wird durch einen
anderen abgeschlossen, der hinter und unter dem Unterkieferwinkel liegt, und
einen auf dem Durchschnitt fleischig erscheinenden und kleinere Höhlen führenden Körper enthält. Die Parotis der rechten Seite ist atrophisch, die Submaxillaris und Sublingualis fehlen, während sie auf der anderen Seite vorhanden sind und normale Structurverhältnisse zeigen. Eine in die letztgenannte
Höhle eingeführte Sonde gelangt in einen Raum, der rechts zwischen den Zungenrücken und einer in der Cavitas pharyngo-nasalis und oralis gelegenen Geschwulst mündet. Diese letztere bietet auf dem Durchschnitt ein fleischiges
Aussehen dar und wird von Höhlen und spaltförmigen Räumen durchsetzt.
Gruppen von Fettzellen, Convolute von Capillarschlingen, cavernöse Räume,
Quer- und Längsschnitte von Arterien und Venen, spaltförmige und rundliche
mit Epithel ausgekleidete Räume, feinkörnige kernhaltige Protoplasmamassen
und Haufen grösserer Zellen wechseln in ihr miteinander. Der harte Gaumen
ist gespalten und der weiche, sowie der Gaumenbogen sind auf der rechten
Seite in der Geschwulst aufgegangen. Von dem rechten hinteren und oberen
Abschnitt dieses Tumors erhebt sich ein über Bleistift dicker, rundlicher Stiel,
der in der Gegend des Foramen ovale die Schädelbasis durchbricht und in
einen in der mittleren Schädelgrube befindlichen, ungefähr wallnussgrossen
und von beiden Blättern der Dura eingeschlossenen Tumor ausläuft. Seine
Substanz ist Hirnmarkähnlich und besteht vorwiegend aus einer feinkörnigen
Grundsubstanz, in der zahlreiche, rundliche, grosse, stark glänzende Kerne und
spärliche grössere Zellen eingebettet sind, die eine polygonale Form und ein
schwach gekörntes glänzendes Protoplasma besitzen. Ausserdem sind Capillargefässe reichlich vorhanden und ein den Tumor durchsetzendes weitmaschi-
ges Bindegewebsnetz. — Wie aus dieser gedrängten Beschreibung ersichtlich,
sind in der Geschwulst auch andere Gewebsarten ausser Fettgewebe vertreten,
und A. sucht dies durch das angehängte Beiwort „zusammengesetzt" anzudeuten, reiht aber den Tumor unter die Lipome in Anbetracht des allgemein in der
Onkologie angenommenen Grundsatzes „a potiori fiat denominatio". Erörterungen über die Entstehung, den Ursprung und die Bildungsweise der einzelnen
Theile führen zu dem Schluss, dass der Tumor als ein Knorpelstückchen und
Convolute von Capillargefässen enthaltendes, mit einem dermoiden Ueberzug
versehenes Lipom zu bezeichnen ist, das bei seiner Entwicklung die Muskel-
faserschichten der Zunge auseinanderschob und durch Verlegung der Ausfüh-
rungsgänge der Glandula sublingualis zur Entstehung von Höhlen, Röhren und
Säcken, welche die Drüsensubstanz verdrängten, führte. Der am meisten nach
hinten und aussen in einem Sack gelegene Körper scheint die rechte hypertrophisch gewordene Tonsille zu sein, durch welche die Rachenschleimhaut in
Form einer Tasche mit nach aussen umgestülpt wurde. Den in der Cavitas
pharyngo-nasalis und oralis gelegenen Tumor fasst A. als eine weiche, gefäss-
reiche Bindegewebsgeschwulst auf, die intracranielle Fortsetzung derselben
aber wegen der glänzenden Beschaffenheit der Kerne, die in einer gleichartigen

Grundmasse eingebettet liegen, als ein sehr weiches Gliom. Die Beschaffenheit des harten Gaumens und eine vorhandene Entwicklungshemmung des mittleren Ohres und der Tuba Eustachii der rechten Seite lässt schliessen, dass die Entstehung des Tumors circa in das Ende des 2. Monates zu verlegen sei.

R.

H. Sewill (33) gibt allgemeine Anhaltspunkte zur Behandlung der **Irregularität der Zahnstellung** während des Zahnwechsels. Er verwirft die Ansicht, welche in der frühzeitigen Extraction der Milchzähne den Anlass sucht zu einer Deformität des Kiefers und somit zur Irregularität der Zähne, und stellt als Grundsatz auf, dass die Extraction eines bleibenden Schneide- oder Eckzahns in der Absicht, eine Irregularität zu beseitigen, sehr selten zu rechtfertigen sei. — Zuweilen wird aus Versehen ein bleibender Zahn für einen Wechselzahn extrahirt. Ein solcher Irrthum kann vermieden werden, wenn man den normalen Entwicklungsgang des Zahndurchbruchs berücksichtigt und die Kennzeichen festhält, welche die bleibenden von den Milchzähnen unterscheiden. Die Zähne brechen gewöhnlich in folgender Ordnung hervor: erste Stockzähne, mittlere Schneidezähne, seitliche Schneidezähne, erste Backenzähne, zweite Backenzähne, Eckzähne, zweite Stockzähne und zuletzt, nach Ablauf von Jahren, die dritten oder Weisheitszähne. Was den Unterschied der bleibenden von den Milchzähnen betrifft, so werden die bleibenden Backenzähne erkannt an ihrer Stellung hinter den Milchzähnen, während die Stockzähne leicht festgestellt werden können, da kein solcher Milchzahn im Munde existirt. Die bleibenden Schneidezähne werden, wenn gleichzeitig vorfindlich mit den gleichnamigen Milchzähnen, hinter letzteren gefunden. Sie sind grösser, in Bezug auf ihre Structur fester und dichter und haben längs ihres schneidenden Randes drei kleine Höcker, welche ihnen ein sägeartiges Aussehen verleihen. Ihr Schmelz ferner endigt, indem er sich unterhalb der Oberfläche des Zahnfleisches erstreckt, in einer kaum merklichen schrägen Richtung gegen die Wurzel hin, während er bei den bleibenden Zähnen in einer abgebrochenen Kante endigt, welche man mit den Fingernägeln am Rande des Zahnfleisches fühlen kann. Die bleibenden Eckzähne unterscheidet man von den entsprechenden Milchzähnen durch ihre beträchtlichere Grösse und durch ihre nach aussen hervorragende Stellung. Auch bei diesen Zähnen fühlt man eine charakteristische Kante längs ihres Alveolarrandes, entsprechend dem Anfangstheil der Zahnwurzel.

Die verschiedenen Irregularitäten theilt S. in zwei Gruppen: 1. in solche, in welchen der Kiefer regelmässig geformt ist, aber bei welchen die bleibenden Zähne in Folge der Retention der Milchzähne in unnatürliche Stellungen verdrängt werden; und 2. in solche, welche in Folge der Deformität der Alveolen oder selbst des Körpers der Kinnladen entstehen. — Werden bei der ersten Gruppe die Milchzähne rechtzeitig entfernt, so nehmen die regelwidrig gestellten Zähne von selbst wieder ihre normale Stellung ein. Wenn dagegen die Deformität eine beträchtliche Zeit lang fortdauert, so werden die Zähne fest, entweder durch die Consolidation des Knochens, oder durch das Vordringen der anstossenden Zähne, oder durch das Ineinandergreifen der oberen und unteren Zahnreihe beim Schliessen des Mundes. Sehr gewöhnliche Fälle sind das Hervorbrechen der bleibenden mittleren Schneidezähne hinter den persistirenden Milchzähnen. Während im Unterkiefer ein Aufschub der Extraction der letzteren von geringerem Nachtheil ist, ist ihre rechtzeitige Entfernung bei demselben Fehler im Oberkiefer zur Beseitigung der Deformität dringend geboten, weil hier die Schneidezähne des Unterkiefers ihrer nachträglichen Vorwärtsbewegung ein bleibendes Hinderniss setzen. Andere Irregularitäten der Schneidezähne, welche durch rechtzeitige Extraction der entsprechenden Milchzähne behoben werden können, sind ihr Zusammenge-drängtsein, so dass der eine den andern überragt oder um die eigene Achse gedreht erscheint, oder sonstwie nach irgend einer Richtung eine falsche Stellung behauptet. Die Eckzähne zeigen sehr häufig eine unregelmässige Stellung, indem sie oftmals nach aussen gedrängt werden. Das einzig rich-tige Verfahren besteht auch hier in der Entfernung des hinderlichen Milch-zahnes und ist die gewöhnlich geübte Extraction des hervorstehenden bleiben-den Zahnes strenge zu rügen. Sollte es indess absolut nothwendig sein, in der Folge einen bleibenden Zahn zu opfern, so mag es als Regel gelten, dass man den ersten Backenzahn, oder wenn dieser gesund ist, den zweiten wähle. Die Backenzähne nehmen in Folge der Retention von Ueberbleibseln der be-treffenden Milchzähne gewöhnlich eine Richtung nach einwärts, welche auf ähnliche Art wie bei den Schneidezähnen behandelt werden muss.

Bei der Behandlung der Irregularitäten, welche in Folge einer feh-lerhaften Bildung des Kiefers entstehen, ist eine genaue Kenntniss von der Form des wohlgestalteten Kieferbogens von der grössten Wichtigkeit. Der vordere Theil dieses Bogens, der die Schneide-, Eck- und Backenzähne enthält, bildet einen beinahe vollständigen Halbkreis, während der Theil, welcher die Stockzähne enthält, den Bogen nach rückwärts in leicht gekrümm-ten und divergirenden Linien fortsetzt. Abplatten oder Contraction des Bo-gens oder abnorme Entwicklung irgend eines Theiles desselben gibt Veran-lassung zur Unregelmässigkeit der Zähne. Diese Art der Zahnanomalien ist am häufigsten congenital und zwar hereditär, indem eine solche Abnormität des Kiefers sich oft an vielen Gliedern einer grossen Familie wiederholt. Indess kommen solche Fälle auch in Folge von Beschädigungen oder anderer äusserer Einwirkungen vor. Unter die häufigeren Beispiele dieser zweiten Gruppe gehört das Vorstehen der mittleren oberen Schneidezähne, welches sich als die Folge einer abnormen Entwicklung des Zwischenkiefers manifestirt. Bei einer ähnlichen Deformität am Unterkiefer, welche als die Folge einer fehlerhaften Entwicklung des vorderen Theiles des Alveolarrandes zu betrach-ten ist, findet man die vier Schneidezähne und manchmal auch die Eckzähne vorstehend. Der nach Art eines V gestaltete oder contrahirte Bogen gibt An-lass zur Entstehung unzähliger Varietäten in Betreff der Stellung der Zähne. Die Schneide- und Backenzähne werden oft nach einwärts gedrängt, die Eck-zähne gewöhnlich in die entgegengesetzte Richtung, so dass hieraus eine Ano-malie entsteht, die sehr wesentlich den Ausdruck des Gesichts beeinträchtigt. In einem etwas seltenerem Beispiel nähern sich die entsprechenden Backen-zähne beim Schluss des Mundes, aber die Schneidezähne bleiben apart und können nicht mit einander in Berührung gebracht werden. Diese Bildung ist eine Folge einer fehlerhaften Entwicklung des hinteren Theiles des Unterkie-fers, durch welche die Backenzähne an ihrer Oberfläche zu weit hervorstehen und so die übrige Zahnreihe an ihrem Schluss hindern. — Bei der Behand-lung wird erstlich die Frage zu erledigen sein, ob es förderlich wäre, Zähne zu entfernen, um Raum zu gewinnen, und welche? Andererseits wird zu er-örtern sein, ob nicht die Behandlung mittelst geeigneter Apparate der Extrac-tion der Zähne vorzuziehen wäre. — Zum Schluss dieses Aufsatzes bespricht S. die mehr in das Ressort des Specialisten fallende mechanische Behandlung der Irregularitäten. Nicht bloss falsche Zahnstellungen, sondern auch die Form des Alveolarrandes und selbst den ganzen Kiefer könne man, wenn nothwendig, durch zweckmässige Vorrichtungen umändern. Doch wird diese Behandlung weit rascher und erfolgreicher zum Ziel führen bei Kindern als bei Erwachsenen. Zur Zeit, wo die Alveolen noch im Wachsthum begriffen sind und wenn sie noch nicht enge die Zähne einschliessen, wird ein unrichtig stehender Zahn in kurzer Zeit und mit Anwendung einer geringen Kraft in seine regelrechte Stellung gebracht werden können, während bei dem Erwachsenen, wo die Knochen bereits consolidirt sind, der Process langsam und beschwerlich vor sich geht. Aus demselben Grunde sind natürlich die Fälle, in welchen die Gestalt des Kiefers verändert ist, weit mehr im früheren Alter als in späterer Zeit, wenn bereits das Knochensystem vollständig solide ist, der Behandlung zugänglich. Hat sich deshalb einmal die Ansicht befestigt, dass die Behandlung einer Irregularität nur mittelst mechanischer Hilfsmittel ausgeführt werden kann, so soll mit der Application der erforderlichen Apparate keine Zeit verloren werden. W.

Ebendaselbst wird eine eigenthümliche **Zahnfistel** beschrieben, welche **H. Sewill** (34) bei einem 10jährigen Knaben beobachtete. Derselbe hatte nahe am inneren Winkel des rechten Auges eine fistulöse Oeffnung, die in Bezug auf Lage und Aussehen mit einer Thränenfistel täuschende Aehnlichkeit hatte. Sie bestand schon mehrere Monate und entleerte fortwährend eine dünne eitrige Flüssigkeit. Bei der Untersuchung mit der Sonde entdeckte man, dass die Oeffnung nicht dem Laufe des Thränenkanals folge, sondern sich quer über den Oberkieferknochen nahe den Alveolen erstrecke, und als man dann die Sonde abwärts richtete, kam sie in der Mundhöhle über dem Eckzahn zum Vorschein, welcher nekrotisch gefunden wurde. **S.** extrahirte denselben und sofort wurde Eiter entdeckt, der sich einige Tage lang fortwährend von der Alveole ergoss. Die Fistel im Gesicht hörte aber auf zu eitern und es fand rasche Heilung statt. W.

Prof. **Neumann** (35) in Königsberg theilt einen Fall von **congenitaler Epulis** mit, die er bei einem übrigens wohlgebildeten Neugeborenen am Zahnfleische des linken oberen Kieferrandes in Form einer mit dünnem Stiele befestigten polypenartigen Geschwulstmasse beobachtete, welche eine merkliche Hervortreibung der Wange in der Gegend des linken Mundwinkels bewirkte. Die mikroskopische Untersuchung zeigte folgende Structur: Die Oberfläche ist mit einem dicken geschichteten Pflasterepithel bedeckt, unterhalb desselben folgt ein mit zierlichen sternförmigen Zellen versehenes Bindegewebs-Stratum, entsprechend der Mundschleimhaut, und erst unterhalb des letzteren, durch keine scharfe Grenze von ihm geschieden, befindet sich das eigentliche Geschwulstgewebe. In demselben fallen vor Allem ins Auge grössere, grobkörnige, theils abgerundete, theils spindel-, keilförmige, theils zackig sternförmige Zellen; die grössten erreichen eine Länge von 0·06 Mm. und eine Breite von 0·01 Mm., die kleineren haben einen Durchmesser von 0·01 bis 0·015 Mm. Sie machen übrigens den Eindruck amöboider, in verschiedenen Formen erstarrter Protoplasmamassen; ein Kern wird in ihnen erst nach Zusatz von Essigsäure sichtbar, er ist im Verhältniss zur Grösse der Zelle klein, 0·003 Mm. im Durchmesser, dabei runzelig eingefaltet, granulirt, ohne deutlichen Nucleolus. Diese Zellen sind in ein kleinzelliges Stroma in ähnlicher Weise eingelagert, wie man es an den Myeloplaxes bei den gewöhn-

lichen Myeloidsarcomen der Kiefer (Epulis) sieht. Dieses Stroma besteht aus
einer nach Essigsäure- und Carminbehandlung durchsichtig erscheinenden
farblosen Intercellularsubstanz und kleinen runden oder spindelförmigen Zellen mit stark imbibirten glänzenden Kernen; es begleitet in stärkerer Anhäufung die die Geschwulst durchziehenden zahlreichen Gefässe und strahlt
von hier in feine netzförmig verbundene Züge aus, welche in ihre Maschen je
eine der erwähnten grösseren Zellen aufnehmen. Dieselbe Structur lässt sich
am Stiel nachweisen. Ausgangspunkt des Tumors scheint N. das Periost zu
sein. Fälle ähnlicher Art hat er in der Literatur nicht auffinden können.

W.

Circulations- und Athmungsorgane.

(36) Dr. Vladan Gjorgjevic: Ueber Lymphorhoe und Lymphangiome. Arch.
für klin. Chirurgie XII. p. 641.

(37) L. Letzerich: Zur Kenntniss des Keuchhustens. Virch. Archiv XLIX.
p. 530.

(38) Dr. Ponfick: Ein Fall von angeborener primärer Atrophie der rechten
Lunge. Virch. Archiv L. p. 633.

Dem Aufsatze Dr. **Gjorgjevic's** (36) entnehmen wir, dass **Lymph-
angiektasien** und **Lymphvarices** in einigen Fällen schon im Kindesalter beobachtet worden waren, oder wenigstens mit ihren Anfängen in dieses Alter
zurückdatiren. So beschreibt Scholz einen Fall, wo Patient schon im 2. Lebensjahre eine Geschwulst in der rechten Inguinalgegend bekam, welche nach
3 Monaten an zwei Stellen aufbrach. Die Eiterung (?) dauerte 2 volle Jahre,
trotz der Behandlung vieler Aerzte. Dann heilten die Geschwüre zu, und seit
dieser Zeit trat periodischer Ausfluss einer gelblichen Flüssigkeit (Lymphorrhöe) ein, jeden 6., 8., 10. Tag wiederkehrend. Scholz meint, es habe sich
in diesem Falle um consecutive Erweiterung der Lymphgefässe gehandelt und
zwar in Folge der erwähnten Eiterung in der Inguinalgegend, welche in solchem Maasse die Lymphdrüsen zerstört haben konnte, dass ein Collateralkreis-
lauf nicht mehr möglich war. — Thielesen beschreibt einen Fall, wo ein
19jähriger Jüngling von den ersten Lebensjahren an eine ganz ebene, nicht
schmerzhafte, nach oben von der Leistenfalte, nach unten vom Knie scharf
begrenzte Geschwulst der Haut hatte, welche bald grösser bald kleiner erschien.
Zeitweilig verdünnte sich die Haut, besonders an der Innenfläche des Oberschenkels, die verdünnten Stellen brachen auf und entleerten durch eine ganz
feine Oeffnung eine gelbliche, an der Luft gerinnende Flüssigkeit. Zuweilen
hielt das Aussickern mehrere Tage an, so dass der Kranke sich matt und
unwohl fühlte. Diese stärkeren Ausflüsse kamen im Jahre 3—4 Mal vor, kleinere öfter. Der Kranke ging an hektischem Fieber zu Grunde und man fand
bei der Section die Schenkelhaut in allen Schichten bedeutend hypertrophisch
und durch ihre ganze Dicke war ein grossmaschiges Netz von stark ausgedehnten Lymphgefässen wahrnehmbar, von denen einige die Dicke eines Federkie-
les hatten. Die am oberflächlichsten gelegenen Lymphgefässe konnten bis zu
grossen auf der Haut vorragenden Blasen verfolgt werden und es ergab sich
also, dass dieselben ampulläre Ausdehnungen der äussersten Enden dieser

Gefässe mit Verdünnung ihrer Wände waren. Nebenbei war allgemeine Tuberculose vorhanden. — Prof. Gurlt untersuchte einen 28jährigen Mann, der seit seinem 10.—11. Lebensjahr an einer Lymphorrhöe leidet, welche wasserhellen, kleinen Herpeseruptionen ähnlichen Bläschen an der Innenfläche des rechten Oberschenkels entquillt, sich alle 3, 4, 6 Monate wiederholt und ½ bis höchstens 3 Tage andauert. — Eine zweite hieher gehörige Gruppe bilden erstlich die Ectasien der Lymphdrüsen, für welche G. den Namen „Lymphadenectasien" vorschlägt, — ein Leiden, welches immer in früher Jugend und vollständig ohne bekannte Ursache spontan entsteht — und dann die cavernösen Lymphgeschwülste der Lippen, Zunge, etc., welche wegen ihres meist angeborenen Ursprunges eine gewisse Bedeutung für die Pädiatrik haben. Busch beobachtete ein 14jähriges Mädchen, welches seit 2½ Jahren an Wadenkrämpfen, heftigen Hüftschmerz und Kopfweh litt und eine Geschwulst auf der rechten Seite des Halses bekam, welche für eine entzündete Lymphdrüse gehalten wurde, nach ihrer Eröffnung aber nur einen Löffel wasserheller Flüssigkeit entleerte. Jetzt sah man, dass die Geschwulst aus einem mit der erwähnten Flüssigkeit gefüllten Sacke bestand, welcher jetzt zusammenfiel, worauf man um ihn die aufgequollene Lymphdrüsenmasse durchfühlen konnte. Der Sack füllte sich wiederholt und wurde wieder geöffnet. Dabei nahm die Menge der entleerten Flüssigkeit immer mehr und mehr ab, und endlich bildete sich eine kleine Narbe an der Stelle, wo die Incisionen gemacht wurden. Busch hält die angesammelte Flüssigkeit für Lymphe nnd den Sack für eine erweiterte Lymphdrüse. — In Billroth's Fall von Macrochilie war die Oberlippe des betreffenden 15jährigen Knabens in toto etwa nm das Vierfache ihres Volumens verdickt und halbkugelig über die Unterlippe hervorragend; die nach aussen gewandte Mundschleimhaut war an mehreren Stellen corrodirt und hier leicht blutend, übrigens von dunkelrother Farbe. Die Geschwulst fühlte sich straff, elastisch, nicht fluctuirend an, war nicht schmerzhaft und liess sich auch durch Druck nicht verkleinern. Durch Excision eines Theiles der Oberlippe von Innen wurde die Verunstaltung beseitigt. Bei der anatomischen Untersuchung erwies sich das excidirte Stück als eine cavernöse Lymphgeschwulst. — Auch die zwei vollkommen gleichen Fälle von Macroglossie, von denen der eine von Billroth, der zweite von Virchow beschrieben worden ist, werden vom ersteren hieher gerechnet. Der erstere betraf ein 7 Monate altes Kind, dessen Eltern schon nach der Geburt bemerkt hatten, dass ihm die Zunge zwischen den Lippen vorlag und besonders gross war. Später traten alle 4 Wochen ziemlich rasche Anfälle von Schwellung der Zunge mit Schlingbeschwerden und Respirationsnoth ein und nach jedem solchen Anfalle blieb die Zunge etwas grösser als sie vor demselben war. Bei der Aufnahme des kleinen blassen und mageren Patienten hing ihm die Zunge zwischen den Zähnen in Form eines dicken Wulstes von der Grösse eines kleinen Apfels vor, war sehr prall anzufühlen, dunkelroth, auf der Oberfläche mit dickem, weissen Belege bedeckt. Die stark entwickelten Papillen gaben der Zungenfläche ein dickzottiges, pelziges Ansehen. Billroth entfernte den vorderen vorhängenden Zungentheil unter Chloroformnarkose durch das Ecrasement linéaire, worauf nach 3 Wochen vollständige Heilung eintrat. Später wiederholten sich die Anfälle der plötzlichen Schwellung der Zunge und der Submaxillardrüsen nebst heftigen anginösen und fieberhaften Erscheinungen, aber das Kind erholte sich immer wieder, bis es 2 Jahre später, angeblich unter den Erscheinungen einer Angina diphtheritica, starb. Billroth fand in dem

durch Operation entfernten Zungenstück cavernöse Degeneration der Zungen-
substanz und in den Maschen derselben Lymphkörperchen umschliessende
Fibringerinnsel.

Der zweite Fall, den Virchow veröffentlichte, betraf eine 2jährige
Patientin, bei welcher auch die Zunge aus dem Munde hervorhing. Gleichzeitig befand sich unter der rechten Seite des Unterkiefers eine Taubeneigrosse Lymphdrüse, welche nach erfolgter Spaltung eine grosse Menge lymphatischer Flüssigkeit entleerte. Der Bau der mit bestem Erfolge entfernten
Zungenpartie war derselbe wie im Billroth'schen Falle. — Billroth erinnert, dass sich die cavernösen Lymphgeschwülste eben so wie die cavernösen
Blutgeschwülste zuweilen mit Fibroid- und Lipombildungen combiniren können
und meint weiter, es wären vielleicht die angeborenen Cystenhygrome,
von denen es nach Gurlt feststeht, dass sie nicht durch Degeneration von
Drüsen, Schleimbeuteln etc. entstehen, zu den cavernösen Lymphgeschwüls-
ten zu rechnen. Diese Ansicht wird durch eine Beobachtung von Lücke
(vergl. unsern Sammelbericht Jahrg. I. Bd. II. p. 201) bestätigt.

Ein Fall von Lymphangioma cavernosum adnatum bei einem
2 Monate alten Knaben ist auch auf v. Dumreicher's Klinik in Behandlung.
Das betreffende Kind ist mässig genährt, anämisch, von leidendem Gesichtsausdruck. In der Rückenlage bemerkt man in der ganzen rechten Thoraxhälfte und Lumbargegend eine Geschwulst, die nach aufwärts bis zur Achselhöhle, nach abwärts zum Darmbeinkamme, nach einwärts bis ungefähr 1″
vor dem rechten Sternalrande, nach rückwärts bis zu den rechten Querfort-
sätzen der Wirbel reicht; sie erhebt sich 7 Ctm. über das Normalniveau. Die
Haut über derselben ist von ectatischen Venen durchzogen und zeigt in der
oberen Partie mehrere 3—4″ im Durchmesser haltende, bläulich gefärbte,
sehr elastische Stellen. An der äusseren Seite des Tumors sieht man eine
$1\frac{1}{2}$″ lange, 1″ breite, dunkelrothe, nur in der Haut befindliche Teleangiekta-
sie. Die Oberfläche der Geschwulst erscheint hügelig, sie selbst ist sehr
elastisch, an den zumeist vorspringenden, hügeligen Stellen fluctuirend. Durch
Druck lässt sie sich etwas verkleinern, beim Schreien des Kindes wird sie
praller und gespannter. Durch Explorativpunctionen wurden mehrmal lymphoide Flüssigkeiten entleert, worauf die Geschwulst etwas zusammenfiel und
es sich deutlich zeigte, dass sie aus vielen Hohlräumen bestehe, die nur vielleicht durch einige Kanäle miteinander communiciren.

Was den Verlauf der Lymphadenektasien anbelangt, so ist es nicht unmöglich, dass die Geschwülste unter gewissen Verhältnissen kleiner werden,
ja von selbst verschwinden. Namentlich ist ihr Verlauf ein ganz milder zu
nennen, wenn man sie nicht irgendwie operativ angreift. Sobald aber in diese
Massen ein entzündlicher Funke gefallen, entsteht leicht eine ganze Reihe
erschreckender örtlicher und allgemeiner Erscheinungen, zeigen sich also ganz
deutliche Symptome der Infection im ganzen Organismus, welche auch sehr
bald den Kranken hinrafft.   W.

L. Letzerich in Königstein im Taunus (37) findet die Ursache des
Keuchhustens in der Entwickelung von Pilzen. Untersucht man die Sputa
im ersten katarrhalischen Stadium der Krankheit, so sieht man neben Schleimkörperchen u. s. w. kleine, rundlich-elliptisch geformte rothbraune Pilzsporen, welche theilweise keimen und hie und da Thallusfädchen zur Entwicklung gebracht haben. Vom Diphteritis-Pilz unterscheiden sich die reifen

Sporen des Keuchhusten-Pilzes dadurch, dass sie kleiner, nicht kreisrund
sind und keine stachelförmigen Verdickungen ihrer Episporien zeigen. Die
Entwicklung von Pilzfädchen in den Schleimmassen bei Keuchhusten geht oft
sehr rasch vor sich, wobei die anfänglich schleimig-eitrigen Sputa eine zähe,
mehr glasartige Beschaffenheit annehmen. Nun treten die charakteristischen
Hustenanfälle auf: die Krankheit geht demnach in das zweite Stadium, das
Stadium nervosum über. Man sieht in den zähen Schleimmassen spinnen-
webartig verfilzte und verzweigte Thallusfädchen in oft ungeheurer Menge,
an welchen eine energische Sporenbildung stattfindet. Durch Jod und Schwefelsäure werden die Pilzfädchen schön blau, die unreifen, farblosen Sporen
braun gefärbt. In die Epithelien der Schleimhaut des Kehlkopfes und der
Trachea wuchert der Pilz nicht hinein; er unterscheidet sich hierin wesentlich von dem die Epithelialgewebe mit einer so grossen Schnelligkeit zer-
störenden Diphtheritis-Pilz. Nur die Schleimkörperchen geben oft einen
Aufenthalt für den Keuchhusten-Pilz ab, indem Pilzfädchen in dieselben eindringen, wobei sie sich bedeutend vergrössern und ein feinkörniges Ansehen
bekommen. Sehr häufig sieht man die Schleimkörperchen mit Sporen dicht
besetzt und theilweise auch erfüllt. Auf der Höhe der Krankheit und namentlich nach Hustenanfällen, welche Morgens vorkommen, findet man in
den Sputis neben unreifen, runden, glänzenden Sporen solche, welche rundlich elliptisch geformt und glatt sind und eine braunrothe Färbung zeigen.
Die Farbe der letzteren (reife Sporen) kommt dem Episporium zu, während
der Inhalt grünlich durchschimmert.

L. überzeugte sich durch Versuche an Thieren, dass die Pilzvegetatio-
nen bei Pertussis auf den Epithelialgeweben anfänglich des oberen Abschnittes sich entwickeln, dann auf dem gesammten Respirationsorgane wuchern
können, ohne die Gewebe zu zerstören. Bleibt die Entwicklung der Pilze auf
dem Epithel des Kehldeckels, des Kehlkopfs und der Trachea beschränkt, so
besteht einfacher Keuchhusten; gelangen die Pilze aber in die feinsten Bronchien und in die Lungenbläschen, so entstehen die gefürchteten Complicationen. — Was die Ansteckungsfähigkeit des Keuchhustens betrifft, so hängt
diese von der Entwicklung der Pilzsporen ab. Sie ist vermehrt, wo eine Epidemie herrscht und schwere Fälle vorkommen, und vermindert, wo nur wenige
(sporadische) und leichtere Erkrankungen beobachtet werden. Das Ueber-
tragen grosser Quantitäten von Sporenmassen gibt zu bedenklicheren Erscheinungen Veranlassung, sehr spärliche Quantitäten von Pilzsporen lassen leichtere Formen auftreten. Die Periodicität der Hustenanfälle ist bedingt durch
die wuchernden Pilze und die sich entwickelnden Schleimmassen. Während
eines Hustenanfalles werden mit den Schleimmassen Theile von Pilzrasen, die
an geschützteren Stellen (in Fältchen und taschenförmigen Einbuchtungen
der Schleimhäute), so ganz besonders am Grunde des Kehldeckels und im
Kehlkopfe wuchern, entfernt. Ein Theil der Pilze und deren Sporen bleibt
jedoch an Ort und Stelle, wenn auch nur äusserst fragmentarisch, zurück
und entwickelt sich in der hustenfreien Zeit weiter. Hierdurch üben die
Pilze einen neu anhebenden Reiz auf die Schleimhaut und deren Drüsen aus,
es findet die Bildung eines zähen Schleimes statt, welcher Schleim die Reizung nur vermehrt, und schliesslich kommt es, hat die Summe der Reize
eine bestimmte Höhe erreicht, zu den heftigen Hustenanfällen. Die Hustenanfälle mit den dabei auftretenden Würgebewegungen gleichen, wie B e a u
richtig sagt, Anfällen, welche entstehen, wenn fremde Körper in den Larynx

gelangen. Diese fremden Körper sind die bei dem gewöhnlichen Keuchhusten, ohne Complicationen am Grunde des Kehldeckels und in den Falten
und Fältchen der Schleimhaut des Kehlkopfs, sowie der Trachea oft massenhaft wuchernden Pilze. Gewöhnlich dauert die Krankheit sehr lange, so
lange, bis durch massenhaftere Schleimbildung sämmtliche Pilze gelockert
und aus dem Kehlkopf entfernt sind, somit eine Naturselbstheilung beendet
ist. — Zur Therapie empfiehlt L. im ersten Stadium der Krankheit das
Hervorrufen von Würgen und Erbrechen und Darreichung von Natrum carbonicum. Vielleicht möchte auch hier die Inhalations-Therapie eine Zukunft
haben. Die Anwendung von Opiaten etc. zur Bekämpfung des hier sehr
wichtigen Hustenreizes muss mit Vorsicht geschehen.   W.

Dr. **Ponfick** in Berlin (38) beschreibt einen Fall von **angeborner primärer Atrophie der rechten Lunge.** Das schon bei der Geburt sehr cyanotische, ganz wohlgebildete Mädchen, an dem namentlich keine Differenz
zwischen den beiden Thoraxhälften wahrzunehmen war, starb am 5. Tage
post partum unter starker Dyspnoe und zunehmender Cyanose. Die physika-
lische Untersuchung hatte ein negatives Resultat geliefert. Bei der Section
fand sich am rechten Bronchus, eingebettet in ein den rechten Thorax erfül-
lendes Schleimgewebe, ein 5‴ langer, eiförmiger derber Körper als Rest des
untergegangenen rechten Lungenflügels. Die linke Lunge war gross, grösstentheils hepatisirt; das Herz bedeutend vergrössert, namentlich in der
rechten Hälfte; das Foramen ovale weit offen und im obersten Theil des
Septum ventriculorum ein 3—4‴ haltendes Loch.   W.

Unterleibsorgane.

(39) Dr. Birch-Hirschfeld: Defect der Milz bei einem Neugeborenen.
Archiv d. Heilk. XII. p. 190.

(40) Dr. Ludwig Grandidier, kön. Ob. Med. Rath zu Cassel: Die freiwilligen Nabelblutungen der Neugeborenen. Pathologisch, therapeutisch
und statistisch bearbeitet. Cassel 1871.

(41) A. Steffen: Beiträge zur pathol. Anatomie der Neugeborenen. Jhb.
für Kdhlk. IV. 3. p. 333.

(42) Prof. Dr. Widerhofer: Semiotik des Unterleibes (Darmausscheidung).
Jahrb. f. Kinderheilk. IV. 3. p. 249.

(43) Dr. A. Baginsky: Beobachtungen über den Ileotyphus. Virchow's
Archiv XLIX. p. 520.

Dr. **Birch-Hirschfeld** in Dresden (39) beobachtete bei einem Neugeborenen, welcher nur mehrere Stunden gelebt hatte, **Defect der Milz.** Dagegen zeigte die 205 Grm. schwere Leber eine abnorme Grösse und Gestalt. Sie
füllte das linke Hypochondrium eben so wie das rechte, bedeckte den Magen
vollständig und war derartig symmetrisch gebildet, dass der linke Leberlap-
pen dem rechten in Dimension und Gestaltung völlig gleich kam. Wie die
rechte, so lag auch die linke Niere (resp. Nebenniere) ihrer Unterfläche vollkommen an. Die Lebersubstanz war ziemlich weich, braunroth und entleerte

auf der Schnittfläche reichliches Blut. Der gewöhnlich von der Milz eingenommene Raum war hier somit von der Leber vollkommen ausgefüllt. Mit der Milz fehlte auch jede Andeutung einer Art. und Vena lienalis. Bei der mikroskopischen Untersuchung des Lebergewebes fiel eine im Vergleich mit den Verhältnissen bei anderen Neugeborenen abnorme Weite der zwischen den Zellblättern verlaufenden Capillaren auf; die letzteren waren vollgestopft mit Blutkörperchen und erreichten oft den mehr als doppelten Durchmesser der Leberzellbalken.

Dieser Fall scheint B.-H. als ein Unicum dazustehen. Totaler Mangel der Milz wird sonst fast nur bei Acephalen beschrieben oder war wenigstens stets mit bedeutenden Defecten der Baucheingeweide complicirt. Otto sah den Mangel bei einem sonst wohl entwickelten 3 bis 4monatlichen Embryo.
W.

Herr Ober-Medizinalrath Dr. **Grandidier** fand sich zum dritten Male bewogen über Blutungen, und zwar diesesmal über die von ihm **freiwillige** genannten **Nabelblutungen** (40), zu schreiben *). Ref. will über dieses sprachlich unrichtige und die Absicht des Verf. hinsichtlich der Art der Nabelblutungen, welche er ins Auge fassen will, nichts weniger als scharf bezeichnende Epitheton einfach hinweggehen. Bemerkenswerther ist schon der Umstand, dass sich unter den tabellarisch angeführten 220 Fällen 127 von amerikanischen Beobachtern (Jenkins allein 96), entlehnt sind, dagegen aber sich kein einziger von G. selbst beobachteter Fall befindet. Der Muth, sich hinzusetzen und eine Monographie über eine Krankheitsform anzufertigen, über welche man durchaus keine eigene Erfahrung besitzt oder aufzuweisen hat, ist wahrlich verblüffend! Man sollte nun erwarten, dass wenigstens die bezügliche Literatur fleissig und möglichst vollständig benützt wurde. Weit gefehlt! Obgleich sich der Herr Verf. in der Vorrede rühmt „unzählige Journale" für diese seine Arbeit durgegangen zu haben, ist doch die Zahl der Quellen, welcher man im Texte der Schrift begegnet, eine wirklich spärliche, und es befinden sich darunter nur äusserst wenige Aufsätze, welche später als die angeführte Brochure des Verf. über Hämophilie publicirt wurden, wenn sie nicht im Journale für Kinderkrankheiten enthalten waren. So kömmt es auch, dass G. dort wo von der geografischen Verbreitung der Krankheit die Rede ist, die grosse Häufigkeit derselben in Nordamerika gegen die grosse Seltenheit in Deutschland und anderswo hervorhebt. Hat doch der Ref. selbst im Verlaufe der Jahre 1866—1869, 36 Fälle von capillären Blutungen (darunter vielleicht $^2/_3$ zugleich Nabelblutungen) bei Neugeborenen mehr weniger ausführlich mitgetheilt, abgesehen von jenen in den Jahresberichten der Wiener Findelanstalt, des Petersburger Findelhauses etc. veröffentlichten. Vielleicht hält Herr G. die Findelanstalten für gar nicht geeignet, halbwegs brauchbare Beobachtungen sammeln zu können; vielleicht scheint es ihm überhaupt angemessener, die Ansichten und Erfahrungen der an solchen obscuren Anstalten wirkenden Aerzte zu ignoriren. Wir wollen darüber mit ihm nicht rechten; — gewiss aber ist es, dass wenn er die Fälle in den unzähligen Zeitschriften, die er durchstöbert zu haben angibt, eben besser gezählt hätte, er gefunden hätte, dass

---

*) Die betreffenden älteren Publicationen des Herrn Verf. sind: De dispositione ad hämorrhagias lethales etc. Berol., 1832. — — Die Hämophilie oder die Bluterkrankheit. Leipzig, 1855.

noch sehr viele, und in ihnen weit mehr als 60 Fälle, darunter auch solche, welche ihn über manchen Umstand besser belehren hätten können, ungezählt geblieben seien.

Das Hauptgebrechen des Büchleins dürfte wohl darin zu suchen sein, dass der Verf. die Nabelblutung einseitig und die Localisirung der Blutung in der Nabelfalte als die Hauptsache auffasst. Alle gleichzeitig oder auch früher als am Nabel, oder ganz ohne Nabelblutung eintretenden Blutungen sind ihm entweder Nebenerscheinungen, oder eine ganz andere Erkrankung. Des Zusammentreffens der Gangrän, der Hautgebilde oder des Entstehens der letzteren unter gleichen Bedingungen wie die Blutungen, des Uebergehens einer in die andere Form in gewissen Fällen wird natürlich gar nicht gedacht. G. mangelte eben die eigene Erfahrung, und die Beobachtungen Anderer kritisch verwerthen zu können, und sein Studium scheint sich auf diesen einen Punkt der Krankheitslehre des neugeborenen und jungen Kindes beschränkt zu haben, während die Beurtheilung dieses Zustandes ohne die Erwägung verwandter, oder unter ähnlichen Bedingungen auftretender Krankheitsformen, sowie des allgemeinen Krankheitscharakters in diesem Abschnitte der Kindheit kaum möglich sein dürfte. Dass G. nicht einmal die verschiedenen von ihm gesammelten Meinungen Anderer in sich gehörig verarbeitet habe, und dass er mit sich selbst nicht einig geworden sei, was er unter seinen freiwilligen Nabelblutungen verstanden wissen will, das beweisen zahlreiche einander widersprechende — wahrscheinlich verschiedenen Beobachtern angehörige — Ansichten an verschiedenen Stellen dieser Schrift. Obwohl G. primäre und secundäre Nabelblutungen unterscheidet, auch auf Grund seiner Casuistik p. 76 zugibt, dass eine durch verschiedene Umstände bedingte Blutdissolution (die sich in 61 der von ihm citirten Fälle durch gleichzeitige Symptome einer hämorrhagischen Diathese kund gab), die Hauptursache der Nabelblutungen sein müsse, ja pag. 86 ausdrücklich sagt: bei der freiwilligen Omphalorrhagie ist hauptsächlich die fehlerhafte Mischung des Blutes die Ursache der Blutung, scheint er doch nicht die parenchymatöse von der Gefässblutung strenge zu scheiden. An einer anderen Stelle nämlich (pag. 64), bemüht er sich die Gründe (seine, oder die eines Anderen? wer kann das sagen?) gegeneinander zu halten, welche das entleerte Blut als arterielles oder venöses zu betrachten geeignet wären. „Offenbar" sagt er „ist die venöse Nabelblutung viel seltener als die arterielle" — weil in 17 Fällen, wo man geronnenes oder flüssiges Blut in den Nabelgefässen fand, diess 9 Mal in den Arterien, 3 Mal in der Vene, 5 Mal in beiden zugleich der Fall war. An einem dritten Orte (pag. 74) heisst es wieder: „Wäre die Nabelblutung allein der Wegsamkeit der Nabelgefässe zuzuschreiben, so würde wohl eine wiederholte Ligatur hier wie bei jeder anderen Blutung hilfreich sein, was aber keineswegs der Fall ist. Es kann daher die Wegsamkeit der Nabelgefässe nur dann als disponirendes Moment in Betracht kommen, wenn zugleich constitutionelle Erkrankung des Kindes, hämorrhagische Diathese vorhanden ist etc."

Da der Verf. solche Fälle, wo die Blutung auch an solchen Stellen der Haut oder Schleimhaut auftritt, welche durchaus keine Continuitätsstörung erkennen lassen, — nicht kennen gelernt oder wenigstens hier nicht berücksichtiget hat: so muss es für ihn jedesmal am Nabel eine besondere Ausgangsstelle der Blutung geben; die offenen Nabelgefässe wohl nicht, aber vielmehr die kleinen und schlaffen Granulationen des Nabelstrangrestes (der Nabelwunde? Ref.) als Locus minoris resistentiae (pag. 76). Die Blutungen nach

Abfall des Nabelstranges kommen entweder aus dem scheinbar geheilten und vernarbten Nabelhöcker oder aus Spalten und Granulationen des Randes oder Grundes der Nabelfalte (pag. 63). Davon also, dass doch Blutungen nicht so selten und ganz unzweifelhaft an der ganz überhäuteten und vollständig verschlossenen Nabelfalte auftreten, — sieht G. völlig ab.

Ebenso abweichend von einander, wenn man eben nur eine Art dieser Blutungen und nicht den Ort der Blutung, mag die letztere welcher Art immer sein, im Auge behalten will, finden wir in der Aetiologie bald die allgemeine Diathese, die dafür sprechende Häufigkeit vorangegangener oder gleichzeitiger Gelbsucht — freilich nicht als Erscheinung der Pyämie, sondern ausschliesslich als Folge von selbstständiger Lebererkrankung aufgefasst — bald Buhl's acute Fettdegeneration, bald krankhafte Beschaffenheit der Nabelgefässe, bald das Offenbleiben des Ductus Botalli (!!) und der fötalen Kreislaufswege überhaupt, bald übermässiges Wassertrinken oder den Gebrauch alkalischer Mittel von Seite der schwangeren Mutter, endlich andere Erkrankungen der letzteren berücksichtigt.

Aus dem Mitgetheilten dürfte wohl hervorgehen, dass die Pathologie der Nabelblutungen durch dieses Schriftchen keine besondere Bereicherung erfahren habe, und dass dasselbe keineswegs dazu angethan sei, einen Fortschritt in der Erkenntniss der Wesenheit dieser Krankheitserscheinung anzubahnen. Zu benützen sind nur die rein statistischen Ergebnisse aus dieser Zusammenstellung, namentlich jene, welche das Verhältniss der Nabelblutungen zur Hämophilie betreffen. Unter 185 Bluterfamilien mit 576 einzelnen Blutern kamen Nabelblutungen (soweit G. bekannt) nur bei 9 Familien und 12 einzelnen Blutern vor; bei 452 Blutern war erbliche Uebertragung 433 Mal, bei 220 Nabelblutungen blos 18 Mal nachweisbar. (Auch da dürfte es mit dem Beweise der Erblichkeit schwer halten, schon wegen der grossen Lethalität der capillären Blutungen in diesem Alter überhaupt. Ref.)

Bei Hämophilie und bei Nabelblutungen ist das männliche Geschlecht mehr betheiligt, bei der ersteren noch ausgesprochener, indem 11 männliche, bei der letzteren 2 männliche auf 1 weibliches Individuum kommen. — Dass bezüglich der 38 Genesungsfälle von Nabelblutung, welche in der angezogenen Casuistik vorkommen, in den Originalbeobachtungen keine Erwähnung später aufgetretener Blutung geschieht, ist wohl kein Beweis dafür, dass eine solche auch wirklich nie später an einem dieser Individuen vorgekommen wäre, denn solche Fälle entziehen sich zu häufig jeder weiteren Beobachtung. Nichtsdestoweniger ist es der Wesenheit der Affection nach sicher gestellt und kann somit der Ref. dem Verf. in dem Schlusse beipflichten, dass die hämorrhagische Disposition mit dem Aufhören der Nabelblutungen i. e. mit der Behebung des pathologischen Zustandes, dessen Theilerscheinung sie bilden, erlösche.

Was nun die Therapie dieser freiwilligen Nabelblutungen anbelangt, so kann man die numerischen Ergebnisse, welche der Verf. aus einer Reihe von Beobachtungen abstrahirt, welche Fälle von Nabelblutungen verschiedener Art unter einander gemischt darbietet, nur mit grosser Vorsicht aufnehmen. Bezüglich der inneren Behandlung empfiehlt er, wo Gelbsucht vorkommt, im Allgemeinen Mittel gegen das Leberleiden (!!!), vorausgesetzt, dass keine organische Missbildung vorhanden ist; sonst tonische Mittel, wie Chinin, Eisen und Mineralsäuren; Wein, und — hört! nahrhafte Diät!!! — bei einem neugeborenen oder in den ersten Wochen des Lebens stehendem Kinde! es lebe der Kinderarzt Grandidier!

Von den örtlichen hämostatischen Mitteln halfen in 31 Fällen von Nabelblutung die einfache Compression . . . . 10 mal

Styptica	3	»
beide combinirt	8	»
Ligatur en masse	9	»
Compression und Aetzung mit Höllenstein	1	»

Die Compression mit der Anwendung von Liquor ferri sesquichlor. empfiehlt sich daher am meisten, was übrigens auch vor dem Erscheinen dieser Schrift nicht unbekannt gewesen sein dürfte.   R.

Die sorgfältig erhobenen Befunde zweier Sectionsfälle von **Hämorrhagien** bei Neugeborenen und zwar einen der Leber und einen der Milz theilt **Steffen** (41) mit. Das erste Kind (ein Knabe) wurde rechtzeitig und in Folge schwieriger Extraction todtgeboren. Im Peritonealsacke war eine beträchtliche Menge dünnflüssigen und geronnenen Blutes vorhanden, welche von einem peripheren, den an einer linsengrossen Stelle perforirten Ueberzug abhebenden Blutung an der, in ihrem Gewebe normalen und noch mässig blutreichen Leber herrührte. Das Peritonäum war überall blutig imbibirt, die Milz nicht vergrössert und sehr blutreich. Die Blutung beruhte somit hier wie gewöhnlich nicht auf einer Organerkrankung, sondern scheint aus einem grösseren Gefässe stattgefunden zu haben.

In dem zweiten (ein Mädchen, das gleich nach der Geburt starb) betreffenden Falle fand **St.** neben einem beträchtlichen Blutergusse im Cavo peritonaei die Milz oben und aussen mit dunklen Blutgerinnseln bedeckt. Sie war 4 Loth schwer, 9 Centim. lang, 6 breit, 2½ dick. Aussen und oben war die Kapsel im Umfange von 1 Centim. abgelöst, die hiedurch gebildete Blase perforirt; das Gewebe der Milz matsch und dunkelbraun. Auch hier leitet **St.** den Befund von der Blutung eines grösseren Gefässes ab, und da der Geburtsverlauf ein völlig normaler war, so waren es nach **St.** die beträchtliche Schwellung und Matschheit der Milz, welchen es zuzuschreiben ist, dass selbst ein mässiger Druck genügte, die Hämorrhagie und die so seltene Perforation der Kapsel zu bewirken. Warum dann die Blutung von einem einzelnen grösseren Gefässe herstammen soll, ist dem Ref. nicht wohl einleuchtend. So interessant übrigens beide Sectionsbefunde sind, so scheint dem Ref. **St.** denn doch einen zu grossen Bau von allgemeinen pathologischen Schlüssen und Betrachtungen auf diese vereinzelten zwei schmächtigen Pfähle gestützt zu haben, bezüglich welcher daher der Ref. den Leser auf die Originalmittheilung verweist.   R.

Die **Darmausscheidung** in ihrer semiotischen Bedeutung, behandelte neuestens Prof. **Widerhofer** (42), in eingehender Weise. Sehr richtig hebt er zunächst hervor, dass bei den Säuglingen die Stuhlgänge unter physiologischen Zuständen der Ernährung so gleichartig seien, dass Abweichungen ihrer Beschaffenheit in der That nur mit wirklichen Verdauungsstörungen eintreten. Fast dasselbe lässt sich auch von mit Milch künstlich ernährten Kindern dieses Alters sagen, während bei den älteren in Folge der grossen Mannigfaltigkeit der Nahrungsmittel die Beschaffenheit der Darmexcrete sich so vielfach verschieden gestaltet dass nur auffallend abweichende Eigenschaften derselben krankhaften Functionsstörungen der Darmschleimhaut zu entsprechen pflegen.

Bezüglich des Meconiums gedenkt W. der Abnormität eines verzögerten oder
spärlichen Abganges desselben, welcher statt mit dem 2.—3. Tage vollendet
zu sein, mitunter bis zum 8.—10. Tage nach der Geburt andauert; eine Folge
ungenügend kräftiger Darmaction, wie sie bei schwach geborenen Kindern vorkommen kann. Bei den später eintretenden normalen Entleerungen Neugeborener sollen weder die Käsetheile noch der in den meisten Fällen reichlich
abgesonderte Darmschleim mit freiem Auge wahrzunehmen sein, sondern das
Ganze eine gleichmässig gelb, gelblich braun gefärbte, breiigweiche Masse
bilden.

Die Menge und Häufigkeit der Darmentleerungen stehen im geraden
Verhältnisse zu der Menge und Häufigkeit, im umgekehrten zu der Assimilirbarkeit der genossenen Nahrung. Deshalb ist bei den Neugeborenen die relative
Menge der entleerten Stoffe im Verhältnisse zur Nahrung überhaupt eine grössere (? Ref.), als in der folgenden Zeit; und sind die Stuhlentleerungen bei
schwachen Kindern, die wenig saugen, so unverhältnissmässig reichlich. Die
Menge und Beschaffenheit der Entleerungen werden auch von der Qualität,
resp. von der leichteren oder schwierigeren Verdaulichkeit und Assimilirbarkeit
der Nahrungsmittel beeinflusst, und ist dieser Einfluss gewiss beim einzelnen
Kinde wieder verschieden. Geht bei dem Einen, das sich wohl befindet und
gedeihet, viel Käsestoff ab, so ist dies ein Beweis von Ueberschuss an Milchnah-
rung; bei dem Anderen, bei welchem zugleich Störungen der Ernährung
bemerkbar werden, ist auf eine den Verdauungskräften des Kindes weniger
entsprechende Beschaffenheit der Milch zu schliessen, wesshalb bei dem Genusse der caseïnreicheren Kuhmilch auch mehr unverarbeiteter Käsestoff abge-
schieden wird. Säuglinge, welche ohne besondere Erscheinungen von Dige-
stionsstörungen wenig Stuhl absetzen, in welchem auch wenig Käsestoff vor-
zufinden ist und deren Ernährung zu leiden beginnt, bekommen zu wenig
Nahrungsstoff. — So lange die Kinder flüssige Nahrung erhalten, erfolgen
auch die Stühle häufiger; abgesehen von individuellen Verschiedenheiten lässt
sich ferner im Allgemeinen sagen, dass die Nahrung, die viel Wasser, Zucker
oder Säure enthält, erregend auf die Darmentleerungen wirkt.

Bei krankhaften Darmaffectionen steht die Menge und Häufigkeit der
Entleerungen in keinem bestimmten Verhältnisse zu dem Grade und der Ex-
tensität der ersteren. Doch nimmt ihre Flüssigkeit zu, je mehr sich die
Affection dem Mastdarme nähert, während den Dünndarmaffectionen nicht so
häufige, aber massenhaftere Entleerungen entsprechen. Die Menge steigt bei
Dickdarmaffectionen, je mehr sich dieselben von der Form des Katarrhes
entfernen und exsudative oder ulceröse Processe sich entwickeln.

Den Begriff einer habituellen Verstopfung beschränkt W. sehr richtig
auf einen solchen Grad selteneren Stuhlganges, wo der letztere nicht wenigstens jeden zweiten Tag in ausgiebiger Menge erfolgt, wobei in Folge der
länger fortgesetzten Resorption auch die Kothmassen trocken und oft sehr fest
sind. Im frühen Säuglingsalter wird eine solche Abweichung von der normalen Stuhlentleerung durch Darreichung unverdaulicher Stoffe, z. B. Amylacea
bewirkt, ist aber auch mitunter als ein Erbtheil der Eltern anzusehen, und
führt nur äusserst selten (wenn eben unter den Verhältnissen einer naturgemässen Ernährungsweise eintretend Ref.) zu einer secundären Erkrankung.
Die Ursache liegt in einer Verminderung der peristaltischen Bewegung und
begleitet Kopfkrankheiten, namentlich den Hydrocephalus, frühzeitigen Verschluss der Nahtränder der Kopfknochen, Mikrocephalie, Rhachitis mit Knochen-

auflagerungen. (Ref. gesteht gerade bei Mikrocephalen diese Erscheinung
nie beobachtet zu haben.) W. will damit die Angabe mancher Autoren richtig stellen, welche Gehirnerscheinungen als Folge der Obstipation ansehen,
statt sie auf die gemeinsame Ursache zurückzuführen. Auch hält er die Erscheinung mitunter als eines der frühesten Symptome, namentlich schleichend
sich entwickelnder Hirnkrankheiten beachtenswerth. Am hartnäckigsten ist
nach W. die Obstipation vor und während des Verlaufes der Meningitis tu-
berculosa weniger im Säuglingsalter als nach dem 1. Lebensjahre. — Eine
länger andauernde und copiöse Kothanhäufung verschlimmert den Zustand
des Kindes im Verlaufe acuter Affectionen durch die Erschwerung der Respiration und der abdominellen Circulation.

Consistenz und Cohärenz, Färbung und Geruch subsumirt W. unter
der gemeinsamen Bezeichnung der Beschaffenheit der Darmentleerung. —
Dass die festen harten Excremente im frühen Alter sowie bei habitueller Verstopfung von Unthätigkeit des Dickdarmes abhängen und auf Verminderung
des Darmsecretes und der Gallenabsonderung beruhen dürften, geht aus dem
früher Gesagten hervor; ob das Secret der Bauchspeicheldrüse hiebei betheiligt sei oder nicht, lässt sich nach W. nicht sagen. (In den ersten Wochen
und vielleicht Monaten des Lebens dürfte wohl diese Speicheldrüse so wenig
secerniren wie jene des Mundes. Ref.) Im späteren Kindesalter treten solche
Verstopfungen nach dem Genusse gewisser Nahrungsstoffe (Mehl, Reis, Hül-
senfrüchte (?) etc.) oder bei fortgesetztem Gebrauche von Adstringentien
ein, und sind zuweilen mit dickem Darmschleime sowie mit frischrothen Blutstreifen überzogen, welche Erscheinung W. unter solchen Umständen für
nicht beunruhigend erklärt. Feste und flüssige Fäces neben einander kommen
im Beginne jeder Darmaffection abwechselnd, besonders bei der scrofulösen
Darm- und Mesenterialdrüsen-Affection vor. Auffallend grosse Cohärenz
der Entleerungen, beruhend auf Dickflüssigkeit des Intestinalschleimes findet
man insbesondere bei acuten Erkrankungen und stark vermehrter Diurese;
das lockere Zusammenhängen einzelner Bestandtheile, wie unverdauten Käsestoffes durch andere dehnbare Kothstoffe, beruhend auf ungenügender Bei-
mengung von Darmschleim kömmt der Dyspepsie zu. Manchmal finden sich
verschiedenartige Klümpchen von Darmschleim, verdauten oder unverdauten
Nahrungsresten lose getragen von der flüssigen Entleerung, was W. als
Folge rascher, das ganze Darmrohr betreffender peristaltischer Bewegung
erklärt, wodurch der vorfindliche Darminhalt ausgespült wird.

Die Färbung der Stühle verdunkelt sich von der hellgelben jener des
Säuglings beim älteren Kinde durch die reichlichere Absonderung des Bili-
phäins und die Fleischnahrung. Weissliche Entleerungen beim Säuglinge mit
fehlender oder geringer Gallenbeimischung sind gewöhnlich hart oder geballt
und finden sich nach W. namentlich bei Rhachitikern mit Hydrocephalis
oder Knochenauflagerungen. Bezüglich der Erklärung der anderen Farben-
verschiedenheiten der Stuhlentleerungen stimmt W. fast durchgängig der von
Monti gegebenen bei, weshalb Ref. auf diesen Aufsatz verweist.

Bezüglich des Geruches hebt W. den faden animalischen Geruch, der
meist etwas säuerlich wird, bei den Stuhlgängen des Säuglinges hervor,
welche letztere Eigenschaft sich nach amylumhaltiger Nahrung erhöht; erst
die Fleischnahrung bewirkt den eigentlichen Kothgeruch. Doch hängt derselbe unter gleichen Umständen von der Vermehrung der Darm- und Gallen-

secretion, von der Dauer des Aufenthaltes der Stoffe im Nahrungskanale und dem Grade der Veränderung ab, welchen sie bis zum Austritt durch die Verdauung erfuhren. Sehr geringen Geruch verbreiten die fahlen scyballösen, sowie jene mit viel Darmschleim gemischten Stuhlgänge, — intensiv riechen dagegen die stark gallig gefärbten, grün und ungleich aussehenden Fäces. Nach **W.** verliert sich übrigens die Intensität des Geruches mit der Länge des Verweilens der Stoffe in den Gedärmen. — Fauliger, aashafter Geruch zeigt, dass die Nährstoffe mehr durch Gährung verändert als verdaut wurden; so entwickelt sich der Geruch nach faulen Eiern nicht so leicht in Folge einer lang andauernden Dyspepsie, als vielmehr bei hochgradiger Darmerkrankung (Enteritis follicul. etc.). Deshalb bezeichnet ein solcher Geruch, mag er in welchen Fällen immer vorkommen, stets einen gefährlichen Zustand. — Im Beginne entzündlicher Affectionen des Mastdarmes und Colons erscheinen die Stühle fast geruchlos, wegen der Ausscheidung viel reinen Schleimes oder auch Blutes, doch wechseln mitunter damit auch sehr übelriechende Entleerungen, welche aus den oberen Darmpartien vorgeschoben, schnell entleert werden. Geruchlos sind die Ausscheidungen ferner mitunter bei den Zuständen, welche **W.** als Cholera infantum bezeichnet.

Der Erörterung **fremdartiger Beimischungen** in den Entleerungen schickt **W.** die Zusammensetzung regelmässiger Stühle eines mit Milch genährten Kindes voran. Von der Milch, die in allen ihren Theilen zur Ernährung dient, wird nur so viel ausgeschieden, als in einer gewissen Zeit theils wegen unzulänglichen Umsatzes in resorbirbare Verbindungen, theils wegen erreichter Sättigung des Körpers nicht mehr aufgenommen werden kann. Bei gemischter Ernährung im Säuglingsalter findet man allerdings ausser Käsestoff, Fett, Gallenbestandtheilen und dem Darmsecrete auch alle der Verdauung widerstrebenden Substanzen, welche eingeführt wurden, wie Muskelbündel, Amylumhülsen etc., nebst dem, wiewohl verdaulichen, aber nicht verwendeten Fette, Eiweiss, Amylum. **W.** rechnet auch sonst normal im Kothe anzutreffende Bestandtheile zu den fremdartigen Beimischungen, wenn dieselben auffallend vorwiegen oder unverändert darin angetroffen werden, sowie grössere Mengen unzersetzten Käsestoffes.

Für die Diagnose und Prognose zu verwerthen sind namentlich:

a) freies Fett in grösserer Menge, das bei chronischen Darmkrankheiten, besonders bei Darmtuberculose vorkömmt.

b) Darmschleim in grösserer Menge, entweder ganz frei ohne Vermischung mit dem übrigen Kothe als Schleimklumpen wie Gallerte aussehend, was auf eine Entzündung der Darmfollikel im Colon schliessen lässt, oder mit Koth gemischt, dass die Fäces zuweilen wie Froschlaich aussehen, wo dann hauptsächlich der obere, dem Blinddarm nahe Tractus des aufsteigenden, hauptsächlich jedoch das quere Stück des Dickdarms betheiligt sind. Je ungleichmässiger, je klarer der Darmschleim abgesondert wird, desto weniger hochgradiger kann die Erkrankung der Gedärme gelten, je mehr gelb oder graulich, ungleichförmig und mit heterogenen Stoffen, wie mit Blut, hautförmigen Resten etc. die Schleimmasse gemengt erscheint, desto tiefgreifender ist die Darmaffection anzunehmen. Die Schleimpatzen als Wurmnester, als Keimstätte von Eingeweidewürmern anzusehen, ist unberechtigt.

c) Spuren unveränderten frischen Blutes auf harten Kothmassen oder nach deren Ausscheidung tropfenweise abgehend, rührt aus Mastdarmvenen her, die bei starker Hyperämie oder Expansion bersten; findet sich solches Blut dem normalen Stuhlgange beigemischt, rührt es aus einem entzündeten Follikel oder aus Excoriationen her; sieht man es in einem mehr weniger aus reinem Schleime bestehenden Stuhlgange, so ist eine Dysenterie im Beginne, und ist der Stuhl übrigens wässrig, so ist eine Follicularentzündung in den oberen Dickdarmpartien vorhanden. Diess ist dann ein Zeichen tiefer Erkrankung der Darmschleimhaut und eine lange Dauer, sowie viele Rückfälle (wohl auch mitunter jäher Tod! Ref.) sind zu gewärtigen. Entleerung von geronnenem aber nicht verkohltem (verdautem) Blute deutet auf eine Blutung im Dickdarme, ohne die Möglichkeit ihres Sitzes im Dünndarme (bei vermehrter, häufiger Darmentleerung) auszuschliessen, wie bei Typhus etc. Blut in schwärzlichen Klumpen, den Excrementen beigemischt, oder die letzteren schwärzlich tingirend, rührt aus den obersten Partien des Dickdarmes oder aus dem Dünndarme her. Hämorrhoidalblutung (zeitweiser Blutabgang mit Schleim ohne Koth) kommt selten vor; — Blutabgang aus dem Mastdarm begleitet als häufigstes Symptom die Darminvagination. Die Intestinalhämorrhagie in der ersten Lebenszeit fördert grössere Mengen frischen, flüssigen Blutes heraus und ist meist mit Blutungen anderer Art verbunden; mit der Ansicht **W.'s**, dass die mit Genesung endenden Fälle nur als Resultat von gesteigerten Druckverhältnissen innerhalb des Uterus und während der Geburt aufzufassen, kann sich jedoch der Ref. nicht befreunden. Abgesehen von anderen dagegen sprechenden Umständen müssten dann solche Blutungen nach schwierigem Geburtsverlaufe relativ weit häufiger vorkommen, als diess die Erfahrung lehrt. Das von einer Magenblutung stammende Blut findet sich verdaut und verkohlt in den schwarz aussehenden Fäces oder bildet eine Kaffeesatz ähnliche Masse. Doch wird man der Verwechslung mit der durch dunkle, dicke Galle bewirkten ähnlichen Färbung durch die gleichzeitige Beobachtung von Hämatemesis oder den Nachweis von Hämatinkrystallen in den Entleerungen zu begegnen haben.

d) Eiterabgang in grösserer Menge wird nur bei weit vorgeschrittener Dysenterie und Colitis beobachtet. Bemerkt man zeitweise grössere Mengen von Eiter und nebenbei wieder kothige Stuhlgänge, so liegt die Möglichkeit des Bestehens eines dem Mastdarme naheliegenden Abscesses nahe. Häufiger jedoch ist die Beimischung blosser Spuren von Eiter im Stuhlgange, wo er nur bei einfach mechanischer Mengung mit freiem Auge entdeckbar ist; diess kann nur bei Geschwüren im Dickdarme vorkommen, während die mit wässrigem Kothe (bei Typhus, Darmgeschwüren) fortgeschwemmten Eitertheile nicht wieder zu erkennen sind. Zeigt sich einmal Eiter im Stuhle, sei es in noch so geringer Menge, muss man zunächst auf eine Follicularvereiterung im Dickdarme und im günstigsten Falle auf eine lange Krankheitsdauer gefasst sein. Wenn Blut mit dem Eiter abgeht, ist man auf Substanzverluste der Darmschleimhaut zu schliessen berechtigt, und tritt diese Erscheinung erst nach längerem Eiterabgange ein: so kann wohl wie bei Dysenterie die geringe Blutung eine günstige, die profusere aber meist die plötzlich eintretende schlimme Wendung anzeigen.

e) Nur bei grösseren Kindern beobachtet man das Abgehen croupöser Exsudate, namentlich im Gefolge von Exanthemen, in den Herbstepidemien der Masern und überhaupt in Folge von (auch epidemisch auftretenden) Exsudationsprocessen der Darmschleimhaut croupöser oder diphtheritischer Art. Die abgehenden Stücke sind gewöhnlich weisslich, grau oder blutig gefärbt, schwimmen oben auf; werden länger im Wasser gelassen weiss, glänzend, zeigen fasriges Gefüge, lösen sich aber nicht. Aehnlichkeit mit Exsudaten besitzen die weisslichen Flocken oder Sago-ähnlichen Körperchen, welche in flüssigen Stuhlgängen schwimmend, am häufigsten bei Typhus und hochgradigen Darmkatarrhen angetroffen werden, und nach Einigen aus Eiweiss, nach Anderen aus Exsudat bestehen und ein Product der Darmfollikel sein sollen.

f) Abgestossene nekrotische Gewebstheile und Schorfe mit Blut und Eiter gemischt, von aashaftem Geruche werden nur in Folge von Mastdarmgeschwüren bei epidemischer Dysenterie beobachtet.

g) Von den mit den Stuhlentleerungen abgehenden Entozoen bemerkt **W.**, dass die pfriemenartig zugespitzten dünnen, 10 Mm. langen Oxyuris vericul., welche gemeiniglich abgehen, fast durchgehends Weibchen sind; während die nur 4 Mm. langen Männchen mit mehr stumpfen, mit dem Tode meist eingerollten Schwanzende selten in den Ausleerungen und meist nur in der Leiche vorgefunden werden. Gewöhnliche Diarrhöen vermindern sie, aber rotten sie nicht aus, doch geht ihre Brut bei einer Dysenterie gewöhnlich zu Grunde.

Die Einführung des Ascaris lumbricoides geschieht mittelst der Mehlnahrung, weshalb sie bei Säuglingen nicht anzutreffen sind. Bei acuten Darmaffectionen gehen sie zahlreich ab, die Scrofulose oder Tuberculose der Gedärme oder der Drüsen haben darauf keinen Einfluss. Ihr reichlicher Abgang bei anderen acuten Erkrankungen zeigt das Erlöschen der normalen Secrete an und ist insofern ein schlimmes Zeichen.

Von den Cestoden oder Bandwürmern wurden bisher im Kindesalter 3 Species beobachtet, von welchen zwei in unseren Gegenden vorkommen: Taenia solium und die durch Küchenmeister mehr bekannt gewordene T. mediocannelata. Die T. lata oder Bothriocephalus latus kommt vorzugsweise in den an Süsswasserseen reichen Gegenden der Schweiz, Russlands und Preussens vor. Da die T. solium von der Schweinsfinne herstammt, findet man sie auch niemals bei Säuglingen, es wäre denn, dieselben hätten zum Heilzwecke rohen Schinken erhalten. Der Cysticercus der Mediocannelata kömmt wieder nur beim Rinde vor, und ist das jetzt häufigere Vorkommen dieser Species der neuerer Zeit öfter beliebten Darreichung rohen Fleisches zuzuschreiben. Die Eier der Taenia, welche in den hinteren Gliedern haufenweise angesammelt sind, und schon aus den reifen Proglottiden im Darme entleert werden, finden sich in grosser Menge in den Excrementen, sind durch das Mikroskop leicht zu erkennen und geben bei Abwesenheit von Gliedern den sichersten Beweis für die Gegenwart des Parasiten.

Der Trichocephalus dispar, 40—50 Mm. lang, das Männchen etwas kleiner, findet sich in den Excrementen sehr selten, häufiger an der Schleimhaut des Colon haftend bei Sectionen namentlich tuberculöser Kinder, das dünnere Ende ist das Kopfende.

Durch die mikroskopische Untersuchung erkennen wir in den Darmausleerungen: 1. fein vertheilte Fetttheile als Fettkugeln. Ihre Gegenwart erhält nur durch ihre Beständigkeit trotz wenig fetthaltiger Nahrung und bei chron. Darmaffectionen Bedeutung; indem man daraus auf Abnormitäten der Drüsen der Darmschleimhaut und Entartungen der Mesenterialdrüsen schliessen kann; 2. Blutkörperchen und Hämatinkrystalle oder die Schalen eines schwarzbraunen Farbstoffes, deren Entdeckung im Vereine mit der chemischen Untersu-

chung uns Gewissheit über den Ursprung der braunen Färbung der Stühle
verschaffen. 3. Eiter- und Schleimkörper, deren Unterscheidung unter dem
Mikroskope bei dem Vorhandensein beider sammt dem chemischen Verhalten
zur Entdeckung ulceröser Processe im Darme führen kann. 4. Darm-Epithel,
besonders wenn es in ungewöhnlicher Menge und stark zerrissen, zertrümmert
vorkommt — auf eine tiefgreifende Schleimhauterkrankung deutend. 5. Eier
von Würmern. 6. Pilze, besonders der Leptothrix ähnliche Formen, deren
Vorkommen seiner Häufigkeit nach mehr zur Regel als zu den Ausnahmen
gehört. Sie kommen bei der Zersetzung genossener gährender Stoffe ebenso
wie bei den verschiedensten Darmkrankheiten vor. Als einer speciellen Darmaffection angehörend dürfte, wie **W.** erachtet, **Hallier's** Cholerapilz noch für
am meisten erwiesen gelten (? Ref.). Verschluckte Haarpilze aus **Mund** und
Speiseröhre. **7.** Die Sarcina ventriculi wird in den Fäces nicht mehr aufgefunden. 8. Krystalle von phosphorsaurer Ammoniak-**Magnesia** in grösserer
Menge finden sich in Folge der Zersetzung des Darminhaltes und Ueberschus-
ses von Ammoniak bei Typhus, Cholera und Dysenterie.

Die normale Reaction der Excremente von Brustkindern ist schwach
säuerlich, bei älteren alkalisch. Freie Säure (Milch-, Buttersäure) ergibt eine
stark saure Reaction des Kothes und wird nicht allein durch übermässige
Säureerzeugung im Magen, sondern auch durch einen (wie beim Beginne der
Diarrhöe) zu schnellen Durchgang der Contenta und hiedurch behinderte
Neutralisation derselben durch das Darmsecret bewirkt. — Stark alkalische
Reaction, Entweichen alkalischer Dämpfe beim Eintrocknen der Fäces zeigen
von der Gegenwart freigewordenen Ammoniaks; was bei **Darmkatarrhen,**
Typhus und Cholera vorkommt, so lange die Entleerungen noch Kothbestand-
theile mit sich führen. — Grosser Eiter- und Albumingehalt findet sich in
dunkel gefärbten Stühlen nur bei Blutbeimischung; viel Eiweissgehalt in flüssigen Stuhlgängen deutet auf Exsudationsprocesse im Gedärmetractus, so bei
den Diarrhöen Scarlatinöser, die an Brightischer Nierenerkrankung leiden etc.

Ref. schliesst diesen in Anbetracht der praktischen Wichtigkeit und
vorzüglichen Darstellung, welche diesen Abschnitt der Semiotik **W.**'s aus-
zeichnen, ausführlicheren Auszug mit dem Wunsche, bald auch über die ver-
sprochene Fortsetzung dieser werthvollen Aufsätze in gleicher Weise referiren
zu können.   R.

Dr. **Baginsky** in Seehausen (43) bemerkt, dass der **Ileotyphus** bei Kindern im Allgemeinen leichter verläuft als bei Erwachsenen, und in Fällen, wo
die Erkrankung dennoch recht schwer ist, die Prognose beim Typhus der Kinder nichts desto weniger sich besser gestalte, als bei Erwachsenen. In der
von **B.** im Jahre 1868 beobachteten Epidemie war der Symptomencomplex bei
Kindern im Wesentlichen derselbe wie bei Erwachsenen und es ist nur hervorzuheben, dass die Kinder weniger in Delirien befangen waren; vielmehr lagen
dieselben gleichsam allen Bewusstseins beraubt, lautlos Wochen lang darnie-
der. Vor Allem waren es zwei Fälle, welche die vollste Aufmerksamkeit in Anspruch nahmen, weil die Erscheinungen so eigenthümlich waren, dass die Vermuthung nahe lag, es habe sich zu dem Ileotyphus eine Meningitis hinzugesellt.
Das eine von den Kindern, 5 Jahre alt, zeigte ursprünglich alle Symptome des
Ileotyphus. In der 2. Woche trat plötzlich öfters sich wiederholendes Erbrechen ein; der bisher vorhandene Durchfall stand und machte einer ziemlich
hartnäckigen Obstipation Platz. Der Leib war dabei mässig aufgetrieben.

Puls stets über 120, stets regelmässig. Die Pupillen gleich weit, zu gleicher Zeit entwickelte sich bei einer ausserordentlichen Schwerhörigkeit ein völlig comatöser Zustand; das Kind gab keinen Laut von sich, reagirte auf lautes Anrufen und Schütteln fast gar nicht. Von Zeit zu Zeit hustete es und brachte hierbei Massen eines dicken, zähen Schleimes zwischen den stets zusammenge-klemmten Zähnen zum Vorschein. Mit Mühe konnte Getränk eingeflösst werden. Dieser Zustand währte länger als 14 Tage und erst ganz nach und nach schien das Sensorium wiederzukehren. Das Kind genas nach zweimonatlicher Krank-heit. — Der zweite Fall war dem ersten ähnlich, doch war das Sensorium nicht so tief benommen, so dass das Kind bei lautem Anrufen doch die Augen öffnete und durch öfteres Weinen und Schreien Zeichen für die Wahrnehmung unbe-haglicher Eindrücke von sich gab. Einen dritten, den erwähnten beiden ähn-lichen Fall, hat **B.** später beobachtet, wo sogar ein deutlich ausgesprochener Crie hydrocéphalique vorhanden war; hier sicherte der weitere Verlauf die Diagnose Ileotyphus, und auch dieses Kind genas. Löschner hat auf diese Form des Kindertyphus aufmerksam gemacht und **B.** glaubt hinzufügen zu können, dass neben dem Vorhandensein des Genius epidemicus vorzugsweise die Ileotyphus-Zunge, Aufgetriebensein des Leibes, fortdauernd erhöhte Puls-frequenz bei stets normalem Rhythmus und der Mangel eines constitutionellen Leidens die Diagnose sichere. Es gibt bei der Meningitis der Kinder im An-fange i m m e r ein, oft nur kurzdauerndes Stadium, wo der Puls eine gewisse, nicht selten sogar erhebliche Unregelmässigkeit zeigt, so dass man in solchen Fällen, wo vieles für Ileotyphus spricht, oft schon allein aus dem Vorhanden-sein dieses einen Symptomes die Meningitis diagnosticiren kann. — Bei fast allen schweren Fällen des Kindertyphus fanden sich ziemlich ausgebreitete bronchitische Erscheinungen. Weit verbreitetes Rasseln an den hinteren Tho-raxpartien war vorhanden, ohne dass indess Verdichtungen nachweisbar wur-den; Tag und Nacht waren die Kinder von einem trockenen Husten gequält. Nachkrankheiten hat **B.** bei Kindern keine gesehen. **W.**

Harn- und Sexualorgane.

(44) N. Tolmatschew: Ein Fall von semilunaren Klappen der Harnröhre und von vergrösserter Vesicula prostatica. Aus d. anat. Anstalt d. Uni-versität in Tübingen. Virch. Archiv XLIX. p. 348.

(45) Dr. Petersil: Fast gänzliche quere Durchschneidung des Penis; Fistel-bildung der Urethra; Heilung. Wr. med. Presse 1870, Nr. 31.

N. Tolmatschew aus Kasan (44), beschreibt das Vorkömmen **semilu-narer Klappen in der Harnröhre neben vergrösserter Vesicula prosta-tica** bei einem bald nach der Geburt gestorbenen Knaben. Diese Klappen befanden sich am vorderen Ende der von Samenhügel in der Mitte der unteren Wand nach vorn verlaufenden, 8 Mm. langen Leiste; auf jeder Seite eine. Sie bildeten Taschen, deren Höhle nach hinten, der Harnblase zugewendet war, so zwar, dass sie beim Harnandrange aus der letzteren während des Lebens sich mit ihren freien Rändern, ähnlich den Aorten- oder Pulmonalarterien-Klap-pen, gegenseitig berühren und dem Harn den Ausgang versperren mussten. In

Folge dessen war der oberhalb der Klappen befindliche Abschnitt der Urethra
so erweitert, dass er ohne bestimmte Grenze in die Höhle der gleichfalls dila-
tirten und hypertrophischen Harnblase überging. Auch die Ureteren waren
ausgedehnt, die Nierenbecken dagegen normal; die Nieren atrophisch und von
kleinen, cystenartigen Höhlungen durchsetzt, ihr Bindegewebe vermehrt. —
In der Mitte des Samenhügels führte eine 1 Mm. breite Oeffnung durch die
Prostata in die der hinteren Blasenwand anliegende, colossal vergrösserte und
durch Einkerbungen in mehrere Abschnitte getheilte Vesicula prostatica. Die
Hoden waren normal gebildet, lagen aber an den Seitenrändern der Harnblase
(Cryptorchismus). Von ihnen gingen die Vasa deferentia in geschlängeltem
Laufe zur hinteren Wand der letzteren, wo sie sich im Bindegewebe allmälig
verloren. Samenbläschen fehlten. — Das Präparat bot somit 1. Bildungsfeh-
ler: die Klappen in der Harnröhre und in den Geschlechtsorganen, die blinde
Endigung der Vasa deferentia, Abwesenheit der Samenbläschen und Erweiterung der Vesicula prostatica; 2. pathologische Veränderungen: Erweiterung
der oberhalb der Klappen liegenden Höhlen der Harnorgane, Verdickung ihrer
Wandungen, Cystenbildung und Atrophie der Nieren. Da diese Veränderungen
die gewöhnlichen Folgen der Harnretention sind, so muss ihre Entstehung in
diesem Falle dem Vorhandensein der Klappen in der Harnröhre zugeschrieben
werden. Diese, nur am männlichen Geschlechte beobachteten Klappen, welche
Bednař „Valvulae colli vesicae s. ad veru montanum" und T. „Valvulae semilunares urethrae" nennt, entstehen aus den normal in der
Urethra vorkommenden Falten, denen überhaupt die Neigung zukommt, sich
bei zufällig übermässiger Entwicklung in Klappen umzuwandeln. Sind solche
Falten nach vorne gerichtet, so haben sie nur eine untergeordnete Bedeutung,
weil sie auch bei der übermässigsten Entwicklung nur dem Catheterismus hinderlich sein können; sind sie jedoch mit ihrer Concavität nach hinten gewendet,
so schaden sie durch Störung der Harnexcretion. In der Literatur finden sich
noch einige ähnliche Fälle: 1. Fall von Hendricksz. 8jähr. Knabe. Klappe
hinter der Fossa navicularis, in Folge dessen sackförmige Dilatation der Urethra. Durch Operation geheilt. 2. Fall von Budd. 16jähriger Mann. Klappe
hinter dem Bulbus urethrae. Tod in Folge der durch dieselbe bedingten
pathologischen Veränderungen. 3. Fall von Bednař. 12 Tage alter Knabe.
Zwei halbmondförmige Klappen vor dem Samenhügel. Starb an den Folgen
des Bildungsfehlers. 4. Fall von Hüter. S. d. Jahrb. 1870, II. Bd., pag. 279.
— Klappen vor dem Bulbus urethrae werden der Diagnose geringere Schwierigkeiten entgegenstellen. Die hinter dem Bulbus befindlichen können aus der
Harnretention, der Ausdehnung der Harnblase, bei ungehinderter Katheterisa-
tion und ungehinderter Entleerung der Blase durch den Katheter bei Neugeborenen vermuthet werden.   W.

Dr. Petersil (45), berichtet über einen Fall von fast gänzlicher Durchschneidung des Penis bei einem etwa 8—10jährigen Knaben. Als derselbe
zur Behandlung kam, fand sich 1" von der Wurzel des Penis entfernt ein, dem
Umfange desselben entsprechendes, schmutzig aussehendes, tiefes Geschwür,
welches die Urethra völlig und ausserdem einen Theil der cavernösen Körper
durchschnitt, so zwar, dass es keiner grossen Anstrengung bedurft hätte, um
ihn durch einen einfachen Zug von der anderen Hälfte abzureissen. In
der Tiefe des Geschwüres wurde ein Faden entdeckt, und der Harn floss ausschliesslich aus der Fistelöffnung, aber wegen ihrer Enge nur tropfenweise.
Der Knabe hatte angegeben, er sei von einem Hunde gebissen worden, und es

waren in Folge dessen gegen den Besitzer des Hundes gerichtliche Schritte eingeleitet worden; erst nach Auffindung des Fadens bekannte er, dass ihm durch letzteren von einem Spielcameraden der Penis eingeschnürt worden sei. Nach Einlegung eines elastischen Katheters erfolgte in 4 Wochen vollständige Heilung. **W.**

Bewegungsorgane.

(46) R. v. Mosengeil: Kleinere Mittheilungen aus der chirurgischen Klinik in Bonn. Archiv für klin. Chir. XII. p. 719.

v. Mosengeil in Bonn (46), beschreibt einen 5 Monate alten Knaben mit **angeborenen Defecten und Missbildungen im Bereiche der peripheren Enden aller Extremitäten**. Der Fall ist um so interessanter, als Defectbildungen im Bereiche der unteren Extremitäten zu den grossen Seltenheiten gehören. Jeder Fuss hatte nur zwei Zehen, deren jede aber einen grossen Muskelballen besass, und welche von einander durch eine weit zwischen die Metatarsalknochen hineinreichende Spaltung der Weichtheile getrennt waren. Die grössere Zehe entsprach sichtlich dem Hallux, die andere, kleinere einer Verschmelzung mehrerer. Im Metatarsaltheile der letzteren linkerseits sind zwei Metatarsalknochen deutlich an einander zu verschieben; rechts ist in der kleineren Zehe zwar nur einer vorhanden, derselbe ist aber so breit, dass man ihn mit grösster Wahrscheinlichkeit als aus seitlicher Verschmelzung von wenigstens zwei neben einander entstehenden ansehen kann. Die Flexibilität der zwei Zehen ist sehr gross, und auffallend die grosse Geschicklichkeit, mit welcher der Knabe mit den Zehen greift. Die an den Händen vorhandenen Defecte sind analoger Art. An der rechten Hand sind Daumen und kleiner Finger normal, der Zeigefinger hat in dem obersten Phalangealgelenk eine Varusstellung, der 3. und 4. Finger sind zu einem verschmolzen, und zwar so, dass sich in der dem Metacarpus nächsten Phalanx zwei Phalangealknochen befinden, die am peripheren Ende verschmolzen sind, während die übrigen Glieder einfach aber breit sind. Aehnliche Verhältnisse zeigt die linke Hand, nur befindet sich an der Stelle des Mittelfingers ein appendiculäres Gebilde, das an der Basis eingeschnürt ist. Was die Leistungsfähigkeit der Hände betrifft, so fasst der Knabe ziemlich fest und sicher damit und dürfte dereinst kaum ein Entbehrniss fühlen. Das Conforme an allen Extremitäten ist die Defectbildung in der Mittelgegend; nach beiden Seiten zu treten normalere Verhältnisse auf.

Derselbe theilt auch einen Fall von **Missbildung an den peripheren Enden dreier Extremitäten** bei einem 8monatlichen Knaben mit. Die linke Hand war normal, nur war der Index verkürzt. An der rechten war der Quintus normal; der Quartus, Tertius und Secundus zeigten alle die gleiche Defectbildung: Statt des Nagelgliedes ein nagelloses und nur durch einen Knorpelkern gestütztes Rudiment; der Quartus und Tertius verkürzt; alle 3 nagellosen Finger stark gebeugt. Im Festhalten mittelst dieser Finger entwickelt der Junge eine beträchtliche Kraft. Am Daumen der rechten Hand dicht über dem Phalangealgelenk eine ringförmige Einschnürung nach der centralen Seite zu. An den unteren Extremitäten Pedes vari in ziemlich starker Equinus-

stellung. Am linken Fuss sind 3. und 2. Zehe, sowie 5. und 4. schwach,
am rechten Fuss 4. und 5. fast bis zu ihrer Spitze syndactilisch.   **W.**

Therapie.

(47) Dr. Nicaise: Die Douche mit gewöhnlichem und medicamentösem Wasser bei Ophthalmoblennorrhöen. Lyon. med. G. Mars 1870.

(48) C. G. Rothe: Ueber die örtliche Behandlung der Phtisis pulmonalis und
der Diphtheritis mit Carbolsäure. Berl. klin. Wochenschr. 1870 Nr. 24.

M. Schlier: Ueber die locale Anwendung der Carbolsäure bei Diphtheritis. Aerztl. Intell. Bl. 1870 Nr. 35.

(49) Prof. J. Steiner: Zur Therapie der Diphtheritis. Jahrb. f. Kinderheilk.
IV. p. 34.

(50) Dr. Recueltas: Ueber die Tracheotomie bei Croup. Gaz. méd. 1870
Nr. 38.

(51) Dr. A. Steffen: Ueber die Anwendung des Chinin bei Tussis convulsiva. Jahrb. für Kinderheilk. IV. 2. p. 287.

(52) Dr. Alois Monti: Beiträge zur Behandlung der Krätze bei Kindern. Jhb.
für Kinderheilk. IV. 2. p. 225.

(53) Prof. Simonin: Ueber die Behandlung des teleangiektatischen Naevus
maternus mit circulärer Cauterisation. Compte rendu de la Société méd.
de Nancy 1869.

(54) Dr. Fuller: Behandlung des Erbrechens und der Diarrhöe bei Kindern
mit Ipecacuanha. Bullet. d. Therapeut. 1870, 9.   .

(55) Dr. Espagne: Die Ligatur des Präputiums bei Incontinentia urinae.
Montpellier méd. Journ. Juillet 1870.

**Ueber die Douche mit gewöhnlichem und medicamentösem Wasser
bei Ophthalmoblennorrhöen** berichtet Dr. **Nicaise** (47) auf Grund seiner viel-
fachen Versuche Folgendes: 1. Die Douchen von gewöhnlichem oder medica-
mentösen (auch Mineral-) Wasser, mit oder ohne darauffolgenden Collyrien sind
ein mächtiges Mittel für die localen Affectionen des Auges. 2. Das gewöhnliche
Wasser (warm oder kalt), erweist sich in der Form der Douche als kräftiges
Mittel bei Photophobie und Blepharospasmus (der Verf. gibt sich kein sehr
schmeichelhaftes Zeugniss, wenn er diese Symptome als morbi sui generis hinstellt, Ref.) 3. Wasser versetzt mit Soda bicarb. (1 Grmm. auf 4 Gramm. auf
1 Litre Flüssigkeit), leistet in Form der Douche ausgezeichnete Dienste bei den
blennorrhoischen Bindehautaffectionen. 4. Douchen von Wasser mit Chlorna-
trium versetzt (2 : 5 : 1), erweist sich als gutes Mittel bei scrophulösen Ophthalmien.   **J.**

Rothe (48), empfiehlt zur **Behandlung der Diphtheritis** die Carbolsäure,
indem er durch dieses Mittel die günstigsten Erfolge erzielte, während fast alle
früher von ihm auf andere Weise behandelten zu Grunde gingen. Er lässt die
afficirten Stellen mit einer Lösung von Carbolsäure (Acid. carbol. cryst., Spir.
vini āā 1·0—2·0, Aq. destill. 5·0), recht oft bepinseln und ausserdem mit der
verdünnten Flüssigkeit (gutt. 10—15 auf eine grosse Tasse Wasser) gurgeln.

Auch **Schlier** erreichte mit diesem Mittel ähnliche Resultate. Er räth jedoch den Rachen mit einem um den Finger gewickelten Leinwandstücke zu reinigen, und dann die afficirten Stellen mit einem ebensolchen in eine concentrirte Carbolsäurelösung (1 : 16) getauchten, ein bis zweimal täglich zu bestreichen. Mit einer schwächeren Lösung (1 : 100) lässt er gurgeln.   W.

Einen Beitrag zur **Therapie der Diphtheritis** liefert Prof. Steiner (49), indem er eine Reihe von Versuchen mit Mitteln veröffentlicht, deren Wirksamkeit in Fällen von Diphtheritis gerühmt wird. St. erörtert zunächst die heutzutage herrschenden Ansichten über das Wesen der Diphtheritis, welches die Einen in einer Blutvergiftung suchen, während zahlreiche neuere Forscher den primär localen Charakter der Krankheit mit parasitärer Grundlage behaupten wollen. Ohne die Frage definitiv entscheiden zu wollen, indem er sie für noch nicht spruchreif erklärt, scheint sich St. doch auf die Seite der erst angeführten Ansicht zu neigen. Die Versuche betrafen 32 an Diphtheritis Erkrankte, von denen 14 mit Aqua calcis, 7 mit Milchsäure, 4 mit Ferrum sesquichloratum, 4 mit Spiritus vini, endlich 3 mit Sulfur sublimatum local behandelt wurden. Die Aqua calcis wurde nur in wenigen heftigen Fällen, und nur bei älteren Kindern unverdünnt, sonst verdünnt (1 Th. Aq. calcis mit 2, 3 bis 4 Th. Aq. destill.), entweder als Gurgelwasser, oder in Form von Inhalationen mit dem Zerstäubungsapparat angewendet. Die Inhalationen sowohl, als die Gurgelungen wurden alle 2 bis 3 Stunden wiederholt. Das Mittel äusserte insoferne eine günstige Wirkung auf die krankhaft afficirten Rachenorgane, als es eine schnelle Lösung der diphtheritischen Plaques bewirkte, die nach 6 — 8 Stunden grösstentheils geschwunden waren, ohne jedoch neue Nachschübe verhindern zu können. Es genasen 9 Fälle, wo keine Larynxaffection hinzugetreten war, wogegen 5 mit Laryngitis complicirte lethal abliefen; bei einem davon war auch Lungengangrän hinzugekommen. Auch bei den Versuchen mit Milchsäure ergab sich als Resultat eine beschleunigte Lösung der diphtheritischen Plaques und vorübergehende Erleichterung der Kranken, von denen 3 durchkamen und 4 starben, letztere betrafen abermals Fälle, die mit Laryngitis complicirt waren. Die Application des Mittels geschah durchgehends in Form von Inhalationen 15 bis 20 Tropfen Milchsäure auf 1 Unze Aq. destill.

Ferrum sesquichloratum wurde innerlich und äusserlich zugleich angewendet; innerlich zu 5—8 Tropfen auf 3 Unz. Aq. destill., 1—2stündlich einen Kinderlöffel voll zu nehmen, local 1 Scrupel bis eine halbe Drachme auf 2 Unz. Aq. destill. mittelst Charpiepinsel 3—4 Mal in 24 Stunden aufgetragen. 2 leichtere Fälle genasen, 2 schwerere starben. Die Schorfe lösten sich nicht so leicht wie bei den vorigen 2 Mitteln, dagegen schien nach ihrer Abstossung die Geschwürsfläche unter Anwendung des Ferrum sesquichl. zu rascherer Heilung zu tendiren.

Der von England aus empfohlene Spiritus vini rectificatus wurde bei 4 Kindern theils unverdünnt zu Pinselungen, theils verdünnt (1 Th. Wasser, 2 Th. Spirit. vini rectif.) in Anwendung gezogen u. z. in Form. von Gurgelungen; 1 Kind starb, 3 genasen.

Endlich wurden auch Einblasungen von Sulfur sublimatum versucht, wozu sich Prof. St. zweier in einander gesteckter Federkiele bediente, welche Procedur alle 3—4 Stunden vorgenommen bei einem schweren Fall den Tod bei 2 leichteren Genesung zur Folge hatte. Prof. St. gelangt zu dem Schluss, dass bei allen bisher angewendeten Mitteln leichtere Fälle günstig, schwere schlimm verlaufen, dass Aqua calcis wegen ihres lösenden Einflusses noch am meisten Vertrauen verdiene, und sich ausserdem die innerliche Anwendung von Chinin, Kali chloricum und Wein, bei Laryngitis ein Brechmittel, und auf dem Höhepunkte der Asphyxie der Luftröhrenschnitt empfehle.   G.

Der von der Gazette medical. 38. 1870, citirte Artikel Dr. **Recueltas** (50), über die **Tracheotomie bei Croup**, kann als Beispiel einer merkwürdigen Anschauung angeführt werden. **R.** operirte bei hochgradiger croupöser Erkrankung in 3 Fällen, bei einem 3 Jahre, dann bei einem 2 Jahre und einem 14 Monate alten Kinde. 2 Fälle starben kurz nach der Operation, der dritte, während die Operationswunde schon im Vernarben war, „trotzdem" (!) Verf. doch bei jedem Kinde ausgiebige (!) Aderlässe vor der Operation vorgenommen hatte.   J.

Die Wirksamkeit des **Chinin bei Tussis convulsiva** bestätigen auch die Erfahrungen **A. Steffen's** (51), wobei zugleich Breidenbach (Centralbl. f. w. Wiss., 1869. 34), citirt wird, der die richtige Dosirung des Mittels als Bedingung des erwünschten Erfolges betont (nach Breidenbach 0·1—1·0 pro die). St. sah in der Mehrzahl der Fälle prompte oder ziemlich schnelle Wirkung; nach Beseitigung der Anfälle war es niemals nöthig das Mittel weiter nehmen zu lassen; in einzelnen Fällen wirkte es jedoch nur ermässigend oder gar nicht auf die Hustenanfälle. St. lies Kindern von 2 bis 5 Jahren durchschnittlich 0·5—1·0 Gramm in 24 Stunden reichen; bei einem 3jährigen Kinde wurde vollständiger Erfolg durch Klysmen mit Chinin erreicht, deren binnen dreier Tage 9 (zusammen 2 Grmm.) gegeben wurden. Von den mitgetheilten zwei Fällen ist insbesondere der erstere schon wegen der bei Tussis convulsiva gewiss selten möglichen genauen Beobachtung des ganzen Verlaufes interessant. Das 5jährige, wegen Eczema capillitii in das Kinderspital aufgenommene Mädchen erkrankte erst nach mehrwöchentlichem Aufenthalte im Spitale an Keuchhusten. Die Anfälle stiegen auf 49 im Tage, und sanken unter Anwendung von Chinin rasch binnen 4 Tagen auf 11 und in den nächsten 5 Tagen mit einigen Schwankungen auf 2 des Tages, auf welcher Stufe sie sodann einige Zeit verblieben; — das Chinin wurde nun durch 6 Tage zweimal täglich in der Gabe von 0·6 Gramm (im Ganzen 6 Gramme), verabreicht. Die Eigenwärme des Kindes war im Beginne der Erkrankung bedeutender, aber auch im weiteren Verlaufe Abends stets etwas höher als zur Morgenszeit.

In dem zweiten Falle, ein 3jähriges Mädchen betreffend, waren die Anfälle vollkommen bekämpft, als eine linksseitige Pneumonie intercurrirte, nach deren Ablaufe sich dieselben erneuten. Die Hustenanfälle erreichten hier so ziemlich dieselbe Höhe, die Temperatur jedoch zeigte keine constante Abendsteigerung, war im Gegentheile häufig des Abends niedriger. Die Abnahme der Zahl der Anfälle war eine rasche, schon am nächsten Tage des Gebrauches von Chinin, auf 6, — und verminderte sich allmälig trotz geringer Schwankungen in der Zahl auch die Intensität derselben. Vor dem Eintritte der Pneumonie wurde die Tussis convuls. mit 2 Grm. Chinin in 6 Klysmen binnen zweier Tage vollkommen bekämpft; im Verlaufe der Recidive wurden im Ganzen 11 Gramm innerlich verbraucht.   R.

Ueber die **Behandlung der Krätze** mit **Copaiva - Balsam** und **Carbolsäure** hat Monti (52), Versuche angestellt und zwar mit günstigem Erfolge. Er fand zunächst, dass Krätzmilben im Copaiva-Balsam nach 2— 3 Stunden zu Grunde gehen, worauf er im Jahre 1868 an 72 krätzekranken Kindern dieses

Mittel in Form von Einreibungen erprobte; dieselben wurden nach einer voraus-
geschickten Waschung mit gewöhnlicher Küchenseife in der Art vorgenommen,
dass der reine unverdünnte Balsam in die erkrankten Hautstellen 2—3 Mal
des Tages eingerieben wurde. Es entstand zunächst Röthung und Brennen
der Haut, die jedoch nur eine halbe Stunde währten; nach der ersten Einreibung pflegte schon das Jucken aufzuhören, die Hautefflorescenzen erbleichten
und schwanden nach 3—4 Einreibungen vollständig. Recidive erfolgte in
keinem Falle, desgleichen wurden keine Störungen des Harn- oder Verdau-
ungsapparates beobachtet. **M.** empfiehlt das Mittel besonders für Säuglinge,
da es vor dem Schwefel den Vorzug habe, dass es rasch zum Ziele führt ohne
künstliche Eczeme zu erzeugen.

Die Versuche mit Carbolsäure betrafen 26 Kinder, wobei das Mittel theils
in wässeriger Lösung: Acidi carbol. drch. unam Aq. f. libram theils in Salben-
form: Acidi carbol. dr. unam, Ungt. s. unc. IV. angewendet wurde. Nach vor-
ausgeschickter Waschung mit Küchenseife wurden die betreffenden Partien
3 Mal täglich mit der Lösung eingerieben, worauf leichte Röthung und geringes
Brennen entstand; es genügten meist 2—4 Tage, respective 6—9 Einreibungen; bei gleichzeitigem Eczem waren 6, 8—12 erforderlich.

Diese Procedur ist sehr einfach, ruft ebenfalls keine künstlichen Eczeme
hervor, die Wäsche wird nicht nur geschont, sondern auch desinficirt, dabei ist
das Mittel billiger als Copaiva- oder Peru-Balsam und daher besonders für
Kinder zu empfehlen, sowie auch in der ambulatorischen Praxis leicht durch-
führbar.   R.

Ueber Behandlung des teleangiektatischen Naevus maternus mit
circulärer Cauterisation berichtet Prof. **Simonin** (53). Der Erfolg dieser
Behandlung war ein verschiedener. In einem Falle, den **S.** anführt, handelte
es sich um ein Kind mit einem dunkelrothen, teleangiektatischen Tumor,
welcher die beiden Scheitelbeinflächen und das Hinterhaupt einnahm und
mit geringeren Ausläufern gegen die Wangen und Augenlider tendirte. In
der Hoffnung auf das Neugebilde durch Alteration der periphären Circulation einzuwirken, machte **S.** rings um den Tumor 60 Einstiche mit einer
Lymphe enthaltenden Impflanzette. Da diese Operation ohne Erfolg blieb,
so entschloss sich **S.** zur circulären Cauterisation, die er jedoch auf eine
kleinere Partie des Tumors beschränkte. Der Erfolg war ein sehr günstiger.
Nach Abstossung des Schorfes zeigte sich stark eiternde Geschwürsfläche
mit deren Heilung sich der Tumor verkleinerte, so dass er endlich bis zum
Niveau der umgebenden Haut zusammenschrumpfte. Dieselbe Methode führte
S. bei einem 9 Monate alten Kinde in tiefer Chloroformnarcose (!) durch;
in diesem Falle ging der Tumor von der rechten Wange aus, und hatte mit der
Zeit auch das rechte Augenlid und die Nase eingenommen. Die Operation war
ohne Erfolg. — Diese Operationsmethode möchte gewiss Berücksichtigung in
denjenigen Fällen verdienen, wo man auf dem gewöhnlich üblichen Wege (Injectionen von Perchlor. Ferri etc.) nicht auskommt.   J.

Gegen das Erbrechen und die Diarrhöe bei Kindern wendet Dr. **Fuller**
(54) **Ipecacuanha** in einem Weininfusum an. Er räth an, von diesem Präparate, welches ihm auch bei Erbrechen Schwangerer gute Dienste leistete,
nur kleine Dosen anzuwenden. Besonders wirksam soll sich das Mittel bei
chronischen Darmkatarrhen erwiesen haben.   J.

Die **Ligatur des Präputiums bei Incontinentia urinae** will Dr. **Espagne** (55) bei der sog. „essentiellen" Incontinenz angewendet wissen, die man gewöhnlich Enuresis nocturna nennt. Nach seiner Anleitung soll sich der Kranke (bei einem Kind muss jemand anderer dabei behilflich sein), das Präputium über die Glans ziehen, und vor der Glans dasselbe mit einem weichen Band, welches der Verfasser auch durch einen schmalen, ausgefütterten Lederriemen substituirt, leicht zusammenschnüren. Der Druck darf selbstverständlich kein bedeutender sein. Nach Verf. 6 Erfahrungen entleert sich dann nie der Harn in den etwa noch freigebliebenen Theil des Präputialsackes und der Kranke erwacht, wenn er uriniren will, ja in weiterem Verlaufe uriniren die Kranken erst am Morgen. Verf. zieht sein Verfahren dem Verfahren Corrigens der Verklebung der Urethra mit Collodium vor.

J.

C Ueberreuter'sche Buchdruckerei (M. Salzer).

Index

zum

I. und II. Bande 1871.

O. = Originalaufsatz, B. = Bericht.

Lightning Source UK Ltd.
Milton Keynes UK
UKHW012143120119
335365UK00007BA/399/P